PREMIÈRE PARTIE

LA VIE NE DANSE QU'UN INSTANT

Après des études de lettres, Theresa Révay devient traductrice puis romancière. Sa prédilection pour l'histoire la conduit à s'intéresser aux déchirements de familles européennes confrontées aux épreuves d'un XXe siècle tumultueux. Qu'elle évoque le destin des Russes blancs dans *La Louve blanche* et *Tous les rêves du monde*, ou la fin de l'Empire ottoman dans *L'Autre rive du Bosphore* (prix Historia 2014), sa documentation rigoureuse et son souffle romanesque l'imposent comme l'une des romancières majeures de grandes fresques historiques, aujourd'hui traduites dans de nombreux pays.

THERESA RÉVAY

La vie ne danse qu'un instant

ROMAN

ALBIN MICHEL

© Éditions Albin Michel, 2017.
ISBN : 978-2-253-07401-4 – 1re publication LGF

À Philippe Godoÿ

« La vie est comme une almée,
elle ne danse qu'un instant pour chacun. »

Proverbe égyptien

Abyssinie, printemps 1936

Laissez la femme se rendre à Addis Abeba.

Les mots étaient griffonnés au dos de sa carte de presse. Même en temps de paix, on ne se déplaçait pas sur les terres du Négus sans permis officiel. La guerre n'y changeait rien. Les prémices de la défaite non plus, s'irrita Alice tandis que l'homme soupçonneux étudiait les papiers, son fusil en bandoulière. Bien que la patience n'eût jamais été son fort, elle savait d'expérience qu'en Afrique, mieux valait garder le silence devant un militaire. Alemayu n'avait pas ces scrupules. Agitant les bras, son interprète semblait menacer leur interlocuteur des foudres du ciel.

Il pleuvait depuis des jours, ce qui était exceptionnel pour la saison. La route de montagne s'était transformée en bourbier. Les hommes de leur convoi tentaient de dégager le camion enlisé quand la troupe de soldats les avait surpris, émergeant silencieusement d'entre les rochers, les uns drapés d'une toge blanche crottée de vase sur un jodhpur, les autres en uniforme kaki, pieds nus et l'air maussade.

Alice glissa une main dans sa poche et joua avec des thalers à l'effigie de l'impératrice Marie-Thérèse. Pouvait-elle gagner du temps en échange de quelques pièces d'argent ? L'Éthiopien était réputé orgueilleux et le prestige du guerrier demeurait intact dans cette société féodale. Non, ce militaire ne se laisserait pas corrompre, même si les troupes de l'empereur Haïlé Sélassié se repliaient en désordre vers la capitale et que l'on redoutait des pillages dans les villes. L'homme demanda à inspecter le camion. Le propriétaire du véhicule, un Arménien bourru, fit signe à ses serviteurs de soulever la bâche. Ils s'exécutèrent, dévoilant un habitacle vide à l'exception d'un carton de masques à gaz. Tous les autres avaient été distribués aux unités de la Croix-Rouge. Les soldats n'avaient visiblement jamais vu ces étranges cagoules avec leur tube en caoutchouc. Alemayu s'empressa d'en enfiler un sur son visage afin d'en expliquer l'usage.

L'officier eut un regard sévère pour Alice.

— Comment pouvions-nous lutter contre la « pluie qui brûle » ?

Le terme tristement poétique avait déjà été employé par l'empereur lui-même. Quand il lui ordonna de le suivre sur un sentier muletier, Alice lui obéit. Ses semelles roulaient sur les cailloux, dérapaient dans la boue rouge. Alemayu la rattrapa par le bras pour l'empêcher de tomber, marmonnant que c'était une idée stupide d'accompagner cet inconnu. Mais la jeune femme n'était pas inquiète. L'homme s'était exprimé

14

en français, et à ses épaulettes en peau de lion, elle avait deviné qu'il était l'un des officiers de la Garde impériale envoyés par l'empereur en formation à Saint-Cyr. De manière générale, l'armée brisée du Négus se comportait de façon amicale avec les correspondants étrangers. Les soldats semblaient avant tout épuisés par cette guerre sans espoir qui durait depuis sept mois. Leur courage, leur ténacité n'avaient rien pu faire contre la supériorité matérielle, l'aviation et les armes chimiques de Benito Mussolini. Le Duce avait terrassé le Lion de Judah. Désormais, plus personne n'empêcherait les Italiens d'entrer en vainqueurs dans Addis Abeba au cours des prochains jours. C'est injuste, se dit-elle.

Ils parvinrent à l'orée d'une caverne où se trouvaient des mules entravées. Comme de coutume, des femmes et de jeunes garçons chargés de porter les armes étaient rassemblés autour d'un feu de bois. Alice redoutait ce que l'officier voulait lui montrer. Une couverture sur les épaules, un soldat se balançait en gémissant. Quand on exhiba ses plaies sanguinolentes, elle esquissa un mouvement de recul. L'acide invisible du gaz moutarde avait brûlé son visage et ses avant-bras. Sans traitement, ces ulcérations continueraient à s'étendre sur sa peau et lui infligeraient d'atroces souffrances. Son corps dégageait une odeur d'amande amère. La gangrène. Les médicaments appropriés n'arrivaient que depuis peu et en quantité insuffisante. Contraint d'acheter en priorité des armes, le gouvernement n'avait pas eu les moyens de s'en procurer dès les premières attaques chimiques.

Alice s'approcha des civils. Elle se devait de les examiner avec attention. D'un regard compatissant, elle s'en excusa. Cette bruine étrange venue du ciel, dont l'ennemi avait arrosé non seulement les combattants mais aussi les villages, les plaines fertiles, les champs de blé et d'orge, ou encore les rives du lac Ashangi, tuant le bétail et empoisonnant la terre, avait terrifié la population. On aurait dit qu'une plaie biblique s'était abattue sur le plus ancien pays chrétien du monde.

Au fond de la grotte, on brûlait de l'encens pour chasser les mauvais esprits. Dans la pénombre, Alice distingua un enfant assoupi dans les bras de sa mère. Elle frémit d'horreur et de pitié en voyant les cloques sur son visage. Après la Grande Guerre, les armes chimiques avaient pourtant été proscrites aux termes d'une convention internationale ratifiée par l'Italie. Leur usage était un acte scandaleux, méprisable. Depuis son arrivée, elle avait dénombré des centaines de ces victimes pitoyables sous les tentes de la Croix-Rouge.

La jeune mère soutint fièrement son regard. Sa détermination, sa sourde colère impressionnèrent Alice qui savait pourtant que les Éthiopiennes possédaient un courage hors du commun. Depuis la nuit des temps, ces femmes épaulaient les guerriers de leurs familles par leur engagement moral, tout en assurant l'intendance des armées. La valeur des combattants leur apportait prestige et privilèges. Il arrivait même que les plus intrépides mènent des hommes au combat.

— Vous êtes une journaliste américaine. Vous devez témoigner. Il faut que le monde entier sache…

Soucieux de cacher son émotion, l'officier se détourna. Alice lui laissa quelques instants pour se ressaisir avant de le rejoindre. La pluie avait cessé. Après les relents de la caverne, l'air semblait revigorant, lavé des impuretés. Chassés par le vent, les bancs de nuages se déchiraient, dévoilant les crêtes des montagnes sous un ciel lumineux.

— Je témoigne, affirma-t-elle comme pour le consoler. C'est la raison pour laquelle je suis restée ici alors que la plupart des autres reporters sont déjà repartis. Je ne dissimule rien dans mes dépêches.

L'homme à la peau ambrée avait un visage fin, des traits harmonieux. Il haussa les épaules.

— À quoi bon, puisque personne ne nous écoute ? Ni la Société des Nations, ni les démocraties européennes, ni même l'Amérique. On est seuls depuis le premier jour. Vous nous avez abandonnés. Vous êtes tous des lâches !

L'écho de son mépris résonna entre les versants escarpés. Elle aurait peut-être dû écouter Alemayu et ne pas s'éloigner de la route.

— Les fascistes ont bombardé des unités de la Croix-Rouge. Ils ont massacré des innocents. Ils ont aussi tué ma femme qui était enceinte, ajouta-t-il d'une voix blanche. Cette vérité-là, vous pouvez la dire ? Je doute que cela intéresse vos compatriotes qui préfèrent mener de petites vies bien tranquilles et n'ont aucune idée sur rien !

Alice prit son stylo et son calepin. L'encre bleue lui tacha les doigts. Elle les essuya sur son pantalon.

— Tous ne sont pas indifférents. Des voix se

17

sont élevées pour protester. Quant à moi, je suis une femme de parole. Je ne transmets que des informations véridiques. C'est pour cela qu'on me croit. Comment s'appelait votre épouse ?

Ils s'assirent sur des rochers parmi des buissons de myosotis et de thym sauvage. La vie parmi les pierres. À vrai dire, elle lui avait menti. On ne croyait pas toujours les journalistes. Le correspondant anglais du *Times* dénonçait l'emploi de l'ypérite depuis le mois de mars. Tous ses articles avaient été publiés par sa rédaction. Or le gouvernement britannique réclamait des preuves «dignes de foi» afin de protester devant les institutions internationales. Pour certains, les journalistes n'étaient pas suffisamment vertueux pour mériter pleine confiance. Aussi Alice mettait-elle un point d'honneur, avec ceux de ses confrères les plus honnêtes, à ne jamais rien écrire qu'elle n'eût vérifié par elle-même. Un engagement qui n'était pas sans danger.

— Cela ne servira à rien, insista-t-il alors qu'elle se renseignait sur les derniers affrontements.

— Nos lecteurs doivent savoir que vous avez combattu dignement et remporté des victoires. Sinon, ils vont croire que les fascistes sont invincibles.

— Si cela avait été une guerre d'homme à homme, infanterie contre infanterie, nous aurions vaincu les Italiens. Comme à Adoua !

Ses yeux brillaient de fierté. Alice hocha la tête. C'était l'une des raisons qui avaient poussé Mussolini à s'élancer à l'assaut du seul pays libre et indépendant du continent africain. Une volonté farouche, presque obsessionnelle, de venger la cuisante défaite de 1896, la première fois depuis Hannibal qu'un peuple africain avait dominé des Occidentaux par les armes. Quoi qu'il advienne, personne ne pourrait jamais effacer des mémoires ce triomphe-là.

En voyant l'homme transporté par ce souvenir alors que tout s'écroulait autour de lui, Alice lui rendit son sourire. Elle aimait son métier pour ces instants inespérés, lorsqu'un parfait inconnu se confiait à elle en toute sincérité dans un lieu improbable. Une connivence aussi précieuse qu'éphémère où n'existaient ni amitié ni inclination particulière, mais seulement le désir de témoigner. L'enjeu les dépassait tous les deux. Désormais, il était de sa responsabilité de ne pas trahir cet officier et d'amener la vérité à la lumière.

L'homme releva la tête, tendant l'oreille. Le bruit était ténu mais identifiable entre mille. Derrière eux, les civils se réfugièrent au fond de la caverne en poussant des cris. Alice regrettait qu'en Éthiopie, à l'approche d'un avion, les enfants terrifiés cherchent désormais le moindre trou dans le sol pour s'y terrer. Le militaire ne broncha pas. Une escadrille les survola, haut dans le ciel, en direction d'Addis Abeba.

— C'était quasiment impossible de les abattre. La trentaine d'armes à feu antitanks à notre disposition n'a même pas servi. Quelle absurdité ! On raconte que l'empereur veut déplacer la capitale vers l'ouest pour continuer la lutte. Un Négus d'Éthiopie ne se rend jamais ! Il mourra les armes à la main, s'il plaît à Dieu… Or chez nous, quand le chef meurt, les hommes cessent un temps de combattre. Le ressort est brisé. Les Italiens vont devenir les maîtres et je crains le pire. On connaît leurs méthodes de répression en Libye.

L'humiliation creusait son visage, courbait ses épaules. On vint les prévenir que le camion était délivré de sa gangue de boue. Alice lui serra la main. Elle ne reverrait pas cet officier mais il lui inspirerait un beau portrait. Ses lecteurs appréciaient ses articles parce qu'elle savait leur donner un supplément d'âme. Son sens visuel du détail, son style lapidaire mais précis apportaient une couleur plus intense à ses récits. Son témoignage ne changerait rien à la vie détruite de ce guerrier mais il serait un hommage à la dignité d'un peuple qu'elle avait pris en affection. Elle mentionnerait aussi sa femme et son enfant à naître. Quelques lignes dans un quotidien occidental pour modeste épitaphe.

Alice finit de laver les couverts qu'elle avait trouvés empilés dans l'évier. Elle avait le désordre en horreur, ce qui lui attirait les moqueries de ses camarades mais aussi leur reconnaissance. Épuisée, elle s'affala dans un fauteuil. Elle partageait cet appartement du centre-ville d'Addis Abeba avec Howard depuis plusieurs semaines. Lui dormait dans le salon, elle dans la chambre d'où elle apercevait un fouillis de cahutes à toit de chaume. L'endroit lui avait semblé plus sympathique que l'hôtel Imperial avec son allure de caserne, sa nourriture infâme et son unique salle de bains pour tout l'établissement.

Les correspondants formaient une tribu de vagabonds que séduisaient les mêmes lieux insolites. Un village perdu en Mandchourie, le bar d'un grand hôtel du Caire, un quai de gare humide en Sarre allemande, une brasserie berlinoise… Les plus inspirés pressentaient les événements. À eux le meilleur tuyau, l'entretien déterminant. Howard Carter était expert en la matière. «Vérifie toujours tes sources. Ne laisse pas tes préjugés dénaturer les faits. N'oublie jamais les lois qui régissent la diffamation et la calomnie», lui avait-il asséné d'un ton doctoral lors de leur première rencontre à Rome, au bar de l'Association de la presse étrangère. La novice avait alors caché sa timidité sous un air sévère. On la disait hautaine. Howard n'avait pas été dupe une seconde.

Cette clique indisciplinée, parfois bagarreuse, se soumettait aux règles d'un métier où régnait la compétition. Les correspondants de guerre demeuraient toutefois amis parce qu'ils devaient compter les uns sur les autres en cas de coup dur. Parmi eux se trouvait une poignée de femmes, surtout des Américaines. Une brosse à dents et une machine à écrire suffisaient à leur bonheur, affirmaient-elles. Leur chemin était pourtant semé d'embûches. Il fallait prouver à leurs camarades, comme à leurs rédactions et aux lecteurs, qu'elles savaient écrire sur d'autres sujets que les têtes couronnées européennes ou la mode parisienne. Elles plaidaient leur cause en affirmant porter sur les événements un regard plus intuitif, plus sensible. Une fois leurs accréditations en poche, elles se révélaient aussi déterminées et égoïstes que leurs alter ego masculins.

Des pamphlets froissés s'empilaient sur la table de la cuisine. Datant du début du conflit, les uns célébraient l'Italie, le Duce, et la civilisation de Rome. Les tracts les plus récents demandaient à la population de se soumettre aux vainqueurs : *Nous ne vous ferons pas de mal à condition que vous ne résistiez pas et que vous ne détruisiez pas les routes. Autrement, c'est nous qui vous détruirons.* Les pilotes fascistes ont dû arroser la capitale, songea Alice. Cela n'avait pas empêché le dynamitage d'une route à Debra Sinaï, au pied d'un col de plus de trois mille mètres, qui avait retardé l'avancée de leur colonne motorisée.

La porte d'entrée claqua contre le mur. Howard portait un carton de bouteilles de champagne à bout de bras.

— Tu es revenue ? s'étonna-t-il en déposant son colis. Tous les Occidentaux se sont réfugiés dans les légations. L'italienne est prise d'assaut, tu imagines ! Il faut surtout éviter la française. Non seulement elle est isolée dans les bois, mais les gens d'ici détestent les Français.

Il tendit à Alice une *talla*, la bière locale à base d'orge.

— Tu as ta mauvaise tête. À quand remonte ton dernier repas ? Je suppose que je vais encore devoir te nourrir.

— Impossible d'envoyer ma dépêche. La station de radio ne fonctionne plus. Les opérateurs ont déserté leur poste pour s'armer de fusils. La rédaction veut des nouvelles fraîches, mais c'est à se demander pourquoi on se décarcasse.

— Je sais.

Howard s'affaira à sortir les couverts qu'elle venait de ranger dans un placard. Au grand regret d'Alice, l'Anglais ne mangeait que de la nourriture en conserve. « J'ai l'estomac sensible », avait-il coutume de dire, effrayé par les épices. Quand il lui tendit une assiette d'œufs durs, de sardines à l'huile et une galette de pain, elle se rendit compte qu'elle mourait de faim.

Alors qu'ils dînaient, des coups de feu éclatèrent dans la rue. Des balles ricochèrent sur les volets fermés du salon. Howard garda un instant sa fourchette suspendue en l'air, puis continua à manger de bon appétit.

— Ne t'approche pas de la fenêtre, prévint-il lorsqu'elle se leva. On ne sait jamais. Les murs sont trop minces pour résister aux mitrailleuses.

— On devrait peut-être rejoindre une légation.

— Il sera toujours temps de décider demain. Pour nos amis abyssins, l'heure est aux dernières ripailles avant l'apocalypse. Viandes crues pimentées et rasades d'alcool à volonté.

Entre les lattes des volets, Alice vit passer des camions à toute allure, phares allumés. Elle entendait un roulement sourd de tambours. Des ombres couraient, une torche à la main. Soudain s'élevèrent des cris perçants. Un frisson la parcourut à la pensée des émeutes. Elle avait la foule en horreur, cette masse malléable, élastique, qui pouvait se révéler d'une cruauté sans pareille. Les régimes totalitaires avaient compris tous les avantages à en tirer. Elle les méprisait d'autant plus que leurs auditoires étaient faciles à manipuler. Alice, elle, n'aimait que la singularité.

— L'empereur est sur le départ, annonça Howard en pelant une orange. Sacrée mauvaise mine, le pauvre homme… Je ne l'avais jamais vu aussi décomposé. Certains résistants furieux le soupçonnent de vouloir prendre la poudre d'escampette avec ses proches. Ils remettent même en question sa légitimité.

— Leur orgueil les a perdus. Ils se croyaient invincibles depuis Adoua, alors que Mussolini n'allait pas commettre les erreurs de ses prédécesseurs. Les conseillers occidentaux du Négus n'ont servi à rien, ils n'ont pas trouvé la solution appropriée.

— Au fait, j'ai une formidable nouvelle à t'annoncer, déclara brusquement Howard d'un air enjoué. Violet et moi avons décidé de sauter le pas, d'où ce champagne que je trimbale depuis ce matin comme le Saint Graal. Je t'invite à mon mariage, ma belle, tu ne peux pas refuser !

L'Anglais avait quelque chose d'innocent dans le regard, de presque gamin alors qu'il avait plus de quarante ans et une réputation de vieux garçon. L'irruption d'un événement aussi intime dans leur quotidien décontenança Alice qui avait tendance à concevoir les reporters en électrons libres, même si la plupart d'entre eux disposaient nécessairement d'une famille et d'un toit quelque part dans le monde. Un décor en carton-pâte, lui semblait-il.

— C'est insensé.

— De se marier en plein chaos ? Le décor n'est pas banal, je te l'accorde.

Le chaos ne change rien à l'essentiel, songea-t-elle. Au désir, à l'amour… La vie parmi les pierres, comme ces plantes vivaces en pleine montagne. Elle avait choisi cette existence sur le fil du rasoir. Peut-être parce que tout lui paraissait à la fois fade et redoutable lorsque les choses étaient simples ou structurées. Elle se reconnaissait dans l'impulsivité de son camarade, partageant ce goût de l'inattendu, cette forme d'insolence.

— Non, le mariage, précisa-t-elle avec un geste vague. Le chemin tracé. Les règles et le devoir. C'est un bel idéal, mais il est insensé. Je vous souhaite d'être heureux. Violet est une chic fille.

La fiancée de Howard avait le regard vif, le sens de l'humour, mais Alice doutait qu'elle eût l'endurance nécessaire pour ce métier. Probablement se retirerait-elle dans le cottage du Devon de Howard pour mettre au monde leurs enfants. Serait-il rassuré que quelqu'un l'attende à ses retours de reportage ?

D'un seul coup, une fatigue intense la fit chanceler.

— Qu'est-ce qui t'arrive ? Tu es toute pâle.

— Je dois dormir.

Ils avaient passé les deux dernières nuits à bivouaquer. L'humidité et les ricanements des hyènes l'avaient empêchée de trouver le sommeil. Dans sa chambre, elle ferma les volets dans l'espoir vain de chasser les relents tenaces de la tannerie voisine. Selon l'orientation du vent, ils étaient plus ou moins supportables. Quand elle s'en était plainte au propriétaire, un Russe blanc, il s'était contenté d'un haussement d'épaules. Elle défit les lacets de ses chaussures de marche, renonça à se déshabiller. À peine sa tête posée sur l'oreiller, elle dormait à poings fermés.

Une voix criait à son oreille, tandis qu'une main la secouait sans ménagement par l'épaule. Alice eut l'impression d'émerger d'un puits sans fond. Le cœur affolé, elle ouvrit les yeux. Alemayu était penché sur elle, ses cheveux crépus dressés autour du crâne. L'empereur s'était enfui au milieu de la nuit.

Ses deux *ghibi* – l'ancien et le nouveau palais – étaient livrés au pillage. Des criminels échappés de prison et armés de couteaux terrorisaient la ville. Les forces de l'ordre étaient débordées. Certains policiers avaient même fracturé les portes de l'épicerie italo-grecque de Ghanotakis. Ils en voulaient à ses réserves de Veuve Clicquot… Encore engourdie, Alice essaya de tirer au clair la rafale de nouvelles que lui asénait son interprète.

— Dépêche-toi, Alice ! appela Howard depuis le salon. Les choses ont dégénéré plus vite que prévu.

Il brûlait des papiers qui ne devaient pas tomber entre les mains des vainqueurs. La radio italienne avait dénoncé ses articles comme étant «grotesques et ignobles». Il serait sans aucun doute expulsé du pays dès que le maréchal Badoglio aurait fait hisser le drapeau italien au fronton du palais impérial.

Sans plus attendre, Alice ajusta le brassard amarante des correspondants de guerre, saisit son petit appareil photo et glissa sa machine à écrire dans le sac de toile qu'elle portait toujours en bandoulière. Elle jeta un dernier regard autour de la chambre. Tant pis pour ses vêtements.

Quelques minutes plus tard, la voiture de Howard sillonnait les rues survoltées. Telle une nuée de sauterelles, les pilleurs emportaient tout sur leur passage : tapis, casseroles, candélabres, ampoules électriques, gramophones, statues d'églises ou mannequins de couturiers… Certains paradaient un sabre à la main, affublés de hauts-de-forme et de redingotes, des tenues de diplomates dérobées dans une teinturerie.

Des chameaux patientaient devant une épicerie pendant qu'on les chargeait de sacs de farine et de tabac. Les chaises toutes neuves du cinéma grec étaient empilées en pyramide devant ses portes dégondées. De temps à autre, Howard donnait un brusque coup de volant pour éviter un passant ivre. Alice renonça à compter les cadavres. Plusieurs commerçants ensanglantés gisaient devant leurs échoppes en flammes. Lorsqu'ils tournèrent dans Station Road, aussi bien la chaussée asphaltée que les trottoirs en terre battue étaient blancs comme neige. Un bref instant, elle crut rêver. En se penchant par la portière, elle reçut un nuage de plumes au visage. Les émeutiers avaient éventré des centaines d'oreillers et de matelas. Un homme se rua vers la voiture en brandissant un bâton. La vitre arrière explosa, Alice poussa un cri. Howard accéléra en klaxonnant et le véhicule fit une embardée. Cramponné au volant, il lâcha une bordée de jurons mais parvint à franchir sans encombre les derniers kilomètres qui traversaient un quartier plus calme.

Sous un immense drapeau britannique, derrière une triple rangée de barbelés, des soldats sikhs montaient la garde. Au portail, Howard montra son passeport. La sentinelle lui demanda s'il était armé, il répliqua que c'était fort regrettable qu'il ne le fût pas. Une fois fouillée, la voiture fut autorisée à remonter l'allée bordée d'eucalyptus vers la demeure principale. Alice avait la gorge sèche. Ses mains tremblaient. Elle les cacha sous ses cuisses.

— C'est la tour de Babel, ici, grommela Howard en coupant le moteur.

Devant eux s'étendait une vaste prairie plantée de tentes et d'abris de fortune en tôle ondulée parmi lesquels s'agitait une foule bigarrée. Des femmes en tailleurs de sport, des hommes en pantalons de golf, des commerçants arméniens, des Soudanais, des prêtres orthodoxes grecs en soutanes noires, des Levantins, des Égyptiens, des Indiens enturbannés… Une jeune femme se détacha du groupe et se précipita vers eux en courant. Howard descendit de voiture. Alice les regarda s'embrasser. Violet dévorait les joues de son fiancé comme si elle avait pensé ne jamais le revoir. Elle n'y résistera pas, songea Alice avec une pointe de condescendance. Elle n'aura pas le courage de l'accompagner et ne supportera pas d'être séparée de lui. Leur histoire est vouée à l'échec.

On vint lui demander de bien vouloir s'enregistrer afin de recevoir le ticket de couleur approprié pour avoir accès au campement. Il s'agissait de respecter les croyances, les couleurs de peau, les habitudes alimentaires des nombreux réfugiés. Ils étaient déjà plus d'un millier de personnes, lui expliqua-t-on. Docile, Alice obéit au fonctionnaire, avant de s'aventurer jusqu'à un salon de la légation où ses confrères avaient déjà attaqué les alcools en attendant de déjeuner. D'autorité, on lui tendit un whisky-soda.

— Pourvu que Badoglio et ses hommes ne traînent pas en route, dit le correspondant du *Daily Telegraph*. La ville est à feu et à sang. On a envoyé des messages radio en leur demandant de se dépêcher.

— Un appel au secours, voilà qui va flatter les Italiens, ironisa Alice.

— Tu préférerais attendre qu'on vienne te trancher la gorge ? Une fois que les émeutiers auront tout pillé en ville, ils se tourneront vers les légations, sois-en assurée. Pour l'instant, l'atmosphère est encore relativement bon enfant. Les pauvres s'en prennent aux riches. C'est de bonne guerre. Mais les bandes vont s'organiser et chercheront à se venger sur les étrangers. Déjà qu'ils se méfient des Blancs…

Violet et Howard entrèrent dans la pièce, enlacés.

— Vous avez raison, fit la jeune femme. Je n'ai jamais rien vu de tel.

— Dans ce cas, tu n'as pas encore vu grand-chose, rétorqua Alice.

Elle était injuste avec la journaliste débutante, mais c'était une manière de donner le change. Elle s'en voulait de cette bouffée d'angoisse qui l'avait saisie lors de la traversée de la ville et s'irritait de cette faiblesse passagère. Howard arqua un sourcil. Il la connaissait trop bien. Agacée, Alice sortit s'isoler sur la véranda. Profitant d'une éclaircie, des jeunes filles jouaient au badminton. Un maître d'hôtel traversa la pelouse, armé d'un plateau et ganté de blanc. Rien ne venait jamais perturber la prédilection britannique pour l'ordre colonial, alors même qu'on entendait des fusillades au loin et qu'il flottait dans l'air des relents de bois brûlé.

— Combien de temps vas-tu rester dans le pays une fois que les vainqueurs auront pris leurs marques ? demanda Howard en s'accoudant à ses côtés.

— Je ne sais pas encore. Une semaine peut-être.

Elle ne lui confia pas qu'elle comptait obtenir un

entretien avec le capitaine Galeazzo Ciano. Quelques jours auparavant, n'ayant pas réussi à se poser sur l'aérodrome, il avait piloté son avion criblé de balles en rase-motte au-dessus des toits comme pour y planter des banderilles, avant de lâcher l'étendard de son escadrille sur la place du marché. Un geste de panache tel que les aimaient les aviateurs italiens. Ministre de la Propagande, Ciano était aussi le gendre du Duce. Un personnage incontournable à Rome, auréolé désormais d'un héroïsme guerrier, idéal de tout fasciste qui se respecte.

— On va partir dès que possible, Violet et moi. Je lui ai promis un vrai voyage de noces.

Howard semblait brusquement indécis. Alice comprit que l'esquisse de cet avenir à deux l'inquiétait.

— Profitez de ces moments que vous allez passer ensemble. Les soucis du monde attendront, tu ne crois pas ? Et Violet t'en sera reconnaissante. C'est le genre de personne qui a besoin d'être rassurée.

L'allusion moqueuse le fit sourire. Il vida son verre d'un trait.

— Si je ne te connaissais pas si bien, je pourrais penser que tu es jalouse.

— Pas d'un mariage, non. D'une foule d'autres choses, probablement.

Elle se retourna, posa les coudes sur la rambarde, le dos arqué. Sa chemise en coton s'étira sur sa poitrine. Elle sentit le regard de Howard effleurer ses seins.

— Arrête, Alice, murmura-t-il, les yeux plissés. Nous savons tous les deux que tu es une femme séduisante. Violet ne peut pas rivaliser avec toi, mais je l'aime. Pourquoi tu ne fais pas comme moi ? Il doit bien y avoir un époux potentiel parmi tous ces hommes qui te courtisent d'un pays à l'autre. On est tous pareils, au fond. La partie sensée de notre être n'aspire qu'à vieillir dans une jolie maison avec nos enfants et ceux qu'on aime.

— Dans ce cas, il faut croire que je suis une femme déraisonnable qui préfère les maisons en flammes.

— Je n'en crois pas un mot.

Son insistance la mit mal à l'aise. Howard avait la fâcheuse manie de vouloir la faire parler d'elle. Il lui avait avoué que sa personnalité l'intriguait. Mais Alice était discrète. On ne trouvait aucune photo de famille dans son portefeuille, aucun talisman dans son maigre bagage. À part les indications sur son passeport et quelques rares confidences, elle n'accordait que peu d'indices aux curieux. Par une soirée arrosée, Howard l'avait surnommée en riant « la fille de nulle part ». Elle avait concédé qu'elle venait de Philadelphie mais qu'elle y retournait rarement. Non, elle n'avait pas le mal du pays. Elle aimait voyager depuis toujours. À cinq ans déjà, sa poupée sous le bras, elle s'était rendue à pied jusqu'à la gare pour prendre le train. Elle avait même tenté d'acheter un billet avec quelques *cents*. L'ayant reconnue, le chef de gare avait alerté son père. « J'ai attendu de grandir, je suis partie à nouveau, et personne depuis n'a jamais cherché à me retenir », avait-elle conclu, laconique. Howard avait continué à la taquiner. Étrangement, sa bonne humeur l'avait blessée. Ne saisissait-il pas ce que cette anecdote avait de terrible ? Elle-même ne conservait aucun souvenir de cette échappée solitaire. Son père prétendait qu'elle avait été inconsolable lorsqu'il l'avait ramenée à la maison. Un pressentiment ? L'avenir lui avait donné raison quelques mois plus tard. Elle aurait mieux fait de partir ce jour-là.

Elle fut soulagée quand Violet vint chercher son fiancé pour lui parler de la cérémonie. Elle songea qu'elle ne tiendrait pas longtemps enfermée dans cette fourmilière et se prit à espérer, comme certains de ses camarades mais pour d'autres raisons, l'arrivée imminente des troupes italiennes.

Perché sur une colline, l'ancien palais de l'empereur Ménélik dominait la ville d'où s'élevaient encore des colonnes de fumée après quatre jours de pillage. S'étant dépêchée pour gravir la dernière centaine de mètres, Alice avait dû s'arrêter pour reprendre son souffle. Il lui arrivait d'oublier que la capitale éthiopienne était située à plus de deux mille mètres d'altitude. La petite pluie tenace s'insinua dans sa nuque. Elle releva le col de son manteau. Je dois avoir l'air d'un épouvantail, songea-t-elle.

Une poignée de soldats italiens désinvoltes discutaient sur le perron, mais aucun ne fit un geste pour les empêcher, Alemayu et elle, d'accéder au palais. La demeure était étrangement vide. Ils traversèrent plusieurs salons dont les tentures avaient été déchirées, les fauteuils renversés et les précieux vases polychromes japonais fracassés sur les parquets. À la démarche hésitante d'Alemayu, Alice perçut son appréhension, comme s'il redoutait ce qu'ils allaient encore découvrir. Le jeune homme s'était montré plus serein lorsqu'ils se déplaçaient vers la ligne de front au risque d'être bombardés. Elle s'en voulut de lui avoir demandé de l'accompagner, mais la description de ce *ghibi* d'Haïlé Sélassié constituait un arrière-plan dramatique pour un prochain article. Tandis que les débris des miroirs et des porcelaines de Sèvres crissaient sous leurs pas, elle remarqua des traces de sang sur le clavier du piano à queue.

Ils pénétrèrent dans la salle du trône où des appliques distillaient une lumière tremblotante. Un Occidental en imperméable était assis sur le siège impérial du Négus, les jambes croisées, un loulou de Poméranie à ses pieds. Alice sentit Alemayu se raidir d'indignation.

— Comme ils n'ont pas réussi à emporter ces lions d'argent, dit l'intrus en indiquant les accoudoirs sculptés, ils les ont criblés de balles. Un vrai gâchis.

Bien que l'homme ne portât pas de brassard, elle devina qu'il était l'un des correspondants arrivés avec la colonne motorisée italienne qui n'en finissait pas d'émerger de la brume depuis le milieu de l'après-midi.

— Vous ne manquez pas de culot ! C'est le trône de l'empereur, tout de même.

— Il s'est enfui comme un voleur. Vous êtes montée au premier ? On ne trouve que des dorures, des laques rouges et des vêtements en désordre dans les chambres à coucher. Le chemin a été long pour parvenir jusqu'ici. J'ai pris la liberté de me reposer un moment. N'y voyez rien d'outrageant, précisa-t-il d'un air faussement innocent.

— Votre attitude est insultante pour mon interprête et les guerriers de ce pays qui sont morts au combat. Je vous prierai d'avoir l'obligeance de vous lever.

Le correspondant la fixa avec curiosité sans bouger. Il avait des cheveux poivre et sel, des traits marqués. Un sourire moqueur éclaira son visage.

— Alice Clifford du *New York Herald Tribune*, je présume. On m'a parlé de vous. Votre réputation n'est pas usurpée.

L'espace d'un instant, Alice se sentit vulnérable. Son instinct lui disait de se méfier. Elle avait déjà croisé des hommes arrogants de son espèce. S'ils étaient de surcroît intelligents et efficaces, ils pouvaient se révéler redoutables.

— D'où me connaissez-vous ?

— J'ai lu des articles de confrères qui ont couvert le conflit du côté abyssin. Les femmes sont peu nombreuses. Je crois même que vous êtes la seule. On dit que vous êtes impulsive et obstinée. Ceux de notre profession peuvent le prendre pour un compliment. Ce sont aussi les qualités d'une femme digne d'intérêt. Permettez-moi de me présenter, ajouta-t-il en se levant. Karlheinz Winther, du *Völkischer Beobachter*.

Un frisson la parcourut. Winther était un journaliste de légende, et son journal, l'organe officiel du Parti national-socialiste allemand. Elle ne cacha pas son peu d'empressement à le saluer. Il avait une silhouette imposante. Une poignée de main ferme. Comment s'étonner de sa présence aux côtés des vainqueurs ? Puisque Adolf Hitler encourageait bien entendu les menées impérialistes de Mussolini en Afrique, il était sûrement *persona grata* auprès du haut commandement fasciste. Comme Alice s'était rendue plusieurs fois en Allemagne, ils auraient pu se croiser plus tôt, mais Winther avait préféré l'Asie à l'Europe ces dernières années. S'il était de retour de ce côté du globe, c'était sans doute que la tournure prise par les événements lui semblait suffisamment préoccupante.

— Vous êtes bien silencieuse. Vous ne m'en voulez pas à ce point, tout de même ?

— Vous voyagez toujours avec votre chien ?

L'animal se collait aux jambes de Winther alors qu'ils quittaient la salle du trône.

— La pauvre bête ! s'exclama-t-il en se penchant pour le caresser. Il était terré sous un lit à baldaquin. Je lui ai donné à boire et il me voue depuis une reconnaissance éternelle. J'ignore comment je vais m'en défaire.

— Une balle dans la tête ? ironisa-t-elle.

— Grands dieux, vous n'y allez pas de main morte ! Quelle idée !

Elle haussa les épaules.

— Votre journal et vos amis glorifient la violence. J'en veux pour preuve que les Italiens ont déclaré passible de peine de mort toute personne encore en possession d'un fusil dans trois jours. Il ne va plus rester beaucoup d'Éthiopiens debout. Leur arme est à la fois un symbole de virilité et une condition de survie.

— Êtes-vous toujours aussi prompte pour vous mettre les gens à dos ou cela m'est-il réservé ?

— Je n'apprécie pas le manque de respect.

Winther sortit un étui à cigarettes et palpa ses poches à la recherche de feu.

— Vous êtes raide comme la justice, Miss Clifford. Par moments, cela doit être inconfortable, non ?

Alice fit claquer un briquet sous son nez. Il enserra sa main entre les siennes pour protéger la flamme et approcha son visage. Elle respira son eau de Cologne, étudia sa peau mate, la ligne sévère de ses lèvres. Elle s'agaça d'être aussi fascinée, mais Winther était un personnage. Leurs confrères se délectaient de ses anciens exploits d'espion allemand. Chargé de faire sauter le Transsibérien pendant la Grande Guerre, il avait été arrêté par les Russes avant de s'échapper d'un camp de prisonniers en Sibérie et de rejoindre à pied la Mongolie, en plein hiver. Désormais, il pilotait un avion pour se rendre sur les lieux de ses reportages. On prétendait aussi qu'il avait eu comme maîtresse l'épouse d'un officier SS et qu'un duel l'avait obligé à s'éloigner quelque temps de Berlin.

— Votre propre réputation laisse à désirer, riposta-t-elle.

— Il ne faut pas croire tout ce qu'on raconte.

— À mon sujet non plus. Je ne suis pas aussi impulsive qu'on veut bien le dire.

— Dommage.

Elle esquissa un sourire, détourna la tête.

— Bien, lâcha-t-il d'un air décidé lorsqu'ils eurent rejoint la cour d'honneur. Pour ma part, j'en ai terminé avec cette petite visite. Puis-je vous ramener en ville ? On m'a parlé d'une réception en l'honneur des vainqueurs. Il y aura tout le gratin. Les fils du Duce, le capitaine Ciano... Peut-être même que le maréchal Badoglio fera une apparition.

— Je n'ai pas d'invitation.

— Aucun problème puisque vous serez avec moi.

Elle eut une pensée pour Howard qui s'était marié la veille. Il portait une fleur à la boutonnière, sa fiancée des chaussures de randonnée et une robe prêtée par la femme du consul. À la première occasion, il s'était rendu à la gare pour s'enquérir des trains en partance pour Djibouti. Les censeurs fascistes ne la traiteraient peut-être pas avec la même sévérité que Howard, mais ils ne manqueraient pas de lui mettre des bâtons dans les roues. Quoiqu'elle n'eût guère envie d'être redevable à Karlheinz Winther, il pouvait lui être utile.

— Très bien, mais je dois d'abord passer chez moi pour me changer.

Le crépuscule tombait. Des oiseaux aux plumages insolents criaillaient dans les arbres. Winther lui indiqua une voiture garée devant le portail et prit le volant. Il était accompagné d'un mercenaire askari, sec et élancé, coiffé d'un fez rouge, armé d'un fusil et d'un sabre court à manche de corne. Elle rassura Alemayu qui s'inquiétait pour elle et lui fit promettre de rentrer chez lui sans tarder. Le jeune homme les regarda s'éloigner, les bras ballants.

Lorsque Winther arrêta la voiture devant son immeuble, Alice fut soulagée de constater que la porte d'entrée était encore intacte. Un drap blanc pendait à une fenêtre en signe de reddition. Elle se fraya un passage parmi des badauds éméchés. Dans le vestibule, elle respira l'odeur familière d'encens et de beurre rance qui imprégnait toute la maison. Des domestiques affublés de bâtons se manifestèrent dès qu'elle s'élança dans l'escalier. Tout sourire, ils lui annoncèrent fièrement qu'ils avaient repoussé plusieurs attaques de pillards.

Habituée à lever rapidement le camp, elle fourra ses vêtements dans sa sacoche de voyage. Winther avait suggéré de la raccompagner à la légation britannique après la réception. Personne ne savait vraiment ce qui allait se passer dans les jours à venir. La douche, hélas, ne laissa filtrer qu'un filet d'eau rouillée. Elle versa de l'eau minérale dans le lavabo pour se laver. Elle ajustait l'un de ses bas lorsque Winther s'encadra dans la porte de sa chambre.

— Je commençais à m'inquiéter.

— Vous m'aviez dit de prendre mon temps, se défendit-elle en lissant sa robe sur ses hanches.

— C'est juste. Mais j'étais curieux de voir où vous avez habité ces derniers temps.

— Nous n'étions que deux à camper ici. À l'Imperial, mes petits camarades se sont retrouvés à plusieurs par chambre.

— «Plus on est de fous, plus on rit», paraît-il. Pour ma part, j'ai toujours trouvé cette promiscuité entre reporters pénible à supporter.

— C'est sans doute pourquoi vous préférez les sujets en dehors des sentiers battus. Vous étiez le premier sur le terrain en Mandchourie avant l'invasion japonaise.

— Les commencements sont importants.

Il laissa Alice se maquiller et retourna dans le salon, où il se servit une bière tiède.

— Je suis aussi un solitaire de nature, ajouta-t-il en haussant la voix pour se faire entendre.

— En cela, nous nous ressemblons.

— Vous voyez, déjà un point commun.

— Il faudra vous en contenter car je doute que nous en trouvions beaucoup d'autres.

Elle plia un chandail qu'elle rangea dans son bagage en cuir.

— Je suis prête.

En la voyant apparaître, Karlheinz Winther resta un instant interdit. Ses cheveux blonds humides peignés vers l'arrière soulignaient les traits de son visage, un grand front, un nez trop prononcé pour être harmonieux, une bouche charnue. Elle avait des yeux d'un bleu très clair, presque translucide, portait des perles aux oreilles. Une robe en rayonne rouge ceinturée soulignait sa taille fine.

Il avait entendu parler d'Alice Clifford pour la première fois lors de son arrivée en Abyssinie. Une journaliste française s'était moquée de ses articles engagés. «Cette fille est d'une rare arrogance dans ses propos», avait-elle déclaré en froissant le quotidien. La pointe de jalousie ne lui avait pas échappé. Après son départ, il avait récupéré l'objet du délit dans la corbeille à papiers. La franchise du ton, la plume acérée lui avaient plu. Au fil des mois, il s'était surpris à guetter ses articles.

— Le rouge vous va bien, dit-il.

— C'est une couleur qui plaît aux hommes.

— Vous avez l'intention de séduire quelqu'un ce soir ?

Elle sourit, énigmatique.

— Méfiez-vous des militaires ivres de conquête, poursuivit-il, un brin narquois.

— Je compte sur vous pour défendre mon honneur.

Au regard moqueur de l'Américaine, il devina qu'elle n'avait pas peur. Elle possédait une vitalité naturelle qui lui donnait sans doute le sentiment d'être invincible. Quelque chose de typiquement fasciste, songea-t-il, amusé à la pensée que ce compliment l'irriterait grandement. La seule femme qu'il eût jamais aimée avait partagé cette même résolution.

Sur le chemin qui les menait à la légation italienne, Winther dut s'arrêter pour laisser passer une longue file d'*autocarretti*, ces petits camions de montagne dont le phare unique éclairait la nuit tel l'œil d'un cyclope. Le déferlement mécanisé soulevait des gerbes de boue. Les soldats avaient orné leurs casques d'une fleur de géranium. Pianotant sur le volant, Winther n'accorda pas un regard aux deux cadavres qui gisaient à même le trottoir.

— C'est tout de même désolant d'en être arrivé là, vous ne pensez pas ? dit Alice. Un pays dévasté à cause d'une guerre cynique et immorale, menée par la volonté d'un seul homme.

— Je pourrais vous énoncer tous les arguments des Italiens pour justifier leur invasion et vous ne seriez pas convaincue.

— Les pays membres de la Société des Nations ne l'ont pas été non plus, puisqu'ils ont été une cinquantaine à voter des sanctions contre l'Italie !

— Une erreur politique majeure qui ne fera que pousser Mussolini dans les bras du chancelier Hitler. La SDN est un ramassis de vieilles femmes à la botte des Français et des Britanniques. D'ailleurs, votre propre pays n'a même jamais daigné y entrer. Bien pratique pour les compagnies pétrolières américaines, n'est-ce pas ? Standard Oil n'a pas cessé de vendre du pétrole à crédit à l'Italie. Vous adorez donner des leçons au monde entier mais vous ne perdez jamais de vue votre portefeuille.

Alice se mordit la lèvre pour ne pas répondre. Elle avait besoin de cet homme. Il serait toujours temps de s'en faire un adversaire une fois qu'elle aurait atteint son objectif.

— Cette conquête est la meilleure chose qui pouvait arriver à l'Abyssinie. Les Italiens vont permettre à ces gens encore sauvages et esclavagistes d'entrer dans l'ère moderne. Ils sont imbattables pour construire des infrastructures.

— On dit la même chose des Allemands. Pardonnez-moi, mais un peuple de terrassiers ne me fait pas rêver.

— Voilà bien une prétention d'intellectuelle ! L'Empire romain lui-même a établi ses fondements sur ses cantonniers. La renaissance d'un pays passe par des hommes qui ont la volonté et la force pour bâtir. Ces derniers mois, j'ai regardé travailler ces garçons venus du Piémont, de Romagne, de Toscane, de Sicile… Ils sont humbles et disciplinés. N'oubliez pas que ces grands bâtisseurs ont également construit votre ville de New York. Vous avez tort de les mépriser.

Avec l'impression pénible d'avoir été prise en faute, Alice resta silencieuse alors qu'ils redémarraient. Le vent tiède sécha ses cheveux. Elle les noua en un chignon sévère dans sa nuque. Elle avait envie de mordre.

La légation italienne dressait sa façade en pierre au fronton orné d'un faisceau de licteur au bout d'une allée de rosiers. Le drapeau tricolore gorgé de pluie pendait sur sa hampe et des soldats alignés comme à la parade montaient la garde. Les portes-fenêtres étaient grandes ouvertes sur la véranda d'où provenaient des rires et des tintements de verres. En descendant de voiture, Alice se sentit intimidée. C'était une idée tout à fait détestable de se présenter dans cet endroit escortée par quelqu'un d'aussi controversé que Karlheinz Winther. Oui, elle était impulsive, il avait parfaitement raison. Et cela lui jouait des tours.

À l'intérieur, elle cligna les yeux, aveuglée par les lumières. L'excitation des convives était palpable. Lorsque Winther lui prit le coude, elle s'écarta aussitôt.

— Je croyais que j'étais là pour vous protéger, murmura-t-il à son oreille.

— Trouvez-moi plutôt quelque chose à boire.

Elle se concentra sur les militaires présents. Elle aurait été incapable de reconnaître les deux fils aviateurs de Mussolini, mais elle remarqua la haute stature du maréchal Badoglio. Winther s'était évaporé. Comme personne ne semblait indisposé par sa présence, elle prit de l'assurance, écoutant les conversations qui saluaient la clairvoyance du Duce. L'exaltation bombait les torses et avivait les regards. On racontait que la légation française, isolée dans ses cinquante hectares de bois, n'avait pu être délivrée qu'avec l'intervention des tanks. Quant aux Américains, ils s'étaient barricadés derrière leurs murs avant de devoir évacuer. La fierté d'être arrivés en sauveurs dans la capitale ajoutait à la jubilation des vainqueurs. Ils célébraient un avenir prometteur où l'Italie, qui disposait enfin d'une colonie digne de ce nom pour accueillir sa surpopulation, était redevenue un pays craint et respecté dans le concert des nations. Or, même si Alice pouvait admettre certaines de leurs aspirations, jamais elle n'accepterait la manière dont celles-ci se concrétisaient. Les visages de ses amis éthiopiens défilèrent devant ses yeux. La guerre n'avait rien d'abstrait ; elle broyait des individus, des hommes, des femmes, des enfants. Une guerre illégitime n'est rien d'autre qu'un crime contre l'espérance, s'indigna-t-elle.

Un maître d'hôtel lui proposa un verre de *spumante*. Des femmes en robes de soie papillonnaient parmi les officiers. Elle se félicita de s'être changée. L'élégance était un atout que les correspondantes ne négligeaient pas, si surprenant que cela puisse paraître. Son amie Virginia Cowles privilégiait le noir, les talons hauts et d'imposants bracelets en or, même en plein reportage dans les lieux les plus insolites. Un journaliste italien la reconnut, leva son verre pour la saluer de loin. Pour un peu, Alice se serait crue à une réception romaine. Elle éprouva une brusque bouffée de nostalgie pour son appartement situé non loin de la piazza Navona. Elle aurait payé cher pour retrouver sans plus attendre sa tanière du dernier étage, le confort rassurant de ses murs, sa terrasse ombragée. Maintenant que tout était fini, la fatigue et la lassitude de ces longues semaines la rattrapèrent. Sa dernière dépêche de la journée revint la hanter : *Une indépendance qui durait depuis l'époque biblique a pris fin à quatre heures cet après-midi avec l'occupation d'Addis Abeba par les Italiens.* Le sang battait lentement à ses tempes. Elle sortit prendre l'air.

À l'écart de la foule des invités, Galeazzo Ciano était sanglé dans son uniforme d'officier de l'armée de l'air et riait à une boutade de Karlheinz Winther, qui tenait un verre et un cigare à la main. Le jeune ministre fasciste de la Presse et de la Propagande avait un air poupin. On le disait intelligent, quoique prétentieux et frivole. Amateur de jolies femmes, surtout.

N'ayant rien préparé pour cette rencontre inespérée, Alice fronça les sourcils. Les relations avec les hommes d'État ressemblaient à une partie de poker. Il fallait garder l'esprit clair, dissimuler ses pensées tout en obtenant qu'ils dévoilent les leurs. Soucieuse de comprendre le raisonnement de ses interlocuteurs, elle peaufinait toujours ses questions. Mais il ne va pas t'accorder un entretien maintenant, idiote ! se réprimanda-t-elle. Il lui fallait simplement établir une connivence, entrer dans ses bonnes grâces. Un bon reporter savait se montrer hypocrite. Elle ne doutait pas une seconde que la carrière politique de Ciano allait prendre un essor encore plus considérable après ses dernières prouesses, et elle tenait à être aux premières loges pour en rendre compte.

— Ne restez donc pas à l'écart ! lança Winther d'une voix moqueuse en se plantant devant elle. Le comte Ciano s'inquiétait de vous voir toute pâle et solitaire. Il m'envoie en éclaireur. Lui et moi, c'est une vieille histoire. Nous nous sommes connus lorsqu'il était consul à Shanghai. C'est un homme charmant, toujours affable et généreux avec ses amis. Venez, que je vous présente. C'est bien ce dont vous aviez envie, non ?

— Comment l'avez-vous deviné ?

— Tout journaliste digne de ce nom aimerait ce soir prendre le pouls de Galeazzo le Magnifique, le gendre héroïque du Grand Homme !

— Vous vous moquez donc de tout le monde, même de ceux de votre camp ? chuchota-t-elle.

— Surtout de ceux-là. Ah, Excellence… Voici la remarquable Alice Clifford, du *Herald Tribune.* Prenez garde, elle a toutes ses dents.

Ciano la dévisagea, un sourire aux lèvres, avant de s'incliner pour lui baiser la main.

— Je crois savoir que votre journal vient de vous nommer correspondante permanente à Rome, Miss Clifford. C'est un honneur pour nous d'accueillir une femme de votre beauté.

Elle ne s'étonna pas qu'il fût au courant. Les scrupuleux agents de la police secrète, l'OVRA, l'Office de vigilance et de répression antifasciste, écoutaient les conversations téléphoniques, interceptaient tout courrier suspect et ne reculaient devant aucune filature. Alice n'aurait pas été surprise d'apprendre que son appartement avait été passé au peigne fin en son absence.

— Pardonnez-moi de ne pas vous avoir reçue personnellement à votre arrivée, mais nous avions à régler cette petite affaire de police coloniale, poursuivit-il avec un mouvement dédaigneux de la main envers les jardins qui en vinrent, d'un seul coup, à incarner tout un pays. Heureusement, ce chapitre est désormais clos et nous pouvons rentrer à la maison.

— Personne ne s'attendait à une victoire aussi rapide. Votre aviation a été un facteur décisif et vos exploits personnels n'y sont pas pour rien. Tout de même, ce vol au-dessus de la capitale il y a quelques jours…

— Il ne faut jamais négliger la beauté du geste. Toute guerre possède une esthétique. Nous autres, *condottieri*, y sommes très attachés.

Seigneur, qu'il est vaniteux ! songea-t-elle.

— Je n'ai pas eu le temps de lire récemment la presse étrangère. J'espère que notre victoire y sera relatée de manière honnête. Je me méfie de certains de vos confrères. De vous, je ne sais pas encore…

Un frisson la parcourut car il avait brusquement changé de ton. C'était toujours ainsi avec les hommes de pouvoir. On avançait en aveugle. Se pourrait-il qu'il ne fût pas au courant ? Elle avait dénoncé l'utilisation des gaz ainsi que les attaques contre la Croix-

Rouge. Cependant, comme ses récits étaient toujours centrés sur des personnes en particulier, la connotation de condamnation générale était subtile. Pour une fois, les censeurs avaient dû être négligents. Alice lui adressa un sourire non dénué de coquetterie.

— L'authenticité des propos d'un journaliste n'est-elle pas une question d'honneur, capitaine ? Nos armes à nous, ce sont nos mots. Comme vous, les militaires, nous essayons d'en faire bon usage.

— Miss Clifford, je ne suis pas né de la dernière pluie ! s'agaça-t-il. Chacun de vous défend un point de vue. Cependant, la plupart du temps, vos préjugés vous aveuglent. J'ai dû faire rectifier certaines critiques de la presse internationale. J'espère que vous savez rester impartiale.

Ciano avait fait justifier le comportement des troupes fascistes en exigeant qu'on montre des photos des atrocités commises par les Éthiopiens sur des prisonniers de guerre italiens. Il avait aussi tenu à ce que l'on rapporte le détournement de l'emblème de la Croix-Rouge que les troupes du Négus avaient affiché sur certains camions de munitions. Ils avaient commis des fautes, Alice ne pouvait le nier. Mais dans le jeu de la propagande, tout propos, toute image étaient appelés à être déformés. Par moments, la jeune femme avait l'impression de s'égarer dans un marécage de mensonges et d'illusions.

— Il me semble que Miss Clifford utilise *toutes* ses armes avec une efficacité aussi mesurée que redoutable, s'amusa Winther, s'attirant un regard noir d'Alice.

49

— En Amérique, la liberté de la presse est un droit constitutionnel, or une presse libre implique et garantit le droit d'avoir des opinions. On lui demande simplement d'être honnête et scrupuleuse en relatant les faits. J'aime votre pays, Excellence, affirma-t-elle avec force. J'aime son esprit, sa culture, sa grandeur d'âme. Je ne chercherai jamais à lui nuire, je peux vous l'assurer.

Elle ne cilla pas sous le regard méfiant de Ciano.

J'aime votre pays mais pas les chemins de traverse qu'il emprunte, avait-elle envie d'ajouter, mais elle ne devait pas mettre en péril la nouvelle vie qu'elle essayait de se construire pour un bon mot. Trop souvent, Alice avait brûlé les ponts derrière elle. Si elle ne devenait pas plus raisonnable, le monde serait bientôt trop petit pour l'abriter.

Un secrétaire de la légation vint leur annoncer, la voix tremblante d'émotion, que la radio retransmettait les acclamations d'une foule innombrable à Rome, où le Duce saluait la victoire depuis le palazzo Venezia. Aussitôt, Ciano lui emboîta le pas, fendant les invités qui s'écartèrent respectueusement pour le laisser s'approcher de l'appareil.

— Nous aussi, nous ferions bien d'aller écouter Beau-Papa, murmura Winther en prenant Alice par le bras. Vous vous êtes bien rattrapée car votre affaire était mal engagée. Très joli jeu de séduction.

Elle leva les yeux au ciel.

— Pourquoi les hommes ramènent-ils toujours tout à la séduction ?

— Parce que nous allons à l'essentiel.

Dans le petit salon bondé, Alice entendit les hurlements de joie crépiter sur les ondes. Elle imagina les Romains chavirés de bonheur sur la via dell'Impero, la piazza Venezia, les rues alentour, pendus aux fenêtres, debout sur les toits. Des projecteurs éclairaient sans doute d'une lumière aveuglante la façade du palais. Par un curieux mimétisme, Galeazzo Ciano avait instinctivement adopté le maintien du Duce, ses larges épaules en arrière, la mine volontaire. Les convives, subjugués, étaient tous tournés vers la radio comme vers un autel sacrificiel. Sur leurs visages se lisait une attente ardente, presque douloureuse. Même Karlheinz Winther semblait fasciné, toute trace de son insolence envolée.

La voix familière retentit, martelant les syllabes : « J'annonce au peuple italien et au monde que la guerre est finie. L'Éthiopie est italienne ! » L'orateur vivait sa plus grande heure de gloire depuis qu'il s'était emparé du pouvoir quatorze ans auparavant. Un frisson d'intense émotion parcourut l'assemblée. Au fond du salon, quelqu'un cria : « Duce ! », comme l'on rend grâce à Dieu.

Rome, juillet 1936

Umberto, *dei principi* Ludovici, quitta le palazzo Chigi d'un pas décidé et fut aussitôt freiné dans son élan par la foule qui déambulait sur la via del Corso. Il se laissa dériver de bonne grâce. Un Romain heureux parmi d'autres. En ce début de soirée, l'allégresse naissait autant de la belle saison que de l'euphorie suscitée par la proclamation de l'empire, le gouvernement ne perdant pas une occasion pour marteler la bonne nouvelle.

Dès qu'il poussa la porte de la galerie d'art, le propriétaire s'élança vers lui pour l'accueillir.

— Quel honneur, *principe* ! Venir me voir alors que vous devez être tellement occupé avec vos nouvelles fonctions.

— Je m'accorde le temps d'aménager mon bureau. Ils m'ont donné un espace ridiculement étroit, mais je tiens à une décoration inspirante.

L'homme le guida vers un buste qui reposait sur un socle en marbre.

— Je ne m'en lasse pas, s'enflamma-t-il. Cette patine sur la terre cuite… Une merveille, non ? Même si l'œuvre de Bertelli a été reproduite de façon plus ou moins heureuse depuis sa conception, nous restons au cœur de sa vision futuriste. On sent véritablement la présence du Duce, vous ne trouvez pas ? conclut-il en soupirant d'aise, les mains croisées sur le ventre.

Fasciné par l'illusion d'optique, Umberto tourna autour de la sculpture. L'œil prenait un moment pour s'habituer aux lignes courbes avant de discerner clairement le profil de Mussolini décliné à 360 degrés.

— Ce n'est pas très réaliste. Celui-ci ne vous regarde jamais en face.

— Mais un bel hommage à Lui rendre, n'est-ce pas ? En évitant toutefois de sentir Son regard peser sur vos épaules, se hasarda à plaisanter le marchand d'art.

Il fallait se méfier des allusions au Duce comme au fascisme en général. Une critique, une moquerie ou un parfum de défaitisme pouvaient vous conduire en exil à l'autre bout du pays ou vous infliger une sévère colique, les propriétés laxatives de l'huile de ricin administrée de force aux opposants demeurant encore une distraction prisée par les gros bras du régime. Certains hésitaient à se montrer trop caustiques, ce qui donnait parfois aux Romains la sensation contre nature de vivre muselés.

— Très intéressant, mais mon bureau est un peu petit pour lui.

Au propre comme au figuré, songea Umberto. La force et la vitalité que dégageait la puissante carrure du président du Conseil rendaient sa présence tolérable dans son bureau cathédrale du palazzo Venezia ou lors d'un galop matinal dans le parc de la villa Borghese, mais certainement pas dans une pièce confinée.

Il fit le tour de la galerie, quelque peu désenchanté, avant de s'arrêter net devant un tableau représentant un homme de profil, en chemise, plastron et nœud papillon blancs de soirée, tenant en équilibre un haut-de-forme sur un cigare.

— Antonio Donghi, je présume.

— Bien sûr, susurra le galeriste à l'affût. Un maître, n'est-ce pas ? Un artiste ironique et fantasque, mais humble et mélancolique aussi… Tellement romain, en somme.

Plus Umberto contemplait ce funambule à fine moustache, la main droite ouverte comme en quête d'applaudissements pour son acte incongru, plus il avait l'impression d'y percevoir une allégorie de sa propre existence. Il appréciait le travail de Donghi dont il possédait déjà une toile. Une nature morte. Mais ce tableau correspondait à son humeur du moment, à l'étrange vertige qu'il avait éprouvé quelques jours auparavant, quand le secrétaire particulier de Galeazzo l'avait appelé pour l'informer que Son Excellence le comte Ciano, récemment nommé ministre des Affaires étrangères, souhaitait qu'Umberto rejoigne son cabinet. D'une main, Umberto tenait l'écouteur, de l'autre son petit garçon d'un an qui venait de régurgiter son déjeuner sur son épaule. Sa nomination avait eu un parfum déplaisant de lait et de légumes non digérés.

— Je le prends, annonça-t-il sans même s'enquérir du prix. Faites-le livrer tout à l'heure au ministère, au palazzo Chigi.

— Certainement. Un excellent choix, comme toujours. Puis-je me permettre de vous demander des nouvelles de donna Beatrice ?

C'était l'anniversaire de sa femme. Umberto se rendait d'ailleurs chez les joailliers de la via Condotti lorsqu'il avait bifurqué jusqu'à sa galerie d'art préférée. Il jeta un coup d'œil à son bracelet-montre tout en rassurant son interlocuteur sur l'état de santé de son épouse, de leurs deux *bambini* dont le cadet faisait ses dents, mais aussi de sa mère, la princesse douairière, qui ne quittait plus guère leur propriété du Latium.

Non sans une pointe d'amusement, il releva que l'homme évitait soigneusement toute allusion au bien-être de son frère aîné, Giacomo, historien de renom, prince assistant au trône pontifical, et brebis galeuse de la famille. Ce réfractaire au régime fasciste avait refusé de verser son obole lors de la *Giornata della Fede* de décembre dernier, lorsque la population tout entière, à l'imitation de la reine Hélène, avait présenté en sacrifice à la nation ses alliances matrimoniales, médailles, décorations, colliers, calices ou croix pectorales, destinés à être fondus en lingots d'or au cours d'un spectacle magistralement orchestré afin de financer la campagne d'Abyssinie et de prouver qu'aucune sanction économique n'étranglerait jamais l'Italie. L'impénitent avait aussi interdit à ses domestiques d'accrocher le drapeau national aux portes du palais, suscitant des crachats et des insultes peinturlurées sur les murs.

Et s'il achetait une nouvelle alliance à Beatrice ? L'anneau en fer offert par l'État reconnaissant était d'une laideur détestable, mais ses amies et elle l'arboraient fièrement, s'unissant ainsi de manière quasi mystique au pays et au régime fasciste. Sans doute serait-elle offusquée de renoncer à cette décoration martiale, se raisonna-t-il. De même qu'il était inconcevable qu'il lui offrît, comme les années précédentes, un flacon de parfum français ou un cachemire écossais. Les biens de fabrication étrangère étaient proscrits pour tout fasciste désireux de prouver sa fidélité à son pays incompris mais victorieux.

Il reprit sa promenade, soucieux de trouver le cadeau adéquat, puis s'en retourna chez lui. Le quartier fourmillait de connaissances impatientes de le féliciter, de partager quelque connivence dans ce salon à ciel ouvert que constituait l'entrelacs de ruelles autour du Campo dei Fiori.

— C'est toi, Umberto ? appela la voix haute et claire de Beatrice lorsqu'il pénétra dans le vestibule. Tu as vu l'heure ? Et pourquoi m'apportes-tu encore un bouquet ? Cette maison va finir par ressembler à une boutique de fleuriste.

Il brandit les roses tel un bouclier.

— Honte à moi ! Je suis sorti trop tard. Impossible de trouver un présent digne de toi.

— Voyons, Umberto, je n'attendais rien. C'est déjà un miracle que tu te sois rappelé la date de mon anniversaire. Dépêche-toi maintenant, je te prie ! Nos amis ne vont pas tarder.

La robe en mousseline de soie soulignait son corps

svelte, dévoilant la blancheur de ses épaules, la naissance de sa gorge. Une étrange ceinture tressée aux accents barbares – abyssins ? se demanda-t-il – ceignait ses reins. Elle se dressa sur la pointe des pieds, effleura ses lèvres d'un baiser en le délestant du bouquet. Il la saisit par la taille, l'attira à lui. Beatrice se contenta d'un sourire distrait en lui tapotant la joue. Bien qu'elle fût sans doute préoccupée par la soirée, il trouva son geste quelque peu vexant. Quand elle l'exhorta à monter se changer sans perdre de temps, il s'agaça de la sentir aussi détachée, n'appréciant pas qu'elle prenne son désir pour un dû. Ce n'était pas la première fois. Or Beatrice, forte des certitudes nées de ses quartiers de noblesse, de ce palais Renaissance où elle avait vu le jour et où Umberto avait emménagé au lendemain de leur mariage, du corps sain et harmonieux dont l'avait gratifiée la Providence, mère comblée de deux garçons, n'en attendait évidemment pas moins de son époux. Il lui arrivait, dans des moments fugitifs comme celui-là, d'être contrarié, sinon blessé par cette assurance.

— Que rêver de mieux pour se détendre ? Un lieu agréable et des jolies femmes, dit Galeazzo Ciano en embrassant d'un regard satisfait le salon tapissé de brocart vert où la vingtaine de convives s'était rassemblée après le dîner pour fumer et boire des liqueurs. Ce soir, je suis comblé !

Umberto hocha la tête pour le remercier du compliment sans ressentir toutefois de satisfaction particulière, mais plutôt un sentiment de malaise. L'attitude amicale de Galeazzo changerait-elle maintenant qu'il devenait l'un de ses conseillers ? Jusqu'à présent, Umberto s'était contenté d'accomplir des missions ponctuelles, de celles qu'on demande à tout jeune diplomate discret flatté de servir son pays. Cette nomination menaçait sa tranquillité. Possédant un goût peu prononcé pour l'effort, il n'était pas carriériste et s'attachait plus volontiers à réussir une existence consacrée à la joie de vivre. Son camarade de jeu, généreux, plein d'humour et bon partenaire de golf, resterait-il aussi distrayant à la tête de ce ministère décisif ? Beaucoup considéraient Galeazzo comme le dauphin du régime. En dépit des oreilles indiscrètes, le petit peuple se moquait volontiers du «gendrissime» dévoré d'ambition qu'on jugeait futile et fat. Umberto n'avait guère envie d'être entraîné dans une aventure où il ne maîtriserait rien et où il redoutait d'avoir à prendre des décisions pénibles. Le funambule de Donghi lui traversa l'esprit.

Edda Ciano se leva d'un bond, tapa dans les mains pour obtenir l'attention.

— Ma délicieuse Beatrice, tu es une personne exceptionnelle. Nous t'aimons tous pour ta bonté et ta gentillesse. Galeazzo aussi bien sûr, parce que tu es l'une des plus belles Romaines de notre génération !

Mince, ardente, la jeune femme blonde esquissa une mimique. Il y eut quelques rires complices. Entourée d'amis, Edda s'autorisait cette allusion ironique aux infidélités notoires de son mari. À Beatrice, elle affirmait qu'elle n'était plus jalouse, se déclarant même satisfaite que son mari ait la décence de choisir ses flirts parmi des femmes qui lui étaient sympathiques. Entre Galeazzo et elle, l'amour avait déjà cédé la place à une amitié, une connivence, un sentiment de protection mutuelle. Ce qui n'est pas rien dans un couple, songea Umberto en observant les traits si familiers des Mussolini, la mâchoire carrée et le dessin décidé des lèvres.

— C'est enfin l'heure des cadeaux ! s'exclama Edda. Joyeux anniversaire, ma chérie !

Sa femme serra son amie dans ses bras. Elles avaient été pensionnaires à l'éminent collège Poggio Imperiale à Florence. D'emblée, Beatrice avait ressenti de l'affection pour l'adolescente indocile. Elle lui pardonnait son caractère tranchant, ses réflexions parfois acides, une impétuosité si contraire à son propre tempérament, comme son langage parfois grossier, son goût pour le poker, les alcools forts ou les hommes. Edda s'était attachée à comprendre les codes d'une haute société bien éloignée de ses origines modestes. Elle avait appris les manières de table, l'élégance vestimentaire, l'art des conversations futiles, s'intégrant dans un univers raffiné dont son père se méfiait. En songeant à son attachement pour Beatrice, Umberto se demanda comment deux personnes aussi dissemblables pouvaient prendre autant de plaisir à passer du temps ensemble.

Beatrice appela Umberto auprès d'elle pour lui montrer son cadeau. Il complimenta Edda sur le choix original d'une boîte à musique ancienne qu'elle avait rapportée d'un récent voyage en Allemagne.

— J'espère que ça ne joue pas le *Horst Wessel Lied*, plaisanta-t-il.

— Ou pire encore, du Wagner ! renchérit l'un de leurs amis.

— Imbéciles ! Vous pensez bien que j'ai écouté la mélodie avant de l'acheter, rétorqua Edda en riant. Et cessez de critiquer les Allemands. Vous allez faire de la peine à ce pauvre Philippe.

À l'autre extrémité du salon, le prince Philippe de Hesse n'écoutait pas les conversations. Depuis un long moment déjà, les mains dans le dos, il étudiait les tableaux d'un air gourmand. Umberto avait remarqué son intérêt pour le portrait d'un ancêtre de Beatrice peint par le Tintoret. Si Philippe reste immobile plus longtemps, il va prendre racine, se dit-il avec un froncement de sourcils. Il le jugeait raide et compassé. Quoique d'une grande beauté physique, la plupart de ces aristocrates d'Europe centrale ne brillaient pas par leur finesse d'esprit. Quant à leurs épouses, Umberto les trouvait aussi sottes que prétentieuses. Il savait toutefois que Galeazzo soignait ses relations avec le prince, émissaire privilégié d'Adolf Hitler.

— Ce n'est pas un mauvais bougre, chuchota Ciano, devinant les pensées de son ami.

— Désolé, j'ai du mal avec les Allemands. Ils manquent tellement d'humour.

— Pas tous, intervint Edda en glissant son bras sous celui d'Umberto. Moi, je les aime beaucoup. Je passe mon temps à dire à Galeazzo qu'ils sont accueillants et bien élevés. Y compris le Führer. On a fait une promenade en barque sur le Wannsee l'autre jour. Il ne ressemble pas du tout à ce pantin ridicule qu'on voit aux actualités. C'est un homme charmant, patient et drôle. Et il adore les enfants...

— Un parangon d'affabilité, qui l'eût cru ? ironisa Umberto.

Du coin de l'œil, ils virent Philippe de Hesse revenir vers eux et changèrent de sujet de conversation. Galeazzo se mit à lui parler de Capri, où Philippe et son épouse la princesse Mafalda de Savoie, la fille du roi d'Italie, possédaient une villa voisine de celle des Ciano.

Le maître d'hôtel s'approcha d'Umberto pour lui glisser un mot à l'oreille.

— On vous demande, don Umberto.

— Maintenant ?

— Je crois qu'il est important que vous veniez tout de suite.

Umberto hésita un moment. Une fête réussie exigeait une implication de chaque instant, l'élégance n'étant qu'attention aux détails. La fin de soirée, en revanche, permettait enfin au maître et à la maîtresse de maison de se détendre et il n'aimait pas qu'on la lui gâche. Il observa Beatrice qui dénouait les rubans de ses paquets avec une mine d'enfant réjouie. Autour d'elle, leurs amis plaisantaient avec insouciance. Tous se connaissaient depuis toujours et se comprenaient à demi-mot. Edda virevoltait de l'un à l'autre, une cigarette entre les doigts, exigeant un gramophone et des disques pour danser.

De mauvaise grâce, Umberto leur tourna le dos et rejoignit la bibliothèque, décidé à expédier l'intrus au plus vite. Debout dans l'angle le plus obscur de la pièce, à l'abri d'un rideau, un homme regardait par la fenêtre.

— Vous désirez ? Mon Dieu, Giacomo, que fais-tu là ? ajouta-t-il en reconnaissant la silhouette longiligne.

Son frère se retourna. Il se tenait un peu voûté, comme de coutume puisqu'il souffrait du dos depuis qu'il avait été blessé sur le Piave à la fin de la Grande Guerre. Le teint cireux, les yeux cernés, il semblait abattu. Umberto, qui ne l'avait pas croisé depuis trois ans, fut frappé de voir qu'il avait déjà des cheveux blancs.

— Bonsoir, Umberto. Je te prie de m'excuser de venir ainsi sans m'être annoncé.

L'exquise politesse de sa voix aux inflexions graves désarçonna Umberto qui se mit à bafouiller.

— Je t'en prie, mais c'est l'anniversaire de Beatrice. Nous avons des amis à dîner. Je ne peux pas t'accorder beaucoup de temps.

— Je comprends. Je ne suis d'ailleurs pas présentable, avoua-t-il avec un geste pour son costume de ville et ses chaussures poussiéreuses. Tu penses bien que si je suis là, c'est que je n'avais nulle part où aller.

Aussitôt, Umberto fut sur ses gardes. Depuis le jour où son aîné avait détruit son train électrique en provoquant un court-circuit, Giacomo avait une fâcheuse tendance à empoisonner son existence.

— Comment cela ?

Giacomo jeta un autre coup d'œil par la fenêtre, avant de laisser retomber le rideau et de s'en écarter.

— Je suis suivi.

— Bien évidemment ! s'emporta Umberto. Tu as fait de ton opposition au régime ta ligne de conduite. Ce comportement insensé ne peut qu'entraîner des ennuis. Bocchini doit t'avoir en tête de liste des personnes à surveiller.

Il frémit à la pensée du chef de la police secrète. On ne savait jamais quand ces gens-là pouvaient venir frapper à votre porte pour vous demander des comptes. La haute société s'y montrait d'ordinaire indifférente, et plaisantait volontiers au sujet de Mussolini sans crainte d'être trahie. Mais elle avait tort. Les espions étaient partout.

— J'avais quelque chose d'important à faire ce soir non loin de chez toi. Malheureusement, il y a eu un problème. Je dois protéger des amis et comme je passais devant chez vous, je me suis dit qu'il semblerait plausible à tous que je vienne souhaiter l'anniversaire de ma belle-sœur.

— Un alibi ? C'est ça que tu cherches ?

— Pas seulement.

— Personne ne te croira, voyons ! rétorqua Umberto en levant les mains au ciel. Tout Rome sait que nous ne nous parlons plus depuis des années. As-tu la moindre idée de qui je reçois ce soir ?

— Je crains le pire, railla Giacomo, qui avait repris des couleurs. Tes fréquentations ont toujours laissé à désirer. Je n'arrive pas à comprendre ce que tu trouves à ces notables du parti. Comment peux-tu sous-estimer le mal que nourrit en son sein le mouvement fasciste ? Penses-tu vraiment que ta cuillère soit assez longue pour souper avec tous ces diables ?

Umberto se raidit sous l'effet de la colère. Cette conversation, ils l'avaient eue maintes fois. Alors même que l'Europe et l'Amérique saluaient en termes élogieux un régime qui avait ramené la stabilité dans un pays secoué par des grèves sanglantes et des tentations révolutionnaires bolcheviques, Giacomo avait toujours refusé de reconnaître les accomplissements pourtant avérés du fascisme.

— Pourquoi es-tu aussi obtus ? Ce pays avait besoin d'un homme de l'envergure du Duce pour mettre fin au chaos après la Grande Guerre. Et maintenant, il nous a même rendu notre fierté nationale.

Giacomo fit une moue sceptique.

— Des dépenses d'armement extravagantes, des centaines de milliers de soldats déployés pour vaincre un modeste peuple africain qui a résisté si bravement qu'il a fallu utiliser des gaz proscrits pour le soumettre… Belle illustration d'inanité ! Je suis consterné qu'un garçon intelligent comme toi n'ait pas encore compris que ce pays est dirigé par un dictateur et des hommes corrompus qui nous mènent au désastre. Quant à la maison de Savoie, elle laisse faire, bien sûr. Les crétins ! Il paraît que tu t'es pendu aux basques de ton ami Ciano maintenant qu'il a pris du galon aux Affaires étrangères. Tout le monde le déteste. Tu le sais, j'espère ?

La porte s'entrouvrit, laissant entendre les éclats de rire et la musique en provenance du grand salon. La fête battait son plein. Le maître d'hôtel proposa un plateau à Giacomo sur lequel reposaient des verres et un flacon en cristal.

— Tu permets, Umberto ? Je meurs de soif. Du cognac, c'est parfait. Mais non, j'oubliais ! Ce mot trop français heurte les chastes oreilles fascistes. On nous dicte le vocabulaire à employer, une nouvelle syntaxe grammaticale et la manière de saluer. Je ne m'y fais pas. Que veux-tu, j'ai toujours détesté l'école.

— Tu as bientôt fini ? l'interrompit Umberto d'un ton glacial. Tu m'insultes sous mon toit tout en réclamant mon aide. Décidément, ta femme est une sainte de te supporter.

Giacomo éclata de rire.

Un court instant, Umberto retrouva le compagnon d'autrefois. De neuf ans son cadet, il avait eu pour lui l'attachement d'un petit garçon éperdu d'admiration. Perché dans les arbres de leur propriété, il avait épié Giacomo faisant la cour aux jolies filles qui raffolaient de sa blondeur éthérée. Violoniste de talent, cavalier émérite, il était fantasque, charmant, ombrageux parfois, ce qui ajoutait à la fascination qu'il exerçait sur les âmes sensibles. À la mort de leur père, il avait tenu serrée la main de son petit frère tandis qu'ils marchaient en procession derrière le cercueil jusqu'au cimetière. Il s'était penché pour essuyer ses larmes avec son mouchoir, lui pinçant la joue pour lui arracher un sourire.

Umberto n'avait pas vu venir les fêlures successives qui les avaient éloignés. Adolescent à la fin de la Grande Guerre, il n'avait pas trouvé le point d'équilibre avec ce frère décoré, officier valeureux qui souffrait dans son corps, dans son âme, après une blessure au front lors de l'été 1918. Le héros de son enfance était devenu encombrant. Pour Giacomo, terrifié à l'idée de ne pas retrouver l'usage de ses jambes, la vitalité d'Umberto n'était plus qu'une insulte. Il y avait eu des paroles maladroites, des traits d'humour cruels. La jalousie, bien sûr. Un fossé s'était creusé au grand dam de leur mère, puis de l'épouse de Giacomo. Les succès du fascisme avaient achevé de laisser entre eux un champ de ruines.

— Flaminia regrette de ne plus vous voir.

Umberto haussa les épaules. Les premiers temps, sa belle-sœur avait tenté d'aplanir les aspérités. C'était une femme droite, discrète, quoiqu'un peu trop moralisatrice et dévote à son goût. Beaucoup plus agréable toutefois à fréquenter que Giacomo dont l'humeur capricieuse s'était teintée de méchanceté. Mais il n'y avait rien eu à faire. Umberto avait même réussi à se disputer avec elle, ce qui avait conduit Giacomo à refuser d'assister au mariage de son frère. Non sans sévérité, Beatrice traitait sa belle-sœur de sainte-nitouche et lui trouvait une allure pincée d'institutrice.

— Tu la salueras de ma part. J'espère qu'elle et vos enfants se portent bien.

Giacomo l'observa d'un air tranquille, faisant tournoyer l'alcool dans le verre ballon avant de le porter à ses lèvres.

— Tu te rends compte du ridicule de la situation ? Tu me retiens dans cette bibliothèque comme un pestiféré au lieu de me permettre d'aller féliciter Beatrice.

— En quoi cela lui ferait-il plaisir ? Tu es un cadeau empoisonné.

La flèche porta. Le visage de son frère se rembrunit et un voile de tristesse passa dans ses yeux.

— On a failli perdre Scipione l'année dernière, murmura-t-il. Une mauvaise pneumonie. Flaminia a été exemplaire. Elle l'a veillé nuit et jour pendant des semaines. Il n'a que dix ans. Si mon fils était mort, je ne m'en serais pas remis.

Umberto se sentit mal à l'aise. Il détestait quand son frère jouait sur la corde affective.

— Je suis désolé, dit-il sèchement. J'espère qu'il va bien désormais.

— Bien sûr ! Je ne sais pas pourquoi je te raconte tout ça. Je venais pour t'entretenir d'une chose bien plus importante…

En entendant des éclats de voix dans le vestibule, Umberto sursauta. Il lui fallait éviter le pire, que Galeazzo ou Edda entrent dans la bibliothèque et se retrouvent face à l'infréquentable Giacomo Ludovici.

— Reste ici ! ordonna-t-il. Ne bouge pas jusqu'à ce que je revienne, tu m'entends ?

Non sans ironie, Giacomo se versa un autre cognac et leva son verre comme pour trinquer.

Umberto referma la porte derrière lui et s'y adossa.

— Des ennuis ? demanda Galeazzo Ciano. Tu as l'air bizarre.

— Pas du tout.

— Dans ce cas, qu'attends-tu pour nous rejoindre ? On a besoin de toi, décréta-t-il d'un ton contrarié.

Umberto s'empressa de le suivre. Dans le salon, ses amis avaient fait installer une table de bridge, approché des chaises. On l'obligea à participer à un jeu de société aux règles insensées qu'il ne comprit pas, ce qui exaspéra Edda dont il était le partenaire. Elle finit par jeter les cartes sur la table, exigeant qu'on interrompe la partie puisqu'il n'était qu'un abruti.

Lorsque les invités furent enfin rentrés chez eux, Umberto se dépêcha de retourner à la bibliothèque. Son frère, évidemment, ne s'y trouvait plus. Il se rendit compte qu'il ne lui avait même pas demandé ce dont il avait besoin. Tant mieux. Il éprouva un lâche soulagement à la pensée que Giacomo ne reviendrait pas de sitôt. Si tous deux partageaient un trait de caractère, c'était bien l'orgueil.

Une lampe était restée allumée près du fauteuil. Il y avait des mégots dans le cendrier, un livre posé sur l'accoudoir avec un marque-page en évidence. Umberto s'approcha, un brin méfiant, l'ouvrit. *Le Prince*, de Machiavel. Chapitre huit, où il est question de pouvoir et de perfidie.

La porte-fenêtre était ouverte sur la terrasse écrasée de lumière. Alice dormait nue. Un voile de sueur brillait sur sa peau, perlait entre ses seins. C'était le début de l'après-midi, cette parenthèse bénie des journées d'été quand le citadin romain ne conçoit pas de s'occuper à autre chose qu'à ne rien faire, de préférence au bord de la mer. Son souffle était régulier. Son rêve vivace. Une plage sauvage bordée de dunes, un ciel bleu féroce, un vent chaud venu du désert.

La sonnerie du téléphone retentit. Lorsqu'elle ouvrit les yeux, l'éclat du soleil lui donna envie de mourir. La sonnerie persista. Grêle, odieuse. Pourquoi diable avait-elle tant insisté pour faire installer cet appareil ? Elle roula sur le côté du lit. Un vertige la saisit quand elle se leva.

— Signora Clifford ?

— Oui.

La voix impersonnelle de l'opératrice lui demanda de patienter. Un timbre masculin enchaîna :

— Signora Clifford ?

— Toujours moi, fit-elle, impatiente.

— Le Duce vous recevra aujourd'hui, à six heures.

Prise au dépourvu, elle chercha vainement quelque chose pour se couvrir.

— Vous êtes encore là ? Cet horaire vous convient, je présume ?

— Bien entendu.

— Je n'en doutais pas, plaisanta son interlocuteur avant de la saluer et de raccrocher.

Elle se laissa tomber sur le lit, les bras en croix. Il lui restait trois heures pour revenir dans le monde des vivants. Elle ne put que constater le désordre, les vêtements éparpillés autour de la chambre, ses sandales et sa combinaison en soie au pied d'une chaise. Une déplaisante odeur de tabac froid s'échappait du cendrier. Sur la table de chevet reposait une coupelle en porcelaine remplie de noyaux de cerises desséchés. Elle n'avait rien mangé depuis deux jours. Son placard à provisions était vide mais elle n'avait pas eu le courage de quitter l'appartement. Depuis son retour d'Éthiopie un mois auparavant, elle avait fui la cour et la ville, où la moindre distraction devenait blessure. «Encore l'une de tes absences», aurait dit son père d'un air sévère. Il connaissait les divagations de sa fille lorsqu'elle n'avait goût à rien. Le silence intraitable. La lumière éteinte du regard. La première fois, il l'avait traînée chez le médecin de famille qui l'avait auscultée sous toutes les coutures. L'homme de science avait secoué la tête, réduit à l'impuissance devant l'obstination de l'enfant. Son père avait refusé de s'adresser à un «spécialiste». «Cela lui passera», avait-il murmuré. Il n'avait pas eu tort. Quelques jours plus tard, elle avait retrouvé l'appétit et la parole, réduisant l'incident malgré elle à la futilité d'un caprice. Devenue adulte, elle s'était bien gardée de vivre ses «absences» en présence du juge Clifford.

Sous la douche, l'eau bienfaisante dénoua les muscles endoloris de ses épaules, dissipant peu à peu la léthargie qui l'avait emprisonnée. Son esprit s'étirait, ses pensées reprenaient forme. Enroulée dans un drap de bain, elle s'activa pour changer les draps, ranger la chambre, pressée de faire disparaître les témoignages pathétiques de sa solitude, de ces instants où elle perdait pied.

Sur la terrasse, les lauriers et l'oranger solitaire avaient besoin d'attention. Elle fit une grimace, honteuse de sa négligence. Penchée à la balustrade, elle avisa le petit Marcello adossé à la boutique de son père cordonnier qui avait baissé le rideau le temps de la sieste. Portant deux doigts à ses lèvres, elle siffla. L'enfant en culottes courtes leva aussitôt la tête, agita le bras avant de détaler en direction du café voisin. Quelques minutes plus tard il frappait à sa porte, portant triomphalement un plateau avec des *biscotti* aux amandes et une tasse de café noir, un breuvage devenu précieux depuis les restrictions imposées sur les produits importés. Elle embrassa l'enfant sur le front en l'appelant son «sauveur», avant de refermer la porte derrière lui. Comme il faisait trop chaud pour se tenir dehors, elle se pelotonna dans un fauteuil et entreprit de relire avec attention les notes préparées pour son entretien.

En s'approchant du palazzo Venezia, au pied du Capitole, Alice eut l'impression de partir à l'assaut. La tour carrée et les créneaux de la bâtisse lui donnaient l'allure d'une forteresse médiévale. Des gardes en chemises noires, baïonnette au canon, veillaient devant l'entrée. Elle présenta sa carte de presse ainsi que la lettre de recommandation que Galeazzo Ciano lui avait signée à Addis Abeba. Un huissier en livrée bleu sombre galonnée d'or la précéda dans l'escalier de pierre.

Ils traversèrent un austère salon Renaissance au plafond de poutres sculptées. Des toiles de maître, portraits et paysages, étaient accrochées sur les murs tendus de tissu jaune. Il lui sembla reconnaître un Véronèse. L'huissier la pria d'attendre dans une antichambre. Elle n'était pas nerveuse. Sa concentration ralentissait son pouls, aiguisait ses sensations. Elle vérifia son rouge à lèvres dans le reflet d'une vitrine qui renfermait des majoliques, tira sur son corsage. Elle portait des gants, un chapeau de paille à bord étroit. Une tenue choisie avec soin. Le tissu bleu clair imprimé rehaussait la couleur de ses yeux et la jupe droite n'éveillerait pas l'attention d'un des plus grands séducteurs du pays. La réputation du président du Conseil n'était plus à faire. Au palais gouvernemental, un bureau officiel était consacré au seul courrier de ses admiratrices. On évoquait mille cinq cents lettres par jour dont il lirait près de deux cents. Où trouve-t-il le temps ? se demanda Alice. Ses nombreuses aventures ne choquaient personne. Cette virilité constituait même une facette à part entière de son mythe. Si étrange que cela pût lui paraître, à elle, l'Américaine, ce corps dont il jouait comme d'un instrument de pouvoir en posant pour des photographes torse nu dans des champs de blé ou au bord de la mer, les Italiens l'admiraient et leurs femmes le désiraient.

Un secrétaire vint lui annoncer que le Duce était prêt à la recevoir. L'espace d'un instant, Alice retint son souffle. On la fit entrer dans une pièce aux dimensions magistrales dont les trois hautes fenêtres donnaient sur la piazza. Les rumeurs de la ville parvenaient assourdies dans ce sanctuaire dépourvu de meubles où régnait un silence profond, quasiment sacré. Ses talons claquèrent avec insolence sur le dallage en marbre, si bien qu'elle dut se retenir pour ne pas marcher sur la pointe des pieds. Elle fut alors saisie par l'étrange sensation que le bureau démesuré derrière lequel était assis Benito Mussolini s'éloignait au fur et à mesure qu'elle s'en approchait.

Quand il se leva pour l'accueillir, elle prit note du costume de ville gris clair, des chaussures de sport bicolores. Le visage du Duce, aux traits accentués et à la mâchoire emblématique, lui était bien entendu familier, et pourtant rien ne l'avait préparée à la vitalité de ce corps trapu, ni au regard sombre, magnétique, qui la détaillait avec une curiosité bienveillante.

— Je remercie Votre Excellence de prendre le temps de me recevoir, dit-elle en lui serrant la main.

— C'est un honneur, Miss Clifford. J'aime les journalistes. Après tout, n'en étais-je pas un moi-même ?

Il avait reçu plusieurs de ses consœurs au cours des dernières années. Certaines d'entre elles avaient rédigé dans la foulée des articles dithyrambiques. Sa compatriote Virginia Cowles, venue interroger le Duce au début de la guerre d'Abyssinie, était restée plus réservée. Elle avait écrit que le patriotisme et l'ambition de Mussolini lui auraient permis de forger un empire en d'autres temps, mais qu'il s'était lancé dans une aventure hasardeuse dont personne ne pouvait prédire si elle le mènerait au triomphe ou à la catastrophe.

Il lui indiqua poliment l'une des deux chaises Savonarole placées devant le bureau en chêne massif.

— Votre italien est remarquable. Permettez-moi de vous féliciter.

Elle se déclara heureuse du compliment, sachant que lui maîtrisait parfaitement le français, ainsi que l'allemand, qu'il avait appris lors de son séjour dans le Trentin. Il parlait aussi l'anglais, bien qu'il y fût moins à l'aise. Elle lui demanda la permission de prendre des notes.

— Pour un homme de votre importance, Excellence, je suis surprise par le dépouillement de votre bureau.

Sur la table reposaient trois appareils téléphoniques, un mince dossier et des stylos-plumes alignés au cordeau.

— L'ordre permet d'avoir les idées claires.

— Je reconnais votre prédilection pour les animaux sauvages, poursuivit-elle en indiquant la sculpture d'un lion en bronze. Est-il vrai que vous aviez autrefois un lionceau que vous promeniez en laisse dans les rues de Rome ?

Il éclata de rire. Visiblement, il ne s'attendait pas à cette entrée en matière. Il confirma que la femelle lui avait été offerte par un propriétaire de cirque et qu'il l'avait appelée Italia. Le jour où elle avait déchiqueté l'une de ses vestes en cuir, il l'avait confiée à regret au zoo de la ville.

— Elle était magnifique. Quand j'entrais dans sa cage, elle se dressait sur ses pattes arrière et posait ses pattes avant sur mes épaules. Les visiteurs étaient affolés. Les femmes, surtout, qui poussaient des cris de frayeur.

Alice esquissa un sourire. Il avait une voix grave, bien modulée, dépouillée des accents stridents qu'il employait pour s'adresser aux foules. Son visage, d'une grande mobilité, ne dissimulait aucune de ses émotions.

Elle avait une idée précise du chemin que devait prendre la conversation. Il s'agissait de ne pas perdre le fil et d'éviter si possible tout monologue stérile. Adolf Hitler était coutumier du fait. Certains reporters qui avaient eu accès au chancelier allemand s'étaient plaints d'être confrontés à un adepte de la logorrhée, la hantise de tout correspondant indépendant. Mussolini, lui, répondait par des phrases courtes et précises. La rigueur de sa pensée lui faisait éviter toute forme interrogative. Visiblement, l'homme avait le sens de la rhétorique et n'avait pas perdu le goût du journaliste pour le mot juste.

Elle l'incita à lui parler de sa vision de Rome, qu'il aimait avec passion. Il avait ordonné la mise en valeur des vestiges de l'Empire romain aux dépens de bâtiments insalubres, signé au passage l'arrêt de mort de quelques églises baroques, et tracé notamment la via dell'Impero afin d'y déployer des parades militaires.

— Vous imprimez votre marque sur la capitale comme sur le pays tout entier.

— Rome est notre référence, notre symbole. Notre mythe, en un sens. Nous voulons une Italie romaine. Sage, puissante, disciplinée et impériale. L'esprit immortel de Rome renaît avec le fascisme.

— *Civis romanus sum…*

— Absolument, acquiesça-t-il, enchanté. Les Romains n'étaient pas seulement des combattants valeureux, mais également de grands bâtisseurs qui ont relevé les défis de leur époque.

La remarque cinglante de Karlheinz Winther la rabrouant au sujet des ouvriers italiens lui revint en mémoire. Cette intonation moqueuse de sa voix, sa voiture traversant une capitale africaine à feu et à sang… Elle s'aperçut que son interlocuteur continuait à parler et qu'elle s'était montrée moins attentive. Agacée, elle se ressaisit aussitôt.

— Sans fausse modestie, je me considère comme le père spirituel du Grand Plan de Rome.

— On dit pourtant que Rome était indifférente, sinon hostile à votre mouvement les premiers temps ?

— Le Romain n'est ni fasciste ni antifasciste. Il n'aime pas être bousculé dans ses habitudes. Mais s'il est agressé, il peut se révéler très pugnace.

Au fur et à mesure que se déroulait l'entretien, Alice fut frappée par la sérénité de Benito Mussolini, carré sur son siège, occupant intensément l'espace dans ce palais construit par les souverains pontifes avec des pierres du Colisée avant son acquisition par la république de Venise. Sur le plafond décoré se détachaient le lion de saint Marc et la louve romaine. En l'espace de quelques années, ce fils d'une modeste institutrice et d'un forgeron impétueux de Romagne avait marqué de son sceau la Ville éternelle, à l'image des grands empereurs ou de certains papes. Quoi qu'on pense de son action politique, c'était là une remarquable prouesse.

Le Duce semblait avoir tout son temps à lui consacrer. Alice ne fuyait pas le regard vigilant de son hôte qui lui donnait la sensation d'être seule au monde. À son étonnement, elle découvrait un homme prêt à répondre avec simplicité à des questions délicates. À le côtoyer ainsi, elle comprenait mieux son pouvoir de séduction. Ils en vinrent à parler de journalisme, une autre de ses passions, lui qui avait créé autrefois son propre quotidien.

— Comment le fondateur d'*Il Popolo d'Italia* peut-il admettre qu'il n'y ait pas une pleine et entière liberté de la presse dans son pays ?

Il poussa un soupir comme s'il s'excusait, déplorant que ce magnifique métier ait tellement changé depuis la Grande Guerre. Ce n'était plus des idées qui étaient en jeu, expliqua-t-il, mais des intérêts.

— Le journalisme vous manque-t-il parfois, Excellence ?

— Ah ! Mais il faut être jeune pour exercer ce métier, Miss Clifford. Comme vous.

La luminosité de ses yeux se fit plus insistante. Alice se redressa pour prendre de la hauteur.

— Mon ministre des Affaires étrangères m'a dit qu'il vous avait rencontrée à Addis Abeba, lança-t-il soudain. Il paraît que vous avez fêté notre victoire à la légation italienne.

— J'ai félicité le comte Ciano pour ses talents d'aviateur. Néanmoins, je n'ai pas osé lui demander s'il avait, lui aussi, largué des bombes toxiques.

En s'adressant à Mussolini comme à quelqu'un en qui elle pouvait avoir confiance, elle espérait le flatter. La question n'était pas incongrue. Le discours d'Haïlé Sélassié le 30 juin à la tribune de la Société des Nations, réclamant justice pour son peuple et dénonçant l'utilisation des armes proscrites, avait fait sensation dans le monde entier.

Il haussa les épaules.

— Il s'agissait seulement de gaz lacrymogènes et d'un dérivé du gaz moutarde qui n'entraîne que des plaies superficielles.

— J'ai vu de nombreuses victimes, Excellence, insista-t-elle à mi-voix. Leurs souffrances étaient terribles.

Il s'agita sur son siège. Ses traits se durcirent. D'un seul coup, Alice redouta d'avoir été trop loin.

— Voulez-vous voir ce que les Abyssins ont infligé à nos hommes ? Je dispose de photographies si horribles que les journaux comme les vôtres ne les ont pas publiées. Il fallait bien en finir avec les combats afin de sauver des vies, martela-t-il sèchement.

Voilà bien la mauvaise foi des bellicistes, songea la

jeune femme. La guerre avait marqué au fer rouge le destin politique de Benito Mussolini depuis le jour où cet opportuniste avait fait volte-face en prônant l'entrée en guerre de l'Italie aux côtés de la France et de l'Angleterre en 1915, alors que le Parti socialiste auquel il appartenait prêchait la non-intervention. «Les neutres ne peuvent jamais dominer les événements, avait-il écrit. Ils seront toujours dominés par eux. Les rouages grinçants de l'Histoire doivent être huilés avec le sang.» La guerre pour exister, se dit encore Alice, et pour méthode de gouvernement l'empirisme d'une «doctrine de l'action» qui encourageait la violence, couvrait des meurtres.

— Et après l'Éthiopie? Les Britanniques redoutent que vous ayez désormais l'ambition de conquérir les pays voisins. L'Égypte, par exemple?

— C'est absurde, voyons! Je ne comprends pas pourquoi les Anglais nous en veulent à ce point, précisa-t-il sur un ton exaspéré. En défendant nos intérêts coloniaux et en obtenant ce qui n'était que justice pour notre peuple, nous n'avons fait que les imiter. Quant à l'Égypte, c'est un pays méditerranéen indépendant avec lequel nous serons toujours en bons termes. Nous n'avons aucune autre aspiration coloniale, croyez-moi, Miss Clifford. Et vous pouvez l'écrire noir sur blanc dans votre article.

Songeuse, Alice secoua la tête.

— Pardonnez-moi, Excellence, je repensais à ce que le *New York Times* avait soutenu à l'époque de la marche sur Rome. Selon le quotidien – si je me rappelle bien – les fascistes avaient réussi «une révolution de ce genre inoffensif propre à l'Italie ». C'était il y a quatorze ans. Et vous voilà aujourd'hui… Ce ne fut donc pas aussi anodin que cela.

Le visage de Mussolini se transforma une nouvelle fois, reflétant une joie presque enfantine.

— L'une de vos consœurs, qui avait assisté à mon premier discours à la Chambre des députés, avait rédigé à l'époque un article élogieux. Vous la connaissez certainement : Anne O'Hare McCormick. Je l'ai reçue plusieurs fois depuis. Une personne remarquable d'intelligence. Elle avait tout de suite compris que rien ne m'arrêterait. Vous me faites un peu penser à elle, Miss Clifford. Vous joignez à votre intuition féminine la tournure d'esprit d'un homme. Cet alliage vous mènera loin.

Alice jugea inutile de préciser que sa condisciple avait été la première à alerter l'Amérique contre le péril fasciste, et cela dès 1921. Brusquement, Mussolini se leva, comme s'il ne tenait plus en place. Il fit quelques pas avant de s'immobiliser, le torse bombé, les jambes écartées tel un paysan campé sur sa terre.

— Depuis que j'ai pris le pouvoir, je n'ai cessé d'agir. J'aime être dans le mouvement. Je suis un voyageur. L'immobilité, c'est la malédiction et la mort.

La jeune femme comprit qu'il se lassait. Elle referma son calepin, renonçant à ses dernières questions. En 1923, Mussolini avait fait la couverture de *Time Magazine*. Dans les pays démocratiques, beaucoup regrettaient alors de ne pas disposer d'un homme politique de son envergure. Il sembla à la correspondante qu'il incarnait à merveille les traits distinctifs des chefs d'État qu'engendrait la péninsule depuis des siècles, ce mélange de cynisme et d'opportunisme, d'ardeur, d'intelligence et d'amoralité.

— Si je vous demandais de me citer un homme que vous admirez, Excellence, à qui penseriez-vous?

— Jules César, répondit-il aussitôt. Il possédait à la fois la volonté du guerrier et le génie du sage.

— Quel art considérez-vous comme majeur?

— L'architecture.

— Et qu'est-ce qui vous émeut?

Il réfléchit un instant.

— Le drame, Miss Clifford. Le drame est toujours ce qui m'a le plus fortement ému.

Comment rester insensible à l'énergie de cet homme auréolé de gloire depuis sa victoire militaire, dont le crâne dégarni rappelait les bustes d'empereurs romains qui décoraient les salons de la capitale? La force de sa volonté, la précision de sa pensée faisaient de lui un personnage bien éloigné du bouffon aux postures ridicules qui s'agitait sur les images saccadées des actualités. Et d'autant plus menaçant, s'admonesta-t-elle.

Le Duce raccompagna Alice jusqu'à la porte. Elle le remercia pour le temps qu'il lui avait accordé. Avec un sourire, il s'inclina pour lui baiser la main. Elle en fut surprise, ne s'attendant pas à un geste aussi courtois. Un huissier se présenta pour l'escorter. Elle jeta un dernier coup d'œil par-dessus son épaule, Mussolini la regardait partir, les mains dans le dos. Un frisson lui parcourut l'échine. Elle se rappela le discours d'Haïlé Sélassié, à la tribune de la Société des Nations, qu'il avait réussi à prononcer en dépit des quolibets des journalistes italiens. Descendant le grand escalier, le souffle court comme si elle avait couru, la jeune femme eut l'impression que l'empereur vaincu et exilé d'Éthiopie s'adressait directement à elle : « Aujourd'hui, c'est nous. Demain, ce sera vous. »

Dès qu'elle quitta le palazzo Venezia, Alice se rendit à l'Association de la presse étrangère. Absorbée par ses pensées, elle traversa la rue sans regarder, puis pénétra d'un pas pressé dans l'ancienne demeure à façade patinée de la via della Mercede. Elle écrivait toujours ses papiers sans perdre de temps, soucieuse de conserver intactes ses impressions. Il lui était arrivé de taper des articles sur sa petite machine à écrire à l'arrière d'une camionnette militaire ou assise à même le sol, dans la poussière, avec un cageot de légumes en guise de table. Elle avait appris à faire abstraction de toute agitation afin de ciseler ses phrases pour donner du rythme à son texte. Pour les reporters, l'urgence était toujours de mise. Non seulement ils étaient en compétition les uns avec les autres, mais leurs rédactions exigeaient des mots «aux odeurs de poudre», comme plaisantait son ami Howard.

Elle pria le responsable de prévoir une communication téléphonique longue distance avec New York, avant de s'enfermer dans l'une des petites pièces mises à disposition pour travailler. Il lui fallut près de trois heures pour parfaire le fil conducteur de l'entretien, traduire les réponses de Mussolini, nourrir l'article en prenant soin de taire ses préjugés sans dissimuler ses réticences. Un travail d'orfèvre.

Plusieurs fois, elle vérifia une référence dans les livres de la bibliothèque dont la plupart des ouvrages se révélaient d'inspiration fasciste, ce qui ne manqua pas de l'agacer. Les quotidiens étant la source d'information privilégiée pour se forger une opinion, les lecteurs attachaient une grande importance à la véracité des propos. Un lien de confiance s'établissait entre le correspondant et son public, qu'il ne fallait surtout pas briser. Il arrivait à Alice de tourner comme un lion en cage lorsque le mot juste lui échappait, dansant à la lisière de son esprit, la narguant, puis elle revenait triomphalement à la table et martelait les touches, les phrases s'enchaînant sous ses doigts.

Enfin satisfaite, elle rejoignit l'une des cabines téléphoniques insonorisées situées sur la mezzanine au-dessus du bar. Il y flottait un parfum de cigare qui lui fit froncer le nez. L'écouteur collé à l'oreille, elle dicta son article au quartier général de son journal, consciente que les grandes oreilles de la police secrète prenaient consciencieusement note de ses paroles. À la pensée que les censeurs du régime en connaîtraient la teneur avant même son rédacteur en chef, elle ne put s'empêcher de sourire. Il était arrivé à Howard, alors quelque peu éméché, d'interrompre sa conversation pour lancer une boutade aux indiscrets, une audace qu'elle-même ne se permettrait jamais. La seule solution pour contourner ce piège était de joindre l'étranger depuis un poste anonyme en ville.

Une fois l'écouteur reposé, elle laissa tomber son front sur ses mains. La tension nerveuse accumulée depuis le début de l'après-midi l'abandonna d'un seul coup. Il était presque onze heures du soir. Le temps de souffler. Elle quitta la mezzanine, remplie d'indulgence envers le monde entier. Elle adressa même un sourire à Akira Mishima, le correspondant japonais qui lui tapait d'ordinaire sur les nerfs parce qu'elle le trouvait sournois.

Un pianiste jouait dans la grande salle de réception. Les différents salons étaient bondés. Ses confrères revenaient sans doute d'un dîner ou d'une séance de cinéma pour s'offrir un dernier verre. Les cocktails proposés étaient parmi les meilleurs de Rome, à un prix dérisoire. Un coup d'œil lui suffit pour s'apercevoir que les tables du jardin intérieur avaient été prises d'assaut. Elle se faufila jusqu'à un tabouret qui venait de se libérer, fit un signe au barman pour lui indiquer qu'elle ne changeait rien à ses habitudes. Les yeux fermés, elle savoura un intense sentiment de soulagement. Dieu merci, tout s'était bien passé ! Elle n'avait pas bafouillé devant Mussolini ni émis de manquement grave qui aurait pu entraîner sa mise à l'écart ou pire, son expulsion du pays.

Ce n'était pas une crainte infondée. Deux ans auparavant, un bouquet de roses American Beauty à la main, elle s'était jointe aux nombreux journalistes venus saluer Dorothy Thompson en gare de Berlin. La correspondante prenait le train pour Paris, encadrée par des hommes de la Gestapo, bannie par les nazis pour avoir outragé le chancelier dans un livre où elle avait écrit qu'Adolf Hitler, «prototype du Petit Homme», devait sans doute «lever le petit doigt en buvant son thé». Gare à la susceptibilité des autocrates dès qu'on mentionnait leurs maniérismes de petits-bourgeois! Un agent de la Gestapo avait apporté à Dorothy la lettre d'excommunication alors qu'elle prenait son petit déjeuner dans sa chambre à l'hôtel Adlon. On y faisait allusion à ses «nombreuses publications antiallemandes», expliquant que pour des «raisons d'estime de soi», les autorités du pays ne pouvaient plus tolérer sa présence sur leur sol. L'Américaine avait vingt-quatre heures pour quitter le pays de son propre chef avant qu'on ne l'y contraigne par la force. Alice débutait dans le métier et Berlin n'était pas un mauvais choix pour faire ses premières armes. À son arrivée, elle avait été reçue par la journaliste chevronnée. Âgée d'une quarantaine d'années, la flamboyante Dorothy l'avait tout d'abord intimidée. Douée d'un sens inné de la compétition et de l'aventure, cette blonde élancée se laissait guider par le cœur davantage que par la raison. «Des conseils? s'était-elle exclamée avec son rire de séductrice. Nager nue dans le Danube, ne jamais porter un manteau de fourrure lors d'une révolution ni demeurer célibataire en Italie, ce qui est un crime contre l'homme et contre Dieu!» Rien de banal n'arrivait jamais à l'épouse de l'écrivain Sinclair Lewis. Bien qu'elle eût passé les années parmi les plus heureuses de sa vie à Berlin, elle refusait de céder aux menaces. «Rappelez-vous que le rôle d'un bon journaliste est de se préoccuper des idées autant que des faits», avait-elle déclaré en serrant Alice dans ses bras sur le quai de la gare. Son expulsion – une première en Europe – avait eu l'effet d'un coup de tonnerre pour les diplomates et les membres de la profession.

Alice leva son martini dry pour saluer symboliquement son propre succès avant de le porter à ses lèvres.

— Félicitations, Alice !

Une petite rousse l'embrassa sur la joue.

— En quel honneur ?

— Allons, ne fais pas l'innocente ! Le Duce, tout de même.

— Les nouvelles vont vite, constata Alice, flattée.

— Tu sais bien qu'ici il est impossible de garder un secret.

Marie Mercier écrivait sur la mode. Contrairement à certains, Alice ne trouvait pas que c'était un sujet futile. La jeune femme rédigeait des petits bijoux d'intelligence et d'esprit. Reflet de la société, le style vestimentaire était toujours un miroir révélateur, particulièrement intéressant dans les pays soumis aux diktats de régimes politiques qui cherchaient à tout maîtriser – la longueur des jupes, le temps libre des citoyens ou encore l'éducation de leurs enfants. Après avoir assisté à une présentation de couturiers dans les jardins de la villa d'Este, Marie revenait d'un voyage à Turin et à Milan. L'Italie fasciste cherchait à s'affranchir de la tutelle de la mode française.

— Ils n'ont qu'un mot d'ordre à la bouche : se passer des prétentions de la haute couture parisienne.

— Un combat perdu d'avance. Paris restera toujours Paris. Pour une femme, cela n'a rien de rationnel. Il est vrai que chez vous, même un sac de pommes de terre a du chien.

— Détrompe-toi, Alice. Les Italiens disposent du savoir-faire de leurs artisans brodeurs et d'une créativité qui remonte à la Renaissance. Regarde, tu ne trouves pas ça ravissant ? fit-elle en tournoyant pour faire admirer sa robe en crêpe bleu marine. Si la France a pris une longueur d'avance, c'est que nous avons su organiser le métier. D'ailleurs, l'Amérique n'est pas en reste. Hollywood aussi est devenu une référence.

Les deux jeunes femmes plaisantèrent en finissant leurs cocktails. Avec ses formes avantageuses, Marie se plaisait à dire qu'elle incarnait le rêve féminin fasciste. Les femmes trop minces, comme Alice, étaient regardées avec suspicion.

— Tu n'as pas les hanches généreuses d'une bonne *mamma*, déclara Marie en lui pinçant la taille.

— Que Dieu m'en préserve !

— Ne me dis pas que tu n'espères pas un jour te marier et avoir des enfants ?

— Ce n'est pas l'un de mes objectifs premiers.

— Vraiment ? Mais que peut-on souhaiter de mieux dans une vie ?

Alice se détourna. Elle évitait ces sujets de conversation où son détachement était souvent mal interprété. On la jugeait suffisante, ou pire, sans cœur. Surtout parce qu'elle refusait de se justifier. Marie continua à babiller mais elle ne l'écoutait plus. La vivacité si féminine de la Française lui donnait envie de s'enfuir. C'était l'une des raisons pour lesquelles l'amitié était pour elle un exercice de haute voltige. Lui manquait-il une dose de tolérance ? De patience ? Le visage saisissant de son amie d'enfance lui revint en mémoire, et avec lui l'éclat de ces années d'insouciance passées à Alexandrie. Alma était la seule à qui Alice acceptait de se confier. La seule qui l'avait tenue dans ses bras par des jours de lune noire, lui caressant les cheveux en silence, berçant son corps brisé. Alice ne lui avait pas écrit depuis son retour d'Éthiopie. Alma ne lui en voudrait pas. Elle possédait cette générosité insensée d'aimer ses amis avec leurs défauts.

Elle fut soulagée lorsque Marie s'excusa pour rejoindre son soupirant sous le treillage recouvert de vigne de la terrasse.

— *One dry martini for Miss Clifford. Extra dry.*

La voix était moqueuse et familière. Sans demander la permission, l'impertinent déposa un verre devant elle et se percha sur le siège libéré. Alice resta immobile. Aux aguets. Elle n'avait rien de consistant dans l'estomac. La pente pouvait être périlleuse, surtout avec un compagnon de route tel que Karlheinz Winther. Elle se tourna enfin vers lui. Ainsi qu'elle le redoutait, il n'avait rien perdu de son pouvoir de séduction depuis l'Éthiopie.

— L'adage est donc vrai, Herr Winther. Tous les chemins mènent à Rome.

— Et si c'était vous que je venais voir ?

— Je doute que vous ayez du temps à perdre.

Il la détailla d'un regard appuyé. Elle était consciente de la proximité de son corps, retrouva ce parfum aux notes singulières d'ambre et de lavande. Elle n'avait à s'en prendre qu'à elle-même. Ce bar n'était vraiment pas le lieu idéal pour qu'on vous fiche la paix.

— Vous devriez me remercier, non ?

— Pourquoi donc ? s'étonna-t-elle.

— Votre entretien de cet après-midi. L'accès au Duce n'est pas si facile. Sans le sésame de Ciano, vous n'auriez pas été reçue.

— Parce que vous pensez que je n'aurais pas trouvé le moyen d'approcher Galeazzo Ciano sans votre aide ? Quelle prétention ! Vous m'avez fait gagner quelques heures, voilà tout.

Un tremblotement dans son œil droit l'alerta. Les prémices d'une migraine ophtalmique. La nervosité, bien entendu. Elle sortait d'un combat. Ce n'était pas pour en entamer un autre. Winther lui offrit une cigarette.

— Avez-vous remarqué au palazzo Venezia les coussins sur les banquettes dans le renfoncement des fenêtres ? L'une de nos consœurs les aurait étrennés avec délectation. Mais je présume que vous vous êtes abstenue de ce type d'ébats. Ce n'est pas votre genre, n'est-ce pas ?

Un éclair brilla dans le regard d'Alice.

— Seriez-vous jaloux, Herr Winther ? rétorqua-t-elle en inclinant son buste vers lui. Toute autre que moi jugerait votre allusion insultante. Je me demande ce qui me retient de vous donner une claque. Mon cher père doutait que je puisse me comporter en femme du monde en choisissant ce métier. Il m'a toutefois priée de toujours agir en gentleman…

Winther leva les deux mains comme pour s'excuser.

— Une partie de moi vous envie, c'est vrai. Le Duce ne m'a pas encore reçu. J'ai beau solliciter un entretien, je n'obtiens rien.

— C'est curieux. Seriez-vous à ce point infréquentable ? À moins que ce ne soit à cause de votre journal ? On n'aime pas trop les nazis par ici.

— Et pourquoi faudrait-il être aimé ? lâcha-t-il, sévère.

Elle repensa à son dernier séjour à Berlin, aux violences policières de la Gestapo, aux opposants injustement enfermés à Orianenburg ou à Dachau. Des camps d'internement pour protéger la population des mauvaises influences, soutenait-on. On y mourait pourtant. Des personnes en pleine santé succombaient à de surprenantes crises cardiaques ou à de prétendues pneumonies fatales. Leurs épouses récupéraient leurs cendres dans une boîte livrée à domicile. En comparaison, le *confino* imposé par les fascistes italiens ressemblait à une promenade de santé. Ce qui n'était pourtant qu'une illusion. Les destinations choisies pour l'assignation à domicile étaient âpres, le climat de certaines îles de la mer Tyrrhénienne telles Ventotene ou Ustica, au large de la Sicile, difficile. Et la solitude de l'exil, parfois, peut rendre fou.

— Qu'est-ce qui amène un homme tel que vous à écrire pour un torchon pareil ? C'est un beau gâchis ! On dit que vous avez été un officier exemplaire de l'armée allemande pendant la Grande Guerre. Une espèce de héros, un aventurier de légende. Moi-même, je reconnais que vous avez une plume. Comment quelqu'un d'aussi intelligent peut-il souscrire aux affa-

bulations de ces fanatiques et tolérer leurs crimes ?
N'avez-vous pas honte devant les vôtres ? Votre
femme, vos enfants ?

Je dis n'importe quoi, s'affola-t-elle en tirant nerveusement sur sa cigarette. Jamais elle ne se permettait ce genre d'allusions indiscrètes avec un inconnu.
Quelque chose d'impénétrable chez Winther réveillait
sa colère. Pendant qu'elle l'agressait, lui ne l'avait pas
quittée des yeux.

— De quel droit me jugez-vous ? Que savez-vous
de moi ?

Il semblait à Karlheinz que les cheveux crantés
d'Alice étaient plus courts qu'en Afrique. Le corsage
déboutonné laissait entrevoir la naissance de sa gorge.
Il n'avait pas ressenti une émotion aussi violente pour
une femme depuis qu'il avait appris l'exécution de sa
compagne.

— Ce que j'entends, précisa Alice. Il paraît que les
Éthiopiens vous ont encerclés en avant de la première
ligne, vous et une poignée de soldats italiens, et que
vous avez pris le commandement pour les tirer d'affaire. Le maréchal Badoglio vous aurait même décoré
pour cet exploit. Un correspondant de guerre a-t-il le
droit de prendre les armes sans déroger à sa fonction
d'impartialité ?

Il fit signe au barman de lui apporter un autre
whisky.

— Vous êtes fait pour la guerre, Winther, comme
tous ceux que vous défendez dans vos colonnes !

— Mais vous aussi, Alice. Vous n'aimez que cela.
Je vous sens moins à l'aise dans cet endroit sympa-

thique qu'en plein pillage à Addis Abeba. Bien que ce ne fût pas la place d'une femme, on aurait dit que vous en retiriez une certaine jouissance. Qu'est-ce qui vous attire à ce point ? L'odeur du sang ? La souffrance ?

Il marqua une pause avant d'ajouter, plantant son regard dans le sien :

— Qu'avez-vous de si terrible à vous faire pardonner ?

Alice blêmit, accusant le coup. Elle avait su d'emblée que ce petit jeu de séduction tournerait à son désavantage, et pourtant elle s'y était laissé entraîner. Par défi ? Parce qu'elle était seule depuis trop longtemps ? Par goût de la souffrance, comme il le prétendait ? En descendant du tabouret de bar, elle trébucha, heurtant son épaule. Il chercha à la soutenir mais elle repoussa son bras.

— J'ai aussi entendu des rumeurs moins élogieuses à votre sujet, Herr Winther, poursuivit-elle, glaciale. Des Éthiopiennes ont été violées après l'arrivée en ville des troupes italiennes. Vous n'y seriez pas étranger, dit-on. Pourquoi ai-je si peu de mal à le croire ?

Les rires et les accords joyeux du piano montaient du fond de la pièce. Tétanisés, plusieurs de leurs confrères les observaient sans dissimuler leur curiosité. Alice se rendit compte qu'elle avait élevé la voix. Les narines pincées, le regard noir, Karlheinz Winther la dévisageait avec haine. Elle bouscula les personnes qui l'entouraient et se dirigea vers la porte. Son obsession était de quitter la pièce la tête haute. Dehors, elle s'éloigna à grands pas dans la rue. Puis, les larmes aux yeux, elle se mit à courir.

Quand sa secrétaire vint le saluer, chapeautée et gantée de fil blanc, Umberto s'aperçut que la journée s'était terminée sans qu'il eût levé le nez de ses dossiers de tout l'après-midi. Elle lui rappela que Son Excellence donnait une réception. Ne risquait-on pas de s'étonner de son absence? D'une main lasse, il se massa la nuque. La dernière chose dont il avait envie était de jouer à l'équilibriste entre l'entourage privilégié de Galeazzo, de jeunes loups censés insuffler à l'institution un «ton fasciste», et les diplomates de carrière du palazzo Chigi qui, réputés pour leur modération et leur sens des réalités, voyaient d'un œil circonspect la nomination de ce fanfaron de comte Ciano à la tête du ministère. Lui prétendait être le premier fasciste digne de ce nom à ce poste – quoique son beau-père l'eût occupé avant lui – et les jugeait trop conciliants, notamment envers l'Angleterre avec laquelle ils espéraient renouer une complicité mise à mal par l'épopée abyssinienne. Or, même si ces frictions se déroulaient à fleurets mouchetés, elles créaient une tension fâcheuse.

Umberto décida de faire l'école buissonnière. Il doutait que Galeazzo lui demande des comptes. En cette fin juillet, soucieux d'asseoir son autorité en réussissant un coup de maître diplomatique, Ciano était surtout préoccupé par les agissements des militaires espagnols qui venaient de se soulever contre leur gouvernement. Un émissaire des rebelles s'était présenté pour réclamer des bombardiers, mais les négociations demeuraient secrètes afin que l'ambassadeur de la République espagnole n'en sache rien. De toute manière, Umberto devait accompagner le lendemain Beatrice et les enfants dans la propriété de sa belle-mère en Toscane, où son épouse demeurerait jusqu'à l'automne.

Un dossier sous le bras pour donner le change, son chapeau mou à la main, il emprunta la galerie carrelée de marbre avec l'intention d'éviter les salons où se tenait la réception. C'est alors qu'il aperçut Galeazzo, accompagné de plusieurs membres de son cabinet, qui gravissait l'escalier d'honneur. En un mouvement fluide et millimétré, Umberto tourna les talons et se plaqua dans un angle mort, retenant son souffle.

— Vous jouez à cache-cache ?

Une jeune femme le dévisageait d'un air amusé. Conscient du ridicule de la situation, il renonça à chercher une excuse plausible.

— J'ai eu une longue journée et je veux à tout prix éviter le piège qui m'attend là-bas.

Elle se pencha pour constater ce qui se passait.

— Son Excellence le comte Ciano bavarde à l'entrée du grand salon.

— Je sais, d'où mon comportement imbécile. S'il me voit, je vais être condamné à passer une bonne heure à m'ennuyer ferme.

— N'y a-t-il pas un escalier de service ?

Elle avait un visage mémorable, des cheveux très blonds, un regard pâle et vif.

— Probablement, murmura-t-il d'un air étourdi.

— Mais vous ignorez sans doute où il se trouve, n'est-ce pas ? Laissez-moi vous aider. Je n'ai jamais su résister à un jeu de cache-cache.

À la stupéfaction d'Umberto, elle lui prit le bras et l'entraîna dans la direction opposée au danger. Ils croisèrent un maître d'hôtel à qui elle demanda de leur indiquer le chemin tout en délestant son plateau de deux verres de vin. Elle en tendit un d'autorité à Umberto, sous prétexte qu'il ne fallait jamais négliger le ravitaillement lors d'une expédition hasardeuse. Ils dévalèrent les marches tels des enfants turbulents, bousculant des domestiques effarés, et se retrouvèrent aux cuisines. Elle jeta un coup d'œil aux casseroles, complimenta des apprentis aux mains enfarinées. On leur désigna un long couloir sombre qu'elle emprunta sans hésiter. Puis elle repoussa une lourde porte et salua la rue d'un geste triomphal.

— Alléluia, voilà une évasion réussie !

La luminosité dorée du crépuscule avivait la patine ocre et rose des palais, éclairait ses cheveux, le teint frais de ses joues. Elle avait un regard malicieux. Une bouche écarlate, des dents si blanches. Umberto eut l'impression singulière d'avoir fait un pas de côté, de découvrir un monde parallèle dont il ignorait les usages et les règles. Elle continuait à parler. Il regardait ses lèvres sans comprendre un traître mot, comme si elle s'exprimait dans une langue étrangère.

— Où allez-vous ? l'appela-t-il, tandis qu'elle s'éloignait.

— Mais je vous l'ai dit. J'ai accompli ma mission, je rentre chez moi.

Il protesta. Il ne pouvait pas la laisser partir comme cela. Elle rit une nouvelle fois, la tête légèrement en arrière. Il remarqua un grain de beauté à la naissance de son cou, son délicat collier en or. Elle était fine, élancée, presque aussi grande que lui.

— Je dois vous remercier. C'est la moindre des choses. Allons prendre un verre.

Il perçut son hésitation, l'ombre qui voila son regard. Une ardeur mêlée d'angoisse le submergea.

— Je vous en prie, mademoiselle ! C'est important.

Se leva alors sur son visage ce merveilleux sourire et Umberto eut l'impression d'être traversé par une rafale de vent.

Plus tard, Alice ne saura dire précisément ce qui l'avait attirée chez cet homme en costume croisé de flanelle grise. Son embarras d'avoir été pris en flagrant délit d'indocilité l'avait tout d'abord amusée, attisant son goût pour les plaisanteries, alors qu'elle s'était échappée de la réception pour visiter les salons du palazzo Chigi. Brusquement, il lui avait paru beaucoup plus distrayant de l'aider à s'enfuir. Une fois dans la rue, la sincérité de son regard, ses traits distingués, francs, et son trouble manifeste avaient achevé de la convaincre.

Il l'emmena dans une *trattoria* de la via Margutta. Les toiles des artistes qui habitaient la rue se chevauchaient sur les murs. Dans le minuscule jardin intérieur se dressaient des tables de guingois sur les petits pavés de basalte. La patronne, ronde et volubile, menait ses clients à la baguette. Elle l'appela « *principe* » en lui donnant une tape sur l'arrière de la tête comme elle l'aurait fait à l'un de ses fils.

Alice ne se rappelait pas avoir jamais rencontré un homme disposé à rire ainsi de lui-même devant une inconnue. L'élégance de son allure se révélait aussi dans sa manière souple de se mouvoir. Le mouvement des épaules. L'agilité des mains. Entre eux s'établit d'emblée une fluidité de gestes et de mots. Il n'y avait rien d'apprêté chez Umberto, qui ne dissimulait pas sa sensibilité derrière des postures. Dans cette ville baroque où l'extravagance était un art de vivre, il se montra ce soir-là d'une simplicité désarmante. Ni l'un ni l'autre n'avaient faim, mais ils ne résistèrent pas aux gnocchis de la maison ni à ce montepulciano aux arômes puissants des collines de Toscane. La nuit tomba avec la légèreté d'un souffle.

Bien plus tard, il la raccompagna chez elle. En marchant sur les trottoirs irréguliers à côté du jeune diplomate, elle s'aperçut que leurs pas s'accordaient naturellement. Le rythme de cette promenade nocturne impromptue la rasséréna, d'autant qu'ils se découvraient suffisamment complices pour avancer sans parler. Depuis quelques jours, le souvenir de son altercation avec Karlheinz Winther s'était estompé en laissant dans son sillage un vague malaise. Alice avait été soulagée d'apprendre qu'il avait quitté Rome. Personne ne lui avait reproché ses accusations. La légende de Winther impressionnait, mais l'homme n'était pas aimé. Ce soir, la jeune femme savourait la sensation de redevenir elle-même, de plaire à un homme et de se laisser séduire sans qu'il menace de tout détruire, sans qu'elle ait à lutter pour ne pas être submergée.

Devant la porte, les mains dans les poches, les épaules courbées, Umberto ressemblait à un adolescent perdu. Émue, elle posa la main sur sa joue. Tous deux percevaient déjà ce qu'il y avait d'inéluctable à leur rencontre. Ils restèrent silencieux, leurs corps immobiles, réticents. Un sursaut intérieur, qui relevait à la fois du libre arbitre et d'un farouche désir de liberté, refusait encore de reconnaître l'évidence de cet élan qui les entraînait l'un vers l'autre.

Les semaines suivantes, l'existence d'Alice se dilua dans la torpeur minérale d'une Rome meurtrie de soleil. Il lui arrivait d'arpenter les rues désertes aux heures les plus chaudes de la journée, admirant les vénérables façades aux patines de terre cuite, les dômes et les campaniles. La paisible ondulation des toits frémissait dans la brume de chaleur. Ces jours-là, les collines, les places et les palais, la silhouette hiératique des pins parasols, les pavés en *sanpietrino*, les colonnes antiques, la poussière des excavations, la Madone couronnée d'étoiles à l'angle d'une ruelle, les rives du Tibre alangui, les *putti* des églises et la fraîcheur des pavements de marbre des basiliques lui appartenaient, car elle seule, téméraire, insolente, défiait l'ombre et les silences pour venir à leur rencontre.

Jamais le miracle des nombreuses fontaines ne lui avait paru plus précieux. Elle y puisait le réconfort d'une ville charitable qui étanchait sa soif, soulageait sa nuque et ses tempes engourdies. Elle vagabondait sans se soucier de l'heure, obéissant à ses impulsions, se faufilait parmi les étals de légumes et de fleurs sur le Campo dei Fiori, amusée par les interjections des passants – «*Ciao, bellezza! Auguri!*» – se demandant toutefois, presque émerveillée, d'où naissait cette rare indulgence envers elle-même et les autres. La nuit venue, elle s'allongeait sur sa terrasse. Le sommeil lui venait plus aisément lorsque sa peau était gorgée de la lumière et du sel de la mer Tyrrhénienne. De son sac, de ses sandales coulait du sable fin. Dans un bocal de verre, elle collectionnait les coquillages des plages d'Ostie comme autrefois ceux des rivages de son enfance.

À vrai dire, le moindre de ses gestes, la moindre de ses initiatives, de ses conversations n'étaient qu'une manière de tromper l'attente. Or Alice se surprenait à découvrir la patience. Pour la première fois de sa vie, elle ne cherchait pas à forcer le destin. L'intensité de son émotion l'avait impressionnée. Elle se savait entière, victime de coups de tête qu'elle payait au prix fort. Aussi loin qu'elle s'en souvienne, elle attendait éclat et allégresse de la vie. Une exigence qui avait ses revers. Elle avait appris à ses dépens combien il était dangereux de se laisser consumer par un autre. Depuis lors, elle avait tenté de s'imposer la solitude en pénitence. Mais celle-ci ne durait qu'un temps, elle manquait d'assurance pour se satisfaire de son seul visage dans un miroir. Ces dernières années, des hommes indistincts avaient traversé son existence sans laisser de traces. Cette fois, c'était différent. Elle aimait croire qu'elle avait mûri et appris à éviter les mêmes erreurs. Une femme pouvait tendre vers un homme sans être victime de fragilités ineffables, sans chercher protection ni réconfort. Une femme pouvait se contenter d'éprouver du désir sans se perdre. N'est-ce pas ? se demandait-elle avec insistance, comme pour s'en convaincre. Sa première pensée du matin était pour lui. Sa dernière, au creux de la nuit, également. Ainsi, elle portait l'espérance du lien qui l'unissait déjà à Umberto sans le qualifier d'un nom ni lui dessiner des contours, comme une femme porte son premier enfant, attentive, respectueuse, transportée de joie devant ce mystère d'une autre vie à venir, d'une parole encore muette, semblable à une prière.

Umberto contemplait les collines ondoyantes du val d'Orcia tout en suivant des yeux la lente progression d'une charrette à cheval sur un chemin de terre. Ce tableau d'une nature domestiquée depuis des siècles, célébrée par les peintres et les écrivains, avait le don de l'apaiser. Il y puisait un sentiment réconfortant de permanence. C'est pourquoi, lorsque retentit la stridente sonnerie du téléphone, il ne put réfréner un geste d'agacement avant de décrocher. Au bout de la ligne qui grésillait de manière fâcheuse, l'avocat de son frère ne prit pas de gants pour lui annoncer d'une voix blanche que le prince Ludovici avait été arrêté. Umberto resta interloqué. La nouvelle lui paraissait à la fois extraordinaire et inéluctable, à tel point qu'il avait l'impression de l'avoir attendue depuis des années et d'être libéré d'un poids maintenant que la sentence était enfin tombée. À force de s'attendre au pire, le pire vous éclate en pleine figure, songea-t-il.

Le rire de Beatrice jouant avec les enfants monta des jardins. Tournant le dos à la fenêtre, il s'assit dans un fauteuil. Que risquait Giacomo ? Un interrogatoire avec violences ? Une sévère condamnation ? Il était pourtant impensable qu'un prince romain fût traité comme un opposant quelconque au régime. Des siècles de prestige, d'autorité, coulaient dans leurs veines. Depuis l'Antiquité, leur famille avait été généreuse en sénateurs romains, en commandants militaires, donnant également au monde catholique et apostolique un souverain pontife, théologien éclairé et brillant mécène qui avait assuré la fortune familiale pour plusieurs générations. Les princes Ludovici étaient liés par alliance aux autres dynasties de la péninsule. Sans doute cette arrestation mettait-elle dans l'embarras certaines instances supérieures. On savait que le Duce n'appréciait pas particulièrement les patriciens, bien qu'il leur accordât des rôles dans certaines fonctions. Cependant, on ne pouvait pas toujours se fier au bon déroulement des opérations. Un petit fonctionnaire trop zélé, une bavure policière… Qui oserait nier les décès suspects, les victimes poignardées ou les exécutions sommaires par les bras vigilants du régime, des hommes aux visages indéfinis que l'entourage de Galeazzo Ciano préférait ignorer avec superbe ? Il semblait également impossible à Umberto d'envisager que son frère fût condamné à une peine de *confino*, cette résidence surveillée imposée aux antifascistes dans des villages de Calabre ou des Abruzzes où sévissaient la malaria et l'indigence, où ils étaient conduits menottes aux poignets, encadrés par des gendarmes, puis sommés de respecter un couvre-feu et de signer chaque jour le registre de présence à la mairie. Le pire n'était peut-être pas tant l'inconfort et la solitude que l'humiliation, se dit-il avec un frisson.

On lui demandait de rentrer sans tarder à Rome. Il fallait prendre des décisions dans l'attente d'un éventuel jugement. Pour l'instant, l'avocat n'avait hélas obtenu aucune indication précise. Une manière subtile pour les autorités de gérer cette situation insolite. Umberto imagina le désarroi de sa belle-sœur Flaminia et la sombre colère de sa mère. La princesse douairière serait furieuse d'apprendre que son fils aîné avait été assez stupide pour se laisser prendre au piège de ces petits-bourgeois fascistes arrogants et vulgaires qu'elle méprisait autant que lui. Devait-il l'appeler pour la rassurer ? Il entendait déjà sa voix d'airain lui crier à l'oreille qu'il ferait bien de se montrer à la hauteur. Avec un soupir résigné, Umberto promit à son interlocuteur de prendre le premier train. Il reposa l'écouteur avec précaution, comme s'il maniait une arme.

Rome en plein mois d'août, quelle idée de sauvage ! Rome, mais aussi Alice Clifford… Il s'était montré vigilant depuis le début de son séjour en Toscane, veillant avec une attention toute particulière au bien-être de sa femme, de ses enfants et de sa belle-mère. Il avait rendu visite aux paysans afin de discuter des vignes, des récoltes de blé et d'olives, des investissements nécessaires en matériel, de la réparation des toits ou des puits. Beatrice s'était amusée de cet empressement, lui qui avait témoigné les étés précédents une indolence coupable. Le soir, sous les arbres décorés de lampions, il présidait des dîners auxquels se pressaient leurs amis des environs. Il acceptait toute invitation dans les propriétés voisines. Les fêtes ne manquaient pas, chaque minute devait être comblée pour éviter de penser à elle. Depuis son mariage, il lui était déjà arrivé d'avoir une aventure éphémère, mais là, il redoutait l'emprise que pourrait exercer sur lui cette femme singulière. Son entêtement avait porté ses fruits. La correspondante américaine s'était estompée dans son esprit par la seule force de sa volonté. Or voilà qu'il était contraint de retourner précipitamment à Rome, et l'image d'Alice Clifford surgissait avec une précision aussi impitoyable que s'il l'avait quittée la veille.

Dès son arrivée, Umberto se rendit au palazzo Ludovici. Le *portiere* lui ouvrit, le visage blême. Umberto prit quelques minutes pour rassurer le vieil homme avant de s'engager sous le porche, puis de traverser la cour intérieure. Entre les hautes colonnes, le pavement en pierres blanches et grises semblait ondoyer dans la lumière sous l'œil imperturbable des statues antiques. La gorge sèche, il gravit lentement les marches de l'escalier en marbre. Sous les plafonds ornés de fresques se déployait l'enfilade de salons plongés dans une semi-pénombre grâce au jeu des volets intérieurs. Les canapés aux soieries précieuses, les fauteuils, les candélabres sur pied, les consoles baroques et les secrétaires en marqueterie étaient drapés de housses blanches brodées aux armoiries de la famille. Une empreinte décolorée sur la soie rouge marquait l'absence d'un tableau de Memling. L'été, certains palais romains prenaient des allures fantomatiques. On profitait de cette saison pour changer les étoffes défraîchies, restaurer l'une ou l'autre des œuvres d'art.

Une pendule se mit à sonner, le faisant bêtement sursauter. Ce qui n'aurait dû être qu'une formalité se révélait bien plus troublant. Umberto n'était pas revenu sur les lieux de son enfance depuis plusieurs années. Bien qu'il cherchât à s'en défendre, il éprouvait une nervosité mêlée d'émotion. Les bustes de Septime Sévère et de l'empereur Auguste, la tête voilée, veillaient sur la demeure silencieuse. Jetant un coup d'œil dans le salon de musique, il eut l'impression d'entendre la voix de son père défunt.

Lorsqu'il entra dans la bibliothèque, l'avocat se leva d'un bond. Les domestiques avaient épousseté la pièce et proposé du jus de fruits frais au notable. Umberto ouvrit les battants d'une armoire pour révéler un bar bien approvisionné.

— Je vous suis très reconnaissant de vous être déplacé aussi vite, don Umberto.

Mauro Fornari se tamponna le front avec un mouchoir. L'avocat était de l'ancienne école. Très ancienne, songea Umberto en s'apercevant que le pauvre homme portait un col dur. Il le connaissait depuis toujours. Fornari s'était occupé des affaires de son père. À l'époque, il avait une épaisse chevelure noire et le ventre plat. Sans laisser à Umberto le temps de souffler, il se lança dans une longue liste de recommandations. Le jeune homme décrocha rapidement, occupé à choisir un single malt d'âge respectable. Il s'installa dans un fauteuil et croisa les jambes. Il aurait été incapable de répondre de manière intelligente à Fornari si ce dernier lui avait posé une question.

— Où est-il?

— Pardon, don Umberto?

— Mon frère.

— Ah, ils l'ont arrêté lors d'un coup de filet dans un appartement de la via Giulia. Il a été conduit à la prison de Regina Cœli.

Umberto hocha la tête, saisi d'une sourde colère. Sûrement chez ces gens que Giacomo avait voulu protéger le soir de l'anniversaire de Beatrice.

— J'espère que je ne dois pas aller le voir, dit-il froidement.

— C'est-à-dire, don Umberto, il faudrait que je sollicite une faveur…

L'avocat lorgnait d'un œil le verre d'Umberto, qui resta impassible. De manière puérile, il en voulait à Fornari, comme si ce dernier avait été responsable de la situation. Il serait bien suffisant qu'un seul d'entre eux boive plus que de raison. Résigné, l'homme se resservit du jus de fruits. Umberto était d'une humeur massacrante. Ce qu'il redoutait était arrivé. Fornari lui demandait de mettre sa tête sur le billot pour sauver Giacomo. S'il prenait officiellement position pour défendre son frère, il risquait non seulement d'être un jour accusé de complicité, mais surtout de s'attirer les foudres de son ministre et ami. Celui-ci n'appréciait guère ces aristocrates antifascistes dont plusieurs complotaient avec Marie-José de Belgique, la princesse de Piémont, la belle-fille du roi, qui était aussi la marraine du fils aîné de Giacomo.

— Ce que vous me demandez est parfaitement impossible.

Mauro Fornari eut un geste las de la main.

— Les temps sont complexes. Nous sommes parfois amenés à faire des choses dont nous n'aurions pas rêvé autrefois... Votre position au ministère des Affaires étrangères...

— Justement ! Moi aussi, j'ai une épouse et des enfants. Je ne peux pas me permettre de mettre en péril leur existence.

— N'exagérons rien, don Umberto, le corrigea Fornari d'un ton réprobateur. Je ne vous demande pas de prendre sa place sur l'échafaud, voyons. Un autre que lui risquerait bien davantage. Mais pour l'instant, je demeure dans le flou. J'entends parler de « conspiration », de « coup d'État », et on refuse de me donner accès à mon client, ce qui est proprement scandaleux.

Le sang d'Umberto se glaça dans ses veines.

— Savez-vous précisément à quelles embrouilles il est mêlé ?

L'homme haussa les épaules, l'air dépité.

— Non.

— Seigneur ! s'exclama Umberto en vidant son verre cul sec. Je me suis brouillé avec Giacomo à cause de ses opinions politiques absurdes, et maintenant qu'il est englué jusqu'au cou dans ces histoires pathétiques, c'est à moi que vous demandez de le tirer d'affaire.

Exaspéré, il se mit à arpenter la pièce. Il revoyait Giacomo en bras de chemise, déverrouillant l'armoire grillagée de la bibliothèque de leur père pour lui montrer des livres érotiques dont les gravures menaçaient de l'envoyer directement en enfer.

— Il n'a qu'à assumer ses actes. Ce ne sera pas faute de l'avoir prévenu. Je ne peux rien pour lui.

— Un mot, peut-être, à Son Excellence le comte Ciano…

— Certainement pas ! Galeazzo n'a jamais supporté mon frère qui s'est répandu en moqueries sur lui dans tout Rome. Je suis désolé, Fornari, mais vous m'en demandez trop.

L'avocat se leva à son tour, les lèvres pincées.

— Que dois-je dire à donna Flaminia ? À Mme la princesse, votre mère ?

— Que je veillerai sur les affaires familiales avec diligence le temps nécessaire, mais que je ne peux pas intervenir pour obtenir la clémence de Dieu sait quel inspecteur de police, juge ou tribunal. Ce serait indigne. Je doute d'ailleurs que Giacomo m'en serait reconnaissant. Il a toujours méprisé le favoritisme.

Une pointe de dédain pour cette mauvaise foi perça dans le regard de Mauro Fornari. Il inclina sèchement le buste, saisit sa sacoche en cuir et se dirigea vers la porte qu'il referma avec soin derrière lui.

— Et merde ! grommela Umberto.

Il se versa un autre whisky. Des dossiers en désordre étaient éparpillés sur la table de travail. L'idée saugrenue lui traversa l'esprit qu'il pourrait trouver des noms de complices de Giacomo en fouillant dans les tiroirs. D'autres révélations encore, peut-être. Il doutait que son frère eût dissimulé ses misérables petits secrets avec beaucoup de précautions ; il s'était toujours cru au-dessus des lois.

Parmi les photos dans des cadres en argent disposés sur une console, il reconnut Flaminia et leurs enfants, le petit Scipione vêtu de blanc dans les bras de sa marraine le jour de son baptême, ses parents. Certaines photos de famille n'avaient pas bougé depuis des décennies. À sa grande surprise, il remarqua une photo de lui et de Giacomo à cheval, prise avant la guerre, alors qu'il n'était encore qu'un enfant. Les mots de Fornari le hantaient. Il secoua la tête, irrité. Il refusait de se sentir coupable. De toute manière, une entreprise de ce genre était vouée à l'échec. Giacomo avait dépassé les bornes. Il avait toujours été trop impulsif et arrogant. D'autres aristocrates s'étaient retrouvés derrière les barreaux pour des motifs d'opposition antifasciste. Un de leurs cousins avait préféré s'exiler à Paris d'où il tonnait contre Mussolini en écrivant des pamphlets dont aucun journal ne voulait parce qu'il n'était ni socialiste ni communiste. Pourquoi Giacomo n'avait-il pas choisi de fermer sa gueule, comme beaucoup ? En quittant la bibliothèque, il claqua la porte derrière lui.

Sur le Corso, la chaleur pesa aussitôt sur sa nuque. En haut de la rue, l'affreuse pâtisserie en marbre blanc à la gloire du premier roi de l'Italie unifiée réfléchissait toute la luminosité de la fin d'après-midi. Perdu dans ses pensées, il prit la direction de son domicile, empruntant des ruelles baignées d'ombre. Un nuage de poussière le fit tousser, il se pencha pour boire à

110

une fontaine. La tête de lion crachotait l'eau qui éclaboussa sa chemise. D'un geste irrité, il desserra son nœud de cravate. Il se sentait à la fois furieux et vexé, inquiet et vaguement fautif. Quelques pas plus loin, il se heurta à une barricade de gravats, resta un instant indécis, les bras ballants. Des ouvriers finissaient leur journée de travail.

— Cette ville est devenue un chantier à ciel ouvert, grommela-t-il en rebroussant chemin.

Le Duce posait toujours pour les photographes en donnant le premier coup de pioche. Il avait fait percer des avenues rectilignes, dégager les vestiges archéologiques, démolir les maisons insalubres, aménager des espaces verts sur des terrains vagues. Il désirait rendre sa grandeur impériale à la cité, tout en permettant une circulation des temps modernes. En deux ou trois ans, des immeubles en brique aux lignes épurées avaient surgi de terre, avec des encadrements de fenêtres en travertin et des arcades aux étages supérieurs. D'ordinaire admiratif, Umberto comprit soudain ce qu'il pouvait y avoir d'agressif dans cette marche en avant imposée dont il retirait ce jour-là l'impression désagréable d'être cerné de toutes parts.

De détour en détour, longeant les façades aux crépis délabrés, il garda les yeux baissés jusqu'à ce qu'il débouche sur la piazza Navona. Un acte manqué ? Le cœur de Rome est un mouchoir de poche, on s'y croise inévitablement, se dit-il pour se donner bonne conscience. Il se mit à faire des paris absurdes avec lui-même, tel l'enfant qui cherche à conjurer le mauvais sort. Personne ne l'obligeait à la revoir. L'intensité de leur rencontre n'avait probablement été qu'une illusion, une ivresse passagère. S'il la retrouvait, il ne resterait rien de l'éblouissement qui l'avait tant marqué quelques semaines auparavant. Que redoutait-il, le pauvre malheureux ? Il n'allait tout de même pas éviter de traverser ce quartier à l'avenir.

L'exaspération l'emporta sur ses doutes. La mâchoire serrée, il se dirigea vers la rue où il l'avait raccompagnée le premier soir. Toutes les persiennes de son immeuble étaient tirées. À quel étage habitait-elle ? Il hésita à déranger le *portiere*, se réfugia dans un café voisin pour se désaltérer. Il venait à peine de s'accouder au comptoir quand débuoula un petit garçon.

— Comme d'habitude pour la signora Clifford ! ordonna-t-il au patron.

Le cœur d'Umberto fit un bond. Un client taquina l'enfant parce qu'il était trop jeune pour être amoureux. Sans se démonter, il répliqua qu'il n'y avait pas d'âge pour apprécier une jolie femme. Un éclat de rire secoua son interlocuteur. Umberto l'observa arranger avec soin un pichet de limonade glacée et des *biscotti* sur un plateau, puis lui emboîta le pas.

— C'est pour la signora Clifford ? demanda-t-il devant la porte d'entrée.

— Oui, monsieur.

— C'est une amie. Puis-je lui apporter le plateau à ta place ? J'aimerais lui faire une surprise.

L'enfant fronça les sourcils d'un air méfiant.

— Qu'est-ce qui me dit que la surprise elle sera bonne ?

Umberto sourit.

— Si tu préfères, je te suis. Tu la défendras si nécessaire.

— Comme ça, ça me va.

Ils pénétrèrent dans la cour où coulait une modeste fontaine dans un sarcophage antique, gravirent les marches irrégulières de l'escalier jusqu'au dernier palier. La porte était entrebâillée.

— Entre, Marcello ! appela-t-elle. Et sers-toi quelque chose à boire.

Le petit garçon poussa la porte avec son pied, soucieux de ne rien renverser, tout en prévenant la signora Clifford qu'il n'était pas seul. Umberto resta sur le seuil, n'osant le suivre. Il songeait déjà à déguerpir quand elle apparut en maillot de bain, jambes nues sous une chemise en lin transparente qui lui arrivait à mi-cuisses, les cheveux relevés à la diable. Elle tenait un panier de courses à la main, d'où dépassaient un pain de campagne et un bouquet de fleurs.

— J'ai voulu vous monter le plateau mais ce jeune homme a refusé, expliqua Umberto.

— C'est mon protecteur attitré, dit Alice en passant une main affectueuse sur le crâne de Marcello, qui était revenu auprès d'elle en tenant son verre de limonade. Entrez ! Je suis heureuse de vous voir. Mais je croyais que vous étiez en Toscane avec votre famille.

— Mon frère a été arrêté.

Elle écarquilla les yeux, avant de s'éloigner au fond du couloir pour poser son panier à la cuisine et arranger les fleurs dans un vase. Appuyé au chambranle de la porte, Umberto observa chacun de ses gestes, subjugué. L'enfant s'en alla, les joues gonflées de biscuits.

— Vous allez me raconter tout cela, dit-elle.

Une bibliothèque fournie occupait un pan de mur du salon. Des toiles abstraites voisinaient avec des photos de Rome punaisées sur un tableau en liège. Elle fit mine de remettre de l'ordre sur la table basse encombrée de journaux avant d'y renoncer, lui proposa un verre de limonade, n'ayant rien d'autre de frais, précisa-t-elle. Il retira son veston, roula ses manches de chemise.

La terrasse offrait une vue grandiose sur un écheveau de toits de tuiles, un campanile Renaissance et des coupoles que venait réchauffer la clarté mordorée. Au loin se dressait la colline boisée du Janicule. Ils s'installèrent sous le treillage de vigne vierge. Elle ramena ses genoux vers elle, nullement gênée d'être à peine vêtue. Le vernis écarlate sur ses pieds s'écaillait. Elle chercha vainement à en dissimuler les imperfections.

— Je reviens de la plage. À cette époque de l'année, c'est une question de survie, n'est-ce pas ? Mais qu'est-il arrivé à votre frère ? Un prince Ludovici derrière les barreaux… Je doute que cela soit arrivé depuis le Moyen Âge ou Dieu sait quelle occupation française.

Entre eux, rien n'avait changé. Évidemment. L'attirance était toujours là, aussi intense et naturelle qu'au premier jour. Il s'agissait maintenant de savoir s'ils allaient perdre du temps à évoquer Giacomo ou toute autre diversion qui ne ferait que retarder le moment inéluctable où il la prendrait dans ses bras pour goûter le sel sur sa peau et respirer le parfum des embruns.

Il resta un temps silencieux, comme recueilli. Il n'avait pas envie de patienter ni de mentir. Pas à cette femme, pas maintenant. Cette fois-ci, ce fut lui qui lui caressa la joue. Elle se laissa faire sans réagir. À la voir si sérieuse, si distante, il éprouva le même désarroi que le jour où il avait cru qu'elle lui échappait à jamais. Cependant, quand elle lui saisit la main, ce fut pour embrasser sa paume et entrelacer leurs doigts. Elle défit les boutons de sa chemise, posa une main sur son torse. Le souffle court, il ôta le peigne qui retenait ses cheveux encore plus blonds que dans son souvenir. Sa bouche le fascinait, de même que la limpidité de ses yeux, son regard indéchiffrable. Le sang battait fort à ses tempes. Il l'attira à lui. Il brûlait d'impatience. Sans plus attendre, il lui fallait découvrir le dessin de sa poitrine, caresser ses seins, ses cuisses, son sexe. Il lui fallait connaître cette femme, la pénétrer, la posséder.

Alice le mena vers la chambre, laissant les portes-fenêtres ouvertes. Elle semblait si singulièrement calme alors que lui frémissait, anxieux de ne rien gâcher. Il fut soudain convaincu que tout cela serait insurmontable et son désir fou un maître trop exigeant. Un sentiment de perte l'accabla, tel un vertige. La grâce leur fut néanmoins accordée de retrouver la même fluidité de mouvement que lors de leur première rencontre. Rien ne vint les contrarier ni les heurter. Bientôt, ils furent nus. Et il s'émerveilla de découvrir ce corps hâlé qui répondait à son imaginaire.

Jamais il n'avait fait l'amour à une femme aussi

intensément présente dans chacune de ses caresses et le moindre de ses gestes. Lorsqu'elle l'incita à s'allonger, il eut l'impression que le monde s'était arrêté de tourner, qu'il était le seul, l'unique, celui qu'elle attendait depuis toujours. Il tressaillit. Sa bouche, sa langue, ses dents le glorifiaient. Il percevait la ferveur dans ses baisers. La joie, aussi. Une célébration de tous leurs sens. Un élan de fierté le transporta, aussitôt suivi du souci de la rendre heureuse, de la faire jouir. Sans aucun doute, elle avait connu d'autres amants. Un éclair de jalousie le tenailla à la pensée des hommes qu'elle avait pu aimer avant lui.

Il la renversa sur le dos, immobilisa ses poignets d'une main, la caressa à son tour, lui imposant son rythme, effleurant ses lèvres intimes, excitant son désir. Leurs corps se répondaient, s'enflammaient. Leurs peaux, leurs parfums s'accordaient. Umberto savoura le bonheur insensé de sentir s'épanouir sous ses lèvres, sous ses doigts, cette femme solaire. Aux lueurs changeantes de son regard, il comprit qu'elle devinait ses inquiétudes, ses doutes. Sa fierté. Par cette prescience singulière, il lui sembla qu'elle le dominait alors que lui ne savait rien d'elle, sinon la réalité de ce corps entre ses bras. Entre eux s'éleva l'ombre d'un défi, car l'amour c'est aussi cela, la rencontre de deux avidités, de deux ambitions, de deux solitudes.

Il embrassa sa bouche, ses seins, son ventre, goûta l'intimité de son être, ivre de ses odeurs. Elle s'offrait, libre et audacieuse. Bien qu'il la devinât impatiente, il refusa de céder à ses exigences. Il tenait à choisir

116

le moment, le seul qui leur importait désormais, celui qu'ils convoitaient avec fièvre, leurs peaux voilées de sueur. Umberto voulait retenir le temps alors que le temps n'existait plus. Transporté d'ardeur, il la pénétra enfin. Alice arqua son corps merveilleux pour le recevoir, puis, pour la première fois, sans le quitter des yeux, elle sourit.

Elle se leva discrètement, ramassa sa chemise en lin. Elle tenait à conserver aussi longtemps que possible sur sa peau le parfum du corps d'Umberto, la moiteur entre ses cuisses. Elle avait presque oublié cette sensation de plénitude. Les dalles de la terrasse avaient retenu la chaleur de la journée. De la voûte céleste tombait cette luminosité poudrée des soirs d'été romains. Les plantes que ses voisins venaient d'arroser exhalaient des senteurs de terre mouillée. Un instant, elle crut aussi reconnaître l'odeur poivrée de musc et d'ambre si particulière à Fadil, son premier amant, celui qui lui avait tout appris, à vivre et à jouir, elle qui redoutait d'être condamnée au silence de l'âme et à la frigidité du corps. Fadil l'avait fait naître une seconde fois. Peut-être la plus essentielle. Sans lui, elle ne serait probablement plus de ce monde. Pourtant, elle l'avait quitté, effrayée par ce que l'amour possède d'anarchique et d'imprévisible, et ne supportant pas de dépendre de quelqu'un d'autre qu'elle-même. Elle se raidit. Son esprit lui jouait un mauvais tour. La mémoire de son corps épanoui aussi.

Nerveuse, elle alluma une cigarette. D'ordinaire, elle chassait sans pitié son souvenir. Le passé ne devait pas s'échapper du carcan dans lequel elle enfermait ces images d'une autre vie. Il lui arrivait toutefois, dans des moments d'ivresse ou de volupté, d'éprouver un pincement de cœur. Une vague nostalgie. À moins qu'il ne s'agisse tout simplement de remords.

Umberto vint l'enlacer. Reconnaissante, elle ferma les yeux, s'adossa à lui. Il déposa un baiser sur sa tempe. Elle sentit son sexe dressé. Elle se savait suffisamment forte désormais pour vivre cette histoire d'égale à égal. Cette certitude l'apaisait. Viendraient néanmoins tôt ou tard ces moments d'une relation où la nudité charnelle ne suffit plus, où le partenaire exige une connivence des sentiments. Le butin de guerre, en quelque sorte. Le corps était tout et n'était rien. Il servait à donner et à recevoir du plaisir. C'était une complicité infiniment plus délicate que redoutait Alice. Celle où elle devenait alors équilibriste.

Umberto la quitta une heure plus tard, promettant de leur rapporter des provisions pour le dîner. Ils s'étaient aimés une nouvelle fois. Elle se contempla dans le miroir, effleura ses lèvres. Comme toute femme, le bonheur la rendait belle. Alice n'espérait qu'une seule chose, que la Providence leur accorde le temps nécessaire pour aimer avant de souffrir.

C'est seulement dix jours plus tard qu'elle se rendit à l'Association de la presse étrangère pour y glaner les dernières nouvelles. Umberto n'était pas retourné en Toscane, sous prétexte d'être préoccupé par l'arrestation de son frère. Chez lui, personne ne s'en était étonné. Ils s'étaient à peine quittés, saisissant cette liberté inespérée, aiguillonnés par l'excitation de la nouveauté, se découvrant un même sens de l'humour, une même fantaisie. Néanmoins, bien qu'il n'en eût rien laissé paraître, elle avait deviné son malaise. Lui était heureux alors que Giacomo croupissait derrière les barreaux. Il avait refusé d'en parler, dévoilant même une facette plus acerbe de sa personnalité si elle abordait le sujet. Il n'appréciait pas qu'on empiétât sur certains domaines réservés. Tant mieux. En cela aussi ils se ressemblaient.

Alors que ses confrères la félicitaient pour sa mine éclatante, la jeune femme s'inventa des journées passées à Ostie, sur la plage de Vecchia Pineta. Même le ton réprobateur d'un télégramme de son rédacteur en chef – «Où diable es-tu passée?» – qu'elle venait de récupérer n'entama pas sa bonne humeur. N'avait-elle pas mérité cette indolence, ces journées et ces nuits consacrées à se gorger de bonheur sans rime ni raison? Elle s'était dédiée à Umberto et elle le savait captivé. Elle l'entendait à son souffle saccadé, le percevait à ses gestes impatients, comme si ce qui lui arrivait était trop grand pour être pleinement absorbé. De temps à autre, saisi d'une crainte subite, il la serrait contre lui et elle se blottissait volontiers dans ses bras. À son réveil après l'amour, elle découvrait son visage observant le sien, les yeux cernés par la privation de sommeil, le regard avide. Il avait maigri, comme consumé de l'intérieur. À le voir ainsi, une fierté mêlée de crainte la traversait. La passion possède

120

l'appétit d'un ogre, impose une attention constante, un dévouement absolu, semblable à celui des vestales qui entretiennent le feu sacré. Elle-même en avait déjà fait l'amère expérience. Elle redoutait cet abîme pour Umberto. Peut-être aussi un peu pour elle. Mais il était trop tard pour y renoncer. Les derniers mots accusateurs de Fadil résonnaient dans sa mémoire : « Tu es ivre de vie. Tu ferais n'importe quoi pour en ressentir l'exaltation. » La véritable vie, celle qui est pure, entière, la seule digne de ce nom, exigeait ces sacrifices.

Elle replia le télégramme. Qu'on lui fiche la paix encore un peu ! Curieusement, elle ne se sentait pas menacée. Elle avait pris de l'assurance depuis le succès de ses reportages en Allemagne, en Abyssinie, et de son entretien avec Mussolini. Pour la première fois depuis longtemps, elle s'était accordé une pause sans avoir à répondre à qui que ce soit. Le seul danger serait d'y prendre goût.

Dans la pièce où s'empilaient des journaux publiés de par le monde, elle parcourut les titres avec un froncement de sourcils. Elle avait négligé de suivre l'évolution de la situation en Espagne, qui occupait désormais plusieurs colonnes à la une. L'assassinat mi-juillet d'un député monarchiste par un officier de la Garde civile avait mis le feu aux poudres, déclenchant une insurrection militaire contre le gouvernement du Front populaire. L'un des meneurs de la junte, Francisco Franco, un jeune général ambitieux, affirmait mener une croisade contre la bolchevisation de son pays. L'espace d'un instant, Alice regretta sa légèreté des dernières semaines. Son journal ne l'avait pas attendue pour envoyer un correspondant sur place. Or l'enjeu était bien là : il fallait jouer des coudes et s'imposer parmi ses confrères. On vous pardonnait rarement d'arriver après la bataille.

Les rebelles contrôlaient une partie de l'Andalousie ainsi que d'importants territoires situés entre la Galice, la Navarre et le nord de l'Aragon. Ils avançaient désormais vers Madrid, que les correspondants annonçaient d'emblée comme perdu. Les régions les plus riches, la Catalogne industrielle, le Pays basque et les Asturies, à l'exception d'Oviedo, demeuraient toutefois fidèles à la République. Sur un ton épique, proche du sensationnalisme des journaux populaires, certains de ses confrères décrivaient les rues « éclaboussées de sang » de Barcelone, livrée à la vindicte des communistes qui infligeaient un « règne de terreur » à la ville catalane. Alice fit une moue sans s'en étonner. Avec une vaste population de paysans misérables et illettrés, une élite arrogante, une foi religieuse empreinte de superstition et un caractère national tout d'orgueil et d'intransigeance, l'Espagne subissait des soubresauts chaotiques depuis des années. Dénis de démocratie, pillages, expropriations sauvages, couvents et églises incendiés, représailles, assassinats en tous genres… Le parallèle avec le processus historique qui avait amené au pouvoir les bolcheviques russes en 1917 semblait à beaucoup une évidence.

Elle fut rassurée de trouver la signature de Howard Carter. Au moins elle comptait un ami fidèle sur place qui lui filerait les tuyaux si nécessaire. Cependant, la teneur de son article l'impressionna au point qu'elle dut s'asseoir. Il relatait l'entrée dans Badajoz des troupes de l'armée d'Afrique, composées de légionnaires et de Maures musulmans qui vouaient une dévotion aveugle à leur *caudillo*, le général Franco. *N'y voyez pas une traduction littérale de* Führer *ni de* Duce, écrivait Howard. *Ce terme ancien évoque le commandant qui mène lui-même ses hommes au combat. Il remonte à l'époque de la Reconquête. Il a la pureté d'une lame d'acier. Celle qui ne connaît ni pitié ni pardon.* En phrases simples et d'autant plus terribles, Howard décrivait le massacre de milices socialo-communistes, mais aussi de civils. Le sang sur les marches de l'autel de la cathédrale et dans les arènes de brique rouge, près de deux mille victimes, hommes et femmes, décimés à la mitrailleuse. Il évoquait la puanteur insoutenable des corps sous le soleil de plomb, mais aussi les viols, les tortures, les mutilations infligées aux cadavres. Une sauvagerie qui n'avait d'égal que le courage physique de ces soldats. *Lorsque j'interroge le lieutenant-colonel Yagüe sur les raisons de cette férocité, il hausse les épaules : « Mes hommes n'accepteraient pas de se battre autrement. » Ce qui se passe en Espagne aujourd'hui ne peut être qualifié de guerre civile. Il s'agit d'autre chose. Une force obscure surgie du tréfonds de ce peuple qui renvoie chacun d'entre nous à sa propre image. À ses notions de Bien et de Mal. À son humanité.*

Alice connaissait suffisamment la prose de son ami pour y déceler une tension dramatique inaccoutumée. Même si Howard n'avait pas été blessé, quelque chose avait troublé le correspondant aguerri. Un peu plus loin, il racontait qu'un journaliste avait eu un accès de folie, si bien qu'on avait dû l'enfermer. Alice se demanda si elle le connaissait. Les feuilles de papier tremblaient légèrement entre ses mains. Gênée, elle les reposa. Son bonheur avec Umberto lui parut d'un seul coup indécent. Un goût d'amertume envahit sa bouche, tandis que refluaient devant ses yeux les scènes de terreur qu'elle aussi avait décrites ces dernières années, les bombardements en Éthiopie, la brutalité des SA nazis qui torturaient et tuaient pacifistes, juifs, opposants catholiques ou libéraux… Le déferlement de haine prenait de l'ampleur. Rien ne semblait pouvoir lui résister. Depuis la crise économique de 1929, le monde traversait une vallée de larmes et de ténèbres. Les dictatures triomphaient à l'Est comme à l'Ouest. Aux États-Unis, certains accusaient le président Roosevelt et son administration, hérauts de l'économie planifiée du New Deal, d'être eux aussi tentés par une dérive autoritaire. Et maintenant l'Espagne était devenue le dernier terrain de jeu. La gangrène s'étendait.

— L'Espagne vous tente ?

Clemente Gaspari posa une fesse sur le rebord de la table et lui offrit une cigarette. Ce journaliste à la mine débonnaire était les yeux et les oreilles de la police secrète fasciste au sein même de ces murs. Les correspondants de la presse étrangère n'étaient pas dupes, mais l'appréciaient parce qu'il prenait les événements avec une distance ironique, se montrait affable, blagueur et généreux en informations à partir

124

du moment où celles-ci ne nuisaient pas à ses propres intérêts.

— Et vous ? rétorqua Alice, cherchant à se ressaisir.

— Moi, j'en reviens. J'étais l'un des premiers à m'y rendre.

— Laissez-moi deviner. Vous avez fait la traversée de la Méditerranée avec les bombardiers livrés par le Duce pour aider ses petits camarades. Grâce à vous, les mercenaires de Franco ont pu débarquer et commettre ces exactions, l'accusa-t-elle en tapotant du doigt l'article de Howard.

— On exagère l'aide logistique italienne. Les troupes espagnoles venues du Maroc n'avaient pas vraiment besoin de nous. Une partie d'entre elles étaient déjà arrivées par leurs propres moyens.

— Ne cherchez pas d'excuses. Qui se ressemble s'assemble.

Gaspari plissa les yeux.

— C'est fou ce que les gens aiment raisonner en entités simplistes. D'un côté, les forces noires du fascisme et du national-socialisme. De l'autre, l'élan révolutionnaire à la botte de l'Union soviétique. Vous n'avez pas encore saisi les subtilités de cette affaire, ma chère Alice. Chez les rouges ibériques, anarchistes et communistes se vouent une haine implacable. Et Francisco Franco n'a rien d'un véritable fasciste.

Elle lui lança un regard ironique.

— Vraiment ?

— Mais non, voyons. Franco ne jure que par l'ordre militaire, alors que le fascisme est d'inspiration révolutionnaire. Il glorifie l'amour de la patrie, tandis que les fascistes exaltent avant toute chose l'État et le parti. Le général espagnol est catholique et pratiquant quand le fascisme rejette l'Église et la notion de Dieu, même si je vous accorde qu'en Italie, il faut composer avec le Vatican. Voulez-vous que je poursuive ?

— Non. Ne m'étant pas encore suffisamment penchée sur le sujet, je ne pourrais pas argumenter de manière intelligente. Il est pourtant évident que les rebelles de la Phalange espagnole répondent à des critères nettement fascistes.

— Des *señoritos* qui brandissent des revolvers aux crosses ornées du Sacré-Cœur de Jésus, ne jurent que par Ferdinand et Isabelle de Castille et se rêvent en moines-soldats… Des grotesques, oui !

Alice se demanda si Gaspari trouvait moins absurde l'embrigadement dans les *Balillas* de ces milliers d'enfants qui, dès l'âge de huit ans, paradaient en uniformes noirs, un calot sur la tête, armés de fusils de bois.

— Toute notre société est devenue grotesque, affirma-t-elle. Il me semble toutefois que Mussolini serait satisfait de pouvoir compter sur un allié de poids en Méditerranée. Ce serait même idéal pour le Duce. Un nouveau pas en direction de son précieux rêve de domination maritime, son *Mare Nostrum*.

Gaspari passa une main dans ses cheveux. Un instant, son regard s'obscurcit.

— Quoi qu'il en soit, cette histoire ne laissera aucun de nous indifférent. Ce qui se joue là-bas nous dépassera tous. Comment vous l'expliquer ? Ce n'est pas tant lié à l'enjeu qu'à l'esprit des forces en présence. Demandez à nos confrères. Tous pensent la même chose. On prétend que Madrid va tomber d'ici quelques semaines et que l'affaire sera pliée avant l'hiver. Mais ce combat sera long et difficile. Franco l'a prédit. Comme il est l'un de leurs généraux les plus doués, j'ai plutôt envie de le croire. En attendant, la terreur est aussi rouge que blanche... Le moment venu, vous me direz vos impressions, conclut-il avec un soupir, comme s'il ne doutait pas qu'elle s'y rendrait tôt ou tard.

À l'écouter, Alice n'éprouvait pourtant pas l'aiguillon de curiosité qui la poussait sur les routes en quête d'orages. Une pointe de désarroi perça son malaise. Que se passait-il ? Elle ne se reconnaissait plus. Dérogeait-elle aux principes qui dirigeaient sa vie depuis plusieurs années maintenant ? Se révélait-elle soudain indigne ? Mais elle avait encore besoin d'un peu de temps. De légèreté. De cette ivresse du bonheur. Pour elle. Pour Umberto.

Gaspari s'apprêtait à quitter la pièce lorsqu'elle l'interpella :

— Vous êtes au courant pour l'arrestation du prince Ludovici ?

Il haussa un sourcil, curieux de savoir pourquoi elle s'intéressait à cette mésaventure.

— Elle n'est pas banale, dit-elle sur un ton laconique. Son frère est diplomate au ministère des Affaires étrangères. Je l'ai croisé au palazzo Chigi lors d'une réception. Une situation quelque peu surréaliste, non ? J'ignorais qu'il y avait des antifascistes dans les rangs de la noblesse noire. Mais au fait, pourquoi les surnomme-t-on ainsi ?

Alice connaissait déjà la réponse, mais il était toujours habile de flatter son interlocuteur et de détourner son attention en demandant des explications d'un air naïf. On glanait parfois des révélations intéressantes.

— Ces aristocrates ont choisi de soutenir la papauté en 1870, lors de la création du royaume d'Italie et de l'annexion des États pontificaux à laquelle le pape de l'époque s'était fermement opposé. Ils ont verrouillé les portes de leurs palais en signe de protestation et ne les ont rouvertes qu'en 1929, à la signature des accords du Latran entre le Duce et le Saint-Siège. Ces familles bénéficient de charges honorifiques et héréditaires. Beaucoup comptent aussi des papes dans leurs ancêtres, souvent à l'origine de leur fortune.

Elle écarquilla les yeux comme si elle découvrait, grâce à Gaspari, un monde inconnu.

— Ce prince Ludovici joue un rôle important au Vatican mais on l'a tout de même jeté en prison ?

— Aucun rapport. Ce n'est pas parce qu'il a ses entrées auprès du souverain pontife qu'il n'est pas redevable de ses actes. C'est un provocateur. Un personnage odieux, d'ailleurs. Arrogant et doté d'un humour plutôt cynique. Mais c'est aussi un héros de la Grande Guerre et sa famille est l'une des plus anciennes de Rome, alors il est difficile à bâillonner. Néanmoins, à force de taper sur les nerfs de tout le monde et de se croire au-dessus des lois, il a fini par se faire prendre.

Alice lui demanda s'il risquait une condamnation sévère.

— Ce n'est pas l'envie qui manque aux autorités, poursuivit Gaspari avec un haussement d'épaules. Ils sont plusieurs à avoir été arrêtés en même temps. Je crois savoir que l'un de ses acolytes va être condamné à quelques années de *confino* sur l'île de Lipari. Une femme, en revanche, aurait été relâchée.

— Vous connaissez son nom ?

— Non. Et même si c'était le cas, je ne vous le donnerais pas. Je ne pense pas qu'il y ait là un sujet d'article pour vous. Vous feriez mieux de prendre garde, Alice, l'un de vos compatriotes vient de se faire expulser pour avoir évoqué un groupe de séditieux. Vous n'avez tout de même pas envie de quitter notre splendide cité à cause d'une histoire sans intérêt ?

— Comment savez-vous ce qui m'intéresse ou pas, mon cher Clemente ? répliqua-t-elle en s'étirant. Je passe des nuits sans sommeil à chercher de quoi rassasier mon rédacteur en chef. J'ai osé prendre quelques jours de repos et voyez ce télégramme qu'il m'envoie, fit-elle. Cet homme-là est un démon, prêt à dévorer ses pauvres petits correspondants s'ils ne lui apportent pas de la chair fraîche régulièrement. De leurs bureaux de l'autre côté de l'Atlantique, nos patrons ont l'impression que nous sommes des hédonistes qui devraient payer pour le privilège de travailler à l'étranger.

Clemente Gaspari sourit d'un air compatissant.

— Le mien ne vaut guère mieux, avoua-t-il. D'après ce que je sais, l'arrestation de Ludovici a créé pas mal de remous. La situation sent mauvais et peut exploser à la gueule des autorités. Ils n'ont pas trente-six solutions : le bouter hors du pays ou l'assigner à résidence dans sa propriété, bien qu'elle soit trop proche de Rome au goût de certains. En attendant, un peu de temps au frais lui fera les pieds.

Avec un signe de la main, Gaspari prit congé. Alice songea qu'elle aimerait bien rencontrer le frère d'Umberto. Les hommes à mauvais caractère ne l'intimidaient pas. Au contraire. Un maître d'hôtel déposa une nouvelle fournée de quotidiens en éventail sur une console. Du coin de l'œil, elle avisa les caractères gothiques du *Völkischer Beobachter*. Elle prit le journal du bout des doigts et s'installa près de la fenêtre. La chronique de Karlheinz Winther occupait plusieurs colonnes. Un frémissement la parcourut. Bien sûr qu'il était en Espagne. L'appel du sang. Il n'aurait manqué cela pour rien au monde.

Umberto traversa la place Saint-Pierre avec la sensation absurde d'être en faute. Il était redevenu le petit garçon en culottes courtes qui se rendait chaque semaine chez son confesseur pour ânonner un chapelet de péchés, la plupart inventés afin de ne pas faire piètre figure, avec une préférence pour la gourmandise et l'impatience, les manquements les plus appropriés pour obtenir en pénitence un Pater, deux ou trois Ave Maria et s'épargner une damnation éternelle.

Des architectes et des maîtres d'œuvre chargés de plans et d'instruments de mesure campaient devant l'obélisque, discutant sur un ton animé de l'avenue qui allait bientôt être percée pour relier l'esplanade au château Saint-Ange. Encore un projet du Duce. Bien qu'anticlérical virulent et athéiste notoire dans sa jeunesse, Benito Mussolini n'avait pas pu nier l'évidence lors de sa prise de pouvoir. Rome incarnait aussi – certains diraient surtout – le cœur ardent du catholicisme. En bon pragmatique, il s'était résigné à utiliser cette universalité pour servir la cause fasciste, œuvrant plusieurs années dans le plus grand secret avec les diplomates du Vatican, jusqu'à la signature des accords du Latran. Coup de maître qui avait renforcé son prestige aux yeux de l'Italie et du monde. Et même si le Saint-Siège éprouvait envers lui une méfiance mâtinée de crainte et que leur relation de couple mal assorti n'était pas de tout repos, il tenait à célébrer cette « conciliation » historique dans la pierre. Encore du bruit, de la poussière et des emmerdements en perspective, songea Umberto, que tout irritait ce matin-là.

Devant la porte de Bronze qui menait au palais apostolique, il se retrouva nez à nez avec deux gardes suisses en pourpoint et haut-de-chausses qui lui barrèrent le passage en inclinant leurs hallebardes. Il se retint de lever les yeux au ciel, marmonna son nom ainsi que celui du secrétaire d'État du Vatican, Son Éminence le cardinal Pacelli, et on lui indiqua poliment le chemin. Contrairement à Giacomo, il était peu familier des quarante-quatre hectares de l'État du Vatican, à l'exception de la basilique et des jardins, et il connaissait mal les méandres du palais aux mille quatre cents pièces qui comportait les bureaux de la curie et les appartements pontificaux, sans oublier les musées, la bibliothèque et les chapelles privées. En empruntant l'escalier en direction de la cour Saint-Damase, il se rappela toutefois avoir accompagné son père en uniforme de prince assistant au siège pontifical, jabot blanc sur velours de soie noir, torse bardé de décorations et barré d'un grand cordon, l'épée au côté. Trottinant près de lui, sa mèche lissée avec application, le petit Umberto rayonnait de fierté.

Dans la cour d'honneur, il retira son chapeau et se passa la main sur le front. Ce rendez-vous le rendait nerveux. Les paroles feutrées de ces dignitaires, leur bonhomie teintée d'ironie dissimulaient une intelligence acérée au regard sans concession sur le monde. Et leur ton pouvait être cinglant. Si Giacomo évoluait ici comme un poisson dans l'eau, lui avait toujours eu du mal à y trouver ses repères. L'alliance entre le spirituel et le temporel lui semblait parfois déconcertante.

Aveuglé par les carreaux scintillants des fenêtres, il resta un instant immobile parmi l'agitation des ecclésiastiques et des civils qui évoluaient en un ballet bien ordonné. Contrairement à ce que l'on pouvait croire, le Saint-Siège ne ressemblait en rien à un couvent dédié au silence et à l'adoration. Un jeune prêtre le conduisit à travers une vaste antichambre de marbre, puis le long d'une galerie. Ils croisèrent des religieux qui ne leur prêtèrent aucune attention. Dans la salle du trône, selon la tradition, le fauteuil du souverain pontife était retourné contre le mur, sous le baldaquin de velours rouge. Son guide lui indiqua de la main un bureau placé juste à côté d'une porte. Sous les frises Renaissance se découpait l'austère habit noir d'une religieuse.

— Continuez tout droit, monsieur. Si sœur Pascalina y consent, vous aurez accès à Son Éminence. Bon courage ! ajouta-t-il avec un sourire espiègle avant de l'abandonner, les pans de la ceinture de sa soutane flottant derrière lui.

La familiarité taquine ne surprit pas Umberto. Elle incarnait l'esprit singulier de cet endroit aussi sûrement que son empreinte monarchique, le parfum de l'encens et les peintures de Raphaël, le faste des cérémonies, le souci des serviteurs de Dieu pour l'avenir de l'humanité, leur espérance en la vie éternelle, ou encore le goût des prélats pour les anecdotes croustillantes, les rumeurs et les luttes de pouvoir. Il n'y avait rien de plus diablement humain qu'un *monsignore* de la curie.

La religieuse se leva à son approche. La silhouette gracile dégageait une saisissante vitalité. Sa mère avait parfois évoqué cette franciscaine qui servait le secrétaire d'État depuis qu'il avait été nonce en Bavière, puis à Berlin. Intendante de sa maisonnée, elle jouait par ailleurs un rôle important, semblable à celui d'un secrétaire particulier, fonction beaucoup plus surprenante pour une femme. Quiconque voulait joindre le cardinal Pacelli devait passer par elle, ce qui ne manquait pas de causer des frictions, car sœur Pascalina Lehnert avait la réputation d'être intraitable lorsqu'il s'agissait de le préserver des importuns. Ainsi, l'Allemande ne comptait pas que des alliés dans l'auguste enceinte. Ses ennemis l'accusaient volontiers d'être une intrigante pétrie d'orgueil. Et tous redoutaient son autorité. Umberto ralentit le pas. Aurait-il dû apporter des gâteaux au miel pour apprivoiser ce cerbère en col blanc qui lui arrivait à l'épaule mais le fixait d'un regard bleu vivace ?

— Bonjour, ma sœur. Je suis le frère de Giacomo Ludovici. Son Éminence le cardinal Pacelli m'attend.

Un sourire éclaira le visage auréolé par la coiffe empesée qui lui recouvrait aussi le front.

— Bien entendu, don Umberto. Son Éminence va vous recevoir dans ses appartements privés. Si vous voulez bien me suivre.

Le voile sombre doublé de blanc ondulait sur ses épaules. Sa jupe effleurait le sol, dissimulant ses pieds, si bien qu'on avait l'impression qu'elle flottait au-dessus du pavement en marbre.

— En ces moments si angoissants pour votre famille, puis-je me permettre de vous demander des nouvelles de donna Flaminia ? s'enquit-elle alors qu'ils gravissaient un escalier jusqu'au troisième étage.

Et voilà, on y est ! s'irrita Umberto. Comment allait-il expliquer à ces gens d'Église, qui prêchaient le pardon et l'harmonie familiale, qu'il n'avait même pas passé un coup de fil à sa belle-sœur ?

— C'est une femme courageuse, marmonna-t-il, convaincu qu'un mensonge par omission professé au sein du palais apostolique vous condamnait à un long séjour au purgatoire.

— Une âme généreuse aussi. Nous avons grand besoin de personnes dévouées comme donna Flaminia avec toutes ces tragédies qui se passent autour de nous.

Ses traits se durcirent. Elle semblait soudain de fâcheuse humeur. À quelle tragédie faisait-elle allusion ? À l'ombre apocalyptique du communisme athée qui s'étendait depuis la Russie de Staline, à l'idéologie néopaïenne des nationaux-socialistes, aux affrontements féroces en Espagne, terre de conquête catholique par excellence ? Rien n'échappait aux hommes du Vatican. Ils avaient des oreilles partout grâce à leurs nonces apostoliques et à leurs prêtres. Leur analyse des événements, toutefois, ne ressemblait pas à celle d'un État séculier. Ils avaient charge d'âmes, à rendre des comptes devant un tribunal qui n'était pas de ce monde, et cela pour l'éternité. Une tâche qui paraissait insensée à tout esprit rationnel. Or, à cet instant précis, conduit par cette religieuse énergique dans un couloir désert au cœur de la demeure de saint Pierre, Umberto ressentit de manière presque physique les menaces qui planaient sur l'Europe. Une bouffée de désarroi le saisit à la gorge.

— Et la princesse, comment se porte-t-elle ? reprit sœur Pascalina d'un ton plus enjoué. Je garde un lumineux souvenir de madame votre mère qui s'était montrée si charitable à mon arrivée. Elle m'avait beaucoup aidée alors que je ne parlais pas encore un mot d'italien.

Il fut soulagé d'évoquer sa mère. Au moins, on ne pouvait pas lui reprocher d'être un fils indigne. La religieuse le pria de lui transmettre son meilleur souvenir, puis elle le précéda dans un cabinet de travail au décor sobre, tout en excusant Son Éminence, qui avait été retardée.

— Elle a préféré vous recevoir ici de manière plus informelle, puisqu'il s'agit d'une affaire privée.

Y aurait-il quelque chose que sœur Pascalina ignore ? se demanda Umberto, persuadé qu'elle connaissait les rouages les plus subtils du brillant cerveau d'Eugenio Pacelli, celui que le pape Pie XI privilégiait officiellement comme son successeur. Une élection à la fonction suprême dont doutaient bien peu de personnes, aussi bien à la curie que parmi les diplomates étrangers. Le moment venu, il ne manquera plus que l'aval de l'Esprit saint, songea-t-il.

L'imposant mobilier en acajou tranchait avec le décor scintillant des salles d'apparat. D'une certaine manière, il reflétait la rigueur de pensée du cardinal Pacelli. Parcourant des yeux les rayonnages des bibliothèques, Umberto reconnut des titres de livres rares. L'homme était un bourreau de travail. Un érudit doté d'une mémoire prodigieuse qui pouvait réciter un sermon ou un discours d'une quarantaine de pages sans notes et parlait couramment de nombreuses langues. Un diplomate-né, dont la famille patricienne de hauts fonctionnaires servait le siège pontifical depuis des générations. À cet instant précis, Umberto aurait donné un empire pour une cigarette.

— Savez-vous ce que Son Éminence me veut ? demanda-t-il à brûle-pourpoint.

Sœur Pascalina se tenait très droite dans un angle de la pièce. Elle effleura le modeste crucifix qu'elle portait en sautoir.

— Vous parler de votre frère.

— Et moi qui espérais être sondé sur les intentions de son alter ego concernant la situation en Espagne ! plaisanta Umberto sur un ton plus caustique que voulu puisque le secrétaire d'État tenait lieu aussi bien de ministre des Affaires étrangères que de Premier ministre.

— Son Excellence le ministre Ciano a l'oreille de bien des prélats, répliqua-t-elle avec une pointe d'acidité.

— On dirait que vous ne l'aimez pas beaucoup, ma sœur, constata-t-il, amusé.

Elle pinça les lèvres.

— Je ne me permettrais pas d'émettre une quelconque opinion à son sujet, don Umberto. Mais je n'approuve pas certaines de ses actions.

Une voix claire et décidée s'éleva du pas de la porte :

— Il y a beaucoup de choses que vous n'approuvez pas, sœur Pascalina !

Le cardinal Pacelli s'avança vers Umberto, les bras ouverts, l'air avenant. Sa soutane à liserés, boutons et large ceinture en soie moirée pourpres, chuchotait sur le sol, soulignant par sa coupe impeccable la mince silhouette élancée. Ses yeux noirs pétillaient derrière de fines lunettes rondes cerclées d'or. Umberto s'inclina pour baiser l'anneau cardinalice.

— Don Umberto ! Je ne résiste pas à la formule d'usage… Comme vous avez grandi depuis que je vous ai vu la dernière fois ! Vous étiez haut comme cela, ajouta-t-il en mimant une stature bien modeste.

Umberto sourit.

— Votre Éminence me fait trop d'honneur. Je ne puis croire qu'elle se souvienne de moi.

Le cardinal lui fit signe de s'asseoir et s'installa non loin de lui, ajustant la croix en or suspendue à une chaîne sur sa poitrine.

— Bien sûr que si ! C'était toujours une joie de rendre visite à vos chers parents. Votre bien-aimé père était un homme de très haute qualité d'âme.

Sœur Pascalina s'assura qu'ils ne manquaient de

rien. Umberto nota l'attention maternelle qu'elle vouait à son protégé. Il était de notoriété publique qu'Eugenio Pacelli avait une santé fragile que trahissait son teint diaphane. Lorsqu'ils furent seuls, le cardinal rappela quelques joyeuses anecdotes du temps passé, puis il se fit plus grave. Joignant ses longues mains expressives, il pencha légèrement le buste vers Umberto.

— Que se passe-t-il pour le prince Ludovici ? Je me fais du souci. D'après mes renseignements, il s'est montré, comment dire… léger ?

Umberto poussa un soupir, envahi d'une intense lassitude, comme si Giacomo pesait de tout son poids sur ses épaules.

— « Irresponsable », Éminence, me paraît un terme plus approprié.

Il fut donc obligé de raconter une nouvelle fois la situation impossible dans laquelle le plaçait son aîné. Le prélat ne le quittait pas des yeux. De temps à autre, il hochait la tête d'un air désolé, prononçait quelques mots, corrigeait avec douceur une assertion du jeune homme. Tous deux avaient une formation de diplomate, mais Eugenio Pacelli possédait à la fois l'intelligence pratique des Romains, une compréhension juridique des faits et une envergure qui dépassaient de loin celles d'Umberto. Il avait porté la parole de paix de Benoît XV pendant la Grande Guerre, s'était dressé devant les spartakistes lors de la révolution munichoise, il avait été l'homme des concordats avec la Bavière et la Prusse, puis avec le Reich d'Adolf Hitler, et il s'imposait aujourd'hui comme le garant de la diplomatie vaticane dans la tourmente des nations confrontées à l'hydre du communisme et du nazisme. Qu'un dignitaire aussi prestigieux prenne sur son précieux temps pour s'enquérir du bien-être de Giacomo infligea à Umberto un vif sentiment de jalousie. Il baissa les yeux, troublé.

— Il ne faut pas lui en vouloir, murmura le cardinal.

Puis il se mit à parler de la délicate relation entre deux frères qui avaient perdu leur père trop jeunes. Il évoqua des blessures secrètes d'orgueil et d'amour avec une telle sensibilité qu'Umberto regretta que ce bienveillant pasteur ne fût pas un modeste curé d'une paroisse proche du Campo dei Fiori. Sans doute se rendrait-il plus souvent à l'église, lui pour qui la foi était davantage une affaire de volonté que de cœur.

— Le prince Ludovici est-il communiste, don Umberto ?

La question, incisive, décochée impromptu sur un ton sévère, le dérouta au point qu'il en resta tétanisé. Une onde de chaleur, suivie d'un frisson glacé, le parcourut de la tête aux pieds.

— Bien sûr que non, Éminence ! s'enflamma-t-il, saisissant enfin la raison de sa convocation. S'il y a une chose que nous partageons tous deux, c'est bien une aversion pour le communisme. Jamais Giacomo ne s'acoquinerait avec ces gens-là ! J'en mettrais ma main au feu !

Le cardinal le scruta en silence, si bien qu'Umberto reçut de plein fouet toute l'intensité du personnage, avec l'impression odieuse d'être mis à nu. Des souvenirs de Giacomo tournoyaient dans sa tête. Rien ne pouvait laisser croire que son frère eût soudain développé des penchants marxistes, insista-t-il, le rouge au front. Aussi bien le souverain pontife que le cardinal Pacelli jugeaient avec une extrême sévérité la révolution bolchevique et les communistes qui prônaient l'éradication pure et simple de la foi et des Églises. Le régime totalitaire d'Adolf Hitler suscitait des préoccupations similaires. Umberto se rappela le discours en français du cardinal, à Lourdes, un an plus tôt, qui dénonçait les deux doctrines : « Leur philosophie aux uns et aux autres repose sur des principes essentiellement opposés à la foi chrétienne. » Impensable de pactiser avec eux, avait-il précisé. Et pourtant, les deux hommes espéraient en un sursaut du peuple allemand. Si ce dernier rejetait l'idéologie raciale et néopaïenne de l'hitlérisme, il pourrait se dresser en rempart contre l'aîné des deux fléaux, considéré comme étant d'une barbarie diabolique. Enfin, Son Éminence s'adossa à son fauteuil, visiblement plus détendue.

— Il existe bien des princes rouges. Je préfère toutefois que quelqu'un qui occupe une charge aussi prestigieuse auprès de Sa Sainteté évite ce genre de fréquentations. Le danger est toujours présent. Chacun est influençable. Il y a des rumeurs, vous comprenez, don Umberto. Je ne prête guère attention aux commérages, précisa-t-il non sans dédain. Je déteste cela ! Et votre frère a tendance à se mettre les gens à dos parce qu'il n'a pas un caractère facile. Mais quelque chose m'a alerté, et j'ai pensé que vous étiez le mieux placé pour me donner un avis informé.

Un peu gêné, Umberto lui avoua qu'il y avait des pans entiers de la vie de Giacomo dont il ignorait tout depuis leur brouille.

— Mais de là à soutenir une idéologie aussi contraire à sa nature profonde, je ne puis le croire, martela-t-il. Il connaît peut-être des communistes. On en trouverait éventuellement parmi les intellectuels qu'il côtoie, mais il ne partage certainement pas leurs idées.

Les traits ascétiques du cardinal s'accentuèrent. Sa peau s'étira sur ses pommettes.

— C'est un grand péril qui menace notre civilisation chrétienne dans son ensemble, orthodoxes et catholiques romains. Une idéologie intrinsèquement perverse. Ils persécutent avec une violence satanique nos prêtres, nos religieux. Et désormais ils dévorent leurs propres gens.

Il resta un instant les yeux perdus dans le vague, comme habité par un dialogue intérieur.

— On ne peut pas tolérer des doctrines qui humanisent le divin et divinisent l'humain, murmura-t-il. On ne peut pas accepter des totalitarismes qui prônent la destruction de Dieu, car la destruction de Dieu implique nécessairement l'anéantissement de l'homme et de sa liberté. Je pense que votre père aurait été d'accord avec moi sur ce point, n'est-ce pas, don Umberto ?

La gorge sèche, Umberto se contenta d'acquiescer. Il avait parfaitement saisi le sous-entendu du cardinal Pacelli, qui l'avait reçu dans ses appartements privés en tant que fils et frère et non en émissaire patiné par l'esprit fasciste du palazzo Chigi. En évoquant les dictatures et une existence privée de Dieu, son timbre de voix avait été tranchant comme du verre.

— Faut-il avoir peur de l'avenir, Éminence ? lâcha-t-il soudain.

Aussitôt, Umberto s'en voulut de s'être ainsi dévoilé, pauvre malheureux incapable de dominer ses pitoyables faiblesses, car c'était bien d'une peur intime qu'il parlait, celle qui pousse les hommes à se réfugier sous les dômes des basiliques parmi les *putti* et les dorures, celle qui implore la protection des anges, la tendresse de la Vierge Marie, qui précipite l'enfant dans les bras de sa mère. La peur de déchoir, de faillir à l'honneur de son nom, d'être un ami timoré, un père sans consistance, la peur de souffrir dans sa chair mais aussi par l'esprit, de mourir en ayant été infidèle à ses rêves d'adolescent, la peur de trahir la pureté de l'émotion que l'on éprouve dans toute sa plénitude humaine et charnelle auprès de la femme aimée.

Le cardinal écarta les bras d'un geste théâtral, mais ses paroles furent mesurées :

— Le combat sera terrible, don Umberto. Déjà toutes ces victimes en Union soviétique, en Asie, en Allemagne, en Abyssinie, sur les terres espagnoles au moment même où nous parlons. Sa Sainteté tonne et gronde… Dans sa grande sagesse, elle dénonce le communisme, le nazisme. Elle ne craint pas de dire à Benito Mussolini la vérité. Nos adversaires nous rappellent le Goliath de la Bible. Ils tournent le dos à la croix. Et pourtant…, fit-il en élevant la voix. *Dominus fortis et potens*… Le bras de Dieu ne faiblit jamais. Il y a une chose que les ennemis du Christ ignorent. Une chose qui permettra à la Lumière de triompher après les épreuves.

— Oui, Éminence ? murmura Umberto.

— La Charité, mon fils… C'est-à-dire l'Amour, l'Amour incommensurable de Dieu pour l'homme qu'Il a bien voulu créer dans Son immense bonté.

On frappa à la porte. Sœur Pascalina avança de quelques pas et se plaça près du cardinal.

— Ah, je suppose qu'il est l'heure de mon déjeuner, fit-il en riant. Sœur Pascalina ne permettra hélas pas que je vous garde plus longtemps. Je vous remercie d'être venu et de vous être confié à moi. Je vais prier pour le prince Ludovici, pour votre famille, et pour vous aussi, bien sûr.

Umberto baisa l'anneau et sentit la main du cardinal effleurer sa tête pour le bénir. En se redressant, il s'aperçut, à sa grande honte, qu'il avait les larmes aux yeux. Le cardinal Pacelli, avec un dernier sourire, eut l'insigne élégance de faire comme s'il n'avait rien remarqué.

Du Vatican, Umberto se rendit aussitôt au palazzo Ludovici où l'accueillit le majordome sans poser de questions. Il salua d'un signe de tête les femmes de chambre qui époussetaient les vastes salons après la parenthèse estivale. Elles l'observèrent d'un air soucieux. Sa présence signifiait que les choses allaient mal. Il se demanda si elles feraient un signe contre le mauvais œil dès qu'il aurait le dos tourné.

Dans la bibliothèque, des grains de poussière dansaient dans la lumière qui jaillissait entre les volets intérieurs. Sur le bureau en désordre, il commença à regarder les divers papiers, les lettres, les carnets... Il fouillait au hasard, mû par une colère froide. Le double fond de l'un des tiroirs était fermé à clé. Leur père cachait la clé autrefois dans un faux livre dissimulé parmi les éditions originales. Connaissant la désinvolture de Giacomo, il doutait que celui-ci se fût donné la peine de chercher une autre cachette. Son intuition se révéla exacte.

Le compartiment secret contenait des notes manuscrites de son frère. Des brouillons de pamphlets critiquant le gouvernement, appelant au réveil des consciences. De grands mots sonores tels que « justice », « liberté » ou « révolte » rythmaient les diatribes.

— Le connard, marmonna-t-il.

Rien ne laissait deviner s'il s'agissait ou non d'écrits d'inspiration communiste. Aucun en-tête ni acronyme particulier. Mais d'autres papiers lui semblèrent plus compromettants, des articles d'Antonio Gramsci, l'ancien secrétaire général du Parti communiste italien, ainsi que des lettres envoyées de Paris, où s'étaient réfugiés de nombreux opposants au régime depuis la marche sur Rome. Les auteurs se méfiaient visiblement de la censure. La plupart des phrases étaient sibyllines, les noms des émissaires et des destinataires encodés. Il s'étonna de trouver aussi quelques esquisses au fusain et des propos rédigés dans une langue incompréhensible. Une enveloppe contenait une photo à la bordure dentelée. Une jeune fille brune aux cheveux courts, assise sur un banc de pierre, les jambes croisées, fumait une cigarette. Un carton à dessins était posé à ses pieds. Elle jetait un regard méfiant à l'appareil, une main levée en protestation. On devinait qu'elle n'avait pas envie d'être dérangée. Sa maîtresse ? s'étonna Umberto. Improbable : Giacomo n'était pas du genre à tromper son épouse. Il étudia les traits et la posture de l'inconnue, chercha à deviner où avait été prise la photographie. En vain. Le jardin lui était étranger et il n'y avait aucune indication au dos. Il empocha la photo, rangea les lettres et les coupures de presse avant de refermer le tiroir. Le cardinal Pacelli aurait-il vu juste ? Giacomo aurait-il été corrompu par les théories marxistes ? Sa répugnance pour la brutalité des squadristes – les forces paramilitaires au service du régime –, son aversion pour l'essence même du fascisme l'auraient-elles conduit dans les bras des bolcheviques ?

Il décrocha le téléphone, demanda à l'opératrice d'être mis en relation avec le *dottore* Mauro Fornari. Il n'avait pas parlé à l'avocat depuis plusieurs semaines. Étant donné les circonstances, il ne doutait pas que la ligne était placée sur écoute. Il prépara mentalement ce qu'il avait à demander, et surtout à taire. Tous avaient l'habitude de parler de manière bridée au téléphone. Les régimes autoritaires développaient tôt chez leurs sujets une schizophrénie de la parole.

— Don Umberto ! s'exclama l'avocat. J'imagine que vous avez appris la bonne nouvelle ?

— Pas du tout, répondit-il, déconcerté.

— Le prince va être libéré tout à l'heure. Il est assigné à résidence chez lui, à la campagne. Une décision de justice tout à fait équitable. Je ne puis que me féliciter de la sagacité de nos estimés magistrats. J'étais sur le point de me rendre à la prison. Je préfère l'accompagner, vous comprenez…

Sans doute pour tenter d'éviter qu'on le conduise menotté et les fers aux pieds jusque dans le vestibule de sa propriété, songea Umberto, imaginant l'effarement de leur mère à la vue de son fils encadré par des *carabinieri*.

— C'est une nouvelle importante, en effet, *dottore*, reprit-il sèchement. Je passerai vous voir la semaine prochaine. Bonne journée.

Banni de la capitale et des autres provinces le temps de sa sentence, son frère s'en tirait à bon compte. La relégation. Comme en hommage aux patriciens déchus de l'Empire romain qui avaient subi le même sort. Un exil néanmoins tout à fait tolérable puisqu'il jouirait du confort de sa propre maison, rare privilège qu'il devait uniquement au prestige de son nom, à la dizaine de ses titres et de ses charges, lui le rejeton d'une lignée dont les ancêtres avaient élevé les premières pierres de leur demeure à l'endroit même où se tenait Umberto, non loin du Capitole, à une époque où les augures prédisaient l'avenir dans le vol des corneilles et des vautours. Ce jour-là, Umberto aurait bien voulu qu'on l'éclaire, lui aussi, sur les intentions de Jupiter, car un pressentiment funeste ternissait de plus en plus souvent son caractère insouciant, et c'était là un sentiment qu'il jugeait tout à fait détestable.

Les éprouvantes chaleurs n'étaient plus qu'un souvenir. Alice ne dormait plus sur sa terrasse, prenait un châle pour sortir le soir. Prémices automnales qui apportaient dans leur sillage le parfum de la truffe blanche et le retour en ville de Beatrice Ludovici. Ne pas y penser ! Seul comptait l'instant présent. *Carpe diem…* Elle enfila sur sa jupe un sweater en tricot de coton, vérifia son rouge à lèvres dans le miroir, prit son feutre, ses gants et sa pochette avant de dévaler l'escalier. L'épicier arrangeait les étalages de sa devanture. Le père du petit Marcello la salua d'un signe de la main. Des femmes en noir, un panier sur le bras, discutaient en dialecte. Alice se demanda si elles s'agaçaient du prix de la farine ou de celui de l'huile, une préoccupation récurrente. Comme chaque matin, le petit peuple de Rome bruissait, caquetait, vociférait, s'attendrissait, s'empoignait, se réconciliait. La comédie de la vie, le temps d'un battement de cils.

Au coin de la rue, elle s'arrêta pour prendre un café. Le patron lui servit un *surrogato*, triste breuvage à base de haricots, tout en se lamentant de la pénurie d'ingrédients comme les grains de café, aussi essentiels à l'existence. Elle le taquina en lui rappelant qu'il ne fallait pas être défaitiste. Les choses allaient sûrement bientôt s'arranger. Il lui tendit le journal. À la une du quotidien : l'Espagne, toujours… La progression des rebelles nationalistes. Et Madrid qui ne tombait pas.

Elle héla un taxi. Un parfum de poussière et de carburant pénétrait par la fenêtre ouverte du chauffeur. Elle lui demanda de faire un détour, fit mine d'admirer des monuments qu'elle connaissait par cœur. Il la déposa en haut du Pincio, la remercia pour le pourboire avec cette politesse qui caractérisait les Romains, spontanée et sincère, un brin distante aussi parce que ce monde était ancien, que personne n'attendait rien ni ne se laissait jamais vraiment surprendre puisque tout avait déjà été éprouvé un jour ou l'autre.

Des touristes s'extasiaient, appareil photo autour du cou, en admirant la ville à leurs pieds. Derrière eux s'étendaient les jardins de chênes verts et de palmiers, ponctués de statues, de fontaines, de pins parasols qui se découpaient sur le ciel bleu. Un couple enlacé descendait l'escalier romantique qui dévalait vers la piazza del Popolo. Alice songea qu'ils étaient tous amoureux. Forcément. On ne peut pas être à Rome sans aimer sinon quelqu'un, au moins la ville elle-même. Tout est émotion ici, se dit-elle. Jusqu'à la mémoire des pierres.

L'insouciance n'avait eu qu'un temps. Comment avait-elle pu en douter ? C'était dans la nature des choses. Pourtant, elle ne se résignait pas à renoncer déjà à la pureté de l'élan, à cette clarté qui se dissolvait peu à peu. Elle le pressentait à une caresse plus distraite, à la naissance entre Umberto et elle d'un ailleurs, infime mais suffisant pour que l'esprit vagabonde, que les préoccupations du quotidien se glissent par des interstices, là où il n'y avait eu auparavant que l'absolu de leurs peaux, de leurs souffles, de leurs baisers.

Elle emprunta l'une des allées. Un coup d'œil derrière son épaule. Rien d'anormal. Les gravillons crissaient sous ses semelles. Comme convenu, elle s'arrêta pour contempler le buste de Masaniello. L'air juvénile, un drôle de bonnet planté sur ses boucles de pierre, une courte barbe.

— Une bouille plutôt sympathique pour un révolutionnaire, non ? fit l'homme qui l'avait rejointe. J'ai pensé qu'il y avait une certaine ironie à vous donner rendez-vous ici. Il fut le maître incontesté de Naples pendant une semaine au XVIIe siècle et termina assassiné.

— Grands dieux ! murmura-t-elle, un brin caustique. Pourvu que ce ne soit pas un destin prémonitoire.

Le vieil homme esquissa un sourire. Sa jaquette était froissée, sa cravate en tricot entortillée. Sa couronne de cheveux blancs lui donnait un air lunatique qui contredisait la pertinence de sa pensée.

— Hélas, on ne compte déjà plus en jours mais en années. Cela dit, notre colosse a des pieds d'argile. On croit qu'il triomphe à cause de sa victoire en Éthiopie, mais ce n'est que de la poudre aux yeux. Le cycliste tombe de vélo s'il arrête de pédaler. C'est pourquoi le *mascellone* pédale allégrement : l'Abyssinie, maintenant l'Espagne… Bien malin celui qui prédira sa fin.

Le surnom de « grosse mâchoire » dont il venait d'affubler le Duce amusa Alice. Elle était heureuse de retrouver son interlocuteur en meilleure santé. La dernière fois qu'ils s'étaient vus, au début de l'été, il avait le teint jaunâtre. Une maladie du foie. Il se présentait à elle sous le patronyme de Marcus Tullius. Ancien journaliste politique, il possédait encore ses entrées dans les ministères. Ses échos étaient d'autant plus précieux qu'elle ne doutait pas de leur fiabilité.

Tout correspondant avait ses « indicateurs », des conseillers d'un parti politique, d'anciens journalistes, des proches de ministres… Pions indispensables pour obtenir des éclairages sur les événements. Mais sous les dictatures, l'enjeu était tout autre. L'indicateur risquait sa vie. Rien de moins.

— L'un de vos collègues a essayé de m'approcher l'autre jour, dit-il alors qu'ils se promenaient entre les bustes de personnalités italiennes.

— Sûrement le petit nouveau d'United Press. J'espère que vous avez opposé une fin de non-recevoir.

Bien que nous soyons toujours disposés à mettre certaines de nos informations en commun, lui m'agace. Il n'est pas tant ambitieux qu'arriviste.

À vrai dire, Alice ne tenait pas à partager le cerveau de Marcus Tullius avec qui que ce soit.

— Est-ce que vous me confirmez ce dont nous avions parlé la dernière fois ? s'inquiéta-t-elle.

La réponse lui importait car sa crédibilité était en jeu.

Au début de l'été, elle avait été intriguée par l'apaisement des relations diplomatiques entre l'Allemagne et l'Italie après les graves tensions suscitées par l'assassinat, deux ans auparavant, du chancelier autrichien autocrate mais antinazi Dollfuss, un proche de Mussolini. Redoutant une mainmise d'Hitler sur son voisin autrichien, le Duce avait massé ses troupes à la frontière, au col du Brenner, menaçant l'Allemagne d'un conflit si elle remettait en question l'indépendance du petit pays. De leur côté, l'Angleterre et la France étaient restées sur la réserve, comme indifférentes. Mais le comportement des uns et des autres lors de la guerre d'Éthiopie, le soutien de l'Allemagne alors que Mussolini se sentait injustement attaqué, avaient modifié l'état d'esprit du Duce. Intriguée, la jeune femme avait alors sollicité un entretien auprès de l'ambassadeur d'Allemagne, Ulrich von Hassell. Leur rencontre, courtoise, l'avait convaincue qu'une alliance se préparait entre les deux pays. Pour en avoir le cœur net, elle avait même fait un saut à Berlin. Pavoisée de drapeaux nazis, la capitale était en proie à l'effervescence des Jeux olympiques. Alice avait profité de l'agitation pour interroger ses sources. Puis elle avait rédigé son article, sans trahir les confidences recueillies, déduisant un rapprochement inévitable entre les deux nations. Si celui-ci se confirmait, elle serait la première à l'avoir évoqué.

— Vous l'avez, votre scoop, Miss Clifford. La déception et la colère du Duce sont grandes. Il considère qu'on l'a trahi en ne lui laissant pas les coudées franches en Afrique. Il ne digère pas l'humiliation des sanctions et l'Espagne ne fait que creuser le fossé qui le sépare peu à peu des démocraties. Du côté allemand, même si certains espèrent toujours une entente avec l'Angleterre, d'autres travaillent à un rapprochement avec les fascistes. Je sais qu'Hitler a sondé discrètement le palazzo Chigi.

— Ciano ?

— Pas encore, mais cela ne saurait tarder. Galeazzo Ciano se cherche un destin. Celui qui est aussi à la manœuvre, c'est le prince Philippe de Hesse, le gendre du roi d'Italie.

Alice ne pouvait rien noter. Il lui fallait mémoriser toutes ces confidences. Le correspondant envoyé dans un pays au régime autoritaire se posait toujours la question de savoir ce qu'il pouvait écrire ou non, si telle ou telle assertion risquait d'entraîner son expulsion. Par ailleurs, il ne fallait rien dévoiler qui puisse susciter des incidents diplomatiques. On attendait des journalistes une attitude responsable.

— Rassurée ? Vous avez pris un risque en exposant vos intuitions.

— Un risque calculé. Mon raisonnement est logique.

Même si Alice doutait de détenir le talent de journalistes telles que Dorothy Thompson ou la remarquable Sigrid Schultz, la correspondante la mieux informée de Berlin, sa réputation ne cessait de grandir. Elle avait toujours été ambitieuse, d'où son sentiment de culpabilité lorsque ses émotions la détournaient de son chemin. Elle possédait toutefois les deux qualités que Sigrid Schultz jugeait indispensables pour exercer leur métier : de solides connaissances historiques et la maîtrise de plusieurs langues étrangères. Chercher à s'assurer une reconnaissance dans une profession largement dominée par les hommes ne l'effrayait pas. Jamais le fait d'être une femme ne l'avait empêchée de vivre comme elle l'entendait.

— Vous avez raison de vous soucier de l'évolution des relations entre Mussolini et Hitler, poursuivit-il à voix basse. Je crains la contagion des thèses nazies. De disciple du fascisme, le national-socialisme risque de devenir son maître en imposant ses abominables doctrines de race et de sang.

— D'autant que le terreau est fertile, non ?

— Pas de la manière dont vous l'entendez. Selon moi, Hitler cherche justement une alliance parce qu'il pense que Mussolini est le seul adversaire capable de former en Europe une coalition antiallemande. Jusqu'à maintenant, Mussolini considérait Hitler comme un « prophète de bazar ». Pire encore, un *attacabottoni*.

— C'est-à-dire ? demanda Alice, amusée.

— Un abominable raseur… Et nous autres Italiens, nous détestons les raseurs, ajouta-t-il, l'œil pétillant. Le Duce avait pressé les gouvernements occidentaux de marcher contre l'assassin de Dollfuss, mais il a dû se rendre à l'évidence que l'Angleterre et la France s'inclineraient toujours devant le fait accompli. Il en a conçu du mépris pour leur lâcheté.

Ils dépassèrent en silence deux vieilles dames assises sur des pliants.

— Si Mussolini avait été assassiné il y a quelques années, le monde entier aurait pleuré un grand homme d'État. C'est ironique, non ? Le Français Daladier l'avait même qualifié d'«homme de paix».

— Ainsi, selon vous, ce glissement vers l'Allemagne serait une dérive qui aurait pu être évitée ?

— On a eu tort de traiter l'Italie avec morgue en 1918 alors qu'elle appartenait au camp des vainqueurs. Le drame, c'est que nous avons collectivement perdu cette paix chèrement acquise.

Il trébucha. Elle vit passer une grimace de douleur sur son visage. Spontanément, elle lui prit le bras.

— Je regrette que le libéralisme n'ait pas pu prendre racine dans mon pays, mais les Italiens ne sont pas un peuple politique. Les idées les passionnent moins que la stature des hommes.

Son compagnon se tamponna le front avec un mouchoir, puis il se mit à l'éclairer sur l'ancienne tradition d'impérialisme de son pays, son goût pour le pouvoir, sa vitalité.

— Vous allez partir pour l'Espagne ? s'enquit-il brusquement.

— Bien sûr.

Sa réponse fut spontanée. Une évidence, malgré tout. Elle éprouva une pointe de soulagement de sentir qu'une partie d'elle-même ne doutait pas. Un certain désarroi aussi.

— Vous ne semblez pas très emballée ?

— J'attends encore l'accréditation de mon journal. De toute manière, nous avons d'autres reporters sur place. Et puis il n'est jamais facile de quitter Rome.

Il l'observa, un sourire aux lèvres.

— Ne serait-ce pas plutôt l'idée de vous éloigner d'un certain diplomate ?

Alice tressaillit. Adepte de la discrétion, elle avait redouté que s'ébruite la rumeur de sa liaison. La situation lui paraissait d'autant plus sensible qu'elle ne voulait pas qu'on doute de l'impartialité de son travail.

— Qu'est-ce qui vous fait dire une chose pareille ?

— N'ayez crainte, voyons. À Rome, la pulsion de la vie l'a toujours emporté sur les autres considérations. Comment s'étonner qu'une femme belle et intelligente soit attirée par le séduisant Umberto Ludovici ?

— J'espère que cela ne deviendra pas de notoriété publique.

— Rome est une petite ville. Tout se sait et tout se raconte. C'est même une tradition chez nous. Mais nous ne sommes pas des puritains. L'amour, la sexualité ne nous effraient pas.

Alice n'avait encore parlé à personne de sa relation. Elle trouvait étrange et réconfortant de l'évoquer avec quelqu'un qui avait l'âge de son père et lui était somme toute inconnu.

— Et sa femme ? murmura-t-elle.

— Donna Beatrice ? Vieille famille aristocratique, comme lui. Ravissante et pas sotte, ce qui est un atout, n'est-ce pas ? En somme, ils forment un couple émérite, destiné à durer.

Cherchait-il à la mettre en garde ? Il ignorait qu'elle n'attendait rien d'Umberto. Sa nature la portait à une forme de fatalisme. Un brusque coup de vent agita les frondaisons. Des feuilles tombèrent, tapissant le sol de lumière. Jusqu'à maintenant, l'épouse d'Umberto lui avait paru abstraite, presque irréelle. Pourtant, lors de réceptions, elle côtoyait ces jeunes femmes de la haute société.

— Entre nous, ce fut tellement… inattendu.

Elle n'arrivait pas à mettre des mots justes sur l'émotion que lui inspirait son amant. Elle se sentait démunie, ne pouvant ni prédire un avenir commun ni concevoir de ne plus l'avoir dans sa vie.

— Vous êtes loin de chez vous. Cela ne facilite pas les choses.

Elle eut un petit rire amer.

— Détrompez-vous. Le mal-être n'est pas tant lié à un lieu qu'à un état d'esprit qui vous accompagne partout, hélas.

— Ah, mais rien de triste ni de décourageant ne résiste à ceci, n'est-ce pas ? s'exclama-t-il avec un mouvement du bras qui embrassait sa ville. Dans mes moments de doute, je me dis que le Romain sera toujours là, même lorsque le fascisme ne sera plus qu'un souvenir, et qu'il demeurera à jamais cet homme civilisé et indifférent au vulgaire fracas du monde.

Alice lui sut gré de chercher à la faire sourire. Elle aurait eu envie de partager cette assurance. Mais elle n'était sûre de rien, excepté de cet amour qui l'entraînait vers Umberto, et vers sa perte.

— Quel genre de femme es-tu pour préférer la guerre ?

Alice leva les yeux sur Umberto, meurtrie par son ton accusateur. Ils venaient de faire l'amour, impatients, avides, parce qu'ils ne s'étaient pas vus depuis plusieurs semaines. Puis ils avaient parlé. Il faudrait toujours se taire après l'amour, songea-t-elle. Laisser résonner la jouissance des corps en évitant les mots. Sans même lui accorder un regard, elle se leva du lit, enfila un pantalon et un pull-over sur ses seins nus. Une pluie battante ruisselait sur les carreaux, rebondissait sur la terrasse. Le bel automne semblait n'être plus qu'un lointain souvenir. Comme chaque jour depuis trop longtemps, le ciel de cet après-midi hivernal était chargé de nuages gris acier. La chambre lui parut chaude, oppressante.

— Explique-moi ! ordonna-t-il.

— Mon journal m'envoie à Madrid.

Il la rejoignit au salon où elle se versait un verre de vin.

— Et tu m'annonces ça de manière aussi laconique ? Comme si tu prenais quelques jours de vacances… Je ne savais pas que tu voulais partir. Je croyais que tu étais satisfaite à Rome. Tu m'avais dit qu'être chef de bureau comblait tes attentes, que tu n'avais jamais été aussi heureuse.

— Heureuse ? Quelle importance ? se moqua-t-elle. Ce qui se passe en Espagne depuis plus de sept mois est incontournable pour une correspondante digne de ce nom. Tout le monde annonçait la chute de Madrid en novembre dernier. Sa résistance héroïque a modifié la face du conflit. Un coup d'État s'est transformé en une guerre civile aux ramifications internationales. Impossible pour moi de faire l'impasse sur ce qui ressemble désormais à une guerre mondiale par procuration. Il est même honteux que je ne sois pas déjà là-bas.

Elle songea à la lettre de son amie Virginia Cowles qui lui décrivait la vie des Madrilènes dans leur ville bombardée. Le tailleur pour hommes qui attendait ses clients, la vieille femme vendant des foulards anarchistes noir et rouge au coin d'une rue, et ce remarquable courage physique, impassible, quasi minéral qu'affichaient les Espagnols, comme s'ils affrontaient non pas un bombardement de Junkers allemands mais un taureau dans l'arène. Comment avouer à Umberto qu'elle était restée pour lui ? Pour savourer chacun de ces instants volés ? Elle regrettait désormais de ne pas avoir insisté auprès de son rédacteur en chef pour se rendre à Madrid, mais elle était faible, et amoureuse. Chaque fois qu'elle reconnaissait le pas d'Umberto dans l'escalier, qu'elle ouvrait la porte et retrouvait son sourire, la puissance de son étreinte, ses baisers, que ses yeux la dévoraient, illuminés par la même ardeur, quelque chose la traversait qui ressemblait au bonheur.

— Il faut évidemment que tu sois digne de ta réputation maintenant que tu es célèbre, même au péril de ta vie ! l'accusa-t-il, acide.

Elle s'étonnait de cette dispute surgie de nulle part. Elle avait l'impression d'affronter un étranger alors qu'ils s'étaient compris jusqu'à maintenant sans même avoir à se parler.

Umberto disait vrai. Sa notoriété n'était plus à faire. En novembre dernier, lors d'un discours à Milan, Mussolini avait évoqué «l'axe» que formaient désormais l'Italie et l'Allemagne. Aussitôt, les journalistes s'étaient précipités pour télégraphier la nouvelle, certains d'entre eux pris de court par l'accélération des événements. Alice, elle, n'avait eu qu'à développer ce qu'elle annonçait depuis cinq mois. La vice-présidente du journal l'avait vivement félicitée. «Retournez chaque pierre et écrivez ce que vous trouvez», lui avait câblé Helen Rogers Reid en même temps que son accréditation pour l'Espagne.

— Je ne pense pas t'avoir tant manqué ces derniers temps, constata-t-elle, cherchant ses cigarettes parmi le désordre de ses livres et de ses papiers. C'est toi le grand voyageur.

Umberto avait notamment accompagné Galeazzo Ciano lors de son voyage officiel en Allemagne en octobre. Lorsqu'il avait raconté à Alice la visite au chancelier Hitler dans son nid d'aigle de l'Obersalzberg, la jeune femme l'avait écouté attentivement, mais à son grand regret, Umberto était resté évasif sur les confidences qu'avait pu lui faire le ministre des Affaires étrangères. Il s'était contenté d'évoquer le temps magnifique, la splendeur des Alpes, l'attitude réservée de l'ambassadeur von Hassell en présence des dignitaires nazis. « On aurait dit que le pauvre homme avait avalé un citron », avait-il plaisanté. Cela lui avait mis la puce à l'oreille. Elle savait que les diplomates allemands étaient souvent tenus à l'écart des intentions du chancelier et qu'ils s'agaçaient d'être doublés par des émissaires particuliers qui ne rendaient de comptes qu'à Hitler. Le gouvernement du Reich comptait des opposants haut placés, mais aucune divergence n'était tolérée. Non sans une pointe d'amertume, Alice avait reproché à Umberto d'être cachottier. Se méfiait-il d'elle ? N'avait-il pas compris qu'elle savait faire la part des choses et que jamais elle ne le trahirait par une parole malheureuse, un écrit non réfléchi ?

— Tout ça, c'est parce que j'ai refusé de te faire recevoir par le cardinal Pacelli, poursuivit-il, vexé.

— Tu pouvais me rendre ce service, en effet. Ce n'était pas grand-chose pour toi.

Comme l'orage assombrissait la pièce, elle alluma une lampe qui éclaira la bibliothèque, réchauffa les teintes rouges du kilim, les coussins aux tissus mordorés. Les disputes n'avaient jamais été son fort. Elle se retrouvait vite acculée, à court d'arguments. Une sensation détestable.

— Pourquoi ai-je parfois l'impression que tu te sers de moi ?

Prise au dépourvu, Alice se demanda s'il y avait une part de vrai dans cette accusation. Aurait-elle accepté de sortir avec Umberto Ludovici s'il n'avait pas été l'un des conseillers de Ciano ? Était-elle aussi calculatrice, aussi dévouée à son travail qu'il voulait bien le dire ? Il fallait croire que non puisqu'elle avait laissé partir ses compagnons sur le front espagnol alors qu'elle roucoulait avec son amant.

Elle ouvrit la porte-fenêtre. La fraîcheur humide la fit frissonner.

— Je ne t'aime pas pour ce que tu fais mais pour ce que tu es. Nous avons suffisamment parlé de ton engagement auprès des instances fascistes. Tu connais mes réticences. Ce n'est pas pour autant que je ne t'aiderais pas si tu me demandais quelque chose de raisonnable.

— On n'entre pas au Vatican comme dans un moulin, et moi moins que personne étant donné mon rôle au palazzo Chigi. Je ne suis pas Giacomo. C'est lui, l'intime des prélats. Pas moi.

En se retournant vers lui, elle s'aperçut qu'il avait boutonné sa chemise de travers.

— J'aurais aimé être la première à interroger le cardinal Pacelli, à défaut du pape lui-même. L'encyclique a fait l'effet d'un coup de tonnerre. Enfin, le souverain pontife a eu le courage de nommer ce qui se passe en Allemagne ! J'admire comment le Vatican a réussi à garder le secret jusqu'à la dernière minute pour que le texte *Mit brennender Sorge* puisse être distribué efficacement par les évêchés du Reich. Une dénonciation du nazisme écrite en allemand et non en latin, c'est plutôt rare, n'est-ce pas ? poursuivit-elle.

— Pie XI a de la suite dans les idées. Il avait déjà protesté contre le fascisme en 1931. Là encore, l'encyclique n'était pas en latin mais en italien. Il n'aime décidément pas les régimes politiques adeptes de la persécution religieuse et qui tentent d'arracher la jeunesse à l'éducation spirituelle de l'Église.

— «Le droit des âmes», murmura Alice, à qui son instruction épiscopalienne avait inculqué avant toute chose un rigoureux respect des valeurs morales plutôt que la foi affectueuse et exubérante des catholiques romains.

Umberto hésita un court instant, taraudé par l'impression qu'il devait se racheter. Peut-être voulait-il aussi s'assurer de rester dans les bonnes grâces d'Alice pour se prémunir d'un avenir incertain ?

— J'ai entendu dire qu'il fallait s'attendre à une autre encyclique dans les jours qui viennent.

Elle inclina la tête, curieuse.

— Vraiment ? Dans la même veine ?

— Celle-ci dénoncerait de manière encore plus explicite le communisme bolchevique et athée. Il semblerait que le nazisme et le communisme soient pour le Saint-Siège la peste et le choléra.

Elle leva son verre.

— Ce mois de mars 1937 est à marquer d'une pierre blanche ! Celui où le Saint-Siège torpille les totalitarismes. Je regrette d'autant plus de n'avoir pas pu rencontrer le cardinal Pacelli. Je suis persuadée qu'il a aidé à la rédaction de l'encyclique contre le nazisme. Il parle la langue couramment. Il a été nonce en Allemagne. Et il apprécie ce peuple. On raconte qu'il n'est entouré que d'Allemands. Son confesseur, ses conseillers les plus fidèles, son intendante de maison… Tu as croisé cette fameuse religieuse, sœur Pascalina ? Il me semble qu'aucune femme n'avait occupé à ce jour un poste aussi proche du pouvoir. J'aimerais bien la rencontrer, elle aussi, conclut-elle d'un air songeur.

— Impossible ! Elle déteste les journalistes. Personne ne connaît son existence en dehors du Vatican. Elle est très discrète. Et très autoritaire. Jamais elle n'accepterait de te recevoir.

Alice haussa les épaules.

— Dommage. Ce sont toujours les personnages de l'ombre qui inspirent les histoires les plus intéressantes. À l'image des maîtresses cachées…, ajouta-t-elle, non sans une pointe d'ironie.

Il se raidit.

— Tu savais que j'étais marié quand nous nous sommes rencontrés.

— Je ne te reproche rien, voyons. C'est une expérience inédite pour moi et le secret peut être assez jouissif par moments. Mais notre liaison est connue par certains. J'espère que tu en es conscient. Je ne voudrais pas que cette révélation t'éclate un jour à la figure. Nous avons peut-être été imprudents, tu ne penses pas ? Il est probablement temps pour moi de m'éloigner un peu.

Umberto ne pouvait pas détacher ses yeux d'Alice, ses jambes repliées dans le grand fauteuil, le buste droit, ses cheveux blonds ébouriffés, le regard implacable. Lorsqu'elle se pencha, le décolleté de son pull-over dévoila la naissance de ses seins. Aussitôt, il éprouva cet élan de désir qu'elle lui inspirait chaque fois.

— De quoi as-tu peur, Umberto?

— De te perdre.

Alice ne s'attendrit pas, se remémorant les paroles glaçantes qu'elle avait lancées à Fadil quand elle l'avait quitté : «Un homme ne m'est d'aucune utilité s'il ne peut pas vivre sans moi.» À l'époque, les pupilles de ses yeux noirs s'étaient rétrécies dans son visage de pierre. Seule indication qu'il avait été touché en plein cœur. Son silence sembla augmenter le malaise d'Umberto. Elle se fit l'étrange réflexion qu'il était en train de se noyer.

— Beatrice attend un enfant, lâcha-t-il tandis qu'une expression de surprise se peignait sur son visage, la confidence lui ayant visiblement échappé.

Sans ciller, Alice tira une bouffée de sa cigarette. À l'observer ainsi suspendu à ses lèvres, le regard égaré, il lui sembla qu'Umberto avait rajeuni. Elle chercha à déceler ce qu'elle ressentait, une attitude qu'elle avait apprise en affrontant des combats violents. Comme une distanciation entre son corps et son esprit. Une manière de se protéger. Un grand calme l'avait envahie. La prendrait-il pour un monstre si elle lui avouait qu'elle n'était pas jalouse? Elle n'avait jamais douté qu'il continuait à faire l'amour avec son épouse. L'idée la laissait indifférente, bien qu'elle ne s'attardât pas sur le sujet. Elle n'avait jamais été possessive. Ni des lieux ni des personnes. Et cependant, à la pensée qu'un enfant de lui allait naître d'une autre, comment nier cette soudaine réticence, comme si Umberto, son amant, son amour, venait de lui asséner un coup ?

— Je préfère l'apprendre par toi que par la rumeur. Je t'en remercie. Mais j'apprécierais que tu ne me parles pas davantage de ton épouse. Cela ne me regarde pas.

Umberto resta perplexe. Une autre femme aurait tempêté, hurlé, pleuré. Une autre femme lui aurait donné le sentiment qu'elle le voulait pour elle exclusivement. Mais Alice demeurait distante, d'une politesse si inquiétante qu'il se sentit presque vexé. Peut-être était-ce là un trait de caractère des Américaines ? Il n'en avait jamais fréquenté auparavant. Restaient-elles de marbre, quand une Latine vous arrachait les yeux ?

Elle se resservit un verre de vin, rapporta de la cuisine des olives, des tranches de saucisson qu'elle posa sur la table basse, en équilibre sur des brochures. Elle bougeait avec une grâce incomparable. Il aurait pu l'observer pendant des heures sans se lasser. Le silence était profond. Seules des rafales de pluie tambourinaient sur les vitres.

— Tu n'es pas fâchée ?

— Mais pour quelle raison ? s'étonna-t-elle, toujours amène. Vous êtes jeunes. Les enfants sont le prolongement naturel de votre union.

Il perçut toutefois au ton de sa voix qu'elle était fébrile et qu'elle faisait bonne figure. D'emblée, il se sentit soulagé. Cette attitude-là lui semblait plus raisonnable. Il savait qu'il allait devoir la consoler, la convaincre qu'elle comptait pour lui, qu'il l'aimait comme il n'avait jamais aimé auparavant. Il s'en voulut d'avoir aussi bêtement craché le morceau. Dieu sait ce qui m'a pris ! s'agaça-t-il. Il saisit son portefeuille posé sur la table pour le ranger dans sa poche, mais celui-ci lui échappa des doigts. Une petite photo en noir et blanc glissa sur le tapis. Alice se pencha pour la ramasser.

— Qui est-ce ?

— Je ne sais pas. Je l'ai trouvée en fouillant dans les affaires de Giacomo. Je le soupçonne d'être un compagnon de route du Parti communiste.

Stupéfaite, elle le contempla la bouche ouverte. Il lui raconta combien il avait été bouleversé par ce qu'il avait découvert chez son frère. Des pamphlets compromettants, des appels à la résistance. Et la photo de cette inconnue.

— Peut-être une maîtresse cachée ? fit-il, un brin railleur.

Alice examina la photo à la lumière de la lampe.

— Elle n'a pas l'air commode.

— L'épouse de Giacomo ne l'est pas non plus. C'est visiblement le genre de femme qui l'attire.

— Pas comme toi ?

Umberto fut heureux de la voir lui sourire avec sa tendresse coutumière. Il inspira profondément. Le sang circulait à nouveau librement dans ses veines. Le pire était passé. Alice lui avait pardonné. Aussi bien le bébé à naître que ses autres fautes, toutes ses fautes, même s'il ne savait pas les définir précisément. Il l'enlaça. Un brin défiante, elle finit par s'attendrir, lui enserra la taille de ses bras, renversa légèrement la tête pour le regarder dans les yeux.

— C'est toi que j'aime, rien que toi, murmura-t-il avec gravité.

Elle ne répondit pas.

Lorsqu'il l'embrassa, il reprit force et espérance. Tous deux tressaillirent. Le désir les submergea une nouvelle fois. Il lui retira son pull-over, libéra sa poitrine, sentit ses mamelons se dresser sous ses doigts. Il la déshabilla avec des gestes brusques. Nue, Alice était si parfaite, si intensément vivante. Il lui caressa le torse, les hanches, le sexe, enivré par la douceur de sa peau sans défaut, à l'exception d'une fine cicatrice sur l'un de ses genoux, souvenir d'une blessure d'enfance. Elle attendait. Elle le désirait avec la même ardeur. Ainsi, tout est rentré dans l'ordre, songea-t-il, étourdi de bonheur. Il tenait Alice dans ses bras, respirait ce parfum intime qui n'appartenait qu'à elle, sentait ses lèvres sous les siennes et le don absolu de son corps. Pour Umberto Ludovici, les choses avaient repris leur place légitime dans la marche du monde.

Le lendemain, lorsqu'il vint la retrouver, Alice était partie.

Madrid, avril 1937

La lampe de chevet se fracassa sur le sol. Alice se
réveilla en sursaut. L'immeuble tressautait comme s'il
était pris de convulsions. L'espace d'un instant, elle
eut l'illusion de se trouver dans une cabine de bateau
plutôt que dans une chambre au quatrième étage
du luxueux hôtel Florida dont la façade en marbre
se révélait hélas vulnérable aux tirs d'artillerie des
troupes nationalistes du général Francisco Franco,
obstinément campées sur les collines qu'on apercevait
par-delà un enchevêtrement de toits aux tuiles grises
et jaunes.

Elle enfila ses bottes pieds nus, saisit son imperméable. Quand elle ouvrit la porte, l'âcre odeur de la
cordite la prit à la gorge. Des prostituées dépoitrail-
lées la bousculèrent en criant. Quelqu'un brandit
une lampe-tempête dans le corridor plongé dans la
pénombre. Les uns et les autres se pressaient en file
indienne, chargés d'un oreiller, d'une valise ou même
d'un matelas, soucieux de rejoindre le sous-sol et les

chambres à l'arrière afin de se mettre à l'abri. La clientèle de l'hôtel était essentiellement composée de correspondants de guerre et de membres des Brigades internationales en permission, qui passaient leurs nuits à boire et à entretenir des filles de joie dans un esprit de camaraderie turbulente. On y croisait aussi des aventuriers de passage, des réfugiés communistes allemands, des ambulanciers américains, des pilotes russes, des idéalistes et des voyous.

Alice s'engagea dans le corridor. Sa voisine Virginia Cowles apparut à son tour, tout ébouriffée, ses cheveux bruns dans les yeux.

— Le concierge m'avait pourtant assurée que l'hôtel n'était pas un objectif militaire, déclara-t-elle d'un air faussement offusqué. Il avait même précisé que si jamais un obus traversait ma chambre, ce serait par mégarde. C'est contrariant, tu ne trouves pas ?

— Tu crois qu'on nous fera un prix ? plaisanta Alice. Il n'est que six heures du matin et je venais à peine de me coucher.

Virginia lui prit affectueusement le bras.

— Nos nuits sont trop courtes, *dearest*, parce qu'on passe notre temps à faire la bringue, cria-t-elle pour se faire entendre en dépit des déflagrations. Et si maintenant les obus s'en mêlent !

Même si toutes deux donnaient le change, Alice voyait bien que son amie n'était pas plus rassurée qu'elle. Drapé dans une robe de chambre en satin bleu, Antoine de Saint-Exupéry, le journaliste français de *Paris-Soir*, s'inclina d'un air affable et leur proposa des pamplemousses qu'il venait de rapporter de

171

Valence. Derrière lui, Martha Gellhorn émergea de la chambre de «Pop» Hemingway, en pyjama à rayures, un manteau sur les épaules.

Alice haussa les sourcils avec une moue moqueuse.

— Épargne-moi la moindre remarque, je te prie, ordonna sévèrement Martha, avant de prendre à son tour le bras de sa camarade.

Les trois Américaines se penchèrent à la balustrade. La construction en rotonde leur permettait d'observer l'agitation aux différents étages. En dépit de la bousculade, les clients, à l'image des citadins, étaient habitués aux canonnades. Depuis les échecs répétés de ses assauts contre la capitale, le général Franco privilégiait les bombardements aériens et le pilonnage par son artillerie. Des centaines d'immeubles avaient été détruits, dans les quartiers aussi bien pauvres que prospères. La veille, Alice avait été voir les murs calcinés de l'imposant palais du duc d'Albe, réquisitionné un temps par le Parti communiste. Franco n'en avait pas fait mystère lors d'une interview accordée à Howard Carter pour le *Times* : il préférait détruire Madrid plutôt que de le laisser aux mains des marxistes. Pourvu que cela ne lui réussisse pas aujourd'hui, songea Alice, tandis qu'un nuage de poussière de plâtre la faisait tousser.

Un impact plus impressionnant ébranla l'hôtel. Les trois femmes se serrèrent les unes contre les autres, les yeux écarquillés. Aucune n'avait encore fêté ses trente ans et elles n'avaient pas l'intention de mourir dans cette souricière. Des vitres éclatèrent en un bruit de cascade. En face d'elles, un grand miroir se fendilla sur toute sa hauteur. Hemingway, torse bombé, gesticulait en cherchant à rassurer son auditoire. Le célèbre écrivain s'était d'emblée imposé comme le cœur ardent de la bâtisse. Non seulement parce qu'il stockait dans ses deux chambres, outre d'innombrables bouteilles d'alcool, des jambons, du bacon, des œufs, du fromage, de la marmelade, des conserves de sardines et de crevettes, du pâté français et d'autres victuailles improbables en ces temps de pénurie, mais aussi parce que sa ferveur à défendre la cause républicaine et son tempérament homérique laminaient son entourage.

— Qu'on fasse du café, tout de suite ! gronda-t-il.

— C'est fou ce qu'il peut être assommant par moments, soupira Alice en tirant un paquet de Chesterfield de sa poche. Il m'a engueulée à mon arrivée parce que j'avais oublié d'apporter des provisions.

— C'est un ogre, et les ogres ont toujours faim de tout, décréta Martha, dont chacun savait qu'elle était devenue sa maîtresse. Il est odieusement condescendant, mais il sait écrire des dialogues comme personne dans ses romans, ajouta-t-elle avec une pointe d'envie.

Martha n'avait pas encore réussi à rédiger une seule ligne pour le magazine *Collier's*. Elle était pourtant l'une des journalistes les plus courtisées du moment. La veille, Alice l'avait surprise désemparée devant sa machine à écrire. Martha lui avait avoué qu'elle séchait comme à Key West deux mois auparavant, lorsqu'elle avait jeté un manuscrit qu'elle essayait de rendre «vivant» alors qu'il ne l'était pas davantage qu'un poisson mort. «À quoi sert la meilleure des trames romanesques si tu ne possèdes pas la technique pour la développer ? » s'était-elle interrogée. Alice avait compati. Elle aussi éprouvait parfois ce désarroi, lorsque les phrases ne s'enchaînaient pas. « C'est une question de courage, avait poursuivi Martha. Le courage d'écrire malgré tout, puis de tout déchirer et de reprendre jusqu'à ce que ce soit bon. Aux écrivains il faut accorder le temps d'échouer, mais maintenant que la guerre est à nos portes, nous n'avons plus le temps de rien, n'est-ce pas ? »

Alice offrit des cigarettes à la ronde. Virginia craqua une allumette. Adossées au mur du corridor, elles essayèrent de comptabiliser la chute des obus avec la curiosité détachée de ceux qui mesurent les secondes séparant la foudre du tonnerre. Quatre ou cinq minutes d'intervalle signifiaient qu'une seule batterie était en jeu. En cas d'explosions plus rapprochées, mieux valait croiser les doigts. Coincée épaule contre épaule entre ses camarades, les boucles blondes de Martha lui chatouillant le nez, Alice savoura cette complicité féminine qui lui faisait défaut dans sa vie quotidienne. Elle étouffa un rire nerveux. Lui fallait-il donc l'odeur de la poudre et la menace imminente de la mort pour éprouver enfin la satisfaction ordinaire de toute jeune femme de son âge qui se rendrait avec des amies à la plage ou à une séance de cinéma ?

— On dirait que ça se calme, constata Virginia.

— Y a du café pour ceux qui en veulent ! tonna Hemingway.

— J'ai faim, dit Martha.

Les deux filles se décidèrent à grignoter des

toasts et à boire du café avec Pop et sa bande, tandis qu'Alice préféra retourner s'habiller dans sa chambre. Une épaisse couche de poussière recouvrait les meubles. Elle secoua ses vêtements, passa les doigts dans ses cheveux. Il faut que j'aille chez le coiffeur, songea-t-elle. Ce n'était pas un souhait incongru. En arrivant à Madrid, elle avait été surprise de découvrir une ville qui s'efforçait de vivre normalement en dépit des bombardements quotidiens. Après chaque assaut, les ouvriers de la voirie s'empressaient de réparer les dégâts, les boutiquiers maugréaient en balayant les débris de verre, les vitres étant devenues des denrées aussi rares que la nourriture. Il fallait bien réparer les vitrines qui se remplissaient à nouveau de bijoux, de fourrures, de chaussures sur mesure, de parfums griffés Schiaparelli… C'était un effort permanent, mais surtout une question d'honneur afin de prouver au monde entier que le moral de la population n'était pas atteint. Même si la peur saisissait tout le monde lors des attaques, dès que celles-ci prenaient fin, que cessaient les sifflements et les explosions des obus, que le brouillard de poussière se dissipait, révélant l'étendue des nouvelles destructions, la population chassait l'incident de sa mémoire en affichant une belle indifférence, comme s'il s'agissait seulement d'un affreux cauchemar. Un cauchemar hélas récurrent.

— Arrête avec ces conneries d'« objectivité », Alice ! tempêta Martha Gellhorn.

Quelques heures plus tard, les filles finissaient leur

maigre déjeuner, une assiette de riz et des tranches de salami, dans l'unique restaurant-grill encore ouvert de la ville, au sous-sol de l'hôtel Gran Via, un lieu privilégié réservé aux correspondants de guerre, aux officiers, aux dignitaires du régime et aux putes.

— Il n'y a pas d'objectivité qui tienne lorsqu'on découvre ce qui se passe ici, poursuivit-elle, se servant un verre de vin rouge râpeux. Comment veux-tu rester insensible au drame que vivent ces malheureux ? Comment ne pas prendre parti ? Ils crèvent de faim, ils résistent avec un courage insensé, ils se battent contre ces brutes épaisses pour *notre* liberté. Tu le comprends, ça ?

Comme d'habitude, la salle enfumée était bondée, aussi bien les alcôves que la longue table commune qui occupait le centre de la pièce. Alice éleva le ton pour se faire entendre en dépit du brouhaha.

— Je maintiens qu'on ne doit pas se laisser aveugler. Vous êtes tous devenus trop émotifs. Il faut garder la tête froide. Notre rôle et notre devoir nous obligent à demeurer des témoins impartiaux.

— Parce que tu ne t'es pas laissé émouvoir par le destin des Éthiopiens, peut-être ? rétorqua Martha. Ce n'est pas à moi que tu vas la faire, Alice Clifford. Je te connais comme si je t'avais tricotée. Tu es aussi bouleversée que nous mais tu refuses de le reconnaître uniquement pour ne pas faire comme les autres, l'accusa-t-elle en vidant son verre avec une grimace. Tu as toujours eu un amour-propre démesuré. On peut parfaitement soutenir la cause républicaine et rédiger des articles honnêtes. Et je n'y manquerai pas si jamais l'inspiration daigne me revisiter comme l'ange Gabriel la Vierge Marie !

Virginia leva une main pour calmer le jeu. Son bracelet en or acheté le matin même accrocha la lumière.

— Allons, les filles, vous n'allez pas vous disputer pour des broutilles, non ? Moi, j'ai envie de couvrir les deux camps. Quand j'en aurai fini ici, je me rendrai du côté nationaliste. Voilà ce que j'appelle être «objectif».

— Sauf que ce n'est pas toléré par ces grands démocrates que sont les fascistes, ironisa Martha. Les rebelles n'apprécient guère qu'on vienne mettre le nez dans leurs affaires si l'on s'est laissé corrompre auparavant par les rouges. Tu vas te faire fusiller comme espionne, Ginny.

Elle ne plaisantait pas. C'était un problème qu'affrontaient tous les journalistes, particulièrement les femmes reporters ou photographes. Aussi bien chez les nationalistes de Franco que chez les républicains, elles étaient regardées avec suspicion, et cela se compliquait du côté républicain par la guerre intestine que se livraient communistes et anarchistes. Lors des contrôles, c'était toujours leurs passeports et leurs passe-droits qu'on examinait en premier. Certains officiers n'admettaient pas qu'une femme voyage seule. L'une de leurs collègues avait manqué de se faire descendre par l'inspecteur général des Brigades internationales, un Français aux ordres du Komintern soviétique, qui l'avait accusée de s'être rendue en Allemagne et en Italie en 1933. Heureusement que ce n'était pas moi, avait songé Alice en apprenant l'anecdote, convaincue que son entretien avec Mussolini aurait été le dernier clou dans son cercueil.

Virginia ne se démonta pas. Vêtue d'un tailleur noir, perchée sur des talons hauts qui ne l'empêchaient pas d'affronter les trottoirs défoncés ou de se rendre sur le front, elle avait l'assurance des filles bien élevées de la bonne société bostonienne, tandis que son carnet d'adresses bien fourni lui ouvrait des portes interdites aux correspondantes d'origine plus modeste. Elle sourit à Martha.

— Je t'enverrai un télégramme de Salamanque.

Martha leva les yeux au ciel.

— Reconnais au moins qu'ils sont tous des maîtres en propagande, reprit Alice. La censure que l'on subit avant d'envoyer nos articles est franchement pénible. Interdiction de parler des Brigades internationales, de faire référence aux armements russes, de mentionner les lieux bombardés, fit-elle en comptant sur ses doigts. J'en suis réduite à crypter mes textes en utilisant des mots d'argot que ne connaissent pas les traducteurs espagnols.

— Demande que le bureau du *Trib* à Paris t'appelle quand le censeur est parti dîner, suggéra Virginia. Ça marche pas mal.

— Tu crois que c'est mieux de l'autre côté ? rétorqua Martha. Si tu rapportes quelque chose qui leur déplaît, les fascistes te jettent en prison. C'est ce qui est arrivé au cameraman de Pathé qui avait filmé les cadavres à Badajoz. Quant à Guy de Traversay, ils l'ont fusillé avant de brûler son corps sur la plage.

— Quelle horreur ! s'exclama Virginia. Je croyais

pourtant qu'il écrivait dans un journal de la droite française.

— Il avait eu le malheur d'accompagner des troupes républicaines à Majorque. Lorsqu'il a été fait prisonnier, même sa lettre de recommandation signée par les nationalistes n'a servi à rien. Carte de presse ou pas, ils l'ont passé par les armes. Ces gens-là sont du genre à fusiller d'abord et à poser les questions ensuite. L'écrivain français Bernanos, qu'on ne peut pas suspecter de penchants communistes, a parlé de véritable « chasse à l'homme » à Majorque. Il prétend qu'ils arrachent les gens de leur lit en pleine nuit et les flinguent.

— Les commissaires politiques soviétiques aussi, déclara Alice. La terreur rouge, à Madrid comme en Catalogne, a fait des milliers de morts l'année dernière, surtout pendant l'été et l'automne.

— Tu ne peux pas les mettre sur le même plan que les fascistes ! s'irrita Martha. Regarde ce qui se passe en Allemagne, les nazis brûlent les livres, chassent les écrivains et les artistes, humilient les juifs… J'ai vu un vieux couple forcé de laver le trottoir à genoux devant des SA hilares. Ils ont remilitarisé la Rhénanie sans rien demander à personne. Ils enferment les communistes et les sociaux-démocrates dans des camps de concentration. Quant aux opposants à Mussolini, on dirait que les malheureux ont envahi Paris. Ces gens-là menacent la paix du monde.

— Et Staline, c'est un enfant de chœur, peut-être ? Il n'y a pas de déportations, pas d'exécutions sommaires, pas de purges chez lui ?

Martha plissa les yeux.

— Ne me fais pas passer pour ce que je ne suis pas, Alice. En Espagne, le processus démocratique devait prendre racine dans une société archaïque et répressive. Il lui fallait du temps pour s'implanter. Seigneur, ce que tu peux être conservatrice ! Comme ton journal.

Alice esquissa un sourire. Elle aimait ces joutes verbales qui aiguisaient son esprit de contradiction.

— Je suis libérale dans le sens classique du terme. Je crois à la liberté de pensée ainsi qu'à celle des corps... À l'esprit d'entreprise, à l'innovation. À l'individu. Mais je crois aussi à l'ordre et au respect des lois, à un comportement digne, charitable, et à l'amour de son prochain.

— Grands dieux, on dirait un programme politique ! bougonna Martha.

Alice observa ses amies non sans émotion. Ces jeunes femmes attachantes venues risquer leur peau à Madrid, qui discutaient aussi passionnément du maquillage à la mode que des dangers du totalitarisme, lui renvoyaient un reflet d'elle-même, de ses angoisses, de son intransigeance parfois, mais aussi de ses fragilités. Et cela la rassurait de savoir que d'autres qu'elle demeuraient sur le qui-vive, prêtes à tout lâcher pour partir au bout du monde, taraudées par une insatiable curiosité et la quête d'un ailleurs qui seules leur donnaient la sensation d'être pleinement vivantes. Martha haussa les épaules.

— Moi, en tout cas, je sais de quel côté mon cœur balance depuis que j'ai entendu les nazis hurler « cochons de rouges espagnols » dans les rues de Munich.

Un jeune homme aux cheveux roux et portant l'uniforme couleur cannelle des Brigades internationales s'approcha de leur table.

— Miss Gellhorn ?

Il s'était adressé sans hésiter à Martha. Chacun en ville pouvait la reconnaître à son allure inimitable, pantalon de chez Saks Fifth Avenue, turban de chiffon vert, cils noircis de mascara et lèvres rouge vif.

— Je voulais vous remercier, dit-il dans un anglais hésitant. Pour l'autre jour, vous savez ? Quand vous êtes venue nous aider dans le no man's land. Vous avez roulé des pansements pour le docteur. Moi, j'étais l'un des blessés, ajouta-t-il en indiquant son bras en écharpe.

— Le bataillon Garibaldi ! s'écria Martha. Les héros de la bataille de Guadalajara. Vous avez empêché l'encerclement de Madrid en infligeant aux fascistes leur première défaite. À mon avis, Mussolini a perdu le sommeil à cause de vous. Asseyez-vous ! La tournée est pour moi !

Il approcha une chaise. Il avait un regard intelligent, une barbe de plusieurs jours et ce charme singulier des hommes laids. Les Brigades internationales étaient composées d'une cinquantaine de nationalités. En réponse à l'appel lancé par le Komintern, des volontaires de dix-sept à soixante ans avaient choisi de s'engager pour défendre un idéal de démocratie et de liberté contre la menace des oppresseurs fascistes. Ils se regroupaient à Paris avant d'être acheminés vers l'Espagne où ils recevaient une formation militaire sommaire. Les premières semaines, leurs armes avaient été obsolètes, leurs uniformes hétéroclites. Ils faisaient preuve d'un courage admirable pour pallier leur inexpérience, convaincus d'être le dernier rempart avant le règne des ténèbres.

Alice entreprit de traduire son italien. Il s'appelait Virgilio Testa et terminait une thèse de littérature à Rome.

— J'ai tout laissé tomber pour venir me battre. En Italie, c'est déjà perdu. On ne peut rien faire. Ici, il y a encore de l'espoir.

Martha, enchantée, le complimentait en lui servant des rasades du vin infâme qu'il buvait comme de l'eau. La victoire de Guadalajara avait redonné de l'espoir aux républicains qui rêvaient désormais de contre-offensives à grande échelle. Alice restait dubitative. Les livraisons d'armes en provenance de l'Union soviétique pourraient-elles rivaliser avec les avions et l'artillerie allemande ou italienne? L'enthousiasme et l'idéalisme ne suffisent pas pour gagner une guerre. Elle en avait fait l'amère expérience en Éthiopie. Et puis, connaissant le caractère de Mussolini, elle pressentait que cette défaite l'attacherait encore plus sûrement à Franco et qu'il s'entêterait à fournir les nationalistes en hommes et en matériel.

— Qu'avez-vous ressenti en affrontant vos compatriotes italiens qui se battent pour l'autre camp? interrogea Virginia.

Le visage du jeune homme s'assombrit.

— Une impression détestable. Celle de vivre une guerre civile italienne sur une terre étrangère. On a

182

bien utilisé des haut-parleurs pour les convaincre de nous rejoindre, on leur a même proposé de l'argent, mais ils n'ont rien voulu entendre. Alors on a continué à se battre sans se poser de questions. Le fascisme est une gangrène de l'esprit. Il faut éliminer tous ceux qui sont contaminés.

En voyant ses yeux briller d'un éclat missionnaire, Alice songea à la haine viscérale qui animait désormais les deux camps. Lors de son passage à Valence, elle avait été frappée par le regard assassin qu'avait lancé un conducteur de tramway à une piétonne à l'allure bourgeoise. Elle repensa à la conversation qu'elle avait eue à Rome, à l'Association de la presse étrangère, avec Clemente Gaspari. Son confrère avait raison. L'ardeur passionnelle de ce conflit dépassait tout ce qu'elle avait pu imaginer. Personne n'en sortirait indemne. Comment résister à cette dramaturgie, à cette exubérance ? Martha parlait d'une fusion du corps et de l'esprit, soutenant qu'elle n'avait jamais eu autant le sentiment de vivre intensément son existence. La liberté avait pris un goût particulier en ces journées de printemps, une saveur singulière qui n'appartenait qu'à cette terre âpre et redoutable.

— Mes amis, je dois vous abandonner, dit Virginia. J'ai toujours aussi faim, hélas, mais j'ai un rendez-vous. À ce soir !

Alice, intriguée, ne lui demanda pourtant pas de précisions. La concurrence pour rapporter un article aux accents inédits persistait. Tous les journalistes se retrouvaient en fin de journée pour téléphoner leurs dépêches à Londres ou à Paris depuis l'immeuble de la Telefónica, le plus élevé de la ville avec ses treize étages aux faux airs de gratte-ciel new-yorkais. Il représentait une cible idéale, mais son armature de ciment et d'acier parvenait à résister aux obus de modeste calibre. La veille, Alice avait attendu quatre heures avant d'accéder enfin à l'une des deux lignes dédiées aux communications étrangères. Antoine de Saint-Exupéry s'était endormi sur l'un des lits de camp réservés aux reporters qui patientaient en attendant leur tour. L'opératrice assise à son côté avait vérifié qu'elle n'ajoutait aucune information au texte préalablement approuvé par le censeur. Une surveillance qui donnait à la jeune femme la pénible sensation d'être retournée à l'école.

Martha s'excusa également. Elle voulait passer au Ritz, désormais transformé en hôpital, pour essayer de trouver l'inspiration. Alice resta seule avec Virgilio, qui se révéla être un compagnon plutôt agréable. Une fois son exaltation guerrière retombée, il s'était mis à évoquer Rome, dévoilant une facette plus subtile de sa personnalité.

— Vous semblez soucieuse ?
— Je pensais à Rome, moi aussi.
— Nostalgique ?

Elle esquiva la réponse avec un mouvement d'épaules. Umberto lui manquait. Lisait-il ses articles ? Pensait-il parfois à elle ? Une déflagration retentit au-dehors. Il y eut un silence dans la salle. Tous tendaient l'oreille. En cas de nouveau bombardement, ils seraient condamnés à attendre la fin de l'alerte. Hemingway s'encadra dans la porte. Comme toujours, les regards se tournèrent vers son imposante stature de lutteur. Son pantalon était informe, sa chemise bleue déchirée. Il était accompagné d'un homme tiré à quatre épingles dans un costume de ville gris perle, des lunettes d'écaille sur le nez.

— Pepe Quintanilla, murmura Virgilio, impressionné. Le chef de la sécurité. Il traque les espions de la cinquième colonne. Un sanguinaire, paraît-il.

— La cinquième colonne ?

— Lors des premiers combats, un général nationaliste s'est vanté d'avoir lancé quatre colonnes militaires à l'assaut de Madrid, sans oublier cependant qu'une cinquième se trouvait déjà en ville.

— Des civils qui ne partageaient pas le point de vue des républicains ?

Il hocha la tête.

— Depuis lors, ils sont traqués sans merci. C'est normal. C'est la guerre. On ne peut pas tolérer des traîtres qui vous tirent dans le dos.

Mais combien de victimes innocentes fusillées sans jugement ? s'interrogea Alice. Elle avait visité un monastère transformé en prison où s'entassaient ouvriers, petits commerçants, instituteurs... Les riches possédants, eux, avaient déserté la capitale depuis des mois. Quant aux bourgeois, ils se cachaient de leur mieux.

Aucune autre table n'étant disponible, Hemingway et son camarade s'approchèrent de la leur pour s'y installer.

— Où est passée ma blonde ? demanda-t-il à Alice. Je croyais qu'elle déjeunait avec toi.

Alice lui expliqua qu'elle venait de partir.

— Tu restes encore un peu ? Mais n'oublie pas que lui, il est pour moi, ajouta-t-il à son oreille, indiquant du menton Quintanilla qui faisait signe au serveur de leur apporter une bouteille de cognac.

Hemingway tenait à être le maître étalon et l'écrivain suprême de cette guerre, ne tolérant aucune entorse à sa domination tant physique qu'intellectuelle. Il se prêtait à des duels d'ivrognes, jouissait des anecdotes les plus barbares, faisait le coup de feu contre les nationalistes avec la même insouciance que s'il tirait le canard. Alice s'irritait de ce rapport de force qu'il imposait aux autres. Un abus de pouvoir qui lui semblait contraire aux valeurs mêmes pour lesquelles combattaient les troupes républicaines. Incommodée par les relents des assiettes sales et le regard fixe de Quintanilla, elle ressentit le besoin impérieux de changer d'air.

Elle repoussa brusquement sa chaise.

— Merci, Pop. Mais je dois m'en aller.

Elle avait décidé de retourner au front qui se trouvait seulement à trois kilomètres du centre-ville. Il suffisait de prendre un tramway en direction de la Casa del Campo d'où le trajet se terminait à pied, entre les barricades. Le béret vissé sur la tête, des gardes jetaient un regard distrait sur l'indispensable laissez-passer, puis saluaient le poing levé. Après avoir longé des immeubles détruits, on pénétrait dans les tranchées de communication.

Il lui fallait fuir cette ambiance d'espionnite, de vengeance, de délectation morbide, et retrouver les jeunes soldats espagnols, souvent des gamins illettrés, souriants, généreux, pleins d'humour. Elle admirait leur élan, leur pureté d'intention, restait saisie par leur soif d'apprendre, leur application pendant les cours d'alphabétisation qu'ils suivaient pour devenir officiers. À voir leurs visages creusés par la faim, leur fierté insouciante, elle maudissait certains des scribouillards qui se servaient d'eux pour leur propre gloire, tout autant que les commissaires soviétiques pour qui ces innocents n'étaient, au fond, que des pions.

Dehors, elle s'arrêta pour allumer une cigarette sous une affiche illustrant un pied de paysan écrasant un swastika avec l'inscription : *Madrid sera la tombe du fascisme.* L'alerte était à peine passée que déjà on emportait deux cadavres dans une camionnette. Le ventre noué, elle détourna la tête pour ne pas voir le visage des victimes. L'une d'elles était une femme.

— Où allez-vous, je peux vous accompagner ? demanda Virgilio, l'air inquiet.

Elle ne s'était pas aperçue qu'il l'avait suivie.

— Vous n'avez pas de laissez-passer pour vous rendre au front.

— Je connais le mot de passe d'aujourd'hui, rétorqua-t-il avec un sourire. Et puis, j'en viens, du front. Ils ne m'empêcheront pas d'y retourner.

Elle baissa les yeux. Le trottoir était encore imbibé de sang.

— J'ai besoin d'être seule, dit-elle froidement.

Puis elle s'éloigna sans un mot.

Agenouillée face aux toilettes, Alice essuya ses lèvres avec sa main. Un long frisson glacé la parcourut. Elle se releva, tremblante, rinça sa bouche avant de se dévisager dans le miroir de la salle de bains. Un visage blanc comme de la craie, les joues creuses. Elle n'avait pas fermé l'œil de la nuit. J'ai l'air d'un cadavre, songea-t-elle, égarée. On tambourina à la porte. Elle ajusta son peignoir, puis tourna la clé dans la serrure.

— Qu'est-ce que tu fabriques ? la réprimanda Martha. Tu es en retard. Pop et moi, on t'attend pour y aller.

Ils devaient se rendre à une soixantaine de kilomètres de Madrid afin d'y faire des repérages pour un film que tournait Hemingway. Il était l'un des rares privilégiés à obtenir de l'essence pour se déplacer. Le coffre de sa voiture était rempli de caméras, de bobines de film et de bouteilles de whisky.

— Je ne peux pas venir… Je suis désolée.

— Tu n'as pas la gueule de bois, tout de même ? Tu n'as quasiment rien bu hier soir. C'est sûrement cette diète infâme de pois chiches et de lentilles qui ne te réussit plus. Moi aussi, quand je n'ai pas faim, j'ai envie de vomir.

Trop faible pour tenir debout, Alice s'assit sur le bord du lit. Soucieuse, Martha l'observa un moment :

— Qu'est-ce qui ne va pas, *darling* ?

Touchée par sa sollicitude, Alice baissa les yeux. Elle aurait voulu la rassurer, lui dire que ce n'était rien, une indigestion passagère, mais elle n'arrivait plus à articuler.

Martha s'accroupit devant elle, lui prit les mains.

— Je t'en prie, tu commences à m'inquiéter.

Alice se força à regarder son amie dans les yeux.

— Je suis enceinte, Marty.

— Qu'est-ce que vous fichez, les filles ? tempêta Hemingway dans le couloir. Je ne vais pas vous attendre toute la journée.

Alors que Martha la dévisageait d'un air presque inquisiteur, Alice eut soudain l'impression que la chambre s'était mise à tournoyer. Sidney Franklin, le matador américain qui servait d'interprète et d'intendant à l'écrivain, s'encadra dans la porte en prévenant que Pop s'impatientait.

— Nous avons changé d'avis. Nous ne venons pas, affirma Martha.

— Mais enfin, c'était prévu !

— Je te dis que nous ne venons pas, Sid. File, sinon toi aussi tu vas te prendre une volée de bois vert.

L'homme se retira sans rien ajouter, refermant la porte derrière lui.

Martha aida Alice à s'allonger sur le lit. Elle humidifia un gant de toilette, essuya son visage en sueur

189

avant de la recouvrir avec une couverture. Puis elle s'installa dans le fauteuil, étendit les jambes et croisa les chevilles.

— Dors un peu. Quand tu te réveilleras, tout cela te semblera moins terrifiant. Ne t'inquiète pas. Je suis là.

Alice ferma les yeux. Les mots de Martha se répondaient en écho dans sa tête. *Je suis là… Je suis là…* Des paroles si simples, si banales. Des paroles qui lui avaient manqué toute sa vie.

Le serveur, mal rasé, cigarette au bec, apporta leurs cocktails à base de gin et de vermouth. Comme dans tous les autres bars et cafés, les employés du Chicote's étaient désormais les patrons. À cinq heures de l'après-midi, la salle était remplie de soldats braillards, prompts à lâcher un coup de revolver intempestif, qui empoignaient par la taille des filles aux cheveux décolorés. Martha n'avait pas quitté Alice d'une semelle de toute la journée. Un temps, elles avaient traînassé dans le hall de l'hôtel où le spectacle était permanent, feuilletant des brochures qui vantaient des vacances à Cuba.

— Moi, je ne veux pas d'enfants, déclara Martha, péremptoire. Notre monde n'est pas digne d'accueillir une nouvelle vie. Pas question d'infliger cette pagaille à un être innocent.

Alice prit une gorgée de son cocktail. Son amie était sincère. Elle lui avait confié qu'elle avait déjà avorté deux fois.

— Le père est-il au courant?

— Bien sûr que non !

— C'est drôle, tout de même, ironisa Martha. Pourquoi les femmes enceintes d'un homme marié répondent-elles toujours à cette question sur un ton offusqué, comme si elles avaient commis une faute dont il fallait protéger le malheureux ? Je trouve désolant ce réflexe pavlovien que nous avons de les protéger.

Alice esquissa un sourire. La brusquerie enjouée de Martha lui faisait un bien fou. L'angoisse qui l'avait saisie dans la matinée s'était dissipée. Elle avait repris la maîtrise de son corps et l'ascendant sur ses émotions.

— Je le connais ? demanda Martha.

— Non.

Umberto lui manqua brusquement avec une telle force qu'elle en eut le souffle coupé. Rien que les hormones, se dit-elle. Quelques jours auparavant, alors qu'elle s'inquiétait de ses nausées récurrentes, elle était allée trouver un médecin à l'hôtel Palace réquisitionné comme hôpital militaire. Harassé, l'homme avait refusé de l'ausculter. « On ne peut pas tomber malade à Madrid ! » s'était-il emporté. Seuls les blessés avaient droit de cité. Dépitée, elle avait fait demi-tour. Dans le corridor, une infirmière avait eu pitié d'elle. Par chance, une professionnelle. Depuis la fuite ou le meurtre des religieuses qui travaillaient autrefois dans les hôpitaux, le gouvernement avait dû faire appel à des volontaires. Ces jeunes femmes aux ongles vernis, à qui l'on ne donnait même pas d'uniformes, possédaient une bonne volonté à toute épreuve, mais aucune expérience. La vieille dame aux cheveux blancs l'avait examinée dans une ancienne buanderie. Une demi-heure plus tard, Alice traversait le hall d'un pas de somnambule, sonnée, sans prêter attention aux agonisants sur les brancards ni aux relents de sang et d'excréments. Elle était enceinte d'Umberto. Et complètement perdue.

Elle n'arrivait d'ailleurs toujours pas à concevoir la réalité de la chose. L'idée d'un enfant ne lui avait pas effleuré l'esprit depuis longtemps. À une époque, elle avait pensé que ce serait peut-être une solution. Un enfant comme remède à la solitude, au mal-être. La clef de voûte d'une existence. Mais cette démarche lui avait semblé si égoïste, si dangereuse, qu'elle s'était détestée de l'avoir même envisagée. Elle avait pris les mesures nécessaires pour ne pas tomber enceinte. Que ferait-elle d'un enfant ? se demanda-t-elle. Il y avait toujours un voyage à entreprendre, un témoignage à apporter. L'aventure telle une drogue. Cette possibilité de partir avant d'être quittée. Un enfant l'empêcherait d'être libre, et elle refusait de mettre un bébé au monde pour le laisser derrière elle le temps d'un reportage, d'une guerre de trop. Elle ne pouvait pas être une mère absente. Cette seule idée lui glaçait le sang. Voilà des nuits qu'elle retournait le problème dans tous les sens. À l'aube, en pleine hallucination née de l'épuisement et de l'angoisse, elle avait entendu la voix mélodieuse d'Alma qui l'appelait. Elle s'était redressée dans son lit, le cœur battant, scrutant l'obscurité. Alma, l'amie qui la connaissait mieux que quiconque, mieux que Martha ou Virginia. L'unique dépositaire de ses secrets. L'espace d'un vertige, sa chambre s'était emplie de palmiers et de flamboyants. Elle avait entendu le cri des sternes, les poèmes que chantaient les marchands ambulants, la clochette des tramways, le fracas des vagues qui balayaient la corniche d'Alexandrie. Et ces bribes de souvenirs lui avaient semblé improbables, une scène onirique, tellement éloignées de la réalité madrilène mais aussi des montagnes d'Abyssinie et de sa nouvelle vie romaine. Un monde d'épices et de lumière blanche sur lequel le brûlant *khamsin* déposait au printemps son voile de sable, un monde où elle avait aimé, auquel elle avait tourné le dos et dont elle ignorait si elle retrouverait jamais le chemin.

— Je ne peux pas le garder, annonça-t-elle, et ce fut comme une évidence.

Martha tira sur sa cigarette, exhala une longue bouffée, avant d'ajouter d'une voix grave :

— Nous sommes responsables, ici et maintenant, pour nous-mêmes et chacun des actes de nos vies. À cela, on ne peut pas échapper.

— Je ne suis pas prête. Je ne saurais pas comment le protéger, tu comprends ?

Sa voix se brisa.

— Surtout ne te justifie pas ! Cela ne sert qu'à te faire du mal. De toute façon, il n'y a pas de protection qui tienne. Ni Dieu ni l'homme ne protègent de rien. Il va y avoir la guerre une nouvelle fois. Tout ceci n'en est qu'un avant-goût, fit-elle en agitant la main, si bien que la cendre de sa cigarette se déposa sur sa chemise en soie. Que ferais-tu d'un bébé au milieu de tout ça ?

— Je l'aimerais, répliqua instinctivement Alice, parce qu'une partie d'elle-même refusait d'avoir peur. Je l'aimerais de toutes mes forces. Et qui sait, ce serait peut-être suffisant…

Des accords de guitare s'élevèrent dans un coin de la salle. Une jeune fille se dressa, cambra le dos, releva le menton. Ses bras se mirent à dessiner des arabesques, ses talons à claquer sur le carrelage. La danse d'un peuple souverain. Celle du désir et de la mort.

— Je ne sais pas, dit Martha, une ombre dans les yeux. Je n'ai jamais aimé que des hommes, et cela ne m'a pas porté bonheur.

Ce matin-là, Alice frappa à la porte en bois d'un appartement. Martha avait insisté pour l'accompagner, mais elle voulait porter la responsabilité de son acte seule, comme elle avait choisi seule d'aimer Umberto. Le modeste salon était encombré d'un mobilier en noyer. Le papier peint se décollait par endroits. Une odeur fade, doucereuse, lui donna un haut-le-cœur, à moins que ce ne fût tout simplement l'effet de la peur. On lui apporta un médicament amer qu'elle avala sans poser de questions. Elle resta là longtemps. Une heure, peut-être. Un supplice. Jamais elle ne s'était sentie aussi proche d'elle-même, c'était comme de se contempler dans un miroir et d'y lire toutes ses imperfections. Il lui semblait percevoir le sang circuler dans ses artères. Elle serrait si fortement ses mains l'une dans l'autre que ses ongles griffaient sa peau.

Il n'avait pas été si facile de trouver quelqu'un de

fiable pour pratiquer l'avortement, même dans un Madrid révolutionnaire, débarrassé de toute inclination religieuse. « Un vieux fonds de superstition », avait tempêté Martha. Elle lui avait conseillé de quitter le pays et de se rendre en Angleterre où elle connaissait un bon médecin, compréhensif et patient. Mais Alice n'avait pas voulu attendre. Elle redoutait surtout de changer d'avis.

Ce fut violent. D'une brutalité inouïe. Une intimité dévastatrice à laquelle rien ne l'avait préparée. On lui avait donné une spatule en bois à mordre. Pas un cri ne s'échappa d'entre ses lèvres. Bien qu'elle refusât de se sentir coupable, elle ne put s'empêcher d'accueillir la douleur comme la rançon de sa faute. Parce qu'il devait bien y avoir faute, d'une manière ou d'une autre, et sans qu'elle sût très bien comment. Il est des fêlures trop profondes pour y poser des mots. Oui, il y avait faute, et nécessairement punition. Son éducation le lui avait appris. Son expérience, aussi.

On lui permit de repartir dans la soirée avec des recommandations, des sachets d'une poudre indéfinissable, des bandes de tissu à utiliser comme serviettes hygiéniques. Elle avait été idiote de ne pas prévoir comment rentrer au Florida. Elle était venue jusqu'à ce lieu anonyme comme on part à l'aventure, sans envisager un éventuel retour. La sueur perlait à son front. Chaque pas pour descendre l'escalier lui poignardait le bas-ventre. Lorsqu'elle ouvrit la porte d'entrée de l'immeuble, elle trouva Martha adossée à une voiture, les bras croisés. Le beau visage au regard franc lui parut miraculeux. Sans un mot, Martha l'installa sur le siège passager, lui cala le dos avec un coussin déniché Dieu sait où.

Soucieuse du confort d'Alice, l'Américaine roulait au pas, cherchant à éviter les cavités dans la chaussée à peine éclairée par les ampoules peintes au bleu d'aniline des réverbères. Elle sifflotait un air méconnaissable. Les ombres du crépuscule voilaient des amoncellements de débris qui se dressaient à intervalles réguliers, empilés au cordeau. Les rideaux aux fenêtres étaient soigneusement tirés, les trottoirs presque déserts. La ville était soumise à une stricte loi martiale. À l'une des barricades situées aux intersections, un soldat imberbe les arrêta, exigea le mot de passe d'un ton autoritaire.

— Où allons-nous ?

— À la victoire ! proclama Martha, docile, car personne ne plaisantait avec une sentinelle dans une ville bombardée où se pressaient toutes sortes d'énergumènes.

Alors qu'elle redémarrait, Alice laissa échapper un rire qui la fit aussitôt grimacer.

— Qu'est-ce qu'il y a ? s'étonna Martha.

— Tu semblais si sûre de toi. Et ce côté bonne élève quand tu as dit : « À la victoire… » Mon Dieu !

— Mais je *suis* sûre de moi, ma chérie. Disons simplement que je ne pense pas ce soir à la victoire des camarades, mais à la nôtre. À celle des femmes comme nous. À notre courage et à nos triomphes. À tous nos lendemains, aussi.

Pendant trois jours, le monde se resserra autour d'Alice. Une fièvre tenace la cloua au lit. Hantée par la pensée de l'autre enfant, celui de Beatrice Ludovici, l'épouse d'Umberto, celui qui avait droit à la vie par la grâce d'une mère digne de ce nom, elle se sentait à la fois accablée et lâchement soulagée. La nuit, elle sombrait dans un sommeil de plomb que venaient troubler le tonnerre lointain de l'artillerie, les voix avinées de ses voisins, ou le rire névrotique d'une fille de passage qui éclatait de temps à autre dans le couloir. Sa lassitude ressemblait à une ivresse. Martha et Virginia lui préparaient d'insipides consommés confectionnés avec les cubes de bouillon qu'Hemingway avait apportés de France. Apprenant qu'elle était souffrante, Virgilio Testa lui fit porter une bouteille de cognac.

Quand elle émergea enfin, pâle et amaigrie, le moindre détail du quotidien s'imposa à elle avec une clarté nouvelle. La mine défaite d'une mère faisant la queue pour du pain, l'étole de renard argenté achetée par Martha, la défiance d'un paysan, pieds nus dans ses chaussures en corde, les effluves des canalisations éclatées, le whisky au goût de poivre et de résine que lui servait Tom Delmer au son de la *Cinquième Symphonie* de Beethoven dans son salon du Florida où tous convergeaient à onze heures du soir pour y tuer la nuit.

Elle téléphonait ses articles à Paris, d'où ils étaient ensuite transmis à New York. Son ton s'était encore affûté. Aucune hyperbole. Rien que le squelette d'une réalité pour frapper les esprits. En quelques mots, elle marquait son indignation, sa colère, son empathie. Elle reçut les félicitations de la vice-présidente du journal, Helen Rogers Reid, qui en avait repris les rênes lorsque l'alcoolisme de son mari était devenu trop envahissant, attirant des plumes telles que Dorothy Thompson et faisant la place belle aux femmes. La confiance de Mrs Reid lui était précieuse. Beaucoup de ses camarades luttaient avec des rédacteurs qui censuraient leurs articles, soucieux de lecteurs qui se défiaient des républicains espagnols depuis les massacres accomplis par les rouges à Barcelone. De tendance conservatrice, la plupart des journaux occidentaux redoutaient avant toute chose l'avancée du bolchevisme en Europe. L'un de ses amis du *New York Times* était régulièrement accusé par ses patrons de faire de la propagande. «Des croyants fanatiques qui squattent le *desk* de nuit pour décider ce qui sera imprimé ou non!» grognait-il, furieux. Mais si le cerveau d'Alice fonctionnait en bon petit soldat, son corps lui était devenu étranger.

Nue à la lumière crue de la salle de bains, elle cherchait des traces, peut-être même des cicatrices, un signe tangible de cet événement qu'elle n'arrivait pas encore à saisir pleinement. Elle avait renoncé à un espoir d'enfant. Pourquoi son corps ne reflétait-il pas cette absence ? Son ventre était plat, ses cuisses longues et fermes, ses seins moins douloureux. Mais elle ne se reconnaissait plus. L'amour la rendrait peut-être un jour à elle-même, se disait-elle pour se rassurer. Le corps d'un homme pour redessiner les contours du sien.

Quelques jours plus tard, la voiture carrossée de plaques d'acier serpentait sur une route de montagne parmi les pins sylvestres. Dans le civil, le chauffeur était un jeune conducteur de tramway. Secouée sur la banquette arrière, Alice remerciait le ciel de ne plus avoir mal au ventre, tout en s'agaçant que le garçon passe plus de temps à la reluquer dans son rétroviseur qu'à se concentrer sur le chemin. Quand elle avait reçu son accréditation pour se rendre dans la sierra de Guadarrama, on avait mis une voiture et un interprète à sa disposition. Aucune femme reporter ne laissant passer une occasion de rejoindre le front, elle n'avait pas perdu une seconde. Elle faisait le périple seule. Martha avait quitté la ville. Hemingway l'avait demandée en mariage bien qu'il ne fût pas encore divorcé. C'était plus fort que lui. Chaque fois qu'il aimait une femme, il se devait de l'épouser. Un sacré morceau, Ernest Hemingway. Alice n'en aurait voulu pour rien au monde. Une virilité trop agressive, trop fanfaronne. L'alcool et les amis. Le goût de la poudre, du sang, de l'aventure. Facile, jugeait-elle, un brin dédaigneuse. Avant son départ, Martha lui avait confié que seule l'écriture la sauvait. Les hommes lui compliquaient l'existence et le sexe avait toujours été pour elle un mauvais moment à passer. Douloureux. Déplaisant. Elle disait aimer «l'illusion de la tendresse», mais tout cela était voué à demeurer éphémère. Virginia, elle aussi, avait abandonné Madrid pour se rendre du côté nationaliste. Alice ne doutait pas qu'elle leur enverrait un message, comme elle l'avait promis.

Les amitiés entre correspondantes n'allaient pas de soi. Si Martha jugeait parfois Virginia frivole avec ses airs à la Lauren Bacall, Alice et elle étaient jalousées pour leur beauté par Josie Herbst, une Américaine aux opinions radicales, connue pour sa plume caustique. La veille, Alice avait eu une altercation avec Josie, lorsque celle-ci avait prétendu que Martha se comportait comme une putain avec Hemingway tout en flirtant avec d'autres hommes. Elles s'étaient copieusement insultées, si bien que Virgilio Testa avait dû s'interposer pour les séparer. Ce n'était donc pas plus mal qu'Alice s'éloignât quelques heures. Et puis elle nourrissait un complexe. Depuis qu'elle avait lu l'article de son ami Howard Carter sur la destruction de Guernica, ses propres reportages lui paraissaient monochromes. Bien que la ville sainte des Basques fût située loin du front et ne fût nullement un objectif militaire, les bombardiers allemands s'étaient acharnés sur leur cible. Howard s'y était rendu en pleine nuit, alors que la ville martyre se consumait toujours dans les flammes. Le drame avait inspiré à son cama-

200

rade l'un des papiers les plus poignants de la guerre et Alice en avait conçu une pointe d'envie.

Des balles vinrent soudain frapper la carrosserie blindée. Le chauffeur accéléra tout en aboyant à Alice de baisser la tête. Au quartier général de la milice, le commandant lui avait proposé de visiter un avant-poste dans la montagne. Le danger était raisonnable, avait-il ajouté. Il avait semblé à Alice qu'il la mettait au défi d'accepter. «On n'a rien sans rien», avait-elle répondu. Désormais recroquevillée derrière le siège, elle était obsédée par l'image d'une balle lui traversant le crâne. Ils débouchèrent enfin devant une vieille bâtisse aux murs de pierre. Le responsable de l'avant-poste était un solide gaillard en col roulé et pantalon de chasse. Une poignée de combattants aux mines d'adolescents gouailleurs lui firent voir leur armement, dont des mortiers utilisés dans les tranchées. Au cours des premiers mois, les Espagnols avaient refusé d'en creuser, trouvant déshonorant de s'enterrer. On oubliait parfois qu'ils n'avaient pas combattu pendant la Grande Guerre.

Les jeunes gens avaient faim mais ne se plaignaient pas, aguerris par un hiver entier passé dans ces montagnes. Elle partagea ses cigarettes, un paquet de bonbons au miel, leur demanda d'où ils venaient, ce qu'ils attendaient du conflit. Elle fut frappée par leur ferveur déterminée, les corps amaigris, les mains calleuses. Pour la remercier, l'un d'entre eux lui cueillit un bouquet de fleurs sauvages. Il n'avait pas vingt ans, souriait les lèvres serrées afin de cacher sa mauvaise dentition. Quand résonnaient des tirs entre les versants escarpés, elle relevait la tête, anxieuse. Les lignes du front demeuraient confuses dans le coin, lui avouèrent-ils. On ne savait jamais exactement où se trouvait l'ennemi.

Il n'avait pas été question qu'Alice restât longtemps et bientôt on lui fit signe de remonter en voiture. Le chemin du retour se révéla plus périlleux que prévu. Alors qu'ils roulaient depuis un quart d'heure, le chauffeur et l'interprète commencèrent à se disputer.

— L'imbécile a pris un mauvais tournant, grommela l'interprète. C'était bien la peine de nous confier à un type qui n'a pas le sens de l'orientation.

Alice commença à s'inquiéter en s'apercevant qu'il leur était impossible de faire demi-tour. La voiture blindée était lourde, malaisée à contrôler. Ils roulaient en utilisant le frein moteur entre les pins noirs, longeant un versant abrupt aux allures de ravin. Le pouls d'Alice s'accéléra. Après un tournant en épingle à cheveux, le conducteur pila net : un tronc d'arbre leur barrait la route.

— Descendez ! hurla-t-il, ouvrant sa portière et se précipitant vers le bas-côté.

L'interprète et Alice l'imitèrent. Des rafales de mitrailleuses firent éclater les vitres de la voiture. Alice courut quelques mètres, pliée en deux. Une intense brûlure l'atteignit soudain au bras, la projetant au sol. Elle protégea sa tête de son mieux. Elle avait la bouche pleine de terre, un goût de sang sur la langue. Quelques instants plus tard, les armes se turent enfin. Elle entendit claquer des ordres. Deux soldats en djellaba kaki, harnachés de cartouchières et coiffés d'un fez rouge, saisirent le conducteur, le collèrent contre un arbre et l'exécutèrent. Au même moment, quelqu'un empoigna Alice sous les aisselles. Elle hurla de douleur.

— *American journalist !* cria-t-elle. *American journalist !*

L'homme la dominait d'une tête. Il avait une peau tannée, des yeux noirs perçants. Les *regulares* marocains de Franco, se dit-elle. Ces Maures étaient des combattants volontaires d'une bravoure incontestable, d'excellents mitrailleurs, maîtres au maniement du poignard. Ils étaient aussi d'une férocité sans pareille. Rien ne les aurait fait renoncer à leur butin de guerre qui consistait en pillages, assassinats et viols. S'ils me prennent pour une espionne, je suis morte ! s'affola Alice, glacée de terreur. Elle savait aussi qu'elle ne serait pas tuée froidement comme le chauffeur. Son foulard avait glissé, ses cheveux lui arrivaient aux épaules. Ils préfèrent sûrement les blondes, se dit-elle encore.

— C'est une journaliste ! cria l'interprète, les bras levés.

Une balle lui traversa le front. Atterrée, Alice contempla le corps inerte sur le sol. La dernière chose qu'elle vit, alors qu'on l'entraînait, fut un soldat dépouillant les victimes de leurs montres et de leur argent, avant de repousser leurs cadavres d'un coup de pied.

Comme elle avançait difficilement à cause de sa blessure, deux soldats la soulevèrent, indifférents au sang qui imbibait sa saharienne. On la jeta à l'arrière d'un camion qui démarra en cahotant. Un vertige de souffrance et de terreur animale lui faisait perdre conscience par intermittence. Chaque fois qu'elle ouvrait les yeux, le cauchemar se révélait toutefois bien réel. Elle essaya de nouer son foulard autour de son bras avec l'espoir futile que la pression empêcherait qu'elle se vide de son sang, mais ses mains tremblaient trop et elle finit par abandonner. Si une artère avait été touchée, tu serais déjà morte, se rassura-t-elle. Impossible de garder les idées claires. Elle n'était plus que sensations. Gorge sèche, bras paralysé, envie de vomir… Et le sentiment détestable, accablant, de n'être qu'un morceau de chair à la merci d'inconnus décidés à la faire souffrir.

Elle aurait été incapable de dire combien de temps dura le trajet car elle finit par s'évanouir. Lorsqu'elle reprit conscience, elle était allongée sur une banquette en bois dans une cellule aux murs de ciment. Une ampoule nue brûlait au plafond. Elle essaya de se redresser. Une douleur fulgurante lui arracha un cri rauque. Quelqu'un avait déchiré sa veste et sa blouse incrustées de sang. La blessure n'était pas belle à voir. Elle se mit à claquer des dents. L'homme qui entra dans la cellule portait l'uniforme des nationalistes. Elle fut soulagée de voir que ce n'était pas l'un des Maures.

— Comment vous appelez-vous ? lui demanda-t-il en espagnol.

Les doigts tremblants, elle tira ses papiers d'identité de sa poche.

— Alice Clifford, *Herald Tribune*, articula-t-elle d'une voix sourde.

Elle savait que ces gens-là n'avaient aucun scrupule à malmener les journalistes. Il les parcourut d'un œil distrait, les lui jeta à la figure.

— Vous espionnez pour le compte des républicains, c'est ça ?

— Je suis correspondante de guerre, reprit-elle en anglais. Il faut me soigner… S'il vous plaît…

Il la dévisagea d'un air méprisant, lui posa encore quelques questions qu'elle ne comprit pas. Des points noirs dansaient devant ses yeux. Elle fit un geste pour lui indiquer qu'elle avait soif, sans obtenir de réaction. En partant, il ne referma même pas la porte derrière lui. À quoi bon ? La prisonnière n'irait nulle part.

Au fil des heures, les élancements de son bras blessé gagnèrent son épaule, sa nuque, son crâne. De temps à autre, elle sombrait dans un sommeil comateux hanté d'hallucinations. Des visages d'hommes se distendaient de manière grotesque, des rats aux mâchoires de fer la déchiraient. Elle crut entendre pleurer un bébé, puis des râles d'agonisant. Umberto se penchait vers elle, l'air irrité, comme s'il lui reprochait d'être couchée là, amorphe et inutile. Elle cherchait à le retenir, mais il disparut sans un mot. Elle était pourtant certaine d'avoir quelque chose d'important à lui dire. Le soleil brûlait haut dans le ciel. Il faisait chaud sur sa terrasse. Ses pauvres plantes avaient besoin d'être arrosées…

Elle voulut se lever, mais le côté gauche de son corps n'était plus qu'un poids mort. Si elle essayait de bouger, des coups de poignard descendaient jusqu'à sa hanche. Comme personne ne venait l'aider à se soulager, elle fit sous elle, humiliée, méprisable. Elle prit alors conscience qu'ils avaient décidé de la laisser mourir, là, dans cette cellule anonyme, la privant de soins. Une manière habile de se débarrasser du problème. Ainsi, ils ne l'auraient pas tuée de leurs mains et ne seraient pas responsables si quelqu'un exigeait des explications. L'essentiel était qu'elle soit morte. Espionne ou non, la vérité ne leur importait pas. Ils sauraient protester de leur innocence. Elle s'était aventurée jusqu'au front à ses risques et périls, n'est-ce pas ? Elle avait été blessée, « victime de l'engagement ennemi ». Ils étaient arrivés trop tard pour la sauver. Une regrettable mésaventure. La guerre, ce n'était pas un lieu pour les femmes. À elles les déchirements intimes, ceux des familles, des trahisons, des couples en déshérence. Des guerres intestines non moins dévastatrices.

Une vague d'intense tristesse la balaya. Ses yeux secs fixaient le mur. Elle essayait en vain de suivre une pensée cohérente. Elle n'était plus qu'une plaie purulente, de sang et de sueur. Il y avait pourtant eu un bonheur à portée de main. Elle en était convaincue. Un bonheur qui lui avait été destiné, auquel elle avait eu droit. Une lumière rayonnante, délicieuse, qu'elle n'avait pas pu saisir. Une forme de lucidité l'éclaira un court instant. Elle regarda sa fin en face. Aussi cruelle qu'abjecte. Sans oublier cette révélation que mourir la terrifiait. Une mort solitaire, sans Dieu ni espérance.

Karlheinz Winther cherchait le pouls d'Alice. Sur le corps inerte, la blessure à vif était méchante. Elle avait le teint blême, les lèvres blanches. Il trouva enfin les pulsations. Faibles. Irrégulières.

— Il faut immédiatement la faire soigner, s'énerva-t-il en se redressant. Elle est déjà à moitié morte.

L'officier haussa les épaules.

— J'exige que vous fassiez venir un médecin tout de suite, *comandante* !

— Vous n'avez rien à exiger, répliqua celui-ci d'un ton sévère. Et puis vous le dites vous-même, cela ne servirait à rien. On ne va tout de même pas déranger un médecin occupé à sauver l'un de nos hommes.

Karlheinz manqua de lui balancer son poing dans la figure. Il retint son souffle en regardant fixement devant lui. Un procédé mis au point dans les camps de prisonniers en Sibérie vingt ans auparavant. Inutile de provoquer les Espagnols, leur obstination n'avait d'égal que leur orgueil. Les nationalistes s'étaient même réjouis que leurs alliés italiens, jugés trop arrogants, se soient vu infliger une raclée lors de la bataille de Guadalajara. Néanmoins, en dépit de ses efforts, il avait du mal à demeurer impassible. Au même âge que ce triste sire, il était déjà un officier hautement décoré de l'armée du Kaiser. Il n'avait pas perdu l'habitude de donner des ordres ni celle de se faire obéir. Sauf qu'il n'était plus dans l'armée.

Karlheinz avait appris la veille, dans un bar de Salamanque pavoisé de swastikas et de drapeaux italiens aux armes des Savoie, qu'un correspondant avait été fait prisonnier avec des républicains à deux heures de là. Il n'avait pas réagi d'emblée. Ces mésaventures survenaient dans leur métier. Un moment toujours pénible à passer car la conduite des militaires était difficile à prévoir. Les nationalistes se montraient particulièrement susceptibles, ce qui ne l'offusquait pas le moins du monde. Lui-même n'aurait aucune chance de s'en tirer s'il tombait aux mains des bolcheviques. Une carte de presse estampillée d'une croix gammée n'avait rien d'un blanc-seing. Les rouges le fusilleraient sans états d'âme.

Quand il avait entendu que le prisonnier était une femme, il s'était renseigné discrètement. On savait seulement qu'elle était blonde et qu'elle parlait anglais. On la disait aussi grièvement blessée. Peut-être déjà morte. Ses deux guides avaient été abattus. Il n'y avait aucune pitié à attendre des franquistes. Pas question pour eux de permettre au ver d'entrer dans le fruit.

Saisi d'un mauvais pressentiment, Karlheinz avait demandé à un capitaine de l'emmener jusqu'à l'avant-poste. Le déplacement lui avait coûté deux paquets de cigarettes et la promesse d'une tournée lors d'une prochaine permission. Il savait être un bon compagnon. Une qualité essentielle pour obtenir des renseignements. Il connaissait les meilleures adresses pour se détendre, se montrait toujours plein d'humour, de commisération quand nécessaire, et gardait la tête froide en dépit d'une consommation impressionnante d'alcool, ce qui expliquait pourquoi il était apprécié des hommes de troupe et des officiers subalternes. Moins de leurs supérieurs, qui se défiaient de lui. L'obtention du laissez-passer avait été plus délicate. Le haut commandement détestait les reporters. Certains officiers avaient même demandé au Caudillo qu'on interdise leur présence sur le territoire jusqu'à la victoire. Même si les correspondants allemands, italiens et portugais se voyaient traités avec davantage d'égards que les détestables anglo-saxons, la méfiance demeurait de mise.

Il glissa avec précaution une couverture pliée sous la tête d'Alice. Le gradé avait déjà disparu, incommodé par l'odeur putride qui empuantissait la cellule. Il se remémora la jeune femme caustique et hautaine qui l'avait apostrophé dans la salle du trône du Négus, ainsi que leur dernière altercation à Rome, lorsqu'elle l'avait accusé d'avoir violé une Éthiopienne. Nombre de leurs confrères avaient été trop heureux de la croire sur parole.

Il devait agir vite s'il restait une chance de la sauver. Il traversa la cour à grandes enjambées, cherchant un argument imparable. Son état critique lui compliquait la tâche : il n'avait plus le temps de tirer des ficelles. Il aperçut l'officier qui montait dans une voiture et se mit à courir. Il fit un bond de côté quand le capot le frôla, tout en obligeant le chauffeur à s'arrêter.

— Je fais appel à votre charité chrétienne, *comandante* ! Je vous donne ma parole que cette femme n'est pas une espionne. Elle ne parle même pas un mot d'espagnol. Vous vous battez contre le bolchevisme athée que nous haïssons tous les deux. La laisser mourir serait un crime contre Dieu !

Il se sentait ridicule. Il n'était pas du genre à supplier qui que ce soit. Or le catholicisme de Francisco Franco ne pouvait pas être mis en doute, ni celui de ses partisans. L'Église représentait un étendard sous lequel les différentes factions des rebelles, loin de partager la même vision des choses, avaient néanmoins accepté de se ranger. Les civils qui n'assistaient pas à la messe dominicale étaient soupçonnés de connivence avec les républicains. Aussi, beaucoup d'entre eux affichaient ostensiblement une croix ou une médaille religieuse. Au risque de paraître grotesque, Karlheinz abattait sa dernière carte en invoquant une puissance supérieure à laquelle il ne croyait pas.

L'homme hésita. Agrippé à la portière, l'Allemand serra les dents. Une parole malheureuse, et son ultime tentative resterait vaine. L'espoir était mince. La foi catholique n'avait jamais empêché les massacres ni les injustices. Au pays de l'Inquisition, on ne craignait pas les paradoxes. L'officier fit un geste de la main.

— Qu'on la soigne ! Je serai de retour dans quelques jours.

Pris à partie par Karlheinz, le chirurgien accepta

210

en maugréant d'opérer sans tarder. De toute manière, il n'y avait plus une seconde à perdre. Alice était si affaiblie que l'anesthésie se révéla délicate. Pendant plus d'une heure, le journaliste arpenta le couloir de l'hôpital en fumant. Une fois l'intervention terminée, le médecin expliqua d'un ton morne qu'il ne pouvait rien promettre. Désormais, tout allait dépendre de la patiente, de sa résistance à l'infection, de sa volonté de vivre aussi, avait-il ajouté. Mais il ne la garderait pas longtemps. Il avait besoin de tous ses lits, lui !

À l'abri de paravents blancs, dans une salle dévolue à des soldats amputés, Karlheinz approcha une chaise d'Alice. Une blessure au cuir chevelu avait nécessité des points de suture et un bleu marquait sa mâchoire. La blouse d'hôpital trop large dévoilait ses clavicules, son torse bandé. Elle paraissait si vulnérable qu'il ne résista pas à la tentation de lui caresser la joue. Toujours aussi fiévreuse. Son cœur y résisterait-il ? Elle était jeune, mais la jeunesse n'est pas toujours synonyme d'endurance. Il avait vu des adolescents mourir d'épuisement, de désespoir aussi.

Comment s'y prendre pour alerter son journal afin que celui-ci prévienne l'ambassade américaine établie de l'autre côté de la frontière, en France ? La censure exercée par la Délégation pour la presse et la propagande était sévère, particulièrement quand il s'agissait de la presse anglo-saxonne. La moindre incartade pouvait entraîner une arrestation et les menaces de mort n'étaient pas à prendre à la légère. Karlheinz craignait d'attirer l'attention sur l'Américaine. Les franquistes n'hésiteraient pas à l'emprisonner pendant des mois dans des conditions déplorables, et d'autant plus volontiers qu'ils avaient une dent contre le *Herald Tribune* depuis que l'un de ses correspondants avait publié un article retentissant dans l'édition parisienne dénonçant les massacres à Badajoz.

Il s'assura que le souffle de la jeune femme était régulier. Elle est trop singulière pour ne pas tromper la mort, chercha-t-il à se rassurer. Il se surprenait lui-même à se sentir aussi concerné. Depuis leur rencontre, elle n'avait fait que lui témoigner son mépris, sans savoir qu'il possédait une assez haute opinion de lui-même pour y demeurer indifférent. Voilà des années qu'il ne cherchait plus à plaire. De lui, Alice Clifford ne connaissait que les faits d'armes que rapportaient volontiers leurs confrères pour se divertir, mais elle ignorait tout de ce qui avait fait de lui un homme, avant de le détruire. Il se rappela la grâce de son geste anodin ajustant son bas dans sa chambre à Addis Abeba, ses mains lissant la robe rouge sur ses hanches, ses cheveux humides. Il l'avait trouvée belle et désirable. Mais c'était son tempérament audacieux, sa folle vitalité qui l'avaient vraiment conquis. Et son regard triste et profond où il avait eu la faiblesse de percevoir l'écho de sa propre solitude. Seules des créatures redoutables savent réveiller une douleur enfouie, la mémoire d'une existence révolue, d'une femme aimée. Elle avait été la première femme à le troubler depuis que les bolcheviques avaient assassiné sa compagne en Russie. Ce jour-là, dans cet hôpital de campagne de Castille-et-León, il comprit qu'elle était aussi la première dont il aurait pu à nouveau tomber amoureux.

Il avait dû somnoler. Brusquement, il se redressa sur sa chaise, redoutant qu'Alice ne fût plus mal. Son regard tranchant, parfaitement lucide, était fixé sur lui.

— Ne me dites pas que je vous dois la vie, murmura-t-elle d'une voix rauque.

— Pas le moins du monde ! J'ai appris que vous étiez amochée. Cela m'intriguait de vous voir tombée de votre piédestal.

Il lui versa un verre d'eau, l'aida à se redresser pour boire. Instinctivement, il posa une main sur son front. Elle la repoussa, vexée.

— Qu'est-ce qui vous a pris de vous jeter dans la gueule du loup ? N'était-ce pas un peu risqué comme promenade ? On m'a dit que vous aviez été ramassée par les Maures. Très dangereux, ça. Des petites filles comme vous, ces hommes-là n'en font qu'une bouchée. Une loi de leur guerre sainte, comme vous savez.

— Il faut croire qu'ils ne m'ont pas trouvée à leur goût.

À ses narines pincées, il devinait qu'elle souffrait, mais ce n'était qu'un mauvais moment à passer. Elle n'avait pas été violée. Une chance, à vrai dire. Pour les Maures, les rouges étaient tous des athées, la pire engeance aux yeux d'Allah, ce qui les condamnait à être massacrés et mutilés. Quant à leurs femmes, ces succubes ne méritaient aucune pitié. Le commandement nationaliste ne faisait rien pour empêcher les violences, trop heureux d'utiliser comme arme psychologique la terreur qu'ils inspiraient aux civils.

— Ne vous inquiétez pas, reprit-il d'un air dégagé. Aucun bout de métal égaré ne se promène plus dans votre corps. Tout est bien sagement recousu. Cependant, je doute que le chirurgien ait été inspiré par un souci esthétique. Vous aurez probablement une cicatrice. Une jolie blessure de guerre à montrer à vos futurs amants.

— Dont vous ne serez pas, souffla-t-elle.

C'était tout de même un comble de se sentir rassurée par Karlheinz Winther, se dit Alice. En le découvrant assoupi à son chevet, en chemise blanche et veste de tweed élimée, le nœud de cravate desserré, sa première pensée avait été qu'elle allait survivre. Il faut avoir frôlé la mort, ressenti le goût acide de la terreur pour savourer l'intensité du soulagement qui vous submerge à cet instant-là. Elle n'était pas étonnée de le voir. Tous deux appartenaient au même univers, affrontaient les mêmes péripéties, les mêmes dangers. Sans doute s'était-il démené pour arriver jusqu'à elle. Elle se demanda ce que cela lui avait coûté, car elle était persuadée qu'elle lui devait la vie, qu'il ne l'admettrait jamais et qu'il y aurait un jour un prix à payer. Le regard de Winther se fit plus insistant. Il dégageait toujours cette même aura d'autorité. Elle détourna la tête, gênée qu'il puisse lire dans ses pensées.

On s'agita derrière les paravents pour installer un soldat remonté du bloc opératoire. Visiblement, l'intervention ne s'était pas bien déroulée. Par la fenêtre entrouverte, elle constata que le crépuscule était tombé. Des oiseaux au plumage noir tournoyaient dans le ciel indigo. Une sombre prémonition lui serra le cœur. Elle avait les hôpitaux en horreur. L'odeur âcre des désinfectants, le crissement des chariots en fer dans les couloirs, les gémissements des patients. Toutes ces souffrances passées et présentes qui imprégnaient les murs.

— Il va falloir vous remettre rapidement, déclarat-il soudain d'un ton grave, et elle comprit qu'il ne plaisantait pas. Vous n'avez pas que des amis dans le coin.

Elle frémit, détestant se sentir impuissante.

— Ils ont abattu mon chauffeur et mon interprète de sang-froid. C'est ma faute. C'est à cause de moi s'ils se trouvaient sur cette route de montagne.

— Par pitié, n'entrez pas dans le petit jeu de la commisération. C'est indigne de vous et cela ne sert à rien.

Une vague de fatigue inonda Alice. Son corps pesait une tonne. Des douleurs sournoises l'élançaient dans le bras et l'épaule. Sous le pansement, son crâne la démangeait.

— C'est vrai que vous savez piloter un avion ? demanda-t-elle, luttant contre l'épuisement, effrayée à l'idée que Winther aurait peut-être disparu à son réveil.

— Oui.

— Dans ce cas, vous n'avez qu'à m'emmener loin d'ici.

Karlheinz la regarda s'assoupir à nouveau. S'inquiétant qu'elle prenne froid, il ramena le drap sur ses épaules. Au milieu de la nuit, l'infirmière de garde s'étonna de le trouver encore au chevet de la blessée, où il avait été visiblement oublié.

Quelques jours plus tard, Karlheinz pénétra dans le hall animé du Gran Hotel de Salamanque. Franco avait choisi cette vieille ville universitaire pour y établir son quartier général. Une agitation intense régnait dans les rues, comme dans les restaurants et les hôtels. L'établissement prestigieux affichait en bonne place un portrait du Führer et fourmillait de militaires allemands qui s'étaient approprié le dernier étage.

Il s'attabla, commanda un café au lait. On l'avait assuré qu'Alice ne bougerait pas pour le moment, au grand dam du chirurgien. Après des pics de fièvre inquiétants, elle combattait désormais l'infection avec succès. Il savait toutefois que le temps leur était compté. Après avoir retourné le problème dans tous les sens, il n'avait trouvé qu'une solution viable pour laquelle il devait obtenir l'aide de l'un de ses anciens camarades avec qui il avait combattu au début de la Grande Guerre, et qui était désormais un officier de liaison auprès des nationalistes. Perdu dans ses pensées, il sursauta lorsqu'on lui asséna une claque sur l'épaule.

— Karlheinz, mon ami ! J'ai été surpris de ton coup de fil. Tu traînes encore tes guêtres dans le coin ? Je pensais que tu étais déjà reparti. Mais j'imagine que ce ne sont pas seulement tes articles qui te retiennent dans ce grand et beau pays.

Werner Borchard semblait d'excellente humeur. Karlheinz lui montra la semonce d'une affiche sur le mur : « Chut ! Espions ! »

Werner éclata de rire.

— Il paraît qu'il faut dénoncer toute personne qui évoque la situation militaire. Dans ce cas, autant arrêter l'ensemble de cette auguste assemblée, s'amusa le colonel en indiquant du menton les officiers allemands et italiens, les aides de camp espagnols et les quelques journalistes. La même chose que monsieur avec des pâtisseries ! commanda-t-il au serveur. Heureusement que la nourriture ne manque pas de notre côté, mon vieux. La faim, je ne veux plus connaître ça. Pas toi ?

Karlheinz avait survécu à trois ans de Sibérie, Werner aux tranchées de la Somme. Ils s'étaient retrouvés à Berlin dans une Allemagne vaincue, livrée à la révolution spartakiste, puis dans les corps francs de la Baltique. De leurs aventures était née une amitié sans faille.

— Je te remercie de trouver le temps de me voir, dit Karlheinz.

— Tu plaisantes, j'espère ? C'est toujours un plaisir. Mais qu'est-ce qui ne va pas ? Tu ne m'as pas l'air dans ton assiette.

— Il faut que tu me rendes un service, Werner. Je dois obtenir une autorisation de voyage et de sortie du territoire pour une correspondante de guerre américaine. Or, je ne peux pas suivre les canaux officiels et m'adresser au responsable espagnol. Je méprise cet imbécile, qui me le rend bien.

Werner mordit dans une pâte feuilletée.

— Et pourquoi cela poserait-il un problème ?

— Il y a dix jours, ils l'ont trouvée en compagnie

de deux rouges qui ont été abattus. Son passeport est estampillé avec des visas de Madrid et de Valence.

L'officier rajouta de la crème dans son café d'un air ennuyé.

— Rien que ça… J'imagine qu'on la soupçonne d'espionnage. C'est une manie ces derniers temps. Ont-ils raison ?

— Non. C'est une fille trop instinctive. On lit en elle comme dans un livre ouvert.

— Pas comme toi, plaisanta Werner.

— Pas comme moi.

Bien que Karlheinz ne lui eût jamais rien confié, Werner avait deviné que son camarade travaillait de temps à autre pour l'Abwehr, le service de renseignements de l'armée allemande. Il n'était pas le seul journaliste à rendre ce genre de services à son pays. Toute personne dotée de deux neurones d'intelligence savait que les grandes nations européennes s'acheminaient vers un nouveau conflit. Ce n'était qu'une question de temps. Seuls les candides et les fous croyaient encore à la paix.

— Une de tes maîtresses ? demanda Werner.

— Pas encore.

S'agissant de toute autre femme, Karlheinz en aurait été convaincu, comme du dénouement inéluctable de leur liaison. Cette fois-ci cependant, il aurait aimé avoir la certitude que faire l'amour avec Alice Clifford lui permettrait ensuite de l'oublier.

— Je te trouve étrangement fébrile. Dois-je m'inquiéter ?

Karlheinz s'en voulut de ne pas trouver une boutade pour sauver la face. Un bref instant, il se sentit même désemparé.

— Peux-tu m'aider ? Toi qui connais tout le monde chez les nationalistes, comment dois-je m'y prendre pour qu'on lui accorde sans attendre les papiers nécessaires ?

Karlheinz s'impatienta en voyant son camarade froncer les sourcils.

— Elle a failli crever, Werner. Je dois la sortir de là.

— Cela va te faire courir un gros risque. Si tu es soupçonné de complicité, tu risques ta peau. Ce n'est pas parce que tu es allemand qu'ils ne te fusilleront pas pour avoir voulu aider une sympathisante des bolcheviques.

— Je suis assez grand pour me débrouiller. Ce ne sont pas quelques foutus Espagnols qui me font peur. Tu me dois bien ça, vieux frère.

Bien que contrarié, Werner lui apprit que le responsable des journalistes étrangers avait été démis de ses fonctions. À force d'humilier et de menacer les correspondants à tout bout de champ, ce dernier s'était même mis à dos les Britanniques partisans du général Franco. On l'avait donc remplacé par un certain Pablo Merry del Val.

— Et c'est qui, lui ? demanda Karlheinz, craignant de se réjouir trop vite.

Il glana des renseignements sur ce fils d'ambassadeur qui avait grandi en Angleterre. Werner lui suggéra une ou deux pistes pour accentuer la pression, le cas échéant.

— Je vais te donner un mot d'introduction. Maintenant, s'il y a anguille sous roche, cela ne marchera pas. Les Espagnols détestent qu'on se mêle de leurs affaires. Ils acceptent nos armes, nos bombardiers et nos pilotes. Ils sont conscients que c'est grâce à notre soutien que la campagne du Nord se déroule de manière satisfaisante, mais au fond, ils n'éprouvent pour nous aucune reconnaissance. Ils savent très bien que nous nous servons d'eux pour nos propres intérêts.

— Ni plus ni moins que les hommes de Mussolini.

— Ah, mais ces malheureux Italiens donnent toujours l'impression d'être des bouffons. Nous, au moins, on nous respecte, parce qu'on n'est pas des traîtres comme eux, lâcha-t-il avec dédain.

Les officiers allemands avaient une mémoire d'éléphant. Jamais ils ne pardonneraient à l'Italie d'avoir trahi la Triple Alliance en 1915 et d'être entrée en guerre du côté franco-britannique. Le jeune socialiste Mussolini y avait été favorable. Aussi, pour des hommes comme Werner, un parfum de trahison flotterait toujours autour du crâne rasé du Duce.

Brusquement, des éclats de voix s'élevèrent de la réception de l'hôtel. Des légionnaires en chemises vertes protestaient parce qu'on leur refusait des chambres. Deux hommes de la Guardia civil durent s'interposer et les repousser vers la rue.

— Ils sentent la victoire, constata Werner d'un air satisfait. Bilbao va bientôt tomber, puis ce sera Santander. Une fois cette campagne-là terminée, les troupes entreront en Catalogne comme dans du beurre. Dans quelques mois, cette affaire sera pliée.

Un aide de camp s'arrêta devant leur table et claqua des talons. Le colonel était demandé au téléphone. Un appel de Berlin. Werner essuya les miettes qui parsemaient ses lèvres.

— En parlant du loup, voilà justement ton Merry del Val, dit-il à mi-voix en indiquant un homme aux cheveux noirs qui venait de pénétrer dans le vestibule. Viens, je vais te présenter. Sois habile, mon ami.

Merry del Val était un aristocrate intelligent mais hautain. Le genre de type qui ne se salit jamais les mains, songea Karlheinz. Il n'aimait pas les castes. Leurs privilèges, leur morgue suintaient par tous les pores de leur peau. Cette attitude lui inspirait toujours de la défiance. Mauvais souvenirs d'un enfant de douze ans, boursier dans un pensionnat du Brandebourg, qui avait dû affronter les descendants des grandes familles prussiennes. Lui, le rejeton d'un professeur de latin d'une école protestante située au-delà des mers, n'avait jamais été admis dans leur intimité. L'exotisme du lieu de sa naissance n'avait suscité que des quolibets. On l'avait traité d'indigène, lui prêtant un accent bizarre. À défaut d'un titre de noblesse, il s'était rapidement doté d'un direct du droit efficace. Il ne cilla pas sous le regard dubitatif de Merry del Val.

— Un décret condamne à mort tout journaliste étranger qui, après avoir couvert nos forces nationales espagnoles, est trouvé en présence des rouges.

— Justement. Celui-ci ne concerne en rien Miss Clifford. Elle n'avait encore jamais mis les pieds de votre côté.

— Permettez-moi de m'interroger, Herr Winther. Il

me semble paradoxal d'entendre un Allemand de votre trempe, illustre correspondant de l'organe de presse officiel du Parti national-socialiste, se démener pour une Américaine aux idées libérales qui – si j'en crois ses articles – est favorable à ces misérables marxistes.

Karlheinz feignit l'étonnement.

— Une question d'éducation, tout bêtement. Une femme en détresse, une épaule secourable… La sienne, justement, était en piteux état. J'ai trouvé mesquin qu'on laisse mourir sans soins l'une de mes consœurs. Selon moi, les Américains ne verraient pas cela d'un très bon œil. Son livre sur la guerre d'Abyssinie a eu beaucoup de succès outre-Atlantique. Ceux de leurs réseaux qui vous soutiennent financièrement ne trouveraient pas votre attitude très charitable, n'est-ce pas ?

Merry del Val bomba le torse.

— Une menace, Herr Winther ? Ce serait dommage de nous fâcher avant même d'avoir fait connaissance.

— Loin de moi cette idée ! protesta Karlheinz en ouvrant les mains comme pour se dédouaner. Mais il y a un échange de bons procédés en ce moment. Votre prédécesseur s'est pris les pieds dans le tapis avec Guernica. La ville a-t-elle été bombardée par nos valeureux pilotes ou les rouges y ont-ils mis le feu en l'évacuant ? Vous connaissez ma position, bien entendu. Mes articles m'ont même valu les remerciements du Caudillo. Comme vous le savez, ce dernier prône désormais l'apaisement. Il trouve qu'on s'agite un peu trop dans les chancelleries à ce propos.

Il ajouta à mi-voix :

— Cette femme ne compte pas, croyez-moi.

— Je suis un homme courtois, mais je n'apprécie pas les correspondants qui posent des questions embarrassantes, déclara Merry del Val, que la référence au général Franco semblait avoir davantage irrité qu'impressionné. Je vais examiner votre requête avec attention. Si tout est en règle, cette femme sera expulsée. Sinon, nous aviserons. Je vous souhaite une bonne journée, Herr Winther.

Il s'inclina légèrement avant d'être happé par deux journalistes de la presse occidentale.

— Raté, mon vieux, grommela Werner, visiblement surpris par l'échec de son camarade. C'est bien ce que je redoutais. Ton affaire sent mauvais. Et maintenant tu vas devoir sacrément te méfier car ils t'ont dans le collimateur.

Ce matin-là, Karlheinz Winther surgit dans l'hôpital à l'aube, brandissant des faux papiers et un ensemble bleu clair. Il somma Alice de le revêtir afin d'avoir l'air présentable. Il avait songé aux bas, aux chaussures. Une pointure trop petite, en revanche. Rien n'était neuf. Tout en s'habillant, Alice se demanda quelle femme avait bien pu lui prêter ces vêtements. C'était comme d'enfiler la peau d'une autre et elle trouva cela détestable. Elle nageait dans le tailleur, une ceinture y remédia. Karlheinz lui attacha maladroitement les cheveux, avant de la coiffer d'un chapeau de paille verni. Puis, après avoir échangé quelques mots avec l'infirmière en chef sur un ton à la fois rassurant et péremptoire, il la porta quasiment dans l'escalier jusqu'à une voiture garée devant la porte d'entrée sur laquelle flottait un fanion allemand. Ils roulèrent longtemps en silence avant qu'Alice ose l'interpeller.

— N'est-ce pas un peu risqué, toute cette histoire ? Si on se fait prendre, on sera fusillés.

— Vous, c'est probable. Moi, je serai simplement expulsé.

— Je vois. Vous jouez avec ma vie.

Karlheinz tourna son visage vers elle, visiblement amusé.

— Tant que ce n'est pas avec vos sentiments…

Si elle avait pu, elle aurait haussé les épaules, mais elle avait le bras en écharpe. Karlheinz ajouta que son instinct lui dictait de la sortir de là. Une seule fois, des années auparavant, il lui était arrivé de ne pas l'écouter, ce qu'il avait amèrement regretté. La confidence inattendue la prit par surprise. Elle pressentait un drame, mais son visage fermé lui interdit de l'interroger davantage. De temps à autre, il jetait un regard dans le rétroviseur. Il avait la mâchoire crispée, la nuque raide. Elle se demanda ce qu'il craignait.

La route rectiligne s'étirait depuis des kilomètres. Ils étaient seuls sur le haut plateau. Alice laissa errer son regard sur les ondulations de prairies et de champs de céréales à perte de vue, que ponctuait de temps à autre un bosquet. Un paysage saisissant, à la fois grandiose et dramatique, celui de la Castille éternelle, de ses rêves de reconquête, avec ses forteresses en ruine abandonnées aux aigles et au vent. Un peu plus tôt, ils avaient doublé une file de camions militaires transportant des soldats carlistes en chemises kaki et bérets rouges. Les jeunes engagés chantaient à tue-tête. À leur passage, l'un d'eux avait lancé, provocateur, le cri de la Légion, devenu celui de tous les fascistes : « *Viva la muerte !* » Alice n'avait pu s'empêcher de penser aux miliciens adolescents rencontrés dans la montagne, à leur joie de vivre, à ceux qu'elle avait croisés aux aguets dans les faubourgs madrilènes. Entre eux, la haine était si profonde, les crimes si monstrueux. Comment ce peuple pourrait-il jamais se réconcilier ?

Elle n'avait pas demandé à Karlheinz où il l'emmenait et lui n'avait pas daigné l'en avertir. Cependant, à la position du soleil, elle sut qu'ils se dirigeaient vers le nord-est. Plus ils avançaient sur cette route solitaire qui n'en finissait pas de fuir vers l'horizon, plus elle respirait librement, loin de Madrid assiégé, de la brutalité des Maures, de la douleur. Elle avait l'impression de se dépouiller de chacune des anxiétés accumulées depuis des semaines. Les sièges sentaient le cuir et le tabac. Elle s'assoupissait parfois, et à chaque réveil elle observait les mains de Karlheinz posées sur le volant. Se prenait à les imaginer sur son corps.

Au loin s'éleva un nuage de poussière. En se rapprochant, ils découvrirent un troupeau de moutons emmené par un enfant pieds nus, armé d'un bâton. Les villages aux pierres de grès clair semblaient figés dans le temps. Sur les places silencieuses se tenaient d'impassibles paysannes vêtues de noir, qui leur accordaient à peine un regard. Parfois, un chat paressait sur la margelle d'une fontaine et des carrioles s'alignaient devant une église. Il n'y avait pas de drapeaux aux fenêtres ni d'affiches de propagande sur les murs. C'était à se demander si cette guerre civile barbare n'était pas qu'un songe. Pourtant, ils durent s'arrêter à différents postes de contrôle. Chaque fois, une sueur froide mouillait le dos d'Alice. Karlheinz présentait son passeport allemand avec le permis délivré pour la voiture, échangeait une plaisanterie avec les soldats qui les laissaient poursuivre leur chemin.

Quand le moteur se mit à tousser, Karlheinz se rangea sur le bas-côté et descendit prendre un bidon d'essence dans le coffre. Alice tenta de dévisser de sa main valide le bouchon d'une gourde d'eau. Maladroite, elle ne réussit qu'à la renverser sur sa blouse.

— Et merde !

Elle sortit de la voiture. À midi passé, il n'y avait pas un souffle de vent pour atténuer les relents d'essence. Elle s'éloigna sans veste ni chapeau vers une masure à moitié écroulée non loin de la route. Sans doute une ancienne bergerie dont il ne restait qu'un morceau du toit et trois pans de murs. Dans un coin gisait une fourche abandonnée. Elle offrit son visage au soleil, ferma les yeux.

Quelques minutes plus tard, elle l'entendit approcher, ses pas crissant sur les cailloux. Il s'adossa au mur à son côté, lui tendit une autre gourde. L'eau était fraîche. Elle se désaltéra, s'en versa un peu sur le visage, essuya ses lèvres. Il lui indiqua Burgos dans le lointain. Si elle avait de bons yeux, elle distinguerait les flèches de la cathédrale, dit-il. Elle regretta de connaître leur destination. Elle avait aimé l'insouciance de ne pas savoir.

— Vous y passerez la nuit chez l'une de mes connaissances. Un Espagnol qui ne partage pas vos opinions, mais qui vous emmènera demain matin jusqu'à Saint-Sébastien. C'est plus sûr comme cela. C'est un propriétaire terrien respecté dans la région. Une fois arrivée, vous vous rendrez à l'hôtel Maria Cristina. Quelqu'un venu de France vous y attendra pour vous faire traverser le Pont international. Il aura un sauf-conduit. Pour lui, pas pour vous. Avec de la chance, cela suffira pour passer au contrôle. Et comme la chance sourit toujours aux audacieux, je ne crains rien en ce qui vous concerne.

— Et vous ?

— Ne vous inquiétez pas pour moi.

Cette fois-ci, elle refusa de se laisser distraire. Elle détailla les ridules au coin de ses yeux, l'arête de son nez, sa mâchoire volontaire, contempla sans honte l'ardeur de ce visage. Les manches de sa chemise étaient retroussées, deux boutons ouverts. Son pouls battait à la base de son cou. C'était la première fois qu'elle remarquait cela chez quelqu'un. Une pulsion de vie si vulnérable. Fascinée, elle effleura la peau, ne résista pas à défaire un autre des boutons, à poser la main sur son torse. Il resta immobile, attentif, sans la quitter des yeux. Elle percevait néanmoins la tension de son corps. Sa vigilance extrême. Il était si proche. Sa bouche à quelques centimètres de la sienne. Leurs souffles mêlés.

Il lui semblait émerger d'un brouillard. La vie sourdait à nouveau dans ses veines, réveillait ses sens. Les récentes humiliations n'étaient plus qu'un mauvais souvenir. Elle reprenait sa place légitime dans l'espace et le temps. Elle céda à l'envie furieuse de découvrir le goût de ses lèvres parce que le grain de sa peau était

228

irrésistible et qu'il y avait soudain une nécessité impérieuse à éprouver ses caresses, ses baisers, son sexe. Son désir était plus puissant que les réticences, les engagements et toutes les promesses, celles que l'on concède aux autres comme celles que l'on s'adresse à soi-même.

Lorsqu'elle l'embrassa, il s'inquiéta de sa blessure, veilla à ne pas heurter son épaule, mais Alice, elle, ne redoutait rien, ni d'avoir mal ni de jouir, agrippée à son cou, ses baisers comme autant de morsures. Maintenant et sans plus attendre, il lui fallait être célébrée, dévorée par cet homme sur cette terre de feu où elle avait souffert, où elle abandonnait une partie d'elle-même, sachant que demain il serait trop tard, que la vie les éloignerait à nouveau car ils n'avaient rien en commun, rien d'autre que cet élan insensé, tout d'audace et d'ivresse, qui réunit parfois deux êtres blessés destinés à se croire, l'espace de quelques instants, enfin libres.

Karlheinz pensait devenir fou. De son odeur, de sa chair offerte, délicieuse, ensorcelante. Fou de ce corps qu'il dévoilait en plein soleil, du ventre plat, presque concave, des hanches étroites, des lèvres impudiques, humides de désir. Elle avait une peau pâle veinée de bleu, des seins délicats. Il prit un mamelon dans sa bouche, le sentit se tendre sous sa langue. Alice s'offrait à lui sans retenue, impatiente. Quand elle enroula ses cuisses autour de sa taille et qu'il la pénétra, elle rejeta la tête en arrière avec un cri de délivrance. À voir son abandon, son regard égaré, il comprit qu'elle répondait à une quête personnelle à laquelle il servait seulement d'exutoire, mais il ressentit un sursaut d'orgueil à la pensée qu'il était sans doute le seul qui pouvait combler cette solitude miroir de la sienne.

Une fois rassasiés l'un de l'autre, ils restèrent un long moment enlacés, Alice adossée à son torse, à contempler les champs et les pâturages terrassés de lumière. Des insectes bruissaient parmi les herbes sèches. Ni l'un ni l'autre n'avaient envie de parler. Ils se partagèrent la dernière cigarette. Lorsque vint l'heure de reprendre la route, il ramassa la ceinture parmi les pierres, la lui ajusta à la taille. Il effleura le bleu qui s'effaçait sur sa mâchoire, ne résista pas à l'envie d'embrasser tendrement sa joue, ses lèvres. Elle le laissa faire, d'une parfaite politesse, en détournant les yeux. Distante. Déjà ailleurs. Karlheinz en éprouva de la tristesse, et comprit qu'il était perdu.

Avant d'arriver à Burgos, ils s'arrêtèrent dans une auberge. On leur servit des *albóndigas* aux puissantes saveurs de viande, d'ail et d'oignons, des pommes de terre frites à l'huile. Alice trempa le pain de campagne dans la sauce parfumée au thym qui coula sur ses doigts, sur son menton. Elle rit. Le fromage de brebis était sec, corsé. Ils savourèrent chaque bouchée d'un flan au chocolat, chaque gorgée d'un rioja de caractère, fruit d'une vigne soumise aux rudes hivers et aux étés incandescents de cette contrée sans concession, berceau de chevaliers idéalistes comme de chimères. Ils se désiraient encore, mais ils étaient lucides. Ils avaient eu l'intelligence, le courage aussi, de saisir ce moment de grâce qui leur avait été offert. Il n'y en aurait pas d'autre. Et c'était bien ainsi.

Karlheinz la déposa à Burgos dans une demeure aux murs crépis de blanc sur lesquels se détachaient des armures, des bannières et des portraits de cavaliers aux mines graves. Une toque en astrakan était posée sur une console dans l'entrée. Alice suivit docilement la domestique qui la précéda dans l'escalier pour lui montrer sa chambre.

Il lui restait à réussir la dernière étape, à rejoindre Saint-Sébastien et à franchir la frontière. Puis elle rentrerait chez elle. Non pas à Rome, ni à Philadelphie où elle était née, mais chez elle, dans cette cité mythique de la Méditerranée où elle avait grandi et où elle était devenue femme. Une ville singulière que la légende disait conçue en songe par un grand roi, celle de tous les métissages, de toutes les langues, à l'allure italienne et aux réminiscences hellènes, qui l'avait façonnée par son exquise lumière, sa mémoire séculaire, sa poésie et sa poussière.

L'heure était en effet venue pour Alice de retrouver le chemin d'Alexandrie. Son corps l'exigeait. Elle le pressentait à la pesanteur de ses vertèbres, de ses articulations. Au silence de son âme. Pour guérir, il lui fallait l'éclat du ciel de son enfance, les bras d'Alma, le sel des embruns, la senteur du jasmin à Ramleh le soir. Elle leur reviendrait par la route austère du désert, apportant pour seules offrandes sa lassitude, ses chagrins, ses errances. En toute humilité. Afin de

231

déposer les armes. De reprendre son souffle. Car il y a un temps pour tout dans une vie.

Quand Alice se retourna, se retenant à la rampe en fer forgé pour ne pas perdre l'équilibre, elle vit Karlheinz debout dans le vestibule, le visage levé vers elle, et elle lut dans son regard tourmenté tout le désarroi d'un homme qui voit s'éloigner la femme qu'il aime.

DEUXIÈME PARTIE

Alexandrie, été 1937

Le chauffeur de taxi déposa Alice devant l'un des élégants immeubles de la rue Chérif-Pacha. Étourdie par ses souvenirs, elle s'immobilisa parmi les passantes qui se pressaient sous les auvents des magasins de luxe. N'ayant prévenu personne de son arrivée, elle redoutait l'accueil qui lui serait réservé. Le *baouab* soudanais se déplia de son siège à l'ombre du porche et s'avança au soleil, révélant sa face noire burinée par les scarifications rituelles. Il la salua d'un geste de la tête, saisit sa valise. Il l'avait reconnue, bien entendu. De père en fils, ces gardiens d'immeubles égyptiens étaient aussi ceux de la mémoire. Elle lui sut gré de son sourire bienveillant, comme si sa présence n'était pour lui rien de moins qu'une évidence.

L'ascenseur brinquebalant dans sa cage en résille de fer les amena au dernier étage. L'homme posa le bagage devant la porte de l'appartement et laissa Alice sur le palier. Et si son retour à Alexandrie était une erreur ? s'affola-t-elle. Le passé est un terrain truffé d'appréhensions et de joies trompeuses. C'était absurde d'être venue ! Elle pouvait encore renoncer. Sans doute trouverait-elle au port un navire sur le point d'appareiller.

Au même moment, la porte s'ouvrit. Une petite bonne la scruta d'un regard vif, puis s'effaça en la priant d'entrer, ajoutant qu'elle allait prévenir madame. Dans le vestibule paré de tentures tel un décor baroque, sous un spectaculaire lustre vénitien, Alice reconnut le parfum d'intérieur qui embaumait aussi la villa du quartier de Bulkeley, non loin de la mer, où les parents d'Alma les avaient accueillis, son père et elle, des années plus tôt, à leur arrivée, comme s'ils se connaissaient depuis toujours. Thomas James Clifford, alors nommé auprès de la cour d'appel des tribunaux mixtes, ces instances compétentes pour régler toute affaire judiciaire impliquant un ressortissant étranger, avait été reconnaissant à ces voisins charitables, une famille juive d'origine italienne gratifiée d'une progéniture que surveillait une gouvernante anglaise, de porter un regard attentif sur sa fille orpheline de mère qui, à dix ans, lui donnait du fil à retordre. Quant à l'enfant farouche qu'était Alice, elle avait vu sa méfiance battue en brèche par leur vitalité. Elle qui arrivait de Philadelphie, d'un monde compassé aux règles strictes, avait découvert chez les Borghi les sortilèges de l'insouciance.

— *My darling girl*, je te croyais morte ! Que diable as-tu fait à tes cheveux ? *Dio mio*, mais tu es blessée !

Alice s'abandonna à l'étreinte de son amie, bercée par la voix chantante où se mélangeaient plusieurs langues. Lorsque Alma lui était apparue en songe dans son cachot espagnol, elle avait éprouvé le désir irrépressible de sentir ses bras l'enlacer à nouveau, comme s'ils détenaient le pouvoir surnaturel de la rendre à elle-même. Sans cesser de babiller, la jeune femme l'entraîna vers le salon où régnait le désordre familier de coussins brodés, bibelots, jeux de trictrac et miroirs ouvragés. Sur une étagère trônait la collection d'ornements en jade qu'Alice avait composée pour Alma au fil de ses anniversaires. On leur apporta une carafe de sirop d'orgeat, des gâteaux secs fourrés à la pâte de dattes. Sur la table basse, parmi les numéros de *Vogue* et de *L'Illustration*, reposait un scénario couvert d'annotations au crayon. De quelques années son aînée, Alma était l'une des actrices de cinéma les plus appréciées du pays. Des boucles brunes encadraient un visage structuré aux pommettes hautes. Elle se pelotonna sur le divan, les jambes repliées, puis saisit la main d'Alice qu'elle porta à ses lèvres pour l'embrasser.

— Je t'ai détestée de me laisser sans nouvelles depuis ton départ pour l'Abyssinie, mais tu es pardonnée puisque tu es là, grâce au ciel. D'où arrives-tu cette fois-ci, *carissima* ?

— D'Espagne.

Aussitôt, la comédienne se rembrunit. Son regard, rehaussé par un trait de khôl, ne dissimula rien de sa réprobation.

— Décidément, le danger est ta drogue de prédilection. Déjà à l'époque, c'était toujours toi qui devais t'élancer du plongeoir le plus haut. Tu étais plus butée qu'un âne de haute Égypte. J'ai toujours prédit que ça finirait mal. La preuve ! affirma Alma en désignant d'un doigt le bras en écharpe de son amie. Qu'est-il arrivé ?

— Une balle perdue.

— Raconte.

— Pas maintenant. J'ai besoin de souffler un peu, tu comprends ?

Alice eut soudain les larmes aux yeux. Ce n'était pourtant pas son genre, ces émotions qui affleuraient, brutales, humiliantes. Alma retint son souffle, visiblement troublée par cette vulnérabilité inopinée.

— Et ceci, le plus important, qu'en as-tu fait depuis ton installation à Rome ? murmura-t-elle en appuyant une main sur la poitrine d'Alice, à l'emplacement du cœur.

L'un de ses seuls défauts était peut-être d'aller toujours à l'essentiel, mais c'était bien cette tendresse franche, sans l'ombre d'un jugement, qu'Alice était venue chercher.

— Tu ne dis rien. *You are in love !* Je le devine à ton visage. Tu es enfin guérie de ton divorce avec notre délicieux Fadil.

Alice ne tressaillit même pas. Depuis qu'elle avait retrouvé les rues familières, foisonnant de *gallabeyas*, de tarbouches, de panamas et de costumes en lin, qu'elle avait entendu tintinnabuler la carriole du laitier, retentir l'appel du muezzin, le cri des mouettes et celui du marchand de glaces, la présence de Fadil lui paraissait aussi naturelle que l'air ou l'eau. Comme la comédienne, il était un enfant de cette ville cosmopolite disposée autour de l'arc miraculeux de sa baie, riche des destructions et des renaissances d'une histoire millénaire, de son éclectisme, de ses habitants aux origines, confessions et philosophies diverses, qui tous s'enorgueillissaient d'être d'Alexandrie comme l'on se rêve d'un éden.

Son regard s'arrêta sur une photographie représentant une poignée de jeunes gens en smokings et robes du soir, attablés lors d'un gala. C'était un 31 décembre, à l'hôtel-casino San Stefano. Ses amis Antoine, Nessim, Valeria, Naguib et Thémis, Alma… sans oublier Fadil, épousé quelques mois auparavant, qui lui entourait les épaules. Elle paraissait si mince dans sa robe en satin, les clavicules dévoilées, les bras nus. À son poignet s'enroulaient deux bracelets en or en forme de serpent sertis de rubis et diamants, à son annulaire brillait sa bague de fiançailles. Un solitaire. Elle seule affichait un visage grave, le regard fixé sur un point au-delà de l'objectif. On la sentait détachée, comme saisie d'un ennui existentiel alors que la fête, en cette nuit de Saint-Sylvestre, se devait d'être plus frivole que jamais. Alice esquissa un sourire non dénué d'ironie. Cette mauvaise habitude de ne jamais se satisfaire de l'instant présent ne finirait-elle pas par lui aliéner tous ceux qu'elle aimait ? Son mariage n'y avait pas résisté. Pas davantage que son amitié avec Thémis, qui l'avait accusée d'être caractérielle et égoïste. Des enfantillages, songea Alice qui se demandait si Thémis avait fini par épouser Naguib.

Elle éprouva l'envie de savoir ce qu'ils étaient tous devenus, de retisser ces liens tranchés ce jour de 1932 où elle avait quitté la ville comme une voleuse, sans prévenir personne à l'exception d'Alma. Tous avaient été le ciment de son adolescence. Grâce à eux, elle avait réussi à étouffer ces bouffées d'anxiété qui la minaient, déclenchant parfois des migraines au cours desquelles sa vision se rétrécissait jusqu'à n'être plus qu'un point incandescent. Leur impertinence et leur propension à laisser les incidents désagréables de l'existence filer comme du sable entre les doigts lui avaient enseigné la précieuse liberté qu'apporte la légèreté. Sans doute répondraient-ils présents si Alma passait un coup de fil pour leur annoncer son retour, parce qu'ils étaient à la fois curieux, indiscrets et charitables, un brin médisants, épicuriens et fatalistes.

Quant à Fadil, elle le croiserait inévitablement. Le cœur de leur ville ne tenait-il pas dans la paume d'une main ? On y recoupait sans cesse le cheminement des pas de ses amis, de ses amants. Pour s'éviter, à Alexandrie, il fallait se réfugier dans le désert tels les Pères de l'Église, car l'Égypte savait être aussi une terre de prière et de miséricorde. Était-ce pour cela qu'elle était revenue ? Afin de demander pardon à Fadil ? Aurait-il une autre épouse à son bras ? Des enfants peut-être ? À cette pensée, elle baissa le front.

— Tu peux évidemment habiter ici aussi longtemps que nécessaire, décréta Alma, lui caressant la joue.

Alma était charnelle. Elle avait toujours besoin de toucher ses interlocuteurs et ne s'en privait pas. Le soulagement incita Alice à se caler encore plus profondément parmi les coussins. Lorsque la femme de chambre voulut emporter sa valise pour la défaire, elle protesta, gênée par la modestie de ses tenues. Avant de quitter l'Europe, elle n'avait eu le temps d'acheter que quelques blouses de rechange et un pantalon en toile de coton. Elle débarquait en vagabonde et retrouvait ce complexe d'infériorité que lui avaient autrefois inspiré l'élégance et l'assurance d'Alma. Petite fille, elle s'était réfugiée à l'ombre de cet éclat pour y grandir. Adulte, elle y revenait pour chasser ses idées sombres.

— Je me suis levée tard, s'excusa son amie en resserrant les pans du peignoir qui dévoilait la naissance de ses seins. On m'attend aux studios en début d'après-midi. Je vais être obligée de te laisser quelques heures. On se retrouvera ce soir.

Elle semblait soucieuse, comme si elle redoutait qu'Alice lui fasse faux bond.

— Je te félicite, dit Alice, désignant le portrait de la comédienne en première page d'un des illustrés étalés sur la table basse.

— Je n'ai pas à me plaindre. J'allais d'ailleurs te faire la surprise de venir à Rome. Je dois tourner un film dans les studios de Cinecittà qui viennent d'être inaugurés. Tu es au courant ?

— Évidemment. Une idée des fascistes pour concurrencer Hollywood.

— Bah, qu'ils soient fascistes ou non, moi, je m'en fous. Tant que les films sont intéressants.

L'insouciance ressemble parfois à de l'aveuglement, s'inquiéta Alice. Mais Alma maîtrisait l'art de vivre dans l'instant et refusait de s'émouvoir pour des vicissitudes politiques. « Nous autres, on est toujours chassés de quelque part. Inutile de se faire du mauvais sang avant l'heure », avait-elle déclaré quelques années auparavant, alors que des juifs en provenance de l'Allemagne nazie commençaient à arriver à Alexandrie.

— Je crains que la situation ne soit plus sérieuse que tu ne le penses, la corrigea Alice. Depuis mon séjour à Madrid, je suis convaincue qu'une guerre est inévitable et qu'elle n'épargnera pas l'Égypte. Les enjeux stratégiques sont trop importants. Bien que Mussolini s'en défende, ce pays l'attire. N'a-t-il pas brandi cette fameuse « épée de l'Islam » confiée par les Libyens en se proclamant « protecteur des musulmans » ? D'après lui, l'Égypte est enchaînée par l'Angleterre. Or les Britanniques ne se laisseront jamais faire.

— Rassure-toi, je ne suis pas complètement idiote ! Les Italiens d'ici encensent le Duce et font parader leurs enfants en chemises sombres et foulards bleus. J'ai même entendu crier « *L'Egitto sara a noi !* » dans les rues. Et alors ? Je ne vais tout de même pas arrêter de vivre parce que des crétins s'excitent au moindre bruit de bottes ! Et puis, séjourner à Rome me donnera l'occasion de garder un œil sur toi, ajouta-t-elle avec un sourire espiègle.

Alice savait qu'Alma y ferait des ravages. Sa sensualité crevait l'écran. Le cinéma égyptien l'avait consacrée comme vedette. Aussi à l'aise dans une comédie musicale que dans un de ces mélodrames dont le public oriental était si friand, il ne lui manquait pas grand-chose pour devenir une célébrité mondiale. Cela suffira-t-il à la protéger ? songea-t-elle, troublée.

— J'ai croisé ton père l'autre soir, poursuivit Alma, se mordillant la lèvre. Tu ne pourras pas échapper à une visite. Mais les choses vont mieux entre vous, n'est-ce pas ?

Alice se contenta de fermer les yeux sans répondre. Son père hantait les lisières de son esprit tel un mauvais rêve, de ceux qui laissent une angoisse diffuse dans leur sillage. Petite fille, elle s'était un temps accrochée à lui au point de se rendre insupportable. Elle percevait encore le raidissement de son corps lorsqu'elle enlaçait ses jambes pour entraver sa marche, ses mains qui la repoussaient, contredisant des paroles réconfortantes qui sonnaient faux depuis le jour où, horrifié, il l'avait surprise devant la coiffeuse de sa mère, les lèvres et les joues peinturlurées de rouge, son innocent visage d'enfant semblable à celui d'une poupée de foire grotesque. Avait-il alors deviné ce qu'elle ressentait confusément ? Qu'elle aurait préféré qu'il fût mort, lui, plutôt que sa mère ? Des années plus tard, elle avait dû endurer son regard préoccupé à chacun de ses coups de tête et cette déception qu'il avait vainement tenté de cacher.

Soucieuse de voir la fatigue creuser le visage de son amie, Alma la conduisit jusqu'à sa chambre, à l'extrémité d'un couloir orné de gravures représentant le port italien de Livourne, berceau des Borghi. Les volets intérieurs étaient tirés, plongeant la pièce dépouillée dans une semi-pénombre. La comédienne avait la délicatesse de ne pas imposer sa décoration fantaisiste à ses hôtes. Au plafond, un ventilateur brassait l'air humide, gonflant le voile en mousseline de la moustiquaire. Sur le lit, la courtepointe repliée dévoilait une parure de draps tissée dans le précieux coton égyptien qui faisait la fortune des Borghi depuis le milieu du siècle dernier. Alice songea qu'elle aurait aimé s'y couler pour dormir pendant des siècles. La lassitude la fit chanceler. Il lui restait encore tant de choses à confesser.

Depuis son avortement, l'ordre méticuleux, presque obsessionnel, qu'elle s'imposait dans son quotidien, sa détermination à respecter les règles, à être une correspondante fiable qui rendait toujours son travail en temps et en heure, ne parvenaient plus à endiguer les vagues de doute et d'angoisse qui l'amenaient parfois à se demander si les défauts de son caractère, ses emportements et sa colère secrète ne la conduisaient pas inévitablement sur les pas désolants de sa mère.

Alma lui retira son bandage dans la salle de bains. La plaie s'était refermée. Alice fit une grimace. Quoique la mobilité de son épaule laissât encore à désirer, des bains de mer l'aideraient sans doute à guérir.

— Il te restera une cicatrice, murmura son amie d'un air désolé, effleurant avec douceur la peau marbrée de bleus.

Un frisson parcourut Alice. Ainsi, Karlheinz Winther n'avait pas menti.

— Ils ne nous aiment pas.

Umberto jeta un regard surpris à Dante Benvenuti. L'homme était maigre, presque ascétique. L'Égypte l'a rongé, s'étonna-t-il, se remémorant l'embonpoint du jeune diplomate quelques années auparavant. D'un caractère désinvolte, Benvenuti avait pourtant été prévenu lorsqu'il avait reçu son affectation pour Le Caire. Tout le monde ne supportait pas la chaleur africaine ni la pesante proximité du désert.

Un maître d'hôtel nubien en caftan leur présenta leurs whisky-soda. Umberto remarqua le geste empressé de Benvenuti pour saisir son verre et se rappela les paroles de Galeazzo Ciano juste avant son départ pour l'Égypte. Le ministre des Affaires étrangères l'avait convoqué pour lui annoncer qu'il l'envoyait au Caire afin d'assister au couronnement du roi Farouk. « Je veux aussi savoir ce qui se passe avec Benvenuti. Le malheureux semble s'être égaré », avait-il ajouté. Umberto se demanda si Galeazzo avait des dons de clairvoyance. On savait que certains diplomates pouvaient être fragilisés par de trop longs séjours sous des climats accablants. L'unique poste à l'étranger d'Umberto avait été celui de jeune attaché d'ambassade à Berlin à l'époque de la république de Weimar. L'exotisme de l'expérience lui avait suffi. Par la suite, il s'était débrouillé pour demeurer dans les bureaux romains. Les voyages, si agréables fussent-ils, lui rappelaient toujours à quel point il n'était pas fait pour vivre ailleurs que dans sa ville natale.

Quelques jours plus tôt, dans la capitale en liesse, il avait observé le peuple acclamer son jeune souverain de dix-sept ans, révélant une belle unanimité autour de cet adolescent pieux, svelte et charmeur. Benvenuti avait rempli son rôle, lui présentant différentes personnalités et décryptant les non-dits, avant de lui suggérer de l'accompagner à Alexandrie où la cour et le gouvernement prenaient toujours leurs quartiers d'été. Umberto ne s'était pas fait prier. La célèbre ville côtière l'intriguait. Des cousins de sa mère y possédaient l'une de ces fortunes levantines dotées de tous les mystères de l'Orient, où même des matières premières aussi prosaïques que le coton ou le tabac se paraient des réminiscences bibliques de l'or, de l'encens et de la myrrhe.

— Qui ne nous aime pas ? s'étonna Umberto, observant les membres de ce club alexandrin où Benvenuti l'avait amené, qui devisaient en français du taux d'humidité et lui semblaient tout à fait affables.

Benvenuti tourna le dos à l'assistance et inclina le buste comme pour s'élancer au-dessus de la balustrade de la terrasse. En cette fin de journée, une brise marine venait de se lever. Les coques blanches des yachts et les barques colorées de pêcheurs parsemaient les eaux de la baie aux reflets de bronze. Au loin, les silhouettes grises des bâtiments de guerre britanniques dressaient leurs ombres menaçantes dans le port ouest.

— La population égyptienne, voyons. Avant notre conquête de l'Abyssinie, tout allait pour le mieux. Pour diffuser le message du Duce, je pouvais compter sur notre colonie italienne aussi bien au Caire qu'à Port-Saïd, et surtout à Alexandrie. Après tout, on est un peu chez nous ici, n'est-ce pas ? Ce sont bien nos ingénieurs et nos architectes qui ont rebâti cette « reine de la Méditerranée » au siècle dernier, rappelat-il en indiquant les villas d'inspiration palladienne, les façades jaunes ou roses de style vénitien et mauresque, les pergolas florentines, mais aussi les jardins, les toits de tuiles, les minarets, les coupoles d'églises et d'hôtels. Nous avons fondé de nouveaux hôpitaux, et contrairement aux Britanniques, nous ouvrons les portes de nos écoles à tous, y compris aux indigènes les plus démunis.

Il se renfrogna.

— Rome nous abreuve de publications et de pamphlets destinés aux intellectuels. On cherche à influencer les étudiants de l'université al-Azhar au Caire. Les programmes de Radio Bari sont ciselés pour plaire à l'auditoire musulman, mais à quoi bon ?

— Tu veux dire que toute propagande a ses limites ?

— La population ne digère pas notre victoire en Abyssinie qu'elle considère comme une agression contre un pays africain souverain. Les quotidiens égyptiens sont remplis de caricatures du Duce. On méprise notre brutalité. Avoue que le maréchal Graziani n'y est pas allé de main morte. Quand je pense à ces milliers d'Éthiopiens massacrés en février dernier…, se désola-t-il.

Umberto ne pouvait pas le contredire. Les diplomates rêvaient d'un monde sans généraux et ceux-ci passeraient volontiers ceux-là au fil de l'épée si on leur en donnait l'occasion.

— Des résistants ont certes tenté de l'assassiner, mais tout de même, insista Benvenuti, ce bain de sang à Addis Abeba… Si tu savais ce que cela m'a valu comme protestations, jusqu'à des insultes.

— Tu ne vas pas me faire croire que les Égyptiens préfèrent les Britanniques ! Même si les deux gouvernements ont signé un traité d'alliance l'année dernière, les nationalistes ont vivement protesté contre la poursuite de la mainmise militaire anglaise et cette atteinte à la pleine indépendance du pays. Ces ferments de révolte sont encourageants pour nous, n'est-ce pas ? C'est bien pour cette raison que Ciano t'a envoyé faire les yeux doux à tous ceux qui sont hostiles aux Anglais.

Benvenuti tira nerveusement sur sa cigarette.

— Il oublie que les enjeux stratégiques ne concernent pas seulement le canal de Suez, sur lequel les Anglais veillent comme sur la prunelle de leurs yeux, mais aussi le Nil. Pour les Égyptiens, ce fleuve est mythique, une clef de voûte essentielle depuis des temps immémoriaux. Or, puisque nous avons conquis l'Abyssinie, nous maîtrisons désormais la source du Nil bleu. Voilà l'une des raisons de leur méfiance. Ils redoutent que l'Italie s'en prenne bientôt à eux.

Le diplomate vida son verre d'un trait. Ses analyses sont peut-être pertinentes, mais il va devoir modérer son penchant pour le whisky, songea Umberto. Il répugnait à dire du mal de ses petits camarades, et il voulait éviter de rédiger un rapport à Galeazzo qui mette en question les capacités de Benvenuti. Mais plus il passait du temps en sa compagnie, plus il s'y sentait acculé. Et si je lui parlais franchement ? se demanda-t-il. Un mouvement à l'extrémité de la terrasse attira son attention. Un serviteur distribuait un bulletin dactylographié.

— Les cours du coton de la journée, expliqua Benvenuti. C'est le métronome de la ville. Pendant quelques minutes, tu vas entendre une mouche voler. Bien des choses en dépendent, tu comprends. Le luxe des festivités à venir, les vacances dans les villégiatures européennes, les robes que leurs épouses et leurs filles commanderont ou non à leurs couturières…

Les conversations, en effet, s'étaient interrompues. Lunettes cerclées d'or sur le nez, les visages aux teints d'ambre ou d'olive scrutaient les chiffres. Au même instant s'éleva l'ultime appel à la prière de la journée. Sur la ligne de l'horizon, le soleil n'était plus qu'un disque enflammé. Les derniers bateaux rentraient au port, laissant dans leur sillage des traînées d'écume argentée. Des voix fortes et un concert de klaxons montèrent de la rue. Umberto savoura cette vitalité propre aux villes marchandes. Parmi les cités levantines de légende, Istanbul, Beyrouth, ou encore Smyrne, ravagée en 1922 par un tragique incendie, Alexandrie demeurait la plus ardente. Tournée vers les fructueux échanges de la Méditerranée, elle était d'Égypte sans en être, et son âme se voulait cosmopolite depuis toujours.

Beatrice aurait sans doute apprécié cet endroit, songea-t-il. Sa jeune épouse lui avait fait part de son regret de ne pas pouvoir l'accompagner, mais sa grossesse ne se déroulait pas aussi aisément que prévu. Elle s'était retirée chez sa mère en Toscane avec les enfants. Il lui avait écrit pour lui décrire les festivités du couronnement, les réceptions dans des villas qui abritaient aussi bien des chefs-d'œuvre de l'époque des Ptolémées que des collections d'étoffes coptes ou d'art avant-gardiste. Il avait évoqué l'arc envoûtant de la baie et cette célèbre Corniche qui déployait sa promenade de vingt-cinq kilomètres le long du front de mer, la proximité captivante du désert, les ailes blanches des felouques sur le canal, les jardins luxuriants, l'air parfumé au jasmin que de petits garçons tressaient en colliers, l'élégance et la joie de vivre des femmes d'Alexandrie, leur érudition acquise dans les écoles françaises, leur intuition de la modernité. Il s'était bien gardé en revanche de lui faire part de cette curieuse impression de danger qu'elles lui inspiraient. Sans doute Beatrice pensait-elle qu'il passait son temps à se divertir, bien qu'il rédigeât chaque jour une dépêche cryptée à l'intention du ministère. La veille, il avait eu un entretien sur la situation politique avec Ugo Dadone, l'éditeur du *Giornale d'Oriente*. Ce proche de Mussolini lui avait confirmé non sans gourmandise que sous l'insouciance grondait l'orage. Les Anglais prenaient Dadone pour un espion et un fauteur de troubles. En le quittant, Umberto avait eu la sensation désagréable d'avoir été suivi jusqu'à la porte tambour de l'hôtel Cecil où il résidait.

L'assemblée s'ébroua comme un seul homme avec des hochements de tête satisfaits. Visiblement, la soirée était sauvée. Des serviteurs vinrent déposer des lumignons sur les tables. Umberto inspira profondément, une saveur d'iode sur les lèvres.

— Mets-toi un peu à ma place, se lamenta Benvenuti. Depuis mon arrivée, je me suis évertué à rencontrer les journalistes, les coptes et les personnalités du monde musulman pour chanter les louanges du Duce. Et pourtant, je ne compte pas un seul ami parmi eux.

— Tu n'es pas là pour ça, répliqua Umberto, cinglant.

Ces jérémiades commençaient à lui taper sur les nerfs. Elles lui semblaient déplacées au sein de cette énergie communicative, cette force vitale que symbolisaient les enseignes lumineuses des cafés et des brasseries s'allumant au son d'orchestres invisibles.

— Vous avez l'air soucieux, cher ami. Je serais mortifié d'apprendre que notre belle Alexandrie a trouvé le moyen de vous déplaire.

Umberto se retourna et sourit. Le regard pénétrant de Fadil Hassan Pacha le dévisageait avec sollicitude. Il l'avait rencontré lors d'une réception au Caire et avait été intrigué par la prestance de cet Égyptien élancé à la fine moustache, qui portait le tarbouche

251

et un œillet à la boutonnière de son costume occidental. Selon Benvenuti, il présidait aux destinées d'une fortune dont l'armature principale consistait en l'exportation de coton. Un fait suffisamment rare pour être souligné puisque d'ordinaire, seul le marché intérieur était dévolu aux Égyptiens, les Grecs se réservant la part du lion à l'international. Les trois hommes conversèrent un temps avant que Dante Benvenuti ne s'excuse, prétextant un léger malaise. Umberto le regarda s'éloigner, un brin agacé.

— J'espère que votre ami n'a rien de sérieux, se soucia Fadil Pacha.

— Une indigestion de rives étrangères, ironisa Umberto. La plaie des diplomates. Vient un moment où ils ne se sentent plus chez eux nulle part, y compris dans leur propre pays !

— Dans ce cas, nous autres Égyptiens sommes tous des diplomates.

L'observation laconique surprit Umberto qui s'attendait plutôt à une attitude conciliante envers Londres de la part d'un homme de cette envergure. Serait-ce à cause de l'élégance toute britannique du personnage ? De son éducation au distingué Victoria College d'Alexandrie, avant un passage par Oxford ? Son père avait été propriétaire terrien, mais également un haut fonctionnaire respecté sous l'Empire ottoman, et Fadil Hassan Pacha s'en révélait un digne héritier. Il côtoyait l'entourage du jeune souverain aussi bien que le parti Wafd au pouvoir, qui avait signé le traité d'alliance avec les Anglais.

— Pour être sincère, je n'arrive pas à me forger une

opinion sur votre pays. Il faut croire que la fréquentation de vos brillants salons peuplés d'Italiens, de Grecs, de Syro-Libanais ou de juifs, qu'ils soient marchands, financiers, diplomates ou simples mondains, n'est pas nécessairement un bon baromètre.

— Mais l'Égypte, c'est aussi ce brassage, un précieux héritage qui remonte à l'Antiquité. On vous a sûrement raconté l'histoire d'Alexandre le Grand dessinant sur le sol le plan de sa cité avec des graines d'orge aussitôt dévorées par les oiseaux. Les augures y avaient vu un heureux présage, les richesses de notre ville nourriraient des hommes venus du monde entier. Au siècle dernier, quand notre souverain Mohamed Ali a encouragé les étrangers à nous apporter leur savoir-faire, Alexandrie en a accueilli un très grand nombre. Je suis convaincu que le secret de la prospérité des vieilles terres comme la nôtre réside dans l'harmonie entre les diverses populations. Si vous détruisez cet équilibre, vous ouvrez la porte aux démons.

Un curieux frisson glaça l'échine d'Umberto. Il songea aux déplacements de populations qu'avaient subis les rivages de la Méditerranée ces derniers temps, aux centaines de milliers de Grecs chassés d'Anatolie, aux Turcs expulsés de terres où ils avaient des racines ancestrales, aux juifs qui cherchaient à rejoindre la Palestine, surtout depuis que les nazis allemands claironnaient leur attachement à la « pureté de la race ». « Le nationalisme est une plaie », avait résumé Dante Benvenuti de manière lapidaire.

— Notre ville est un carrefour de cultures. L'un de

mes amis, dont la famille originaire de Syrie est établie ici depuis trois siècles, vous dirait qu'Alexandrie est une banquise dont le cosmopolitisme n'est que la partie émergée. Vous avez donc raison de rechercher ce qui est invisible à l'œil nu. Pour vous être agréable, je serais heureux de vous emmener dans des endroits où vous vous sentirez peut-être plus dépaysé.

Au même instant, deux Anglais volubiles, un verre à la main, franchirent les portes-fenêtres. Umberto plissa les yeux. L'un d'eux lui inspirait un sentiment de déjà-vu. Cette silhouette dégingandée, il l'avait repérée à son arrivée à la gare, puis à nouveau parmi les colonnes en marbre et les miroirs du hall du Cecil. Il aurait mis sa main au feu que le personnage n'était pas un client de passage.

— Les Britanniques ne lâcheront jamais le canal de Suez, murmura-t-il, ni Alexandrie, qui est devenue pour eux une base navale d'où ils espèrent contrôler toute la Méditerranée. Le protectorat a certes été enterré, mais cela ne change rien. Leurs soldats sont toujours présents sur vos terres, leurs fonctionnaires aussi. Des ombres tutélaires derrière chacun de vos ministres.

Fadil Hassan Pacha tira de sa poche un porte-cigarettes, offrit à Umberto l'une de ces cigarettes égyptiennes au goût prononcé avant de se servir. Il inspira une bouffée, tandis qu'une lueur indéchiffrable voilait ses prunelles noires.

— La patience est la clé du succès, cher ami. Prenez l'abolition récente des capitulations. Nous l'avons attendue pendant des décennies et nous avons bien fini par l'obtenir ! Après quatre siècles de droits et de privilèges réservés aux chrétiens sur les anciens territoires de l'Empire ottoman, il n'était plus tolérable que les étrangers ne soient pas soumis aux mêmes lois que les Égyptiens.

— Mais justement, ne désirez-vous pas davantage ? s'impatienta Umberto. Une indépendance pleine et entière ? Depuis que les Anglais ont bombardé Alexandrie en 1882 de manière criminelle avant d'occuper le pays, l'Égypte a été freinée dans son développement. Le temps n'est-il pas venu de vous libérer enfin du joug de l'Empire britannique ?

— Et vous pensez que le Duce serait disposé à nous venir en aide ? Rappelez-vous Jules César…

La pointe d'ironie n'échappa pas à Umberto. César avait incendié la flotte d'Alexandrie comme un prélude à la conquête romaine. Fadil Hassan Pacha n'était pas dupe. Il savait bien que le *Mare Nostrum* de Mussolini, cette volonté de dominer la Méditerranée, ne pouvait se concevoir sans une emprise italienne sur la terre des pharaons.

— Vous devriez venir à Rome pour en parler avec lui.

Fadil Pacha haussa les sourcils d'un air amusé.

— Vous m'accordez trop d'importance, cher prince. Je ne suis qu'un modeste marchand de grains et de coton, tout à fait indigne de discuter de sujets aussi sensibles avec les grands de ce monde.

— À d'autres ! Une partie des terrains de cette ville vous appartient. Vous avez été éduqué chez les jésuites français, puis au Victoria College. Vous êtes le premier Égyptien à présider la Bourse de Minet el Bassal, l'une des plus importantes Bourses de coton du monde avec Liverpool et New York. Vous siégez à plusieurs conseils d'administration, vous êtes membre du conseil municipal, responsable d'associations charitables, et le père du souverain actuel vous a accordé le titre de «pacha». Vous êtes un seigneur !

L'homme éclata d'un rire franc et solaire. Umberto fut saisi une nouvelle fois par la force de sa personnalité. Dès leur première rencontre il avait été conquis par sa cordialité, son humour et sa finesse d'esprit. Au Caire, Fadil Hassan Pacha était l'un de ceux qui avaient organisé une réception pour célébrer le couronnement du jeune Farouk. Sa demeure était digne d'un musée d'art islamique. En amateur éclairé, Umberto avait salué la beauté des céramiques d'Iznik et des boîtes ouvragées en ivoire, les salons lambrissés aux sofas profonds où l'on pénétrait par des portes de bois sculpté. Le raffinement de l'hospitalité, cet art de vivre auquel tout Oriental accorde le plus grand prix, y était porté à sa quintessence.

— Et l'on prétend que les gens de chez nous ne sont pas avares en flatteries ! s'amusa l'Égyptien. Ma journée a été un peu difficile mais elle se conclut sur une note résolument optimiste. Avez-vous quelque chose de prévu pour ce soir, cher ami ?

Alice s'arrêta devant le portail, ajusta la robe blanche en coton sur ses hanches. J'ai l'air d'avoir douze ans, s'agaça-t-elle, se demandant quel esprit espiègle l'avait incitée à s'habiller en communiante. Elle chercha la sonnette parmi le lierre, se sentit soudain ridicule, et poussa la vieille grille du jardin qui n'était jamais fermée à clé. Les lames d'un sécateur invisible clique-taient derrière les flamboyants. Parmi les rayons de soleil qui perçaient les feuillages dansaient des par-ticules de cette poussière propre à Alexandrie. Une poussière blanche née de la plaine caillouteuse à la lisière de la ville, qui recouvrait pierres et plantes d'une fine pellicule, se soulevait sous les roues des calèches et les sabots des petits ânes efflanqués, crissait parfois entre les dents. Même à l'étranger il lui arrivait d'en goûter encore l'amertume sur la langue. Elle gravit les marches du perron. L'onde de fraîcheur du vestibule la fit frissonner. Elle posa son canotier, retira ses gants. Le bois verni de la rampe d'escalier luisait dans la pénombre. Elle ne résista pas à la tentation de le cares-ser, respira sur ses doigts un parfum de cire d'abeille.

Enfant, elle avait appris à aimer cette maison aux étoffes défraîchies. Les kilims anciens, les tables incrustées de nacre, les tapis de Boukhara, les sièges aux dorures criardes, l'imposant sofa rouge… Une saveur ottomane que son père avait choisi de conserver, comme si les meubles en acajou de leur salon de Philadelphie appartenaient non seulement à un autre continent, mais à un autre monde. « Un nouveau départ, ma chérie », avait-il promis à leur arrivée ici, une main posée sur la frêle épaule de sa fille tandis qu'ils contemplaient le jardin en déshérence, délicieux fouillis d'hibiscus, d'acacias, de jasmin et de bougainvillées rouge orangé, parmi lesquels se dissimulaient des statues et une fontaine en pierre qu'il leur fallait encore découvrir.

La porte qui donnait sur la bibliothèque était entrouverte. Elle s'en approcha, un rien fébrile. La veille, elle avait annoncé sa venue par téléphone. Une visite de courtoisie, de celles que l'on accorde à une vieille tante, un ami de la famille, un père égaré en chemin parce qu'il est compliqué de devenir adulte lorsqu'on se sent funambule. L'espace d'un instant, elle en voulut à Alma de l'avoir incitée à venir. « Je suis la voix de ta conscience, avait déclaré la comédienne. Il *faut* que tu ailles voir ton père. Sinon, ça te portera malheur. » Alice avait souri. La superstition, cet élément indissociable d'un Orient que le rationalisme n'avait pas encore gangrené. On se devait d'écouter les présages par conviction ou politesse, sinon pour soi, du moins pour les autres.

— Entre, Alice.

Thomas James Clifford était assis dans un fauteuil, le buste droit. Mince, athlétique, il ne dissimulait pas sa fierté de pouvoir porter le même costume qu'à vingt ans. Il replia méticuleusement son journal, se leva pour accueillir sa fille, effleura sa joue d'un baiser. Sa moustache blanche lui chatouilla la peau. Alice fut prise d'une crise d'éternuements. Il tapa dans ses mains, un chat persan au long poil roux bondit d'une chaise et sortit par la porte-fenêtre, l'air offusqué.

— Toujours ton allergie… Pardonne-moi. J'ai eu besoin de compagnie. Comme tu m'avais laissé entendre que tu ne reviendrais pas de sitôt, je ne pensais pas qu'un chat te dérangerait.

Alice pinça les lèvres, déjà irritée. La réprobation était implicite. Son père avait une fâcheuse tendance à insinuer qu'elle l'avait abandonné et le poids de cette culpabilité était un fardeau supplémentaire. C'était un homme têtu. Même après le mariage de sa fille il avait tenu à conserver sa chambre intacte, prête à l'accueillir lorsqu'elle s'apercevrait de son erreur. Quatre ans plus tard, Alice avait quitté son mari comme il l'avait prédit, mais aussi l'Égypte.

— Depuis quand es-tu là ?

— Quelques jours, *pops.*

Le tendre surnom de son enfance lui échappa. Il hocha la tête, peiné. Sans doute aurait-il préféré qu'elle revienne habiter sous son toit. Sans doute aurait-il préféré avoir un fils plutôt qu'une fille, ou alors une tout autre fille, plus docile, plus facile à manipuler, dont la silhouette déliée, les yeux clairs et les cheveux pâles ne lui infligeraient pas le double insultant d'une épouse qu'il n'avait pas su aimer.

— Tu as l'air en pleine forme, constata-t-elle en se versant un verre d'eau. Je m'en réjouis.

Il arqua les sourcils.

— Suis-je vieux au point que tu doives évoquer d'emblée ma santé ?

On ne saisit jamais réellement l'âge de ses parents, songea Alice. Ils sont intemporels, sauf s'ils meurent lorsque vous avez cinq ans et que survient alors ce jour redoutable où vous vous réveillez plus vieux que votre parent décédé. Une impression à donner le vertige.

— Assieds-toi !

Elle obéit.

— Tu as maigri. D'après tes articles, vous n'aviez rien à manger à Madrid. Cela ne m'étonne pas des communistes. Ils sont maîtres pour affamer les populations. Regarde ce qu'ils ont infligé à l'Ukraine.

— Aucun correspondant étranger n'est mort de faim, rassure-toi. J'ai eu un souci au bras, voilà tout. Rien qu'une écorchure. Je me baigne chaque matin. La mer guérit de toutes les blessures.

Ce n'était pas faux. La mer avait longtemps été son refuge. Autrefois, elle descendait à Stanley Bay avec la gouvernante des Borghi, pêchait crabes et oursins entre les rochers. Puis dès l'âge de quatorze ans elle s'y rendait en cachette, à l'aube, nageant le crawl sous l'œil des garçons de bain qui détaillaient son corps tout en veillant à la propreté des cabines installées le temps de l'été. La plage sauvage n'était pas encore cernée par un amphithéâtre bétonné de cabines vertes et blanches. De ce jour, elle avait préféré fuir. Fadil lui avait fait découvrir des criques solitaires en dehors de la ville. Il chargeait alors sa voiture de fruits et de boissons fraîches conservées dans une glacière. Salués par le préposé à l'octroi, ils franchissaient dans sa Rolls-Royce l'une des portes en pierre qui gardaient l'entrée du désert. Fadil conduisait sans boussole ni carte en direction d'Alamein, bifurquait soudain à un repère connu de lui seul. Derrière les dunes, au pied d'un fort en ruine qui datait des croisades, les lames émeraude venaient mourir sur un sable étincelant.

Son père avait retiré ses lunettes en demi-lune pour l'observer. C'était peut-être ce regard exigeant qui l'avait rendue mutique à l'époque. Un regard qui espérait tant alors qu'elle n'avait à offrir que confusion et douleur. Elle avait pourtant essayé d'être sage. Elle n'avait pas commis de faute grave, du moins pendant les dix-sept premières années de son existence, jusqu'à ce qu'elle rencontre Fadil. L'Égyptien possédait ce calme des fonds marins où elle aimait plonger, un sombre regard presque liquide, une peau ombrée et savoureuse sous ses lèvres. C'était le plus âgé de leurs amis, qui avait déjà repris les affaires de son père. À son sérieux, on aurait pu penser qu'il travaillait depuis toujours. Son ambition était tangible, sa confiance en lui inébranlable. Comme elle lui avait envié ses certitudes ! Aucun des autres garçons de la bande, ni Nessim, ni Aziz, ni Antoine ou Naguib, aussi fortunés que désinvoltes, ne l'avaient intriguée à ce point. Et puis

Fadil était le fruit défendu. Comment résister à la tentation ?

La pendule sonna la demie de onze heures. Son père vérifia l'exactitude à sa montre de gousset. Elle se demanda s'il avait annulé des rendez-vous pour la recevoir.

— Je pense que je vais mourir ici.

Elle tressaillit.

— Que veux-tu dire ?

— Maintenant que la conférence de Montreux a ratifié l'abolition des capitulations, les tribunaux mixtes sont appelés à disparaître après une période de transition. L'Égypte aux Égyptiens. Le monde évolue. Bien ou mal, nous devons nous y faire. Le moment venu, on s'attendra à ce que le vieux juge américain plie bagage et rentre chez lui. Mais je pense que je resterai ici.

Il leva les yeux vers le plafond.

— Il n'y a pas si longtemps, il suffisait de posséder un billet de passage sur un bateau pour devenir résident. Et à votre arrivée, on ne vous demandait ni passeport ni papiers d'identité. Alexandrie n'avait pas peur de l'étranger. Elle était suffisamment puissante pour vous absorber corps et âme et vous faire sien. Sa tradition d'hospitalité demeure. J'aime cette idée de me dissoudre dans une ville de légende.

N'était-ce pas plutôt une manière de se préserver ? songea la jeune femme. Retourner à Philadelphie reviendrait à affronter une nouvelle fois les murmures d'une société verrouillée. En dépit du passage des années, l'émotion devait toujours être vive. Les petites communautés bien-pensantes se délectent du malheur des autres, une rupture bienvenue dans leur quotidien lancinant.

L'inattendu. C'était l'une des choses qui l'avaient tant séduite à Alexandrie. Le fracas de ces existences qui arrivaient de partout, souvent voilées de malheur, mais animées par l'espérance d'une vie meilleure à l'abri de la pauvreté ou des persécutions. Les juifs allemands, les Grecs de Smyrne, les Arméniens aux prunelles assombries où brillait encore l'effroi des routes de la mort, les Syriens descendus de leurs villages en costumes du pays dont les enfants parleraient français et refuseraient de se vêtir autrement qu'à la pointe de la mode occidentale. En remontant les siècles, on pouvait même discerner les aspirations des Romains, des Hellènes ou des Phéniciens. Sans oublier les rêves de ceux que leur sang oriental et leurs peaux cuivrées teintaient de légende à ses yeux d'Occidentale. Elle avait d'emblée perçu que cette terre archaïque aux senteurs d'épices méconnues, celle de la Bible et des prophètes, portait la mémoire du monde et la promesse d'engouements tant spirituels que charnels. Elle s'y était arrimée comme après un naufrage.

Alice trouva étrange que son père évoque sa mort alors qu'elle-même venait d'en réchapper. Un pressentiment ? Il avait pourtant toujours éludé cette notion avec soin. La disparition dramatique de son épouse les avait liés malgré eux alors qu'il n'avait pas encore eu le temps de faire connaissance avec sa fille. Aucun des deux ne s'en était remis et ils avaient bâti leur relation sur des silences. Lui par appréhension, elle par impuissance. Mais comment en vouloir à une enfant ? Que peut-on espérer d'une fillette de cinq ans qui découvre sa mère pendue à une poutre de garage ? Ce matin-là, la petite Alice avait ramassé la chaussure échouée à côté du tabouret. Un geste instinctif destiné à remettre de l'ordre dans ce spectacle dévastateur. Il lui avait fallu à tout prix effacer de sa mémoire ces yeux exorbités, cette langue bleue. Elle s'était obstinée de longues minutes, mais le pied froid de sa mère était demeuré récalcitrant. Seul le hurlement perçant de sa nurse avait déchiré le silence.

Saisie d'un haut-le-cœur, la jeune femme bondit sur ses pieds et sortit sur la terrasse.

— Décidément, ton allergie ne s'est pas atténuée avec l'âge, bougonna son père. C'est pourtant ce que nous avait laissé espérer ton pédiatre.

Alice frissonna. Il en avait toujours été ainsi entre eux. Deux navires se croisant de nuit en haute mer. Alma lui avait un jour demandé pourquoi elle n'évoquait pas le drame avec lui. N'était-il pas temps de percer l'abcès maintenant qu'elle était adulte ? Mais il est des pudeurs trempées dans l'acier. Peut-être craignait-elle aussi sa réponse. Même aujourd'hui elle se sentait coupable. Coupable de ne pas avoir été assez sage, assez gentille, une petite fille modèle aux yeux de sa mère. Si elle avait été digne d'être aimée, sa mère ne se serait pas suicidée. On se plaît à raconter que les femmes en détresse privilégient les médicaments, abandonnant aux hommes les armes de chasse et les pendaisons. Pour la paix des consciences il est préférable de leur dénier toute violence, même dans le choix de leur mort. Quelle aberration ! Les femmes maniaient aussi bien les cordes en chanvre que les lames de rasoir.

Une onde de ressentiment la parcourut. Elle avait eu raison de redouter ce retour à la maison. Elle détestait cette fragilité qui sourdait en elle dès qu'elle retrouvait son père. Quoi qu'il fasse, quoi qu'il dise, elle réagissait de manière épidermique, avec la conviction odieuse d'être infantile. Après tout ce qu'elle avait vécu en Espagne, elle avait espéré être enfin guérie de son émotivité. Un vœu pieux. Entre eux, la plaie demeurerait à jamais ouverte.

— Restez-vous déjeuner, Alice *hanem* ? demanda Osman, le domestique soudanais.

Sa présence l'incita à se ressaisir. Elle inspira profondément, heureuse de le revoir.

— Merci, Osman, mais j'ai déjà un engagement.

— On est fiers de vous. Vous êtes devenue une journaliste célèbre.

— Ce n'est pas un exploit. J'aime mon métier.

— Mais il vous éloigne trop de la maison. Ce n'est pas bien.

Il avait froncé les sourcils. Elle sourit, attendrie. Elle n'en attendait pas moins d'Osman qui s'était toujours montré protecteur à son égard. Il déposa sur une table un plateau avec un carafon d'arak, des olives et du fromage. La brise agitait le feuillage des sycomores et les chevelures des palmiers ; des mouches se mirent à bourdonner autour des verres à apéritif, qu'elle chassa d'une main. Le temps semblait s'être arrêté. Le sang battait lentement à ses tempes et elle fut prise d'une subite envie de s'allonger. Petite fille, elle était la reine des siestes. Elle en avait gardé le souvenir d'un engourdissement, de cauchemars récurrents dont celui d'une maison dotée d'un long corridor sur lequel donnaient des portes fermées à clé. Elle se réveillait alors en sursaut, la peau moite, emmêlée à la moustiquaire.

— Es-tu heureuse à Rome ? lui demanda son père qui l'avait rejointe.

— *Certo*, affirma-t-elle.

Aussitôt, le souvenir d'Umberto l'envahit. La ferveur de leur attachement l'avait prise au dépourvu, elle qui préférait cultiver l'indifférence envers les hommes. Cet amour inattendu l'avait rendue vulnérable. Une nouvelle fois. Elle perçut les mains de son amant qui effleuraient sa joue. Ses caresses sur sa peau. Le silence de son enfant au creux du ventre.

— Osman n'est pas le seul à être fier de toi. J'ai appris qu'on t'avait décerné un prix pour tes reportages. Je te félicite.

Décontenancée, elle pivota pour regarder son père. Il semblait sincère. C'était la première fois qu'elle l'entendait lui faire un compliment.

— Cela a dû te surprendre, papa. Toi qui n'as jamais eu confiance en moi.

Il poussa un soupir, trempa les lèvres dans l'eau trouble de l'arak.

— Fadil Hassan Pacha n'était pas un homme pour toi.

— Parce que tu le jugeais trop âgé ? Parce qu'il était égyptien et musulman ?

266

Aussitôt, elle s'en voulut de sa voix haut perchée, de son impatience d'adolescente fiévreuse.

— Parce qu'il t'aimait trop, donc mal. Comme moi.

Il toussota, gêné de cette confidence qui lui avait échappé. Ainsi, il l'avait aimée sans jamais parvenir à le lui montrer. Mais alors, à quoi bon ? Alice se rappela son père lors de sa prise de fonction, ce jour de 1921, fringant dans sa redingote baptisée *stambouline*, ceint d'une écharpe en soie verte frangée d'or et coiffé du tarbouche écarlate. Le juge Clifford s'était coulé dans le moule de cette ville comme s'il y était né. L'avait-il toutefois jamais comprise ? Son érudition, sa culture, son parfum mystique, le raffinement de ses salons cosmopolites, sans aucun doute. Il était devenu assidu aux soirées à l'opéra et aux théâtres de l'Alhambra ou de la Zizinia, de même cinéphile averti. Connaissait-il toutefois les murs lépreux des vieux quartiers, les ateliers d'artisans nichés au fond des cours où le linge pendait aux balcons, les échoppes où l'on fumait le narguilé, les relents de graisse et de sucre des modestes pâtisseries du quartier syrien, le lacis des ruelles qui essaimaient autour de la rue des Sœurs, avec leurs putes et leurs maquerelles aux cheveux colorés, le parc public de la rue de l'Ancienne-Bourse où des hommes venaient au crépuscule en quête d'autres hommes à aimer ? Ce penchant pour le plaisir et la sensualité, cette appétence pour une liberté parfois vénéneuse, cette tolérance, qu'en avait-il deviné ? Elle se souvint de son indignation lorsqu'il avait compris qu'elle avait pris un amant. Telle mère, telle fille, n'est-ce pas ? Jamais elle ne s'était sentie plus proche de sa mère que le jour où son père l'avait giflée pour avoir fait l'amour.

— Et maman ? lâcha-t-elle, le cœur battant.

Son père recula le buste comme s'il redoutait de prendre un coup.

— Tu l'as aimée, elle ?

Un court instant, il sembla se replier sur lui-même. Maintenant qu'elle le voyait à la lumière, elle remarqua à ses traits creusés qu'il avait vieilli.

— Tu ne peux pas comprendre. De mon temps, l'amour n'entrait pas en ligne de compte. Les sentiments n'avaient guère d'importance.

Un mariage arrangé. Une condamnation à mort paraphée devant un pasteur et des familles amères.

— C'est drôle que les Clifford aient choisi pour leur héritier une jeune fille dont un cousin vivait enfermé dans un asile d'aliénés et dont le père était un alcoolique mondain, ironisa-t-elle. Comme tu vois, j'ai mené ma petite enquête sur mes aïeuls maternels. Tes parents n'ont pas dû être très vigilants. Personne ne vous avait donc alerté sur les tares de cette famille ? Mais j'oublie qu'elle était fortunée. Cela a certainement dû peser dans la balance.

Devenue adolescente, la prescience d'une fêlure psychique héréditaire lui avait infligé un sentiment d'angoisse. De honte, aussi. Il ne fait pas bon être dément chez les Américains puritains.

— Ta mère était une femme… Une femme…

— Folle à lier ! Maniaque et dépressive. Mais si magnifique qu'elle a tout de même réussi à séduire un amant de dix ans son cadet.

268

— Ça suffit, Alice ! Un peu de dignité, je te prie.

Elle frémit sous son regard, le même qui autrefois interdisait tout échange, exigeait de bonnes manières et un maintien irréprochable. Cet homme était passé maître dans l'art de parler de tout et de rien pour ne surtout pas aborder l'essentiel. Il lui semblait pourtant important d'évoquer la disparue à ce moment précis, dans ce jardin qu'elle n'avait pas connu mais qu'elle aurait peut-être apprécié, tout simplement parce qu'elle-même avait décidé de ne pas devenir mère à son tour et qu'elle se demandait confusément si le choix de la mort était peut-être le seul lien authentique qui la rattachait à la femme blonde au rire cristallin et aux baisers féroces qu'elle avait tant aimée.

Le chagrin était mordant, aussi vif qu'au premier jour. Elle détourna les yeux, désemparée. Qui a dit qu'un adulte est celui qui a su pardonner à ses parents ? Face à son père, Alice se savait condamnée à demeurer éternellement une enfant.

— J'ai eu peur pour toi en te sachant à Madrid, reprit-il d'une voix plus douce, mais je me suis rassuré à la pensée que tu ne devais pas être seule. Les reporters étrangers étaient nombreux, n'est-ce pas ? Ton amie Martha Gellhorn notamment, une correspondante remarquable.

Marty, sa complice, avec qui elle avait pris des cuites mémorables, qui lui avait tenu la main en pleine tourmente. Dans la bible familiale des Clifford, de génération en génération depuis le *Mayflower*, les fils inscrivaient une épitaphe à la mort de leur père afin de célébrer ses vertus. Et les femmes, songea-t-elle non sans ressentiment, que leur demandait-on, à part se taire et mettre au monde des fils ? Que dirait le vénérable juge Thomas James Clifford, membre des clubs alexandrins les plus élégants, de l'Académie royale d'archéologie, des Amis du musée gréco-romain, s'il apprenait jusqu'où avait sombré sa fille indigne ?

Une bouffée de colère lui monta à la tête. D'un geste du bras, elle balaya les verres et le carafon qui se fracassèrent sur les dalles, ce qui lui inspira une satisfaction sauvage, un goût de victoire. Son père la contempla, figé et muet. Elle tourna les talons, dévala les quelques marches presque en courant. Elle avait eu tort de venir. Elle savait pourtant qu'Alexandrie était une ville qui vous poussait dans vos retranchements. Tout s'y révélait plus acéré et dramatique, l'amour, la trahison, le mensonge, qu'il fût par action ou par omission. Alexandrie ne pardonnait jamais rien.

En grimpant dans le tramway à impériale, Alice se rendit compte qu'elle avait oublié son canotier et ses gants chez son père. Elle retira un foulard de son sac à main, qu'elle noua autour de ses cheveux. Des lunettes de soleil dissimulaient son regard. Quand le tramway s'ébranla, la tension nerveuse se délia dans ses épaules. Elle regarda défiler les maisons blanches et les jardins privatifs dont certains avaient été sacrifiés à la construction d'immeubles d'appartements. Des Anglaises, tenant d'une main leur ombrelle, de l'autre un panier de plage, étaient accompagnées d'enfants en tenues de marins qui avançaient sur le trottoir, un ballon sous le bras. Alice aurait pu suivre le trajet les yeux fermés ; le claquement de ces roues avait bercé sa jeunesse.

Elle descendit au terminus de la gare de Ramleh, se laissa happer par la foule. Au coin d'une rue, sous le saisissant visage d'Alma placardé sur une affiche de cinéma, des amateurs faisaient la queue avant la séance. Elle hésita à se joindre à eux, tentée de se laisser distraire par la grâce d'un mélodrame, mais

271

préféra poursuivre son chemin. Elle fit quelques emplettes dans l'élégant grand magasin Hannaux ; elle ne pouvait pas continuer à se promener en ville vêtue telle une sauvageonne. Sanglé d'une bonbonne d'*ir-guessous*, un vendeur ambulant alpaguait avec succès les passants. Après avoir nettoyé l'un des verres crasseux avec son mouchoir, Alice trempa ses lèvres dans le jus de réglisse frais.

Lorsque la chaleur et le brouhaha de la rue se pressèrent contre ses tempes, elle se réfugia chez Baudrot, soulagée de franchir les colonnes qui encadraient la porte d'entrée. Elle traversa la pâtisserie jusqu'au restaurant lambrissé où régnait l'effervescence coutumière. C'était l'un des lieux incontournables de la ville, où personne ne passait jamais incognito. Un maître d'hôtel la pria de bien vouloir le suivre. Elle épia du coin de l'œil les mines enjouées des clients. Ils n'avaient pas pris une ride depuis son dernier séjour. Si les années vingt avaient été une période d'insouciance gorgée de nourriture et de lumière alors que de l'autre côté de la Méditerranée une partie de l'Europe crevait de faim et de misère, la décennie déjà bien entamée semblait ne rien devoir leur envier en désinvolture.

Elle commanda un verre de vin, croqua des olives vertes. Bien qu'elle eût voulu chasser cette matinée de sa mémoire, la désastreuse entrevue avec son père continuait à la tarauder. Alma lui avait forcé la main, mais comment aurait-elle pu comprendre ? Son amie avait toujours eu une relation de confiance avec ses parents qui faisaient preuve à son égard d'une tolérance rare. J'aurais mieux fait de rendre visite aux Borghi, songea-t-elle.

— Ainsi te voilà de retour, *like a bad penny…*

Thémis Vasilakis la toisait, impérieuse dans une robe en cotonnade bleue de sa couturière arménienne préférée. Alice esquissa un sourire. Il était rassurant de savoir que certaines choses demeuraient intangibles, comme l'animosité de cette rivale qui avait été secrètement amoureuse de Fadil sans jamais oser se dévoiler. À l'époque, Thémis l'avait aussi jalousée pour son indépendance d'esprit, elle qui n'avait pas voulu s'affranchir du carcan parental, de l'imposante villa néoclassique de la rue des Ptolémées avec ses tapis persans et ses tableaux français, de ce sentiment de supériorité qui semblait remonter à Alexandre le Grand et que confortait l'aisance d'une vie dépourvue de soucis pécuniaires comme d'angoisses existentielles. Être dotée d'un tempérament de limande n'était toutefois pas une raison pour faire payer aux autres son absence de détermination.

— Les mauvaises herbes sont tenaces. Tu es bien placée pour le savoir, Thémis.

— Que deviens-tu ? s'enquit la jeune Grecque, dévorée de curiosité.

— J'habite à Rome où mon mauvais caractère fait merveille. C'est bien ce que tu me reprochais autrefois, non ? Mon sale caractère et ma fâcheuse manie de séduire les hommes.

— Tu as toujours adoré te donner en spectacle. On ne pouvait que s'incliner devant ton talent.

Sous la moquerie perçait une pointe d'envie. Alice

avait toujours trouvé ironique d'être jugée provocante alors qu'elle était d'une nature réservée. Mais comment Thémis aurait-elle pu deviner qu'elle se faisait violence pour aller au-devant des autres ? L'illusion qu'on donne de soi est souvent un artifice réussi.

— As-tu appris la bonne nouvelle concernant Fadil ?

Un frisson parcourut Alice. Venant de cette adversaire, le moindre coup de griffe était à redouter.

— Il a été nommé président de la Bourse du coton. Un grand honneur. On parle aussi de lui pour un poste au gouvernement. Aux Finances ou aux Affaires étrangères.

Les épais cheveux noirs de Thémis, relevés en chignon, étaient retenus par deux peignes en écaille. Elle avait toujours refusé de les couper, attentive aux canons de la beauté orientale. « Ils sont sa seule parure », s'était moquée Alma autrefois, car la jeune fille avait un visage anguleux, des lèvres trop fines et des chevilles épaisses.

— Il ne s'est pas encore remarié, précisa-t-elle, cinglante. À croire que tu ne laisses que des champs de ruines derrière toi.

— Mais au moins, je sais donner du plaisir aux hommes. À en juger par ton annulaire toujours vierge, tu devrais en prendre de la graine.

Thémis pâlit.

— Tu es ignoble !

— Il n'y a que la vérité qui blesse, *dearest*.

Observant le visage empourpré de sa meilleure ennemie, Alice eut presque pitié d'elle. Il n'y avait donc pas qu'avec son père qu'elle redevenait une enfant, une gamine incapable de renoncer aux petites perfidies dignes de la cour de récréation de Notre-Dame-de-Sion où elles s'étaient écharpées autrefois.

— Paix, Thémis, fit-elle avec un soupir. Tu as toujours eu le don d'éveiller ce qu'il y a de pire chez moi. Reprenons à zéro, tu veux bien ?

— Comment cela ? bredouilla la jeune femme.

— Je ne sais pas… Que devient ta mère ? Et ses fêtes légendaires ? Personne ne peut rivaliser avec ses *garden-parties.* Même les bals masqués des Benaki ne leur arrivent pas à la cheville. Raconte-moi les soirées que j'ai manquées pendant que j'étais occupée à me faire trouer la peau par les fascistes en Espagne.

— Comme c'est palpitant ! J'ai toujours pensé que tu avais l'étoffe d'une héroïne, *ya salam* !

Les cheveux noirs lissés à la brillantine, vêtu d'un costume blanc, Antoine poussa Thémis sur le côté, les mains sur ses épaules.

Il tira une chaise pour s'asseoir, fit apporter du vin et des mezzés, feuilles de vigne farcies, *kobebas*, crevettes frites, crème de pois chiches… Puis, en un clin d'œil, ses amis d'autrefois furent tous autour de la table. Volubiles et impertinents, ils commandèrent à boire et à manger, demandèrent à Alice de ses nouvelles sans écouter ce qu'elle avait à leur dire, mais cela n'avait aucune importance car elle se contentait de vagues allusions comme si elle s'était adressée à des enfants. Elle observait leurs peaux hâlées, leurs rires de gorge spontanés, le nœud travaillé avec flair de la cravate en soie d'Antoine, le brillant à lèvres de Valeria. Roulant les *r* de cette langue française qu'ils enjolivaient par une syntaxe parfois baroque, ils parlaient avec une intonation chantante des courses à l'hippodrome, d'un nouvel orchestre de jazz, du match de polo de la veille, prévoyaient un pique-nique dans le désert au vieux fort, une excursion à Mersa Matruh parce que la mer y était turquoise et le sable fin. Georges, leur ami pilote, les y emmènerait. Seulement deux heures d'avion ; on serait de retour pour le dîner.

Nessim héla un ami qui s'approcha à son tour et sortit une carte de visite pour y griffonner une invitation à un dîner dansant en l'honneur du jeune roi.

— N'est-ce pas que vous viendrez, ma chère Alice ? On ne vous avait pas vue depuis des siècles. Vous nous raconterez les fascistes et les bolcheviques, tout ce tumulte en Europe…

Les verres s'entrechoquèrent. Ils dévorèrent les loups de mer, les légumes secs épicés, les *torta* nappées de crème chantilly, se taquinant volontiers, de manière parfois cruelle, des piques tempérées toutefois par un frôlement réconfortant de la main ou de l'épaule. Ses amis lui rappelaient ces lionceaux qu'elle avait vus un jour batifoler à grands coups de patte, se mordillant l'échine avec leurs crocs tout en rugissant de plaisir. Elle les enviait d'occuper si pleinement l'espace et l'instant présent. Leur aplomb prouvait qu'ils se sentaient ici chez eux avec leurs prénoms français, riches de leurs origines grecques, syriennes ou libanaises, arméniennes ou juives, et que leurs ancêtres établis depuis des générations sur cette langue de terre coincée entre la Méditerranée et le lac Mariout ne devaient cette ville qu'à eux-mêmes, à leur ténacité et à leur sens du commerce. Ils étaient si doués pour le bonheur qu'elle eut l'impression d'avoir vécu ces dernières semaines dans un univers étrange, presque incohérent, tant il était dépourvu de lien avec celui-ci, et cela aurait été une faute de goût de leur révéler la vérité, celle du sang et de la peur.

Leur joie de vivre était contagieuse. Sa mélancolie, ses doutes s'étaient évaporés. Grâce à eux, Alice pouvait croire à nouveau que tout était possible. C'était là l'un des dons merveilleux d'Alexandrie. La certitude que rien de mal ne pouvait vous arriver parce qu'il y aurait toujours quelqu'un pour vous tendre la main.

Elle admira le profil ciselé de Naguib qui n'aurait pas déparé un bas-relief du temps des pharaons, ses longs cils féminins qui frangeaient un regard opaque, sa peau légèrement cuivrée que soulignait le col blanc de sa chemise sur mesure. Il lui offrit une cigarette. Elle avait toujours apprécié ce jeune copte, le plus cultivé de la bande, qui n'avait pas manqué autrefois de les irriter par son assurance orgueilleuse. Il avait été le seul à considérer comme une évidence son histoire d'amour avec Fadil. Elle s'inquiéta de le trouver plus taciturne qu'autrefois.

— Je me tais parce que je suis devenu un homme soucieux, dit-il d'un air pénétré. Je crains pour l'avenir de mon fils…

— Arrête, Naguib ! l'interrompit aussitôt Antoine. Ne gâche pas ces retrouvailles par tes annonces de mauvais augure. C'est l'été, voyons ! Notre merveilleux été. Rien de mal ne doit jamais arriver en été.

La naïveté du propos émut Alice. Un élan de tendresse, mâtiné à la fois d'indulgence et d'un brin de supériorité, la parcourut. Cette connivence qu'elle éprouvait pour ses amis d'adolescence n'était pas moins authentique que celle qui la liait à ses camarades journalistes. On peut avoir des amitiés diverses et variées, mais une même fidélité. Elle avait envie de les protéger de tout ce qui allait immanquablement arriver. Mais son souci n'était pas dénué d'égoïsme, en préservant ces jeunes Alexandrins elle pensait à elle-même et à l'aspiration qu'ils venaient d'éveiller avec une acuité presque douloureuse : son secret espoir de vivre un jour enfin heureuse aux côtés d'un homme aimé.

Au son de tambourins qui battaient la cadence, des ouvriers alignés derrière des tables à tréteaux triaient le coton en provenance du Delta et de haute Égypte. Beaucoup d'entre eux étaient élancés, ascétiques et noirs de peau. Coiffés d'une *ta'éya*, certains portaient les tuniques traditionnelles en cotonnade, sans col, aux couleurs bleues ou blanches, qui dévoilaient leurs chevilles. La sueur marbrait leurs *gallabeyas* de taches sombres. Des contremaîtres présidaient à ce brassage méticuleux, attentifs à respecter les commandes des acheteurs étrangers. Lancé en l'air, le coton était mélangé avec savoir-faire, avant d'être humidifié.

Umberto Ludovici admirait la dextérité des gestes et la précision des ordres criés d'une voix gutturale au cœur de ce brouhaha. On lui expliqua l'importance de la longueur des fibres et le développement d'une nouvelle variété depuis quelques années. L'intensité du labeur l'avait frappé dès le début de sa visite du quartier de Minet el Bassal. Tout y était démesuré. Les usines d'égrenage, les navires amarrés au port, les larges quais encombrés de caisses que manipulait une foule de débardeurs, les hangars regorgeant de canne à sucre, de riz, d'oignons et de fèves, d'épices, de poteries...

Incommodé par les fortes odeurs et la poussière, il hésitait à porter un mouchoir à son nez, soucieux de n'offenser personne. Fadil Hassan Pacha, lui, passait imperturbable dans les travées, rappelant à Umberto que la culture du coton dans le pays remontait à la haute Antiquité. Hérodote comme le prophète Isaïe n'avaient-ils pas déjà évoqué ces ouvriers ? En les observant transpirer, les visages impassibles, les nuques raides, Umberto n'avait aucune peine à s'imaginer des siècles en arrière, à une époque où l'on enveloppait les momies dans des bandelettes de byssus.

Dans un entrepôt voisin, d'autres manœuvres piétinaient le coton afin de le presser dans les balles destinées à être chargées sur les bateaux en partance pour l'Europe. Il y avait quelque chose d'oppressant à entendre leurs chants lancinants résonner entre les murs. Des particules poudreuses dansaient dans la lumière. Umberto toussota. Depuis le début de la visite, d'infimes filaments irritaient ses yeux, ses narines et ses poumons. Gêné, il s'efforça de cracher discrètement avant d'être saisi par une sévère quinte de toux. Avec la sensation de suffoquer il se plia en deux, effrayé par ses propres râles. Aussitôt, la main ferme de Fadil Pacha le saisit par le bras et l'entraîna à l'air libre. L'Égyptien déboutonna son col de chemise, lui dénoua sa cravate tout en criant des ordres à la cantonade. Umberto mit de longues minutes pour reprendre son souffle. Quand il releva la tête, les poumons en feu, il croisa le regard énigmatique de Fadil qui lui tendit un verre d'eau.

— Le taux de mortalité à cause de maladies pulmonaires provoquées par les poussières de coton est très élevé. «L'or blanc» n'a pas qu'un prix monétaire, voyez-vous, mais la plupart des gens y demeurent parfaitement indifférents. Il faut dire que dans mon pays, hélas, la pauvreté ne choque personne.

Le rouge au front, Umberto se demanda s'il y avait là un reproche implicite à son endroit, sans pouvoir en déceler la raison. Depuis son arrivée, il avait en effet remarqué le mépris avec lequel étaient parfois traités les plus démunis. Le *fellah* n'était jamais à l'abri de recevoir une taloche sur la nuque, une manière de l'humilier, ou un coup de bâton. Le châtiment corporel était encore monnaie courante. Dante Benvenuti lui avait d'ailleurs fait la réflexion que ces masses de paysans opprimés seraient probablement perméables aux idées du corporatisme fasciste et à son désir de protéger les plus faibles si on pouvait les approcher, ce qui paraissait hélas hautement aléatoire. «De toute manière, que comprendraient-ils? Ils sont analphabètes mais surtout soumis, comme tous les musulmans», avait déclaré Umberto.

— Venez, maintenant! s'impatienta Fadil.

Les deux hommes marchèrent le long d'une rue

grise aux hautes façades austères dépourvues de fenêtres. Des camions les dépassèrent en vrombissant, soulevant des volutes de poussière jaune. Alors qu'Umberto se demandait quand cette punition allait enfin cesser, Fadil Pacha poussa une porte et pénétra dans une salle sombre où étaient attablés des ouvriers. Des inscriptions calligraphiées du Coran ornaient les murs. Dans un coin, deux hommes aspiraient la fumée d'une *chicha*. À leur apparition, un silence se fit. Tous se tournèrent pour les dévisager ; leurs regards perçants troublèrent Umberto. Toutefois, après que Fadil leur eut adressé poliment quelques mots, ils les saluèrent d'un mouvement de tête et semblèrent s'en désintéresser. Le jeune Romain en fut sottement soulagé.

— Aucun étranger ne vient jamais ici, expliqua Fadil, lui indiquant un tabouret.

Umberto ne se sentait pas vraiment flatté d'être ainsi privilégié. Cet univers était trop éloigné de tout ce qu'il connaissait. L'image d'Alice lui traversa l'esprit. La correspondante ne redoutait pas de s'aventurer dans des lieux encore plus insolites que celui-ci. Elle lui avait raconté ses voyages, son séjour à Addis Abeba, les expéditions dans les montagnes en compagnie d'inconnus, les entretiens menés dans des endroits improbables, sans aucun repère familier. Quand il lui avait demandé si elle avait parfois eu peur, elle avait haussé les épaules. « Le goût de la liberté l'emporte toujours sur la peur », lui avait-elle répondu, et il n'avait pas compris comment on pouvait s'infliger de tels désagréments.

Ce matin-là, Fadil était venu le chercher à l'aube. Ils avaient parcouru des ruelles tortueuses, visité des échoppes pittoresques, discuté avec des artisans campés sur le seuil de leurs boutiques, croisé des femmes discrètes, voilées de noir. Mais la promenade n'avait pas été simplement folklorique. Umberto avait retenu la leçon que Fadil Pacha cherchait à lui faire entendre. Il était suffisamment intuitif pour percevoir, même en quelques heures, l'effervescence qui sourdait derrière les élégantes avenues, les places ombragées, la promenade de la Corniche et les plages délicieuses d'Alexandrie. Ce monde que les Britanniques refusaient de prendre en considération était traversé par des courants de révolte, d'exaspération ou de colère. Or il suffit parfois d'une étincelle pour déclencher un incendie. Tandis que Fadil lui dévoilait cet aspect de son pays, Umberto s'était demandé quelles arrière-pensées bouillonnaient derrière son front intelligent. Craignait-il l'avenir ? Une nouvelle guerre en Europe ne manquerait pas d'empoisonner le continent africain. Les navires de guerre britanniques dans la rade en étaient la preuve. Alors, qu'est-ce qu'un homme comme Fadil Hassan Pacha, sans lien officiel avec le gouvernement égyptien, voulait faire passer comme message à l'un des proches du ministre italien des Affaires étrangères ?

Umberto glissa un doigt sous son col de chemise. Dieu, ce qu'il avait chaud ! Impossible de raisonner dans ces conditions. La poussière collait à ses lèvres, s'incrustait dans les plis de son costume beige, s'accrochait aux semelles de ses chaussures. Il se sentait sale et dépenaillé. Il rêvait d'un bain et d'un cocktail glacé. On lui apporta un verre de thé noir comme de l'encre, des coupelles où des piments et des légumes indéfinissables marinaient dans de l'huile.

— Ces charretiers et ces débardeurs sont des Saïdiens de haute Égypte, expliqua Fadil. Ils ont des caractères forts et une bonne résistance physique car ils ont eu moins à souffrir de maladies parasitaires dans leur enfance. Dans ce quartier, ils vivent selon leurs lois coutumières. Ils ont même leur propre tribunal. Un monde à part. Encore un.

— Ils semblent vous connaître, dit Umberto en se brûlant la langue avec une gorgée du thé sucré.

— Je m'intéresse à eux. Je viens parfois écouter les opinions de leurs chefs. Ils savent que je les respecte.

— Ce qui n'est pas le cas de tout le monde, je présume.

— Ah, mais je ne suis pas « tout le monde », plaisanta Fadil.

Umberto se racla la gorge.

— Je l'avais bien compris. Je vous remercie pour cette journée qui fut très instructive.

Fadil sourit, les yeux brillants.

— Mais vous avez hâte de renouer avec la « civilisation », n'est-ce pas ?

— Suis-je aussi transparent ? se désola Umberto. Pardonnez-moi. Je dois vous sembler pathétique.

— Pas du tout ! L'Orient a quelque chose de fervent et d'accablant à la fois, qui n'est pas du goût de tous. Et vous retrouvez une atmosphère semblable dans tous les ports de la Méditerranée.

— Si j'ai bien saisi votre message, l'Égypte appartient davantage à la Méditerranée qu'au monde islamique.

— Étant d'Alexandrie, je le crois, en effet. Le bassin méditerranéen a beaucoup apporté au monde. Ses citoyens et ses pays ont plus de choses en commun qu'ils ne le pensent. Je regrette que certains hommes politiques ne le comprennent pas et s'attachent à diviser plutôt qu'à unir.

Fadil Pacha se révélait aussi à l'aise dans ce modeste café que dans sa villa du Caire ou sous les imposantes arcades en pierre de la Bourse du coton. Un Saïdien vint le saluer et il se leva poliment pour échanger quelques mots avec lui. Rien ne semblait le perturber, ni la chaleur, ni les odeurs persistantes, ni l'humidité qui vous collait à la peau. Umberto lui envia cette aisance mais se consola en songeant que son hôte était dans son élément. Je ne suis pas fait pour tout ceci, s'avoua-t-il néanmoins, un brin fatigué. C'était peut-être l'une des seules choses qui le différenciaient d'Alice : lui n'avait nulle envie d'ailleurs. Il regretta de ne pas disposer d'un alcool fort et reposa son thé si brusquement qu'il en renversa sur son poignet. Chaque fois que les souvenirs d'Alice revenaient de manière persistante, il éprouvait cette impatience et la brûlure d'une absence inexplicable.

Une heure plus tard, le vœu d'Umberto avait été exaucé. Un verre à la main, il se tenait sur la terrasse du Club Mohamed Ali, à l'angle de la rue Fouad, attendant que Fadil Hassan Pacha vienne le rejoindre.

Satisfait d'avoir retrouvé le confort auquel il était habitué, il n'arrivait toutefois toujours pas à se faire une idée satisfaisante du pays. Le kaléidoscope d'origines, de religions et de peaux, les fortunes diverses qui s'étageaient des tentes de Bédouins à la lisière de la ville et des quartiers populeux jusqu'aux somptueuses villas ombragées du quartier grec, tout le déconcertait. S'il pressentait qu'Alexandrie n'était pas représentative de l'Égypte, il devait aussi s'avouer qu'il n'avait guère envie de découvrir davantage le pays. Fadil l'avait pourtant convié à visiter son *ezba*, une importante ferme sur ses terres, sans doute richement décorée à l'orientale. Mais Umberto n'était pas sensible à l'égyptomanie. Ces «grandes choses immobiles», comme avait dit le poète Constantin Cavafy en évoquant les pyramides, ne provoquaient chez lui aucune émotion.

Il sursauta. À coups de klaxon, une voiture décapotable à la carrosserie rutilante venait d'éviter de justesse un accrochage en débouchant de la rue Chérif-Pacha. Le véhicule s'arrêta en un crissement de pneus devant la pâtisserie Baudrot située sur le trottoir d'en face. La conductrice, une femme brune coiffée d'une toque à voilette, s'excusa auprès de son alter ego qui vociférait. Elle descendit de voiture, provoquant aussitôt un attroupement. Riant de bon cœur, elle se mit à signer des autographes. Au même moment émergea du restaurant un groupe de personnes qui s'empressèrent de venir l'embrasser. Umberto observa leur manège, ne pouvant s'empêcher de sourire à leur bonne humeur communicative.

Le soleil accrocha alors la chevelure blonde d'une des femmes de la bande. Vêtue d'une robe blanche, l'inconnue était svelte, élancée, et portait plusieurs paquets. Il se déplaça sur la terrasse, cherchant à discerner les traits de son visage, irrité que la petite foule l'empêche de la distinguer. Puis il la vit monter dans la décapotable avec la conductrice qui démarra en trombe.

— Quelque chose ne va pas, cher ami ? demanda Fadil Pacha. Vous êtes étrangement pâle.

Umberto se ressaisit.

— Ce n'est rien. Je regardais les gens dans la rue.

— Le passe-temps favori des Alexandrins ! Vous allez finir par devenir l'un des nôtres.

— Il y a eu un attroupement devant Baudrot. Une personnalité sans doute.

— Oui, Alma Borghi. L'une de nos comédiennes les plus en vogue. Vous devriez l'entendre chanter ; elle possède une voix merveilleuse. C'est elle qui vous a fait cet effet ?

— Non. J'ai cru reconnaître la personne qui l'accompagnait, mais c'est sûrement une erreur. Je pensais à elle tout à l'heure. Rien qu'une illusion de la pensée.

Fadil le scruta attentivement.

— Une femme qui compte pour vous.

Ce n'était pas une question mais une affirmation.

— Je ne sais plus trop. Elle m'a quitté il y a quelques mois et je suis sans nouvelles depuis. Mais sans doute avez-vous raison, à en juger par ma réaction.

Umberto se détourna, agacé d'avoir été pris au

dépourvu. Les premières semaines, pas un jour ne s'était écoulé sans qu'il pense à Alice, au timbre de sa voix, à ce grain de beauté sur sa hanche, à son regard intense, à son rire. Il se retournait parfois dans la rue, croyant l'apercevoir. Privé d'elle, il avait l'impression d'être amputé d'une partie de lui-même. Seigneur, comme il l'avait maudite pour son silence ! Puis était venue la colère. Après tout, il n'avait pas démérité. De quel droit le traitait-elle ainsi ? Pourquoi lui infliger cette punition ? Le voyage en Égypte avait été une échappatoire bienvenue, et voilà qu'elle s'insinuait à nouveau dans son esprit et le troublait comme au premier jour.

— Je vois.

L'attitude détachée, presque condescendante de l'Égyptien commençait à irriter Umberto. Contrairement à ce qu'il avait eu la faiblesse de penser lors de leurs premiers échanges, il n'avait rien en commun avec cet homme énigmatique qu'il ne comprenait pas davantage que ce maudit pays. D'un seul coup, il fut saisi d'une envie folle de rentrer au Cecil, de faire ses bagages et d'embarquer sur le premier paquebot en partance pour l'Italie.

— J'ignore même si elle est encore en vie, ajouta-t-il, incapable de résister à la tentation de parler d'Alice, même à un étranger, surtout à un étranger parce que ainsi ses paroles ne porteraient pas à conséquence. La routine du quotidien, l'amour sincère d'un homme, tout cela ne l'intéresse pas ! s'emporta-t-il. Elle reste sourde et aveugle à ce qui lui paraît être trop simple. Elle n'aime que le danger et elle-même. Il faut croire que je ne pouvais pas rivaliser.

— Et cela vous a blessé dans votre orgueil.

Umberto lui jeta un regard sombre.

— Mon orgueil n'a rien à voir là-dedans. Je l'aimais, mais je suis marié. Elle espérait probablement quelque chose que je ne pouvais pas lui donner.

Fadil Pacha hocha la tête, circonspect.

— Toutes les femmes ne sont pas destinées au mariage. Il me semble que c'est surtout nous, les hommes, qui aimons entretenir cette idée. Nous voulons croire que nous les protégeons alors que le plus souvent, ce qui nous attire n'est qu'une forme de possession. Bien des femmes s'en accommodent et s'épanouissent ainsi, je vous l'accorde. D'autres pas… Pour ces femmes-là, un homme doit être parfois assez sûr de lui pour leur laisser leur liberté. Ce qui n'enlève rien à l'amour.

— Bah, je ne sais pas ce qui me prend de me confier ainsi à vous ! D'autant qu'on m'avait prévenu que vous autres, musulmans, n'évoquez jamais vos épouses ou vos maîtresses.

— Nous sommes peut-être plus pudiques, mais nous aimons et nous souffrons avec la même intensité, croyez-moi.

Une ombre grise et sévère passa sur son visage. Umberto resta confondu devant la manifestation de son trouble. Un peu gêné, il regarda dans la direction qu'avait prise la voiture.

— J'étais tellement certain que c'était elle, murmura-t-il.

— Alice Clifford ?

— Vous l'avez reconnue vous aussi ? Vous la connaissez ?

— Oui, admit Fadil, à nouveau impassible. Je la connais même très bien. Elle a été mon épouse.

Alice prenait son petit déjeuner sur la terrasse, ses pieds nus posés sur la rambarde en pierre, savourant son café parfumé à la cardamome. Il était encore tôt, mais Alma était déjà partie travailler. Des scènes à tourner en extérieur, du côté du canal Mahmoudiya, avec des felouques en arrière-plan. Romantique à souhait, l'avait taquinée Alice.

— Quelqu'un vous demande, Alice *hanem*, annonça la petite servante en surgissant auprès d'elle, ses imposantes boucles d'oreilles oscillant au gré de son agitation. Dois-je le faire entrer ?

Antoine, pensa Alice avec un soupir. La veille, ses amis et elle avaient passé la nuit à boire et à écouter du jazz dans l'une des brasseries sur la Corniche. Antoine s'était montré plus empressé que d'ordinaire. Il s'était même risqué à une déclaration enflammée vers trois heures du matin. Quand il avait essayé de l'embrasser, elle l'avait gentiment repoussé. Visiblement, le jeune homme ne perdait pas de temps pour reprendre l'offensive.

— Fais-le monter et apporte-nous encore du café. Notre hôte en aura sûrement autant besoin que moi.

Elle ferma les yeux, espérant qu'Antoine entendrait raison sans trop faire d'histoires. D'après son souvenir, le garçon était plutôt du genre obstiné. Elle se remémora avec plaisir les fêtes d'antan sur la plage, au son du gramophone qu'il transportait dans un panier de pêche.

— Bonjour, Alice.

Elle se leva d'un bond et découvrit Umberto, pâle et tendu, un panama à la main. Elle devina d'emblée qu'il avait été envoyé par le ministère des Affaires étrangères en mission diplomatique. Comme elle restait stupéfaite, il prit les devants et s'avança d'un pas.

— On m'a dit que tu habitais ici. Je suis venu te voir. Puis-je te parler ?

Elle hésita, puis lui indiqua un siège. Un bourdonnement dans les oreilles l'empêchait de réfléchir. Alors qu'il acceptait poliment le café que lui proposait Raqia, elle détailla ses doigts fins, ses poignets, les angles et les aplats de son visage, les cheveux légèrement bouclés dans sa nuque. Elle eut soudain envie de caresser la peau qu'elle savait si douce sous son oreille pour s'assurer qu'il était bien réel.

— Jolie vue, fit-il en indiquant l'écheveau de toits, les frondaisons, les palmiers, les trouées des artères rectilignes qui menaient jusqu'à la mer. C'est une très belle ville, que je commence un peu à connaître.

Son ton était amer, son regard éteint.

— Moins bien que toi, évidemment, mais comment aurais-je pu le deviner ? Tu n'as pas trouvé utile de me préciser que ton père était juge à la cour d'appel, que tu avais grandi ici, que la plupart de tes amis d'enfance y vivaient encore, dit-il, faisant défiler son passé comme s'il énumérait ses fautes sur ses doigts. Que tu t'y étais mariée.

Le pouls d'Alice battait au ralenti. C'était donc Fadil qui l'avait trahie. Il avait dû apprendre qu'elle était revenue en ville au moment précis où elle avait posé un pied sur le trottoir devant la gare. Comment s'en étonner ? Fadil Hassan Pacha était un homme important. Personne ne lui échappait. La seule exception ayant été sa propre épouse, qu'il n'avait pas su retenir. Un bref instant, elle lui en voulut, mais c'était sans doute de bonne guerre après l'humiliation qu'elle lui avait infligée.

— Tu as rencontré Fadil ?

— Un homme passionnant. J'ai même été invité chez lui, au Caire, pour les festivités en l'honneur de Sa Majesté. Une splendide demeure, n'est-ce pas ? Où tu as certainement vécu du temps de votre mariage. Il m'a aussi fait les honneurs d'Alexandrie. Pourquoi ne m'as-tu jamais parlé de lui ? Tu n'as pas à avoir honte d'avoir épousé quelqu'un de sa qualité.

— Je n'ai pas honte. Cela ne te regardait pas, voilà tout.

Umberto frappa du plat de la main sur la table, la faisant sursauter.

— Comment oses-tu dire une chose pareille ? Nous nous aimons. Du moins, j'ai la faiblesse de le croire. Tu connais tout de moi. Mon passé, ma famille, les espoirs que je fonde pour nous… On a partagé tellement de choses à Rome, mais qu'ai-je reçu en échange ? Des mensonges par omission, puis tu t'es volatilisée en Espagne. Pour te suivre, je n'avais que tes articles. Je me suis ridiculisé à me précipiter chaque jour sur ton maudit journal. Puis soudain, plus un mot. Je suis passé sous tes fenêtres chaque matin, j'ai même essayé de me renseigner auprès de ton rédacteur en chef à New York qui m'a envoyé sur les roses. Pendant des semaines, je n'ai pas su si tu étais vivante ou morte. Tu m'entends, Alice ? Je t'ai crue morte !

Il frémissait, les narines pincées. Elle était surprise qu'Umberto fût capable d'une telle colère. Sans doute n'avait-elle pas compris qu'il tenait à elle à ce point, préférant ne pas le voir au-delà de son apparente désinvolture, de son nombrilisme aussi, des traits de caractère familiers qui la rassuraient d'une certaine façon, déniant néanmoins à son amant la faculté d'éprouver des sentiments aussi profonds que ravageurs. D'un seul coup, tout lui revint en mémoire. L'appartement de Madrid, les mains brusques du médecin sur son ventre, la douleur intense, le bassinet pour recueillir le fœtus, l'écœurante odeur de son sang.

— Pourquoi, Alice ? J'ai le droit de savoir !

Sa voix insistante lui parvenait à travers un brouillard. Une bouffée d'angoisse la transperça. C'était encore trop tôt ; elle n'était pas prête. Pourquoi ne lui accordait-il pas davantage de temps pour se ressaisir ? Mais elle lui devait une explication. En cela, il disait vrai. Les joues brûlantes, elle fit quelques pas pour s'écarter de lui, chercha au loin le scintillement de la mer.

— J'ai été blessée en Espagne. Mon interprète et mon chauffeur ont été abattus sous mes yeux comme des chiens. Puis les fascistes m'ont laissée pourrir dans un cachot en espérant que j'allais mourir. Il n'a d'ailleurs pas manqué grand-chose pour les satisfaire, conclut-elle, croisant les bras comme si elle avait froid.

Umberto contempla le dos mince et musclé de la femme qu'il aimait. Sa robe d'été à fines bretelles dévoilait ses épaules. Il s'approcha avec précaution, effleura une cicatrice récente, sentit la peau torturée sous ses doigts. L'idée qu'Alice ait pu souffrir physiquement lui était intolérable. Il serra les dents, se découvrant des pulsions de violence inédites. Il était à la fois furieux et terrifié, mais surtout soulagé. Une nouvelle fois, il ressentit l'allégresse qui l'avait submergé la veille en apprenant qu'elle se trouvait là, tout près de lui, et qu'il ne l'avait pas rêvée. Un miracle. Il avait insisté auprès de Fadil Hassan Pacha pour obtenir son adresse. L'Égyptien avait hésité, cherchant à la préserver, mais Umberto s'était montré déterminé comme jamais.

— Je suis revenue ici pour me soigner. Alma est une sœur pour moi. Depuis toujours. Elle seule pouvait me réconforter.

— Est-ce qu'elle sait pour nous ?

— Bien sûr.

Alma était au courant de tout, de l'enfant qu'Alice avait choisi de ne pas garder, mais aussi de ses rêves nocturnes, traîtres et odieux, où elle faisait l'amour avec un autre homme. Elle détourna les yeux. À cela, elle préférait ne pas penser. Comment aurait-elle pu ne pas confier son trouble à Alma ? Son amie était la gardienne de ses secrets depuis la nuit des temps, la seule à savoir qu'elle connaissait parfois des moments où elle se sentait si égarée, si frêle que plus rien n'avait de sens et que naissaient alors des idées sombres et tristement familières. Alma ne s'en effrayait pas. Surtout, elle ne la jugeait pas. Elle écoutait, puis laissait passer l'orage. Sans doute savait-elle qu'il manquait à Alice cette confiance aveugle qu'éprouve un enfant dans les bras de sa mère, une confiance qui irradie une vie entière et ne s'oublie jamais.

— Je t'ai maudite de me tenir loin de toi. Je t'ai détestée pour ton intransigeance.

— Au moins, tu as la franchise de l'avouer.

— Je t'en veux de m'avoir exclu de tout ce qui t'arrivait, mais Fadil Pacha m'a fait comprendre que je t'en voulais surtout parce que tu es plus libre que je ne le serai jamais.

Nerveux, Umberto alluma une cigarette. Elle admira sa blondeur, sa silhouette élégante, précise. Cette délicatesse et cette bienveillance qu'elle avait décelées dès leur première rencontre sous le vernis de son égoïsme. Cette forme de candeur, aussi.

— Je ne pourrai jamais quitter Beatrice. On ne divorce pas chez nous. Un temps, j'ai pensé que tu m'en voulais et que tu cherchais à me punir pour ma lâcheté. Puis j'ai compris que cela n'avait rien à voir avec mon mariage. Je suis seul en cause, je ne t'apporte pas ce dont tu as besoin.

Son regard se perdit dans le lointain.

— J'en suis désolé, tu sais. J'ai peut-être enfin saisi

que l'amour véritable consiste à respecter la liberté de l'autre en lui permettant de s'accomplir pleinement, quitte à en souffrir soi-même.

Il semblait si désemparé que le cœur d'Alice se serra.

— Ce n'est pas toi, Umberto ! C'est mon caractère impossible et tout ce qui fait que je suis devenue cette femme qui passe son temps à fuir. Pourtant, il m'arrive aussi d'avoir besoin de reprendre mon souffle. Et c'est seulement ici que je parviens à me ressourcer, fit-elle en lui montrant les alentours. Sur cette terre. Aux portes du désert. Auprès des gens qui m'aiment et me comprennent.

— Comme Fadil ?

Elle eut un sourire triste.

— Je ne l'ai pas encore vu depuis mon arrivée. Entre lui et moi, c'est une histoire ancienne. J'avais à peine dix-huit ans quand je l'ai épousé. Je n'acceptais pas certaines choses compliquées de mon passé. Il m'a appris à vivre, tout simplement. L'amour et la vie. Ses deux cadeaux. Jamais je ne pourrai lui rendre ce qu'il m'a donné à ce moment-là de mon existence.

— Mais alors, pourquoi l'avoir quitté ?

— Parce que je ne pouvais plus m'accomplir auprès de lui, comme tu le dis si bien. Il m'étouffait. Malheureusement, il refusait de l'admettre. Je me suis montrée maladroite et je le regrette. Il est vrai que je suis parfois brutale, c'est l'un de mes pires défauts. Et pourtant je rêve d'un bonheur simple, comme tout le monde. C'est fou, non ? Mais peut-être suis-je folle, justement, ajouta-t-elle en ouvrant les mains en un geste d'impuissance.

Il y aurait toujours quelque chose d'insaisissable dans son regard transparent, aussi captivant que la composition même de ses traits. De l'Égypte, sa terre d'élection, Alice avait hérité la ferveur et la capacité d'envoûtement. C'était la raison pour laquelle elle tournait la tête aux hommes. Lorsqu'elle vint vers lui, pieds nus sur les dalles, Umberto retint son souffle, respira un parfum fleuri et évanescent qui ne lui ressemblait pas, et il songea que cette femme ne cesserait jamais de le surprendre.

— Ce qu'il y a entre nous est sincère, Umberto. Je peux te regarder dans les yeux et te dire que je t'aime. Je me reconnais dans ce que nous partageons. J'aime la personne que je suis quand je suis avec toi. Ce que je ne peux pas te promettre, c'est de te rendre heureux.

Il lui ouvrit les bras et fut soulagé qu'elle accepte de s'y réfugier. Percevant la chaleur de son corps contre le sien, il reprit confiance.

— Je n'attends rien, je n'espère rien, mais je ne peux pas vivre sans toi.

Alice se laissa bercer, repensant à tout ce qu'elle avait affronté depuis son enfance, au corps de sa mère suspendu à cette misérable poutre, aux incertitudes et aux incompréhensions, aux nuits sans rémission, à la guerre qu'elle recherchait pour se punir. Elle portait en elle un désarroi qui lui venait de si loin qu'elle s'était persuadée que rien ne pourrait jamais l'en guérir, pas même un homme généreux comme Fadil, né de cette terre séculaire qui était celle de tous les refuges, pas même Umberto qui l'aimait en dépit de ses défauts, ni la naissance d'un enfant dont la seule pensée la terrifiait parce qu'elle n'avait rien à lui transmettre. L'amour ne pouvait rien pour elle. Et cependant, comment ne pas continuer à y croire et à l'espérer, puisqu'elle révérait depuis toujours tout ce qui était synonyme d'allégresse, de beauté et de grâce ?

L'homme était gris de visage et de costume. Malade aussi, songea Alice, installée dans la salle à manger de la villa des Borghi. Les mains de Victor Weissmann tremblotaient. Soucieux, il se concentrait pour reposer sa tasse de thé sans rien renverser. Elle dut se retenir pour ne pas lui venir en aide, craignant de blesser son amour-propre. Ce cousin des Borghi, originaire de Berlin et pianiste virtuose, maîtrisait d'ordinaire parfaitement le moindre de ses gestes. Alice avait pu le constater quelques années auparavant, alors qu'elle assistait à l'un de ses concerts. Toute l'assemblée s'était levée pour l'applaudir tant sa prestation avait été brillante.

La veille au soir, Victor était arrivé d'Allemagne, plus précisément du camp de concentration de Dachau.

— Jamais les Allemands ne continueront à soutenir cet Autrichien psychopathe ! s'exclama Alma. Il sera sûrement renversé aux prochaines élections.

— Sauf qu'il n'y a plus d'élections libres en Allemagne depuis mars 1933, trancha Alice. Les partis d'opposition sont interdits, on se contente de demander de temps à autre au peuple de plébisciter des mouvements militaires comme la remilitarisation de la Rhénanie.

— Dans ce cas, il faut l'abattre ! décréta la comédienne en repoussant sa chaise.

La mine sombre, son père tapota ses lèvres avec sa serviette de table.

— Nous ne sommes pas dans un scénario de film, ma chère enfant.

— Et aucun Allemand ne songe à se débarrasser d'Adolf Hitler, ajouta Victor Weissmann d'une voix douce. Ils en sont même parfaitement satisfaits.

Âgé de cinquante ans, il en paraissait dix de plus. À sa descente de bateau, il était venu frapper à la porte des Borghi, une sacoche de voyage à la main contenant une chemise et quelques affaires de toilette. Il avait dû abandonner tous ses biens, meubles et tableaux, liquidités sur son compte en banque, ainsi que ses vêtements et ses affaires personnelles, afin d'obtenir le laissez-passer nécessaire pour quitter le territoire du Reich.

— Évidemment, à force de s'entendre expliquer qu'ils sont beaux et qu'ils vont conquérir le monde, ces tristes imbéciles le croient, s'irrita Alma en se penchant vers Victor pour lui déposer un baiser sur le haut de la tête. Tu es en sécurité chez nous. Plus rien de mal ne t'arrivera, tu verras. Dès que tu auras repris des forces, je te présenterai l'un de mes amis imprésario. Il t'organisera des récitals ici et au Caire, comme autrefois lorsque tu faisais tes tournées. En un rien de temps tu retrouveras ton public.

Elle s'éclipsa car elle avait un rendez-vous. L'arrivée impromptue de Victor la veille au soir les avait tous pris par surprise. Par superstition, il avait préféré ne prévenir personne, n'osant croire qu'il réussirait à quitter son pays. Il n'avait quasiment pas fermé l'œil depuis des nuits, persuadé que des hommes de la Gestapo l'avaient suivi et qu'une main allait s'abattre sur son épaule pour le ramener en enfer. Le père d'Alma s'excusa à son tour, on l'attendait à son bureau. Un domestique débarrassa les assiettes, puis disposa une corbeille de fruits frais au centre de la table. Alice resta seule avec Victor. Elle lui proposa encore du thé, il inclina la tête d'un air reconnaissant.

— Je ne jouerai plus jamais, vous savez. Ils m'ont brisé les doigts. Je suis un homme mort.

Elle eut envie de protester mais se ravisa, impressionnée par son regard terne, le pli d'amertume sur sa bouche, son corps si maigre.

— Alexandrie vous rendra à la vie. Cette ville est douée pour les renaissances. Et si vous ne retrouvez pas votre virtuosité d'autrefois, vous pourrez sûrement travailler autrement.

— Comme pianiste de bar dans un bouge du port ? répliqua-t-il.

Alice jeta un œil par la fenêtre et contempla le ciel bleu dur au-delà des arbres, se rappelant les repas qui avaient enchanté son enfance. Chez les Borghi, qui tenaient table ouverte, la cuisinière avait l'habitude de multiplier les prouesses pour qu'aucun invité de dernière minute ne se sente jamais de trop. Elle ne se souvenait pas d'avoir assisté à un seul moment de chagrin ou de désarroi dans cette pièce aux murs décorés de porcelaines de Chine.

— En Allemagne, tout le monde connaît l'existence de dizaines de camps comme Dachau, mais personne ne sait vraiment ce qui s'y passe. Les autorités se contentent de parler de «détention préventive» destinée à isoler les opposants afin d'assurer la sécurité intérieure du Reich. Une manière subtile pour entretenir la peur. Les SS sont chargés de nous rééduquer pour nous rendre à la société lavés de notre mentalité impure. Pour rassurer les consciences, on laisse croire qu'on n'y applique que la rigueur militaire prussienne classique. Une belle fumisterie ! Les SS humilient, torturent et assassinent. Ces bourreaux martyrisent votre corps et broient votre esprit jusqu'à vous réduire à l'état de misérable loque.

Il passa la main sur son crâne tondu.

— Jamais je ne pourrai me pardonner de m'être soumis à cette infamie pendant deux ans. J'aurais dû avoir le courage de marcher droit vers eux, la tête haute, pour qu'ils m'exécutent d'un coup de fusil.

Émue, Alice posa la main sur son avant-bras. Sous le tissu du veston, elle percevait la fragilité de ses os.

— Ne vous reprochez pas d'avoir préféré la vie à la mort, Victor. C'est ce qui nous différencie d'eux.

Il lui lança un regard hostile.

— Épargnez-moi ces grandes phrases stupides ! Savez-vous ce que l'on ressent à rester debout pendant des heures dans le froid, sous la pluie, pour un appel de prisonniers aberrant ? À recevoir l'ordre de se masturber devant le cadavre d'un compagnon d'infortune ? Ou encore à baisser son pantalon pour qu'on vous cingle le bas-ventre à coups de matraque en vous traitant de sale porc et de sale juif ?

Musicien émérite, Victor avait aussi occupé des fonctions au sein du Parti social-démocrate d'Allemagne après la Grande Guerre. C'était un homme fin et cultivé, un esthète. Un homme qui tremblait de la tête aux pieds, non de peur mais de colère. Ainsi, bien qu'il se crût mort, il était vivant. Alice en éprouva une joie singulière.

— Ici, vous mangez à satiété, vous allez au concert, au théâtre, à la plage…, poursuivit-il. Vous menez une existence confortable dans une ville en paix. Là-bas, des milliers d'opposants, qu'ils soient communistes, sociaux-démocrates, pacifistes, juifs ou chrétiens, ont été engloutis par les ténèbres. Comment le comprendre sans l'avoir vécu ? Comment saisir cette force implacable qui renverse vos certitudes, vous retire votre passeport et vos droits les plus élémentaires, comme celui de prendre un avocat afin de plaider votre cause ? La seule loi qui tienne, c'est la leur. Or elle relève de l'absurde et de la cruauté la plus abjecte.

Il dut reprendre son souffle avant de poursuivre, pâle et déterminé.

— Personne, en Europe, ne veut regarder la réalité en face, personne ne veut prendre les armes contre l'Allemagne pour anéantir ce dictateur avant qu'il ne soit trop tard. Alma a raison. La seule solution serait de l'abattre. Il le redoute, d'ailleurs, puisqu'il a fait poser des vitres pare-balles sur toutes ses Mercedes ! Les foules qui l'acclament n'ont pas le droit de jeter de fleurs sur sa voiture, il ne se déplace jamais sans une horde de SS qui le dominent d'une tête. Et comme il s'arrange pour ne jamais être ponctuel, bien malin le héros qui parviendrait à faire exploser une bombe au bon endroit et au bon moment.

— Il existe une résistance au Führer, mais les considérations morales ne suffisent pas pour se débarrasser d'un dictateur, regretta-t-elle. Il faut une conviction politique et un projet de gouvernement. Les opposants qui n'ont pas déjà été éliminés sont hélas anesthésiés.

La mine terreuse de Victor lui fit honte, elle dont le corps bronzé était pleinement rassasié après plusieurs jours passés à faire l'amour avec Umberto et à jouir de la vie. Il disait vrai. Comment avait-elle pu oublier l'essentiel à ce point ? Que pouvait-elle comprendre en se tenant aussi éloignée des centres névralgiques tels que Madrid, Rome ou Berlin ? Elle se mit à arpenter la pièce.

— Je suis correspondante pour un journal américain. Je sais les atrocités que commettent les nazis, j'arrive d'Espagne. Mais vous avez raison, je me suis isolée ces dernières semaines à Alexandrie. J'ai le sentiment de m'être comportée comme une lâche. Le temps est désormais venu pour moi de repartir en Europe.

Victor sembla déconfit.

— Pardonnez-moi, je ne cherchais pas à vous juger. Il faut que chacun fasse ce qui est en son pouvoir pour empêcher ce tyran de continuer à détruire mon pays. Moi, je n'ai plus le droit de retourner en Allemagne. Je suis juif, un sous-homme à leurs yeux.

Il grimaça de douleur en faisant jouer les articulations de ses doigts.

— S'ils n'avaient volé que mes biens, poursuivit-il, cela eût été un moindre mal, mais ils m'ont pris ma dignité et ma raison de vivre.

Alice se rassura à la pensée que la mère d'Alma panserait ses plaies physiques et psychiques. Elle avait un don pour cela, la jeune femme pouvait en témoigner. La douceur de l'air, la lumière et la mer feraient le reste.

— Soyez sans crainte. Peu à peu, vous reprendrez des forces et tous ces sévices ne seront bientôt plus qu'un affreux cauchemar.

— Vraiment ? fit-il d'un air ironique. Parce que vous croyez qu'on est à l'abri ici ? Vous pensez que je vais me sentir tranquille dans la ville natale de Rudolf Hess, le dauphin du Führer, ce salaud qui a contribué à la rédaction des lois de Nuremberg ?

— Rudolf Hess est né à Alexandrie ? Je l'ignorais.

Elle était intriguée par cette information. Aussitôt, l'esquisse d'un article naquit dans son esprit. C'était la première fois depuis l'Espagne qu'elle ressentait ce frémissement au creux du ventre, prémices d'un sujet à développer.

— Son père était un commerçant fortuné et réputé de la ville. Son frère a créé l'antenne du Parti national-socialiste ici, en Égypte. Les nazis ont des yeux et des oreilles partout. Comment puis-je marcher dans ces rues sans y penser ?

— Je doute toutefois que les thèses raciales du parti nazi trouvent un écho chez les Égyptiens. Le gouvernement est attaché à la Constitution et au système parlementaire. La dictature n'est pas la tasse de thé du parti Wafd. De toute manière, contrairement aux fascistes italiens, l'Allemagne ne semble pas accorder une grande importance à sa propagande au Moyen-Orient.

— Hitler s'y intéressera dès qu'il comprendra l'enjeu stratégique que représente cette région aux yeux de l'Angleterre et de la France. Et lorsque la guerre aura éclaté, tout cela prendra une autre dimension.

Il se frotta le front d'un air las.

— Je vais tenter de rejoindre la Palestine.

— Je doute que vos cousins Borghi trouvent cela judicieux.

— Beaucoup de juifs ici ne saisissent pas la gravité de la situation. Je connais même des sionistes dont les thèses ne rencontrent pas de véritable écho en Égypte parce que c'est l'un des pays les plus libres qui soient. Mais je ne tomberai pas dans ce piège. Plus maintenant… Pardonnez-moi, je me sens fatigué.

Alice le raccompagna jusqu'à sa chambre. Elle fut surprise de voir que son lit était fait au cordeau, les draps et les oreillers disposés avec une méticulosité militaire.

— C'est ridicule, n'est-ce pas ? se moqua-t-il alors qu'elle l'aidait à se déchausser. Une déformation professionnelle, en quelque sorte. C'est l'une de leurs règles absurdes pour respecter «l'ordre rigoureux» imposé par Himmler. Si le lit n'est pas fait selon leurs critères, on risque des punitions sévères. Il m'est arrivé de dormir par terre pour être sûr de ne pas déplaire à l'inspection du matin…

Sa voix était devenue pâteuse. Alice l'aida à s'allonger sur la courtepointe, ajusta l'oreiller sous sa tête. Elle était troublée de voir combien cet homme était vulnérable. L'indignation avait aiguisé ses nerfs. Elle se sentait irritable et impatiente. Une ombre détestable avait obscurci le soleil millénaire d'Amon-Râ, cette lumière bienfaisante de l'Orient qu'elle était venue chercher.

Alice venait à peine de s'éloigner de la villa des Borghi qu'une Rolls-Royce bleu marine s'immobilisa le long du trottoir, à quelques mètres devant elle. La jeune femme ralentit le pas. Elle ne fut pas surprise. Elle s'étonna même que Fadil ne soit pas venu à sa rencontre plus tôt. Bien qu'il fût un homme patient, elle ne put s'empêcher de penser qu'il prenait un malin plaisir à la manipuler. Elle l'observa descendre de voiture, l'incontournable œillet à la boutonnière de son costume d'été. Il avait pris un léger embonpoint. Lui qui faisait tellement attention à sa silhouette ne devait pas en être très heureux.

— Tu as donné congé à ton chauffeur ? fit-elle d'un air faussement détaché en ouvrant la portière.

— Son père est mourant. Je lui ai accordé quelques jours pour se rendre à son chevet.

— Toujours fidèle au luxe britannique, à ce que je vois.

— Puisque les Ford et les Rolls-Royce sont les seuls véhicules recommandés pour rouler dans le désert, je n'ai guère le choix.

L'habitacle embaumait le parfum apaisant du cuir, ainsi que celui de l'ambre et du musc que portait Fadil et qui lui revenait parfois en mémoire à des moments inopportuns. Il fit demi-tour pour prendre la direction du palais de Montazah. De temps à autre, il tournait la tête pour la regarder. Mal à l'aise, elle descendit la vitre pour sentir le vent sur ses joues, agacée que Fadil eût encore le pouvoir de la déconcerter. Peut-être à cause de son tempérament, plus subtil et complexe que celui des amants qu'elle s'était choisis depuis leur séparation, peut-être aussi parce qu'elle le considérait encore comme son mari, même si elle l'avait quitté.

La jeune femme se détendit, bercée par le roulis de la voiture. Elle contempla les enclos maraîchers, plus loin les bufflesses efflanquées menées à la baguette par des fellahs qui labouraient quelques lopins de terre. Ils laissèrent derrière eux le quartier de Mandara, l'agitation des femmes voilées venues acheter leurs fruits, leurs légumes et marchander le poisson du jour livré d'Aboukir devant la gare. Des chiens errants les poursuivirent en jappant avant d'abandonner la course. Alice ne demanda pas à Fadil où il l'emmenait. Elle avait confiance en lui depuis le premier jour où elle avait posé les yeux sur ce jeune Égyptien. Alors que la soif commençait à la tenailler, il ralentit et s'engagea sur un chemin isolé. Le cœur d'Alice cognait contre sa poitrine.

Une modeste maison à la façade ornée de plantes grasses, cernée d'un jardin, se dressait parmi les palmiers et les dunes. Non loin se trouvait une tente de

Bédouins. Fadil descendit de voiture, retira du coffre un panier de pique-nique. La pièce principale était aménagée avec des meubles en bois brut qu'égayait un tapis traditionnel tissé en laine de mouton. Il ouvrit la porte-fenêtre qui donnait sur la véranda. La vue était spectaculaire. À deux cents mètres, une plage de sable blanc bordée par une palmeraie, l'étendue scintillante de la mer. Et le ciel, rien que le ciel.

— Lorsque tu m'as quitté, j'ai perdu le sommeil. Cet endroit m'a sauvé. On y guérit de tout, du chagrin comme de la colère. Quand on m'a raconté ce qui t'était arrivé en Espagne, j'ai eu envie de te le faire découvrir. Avant que tu ne repartes, car tu vas repartir, n'est-ce pas ?

Il avait parlé sans ressentiment, d'une voix grave. Elle retrouva la fascination qu'il lui avait toujours inspirée, cette manière de la prendre au dépourvu, sa générosité si particulière qui pouvait parfois se révéler pesante. Assise sur les marches de la véranda, elle retira ses sandales, enfouit ses orteils dans le sable.

— Et pour quelle raison penses-tu que je vais bientôt m'en aller ?

— Ta blessure à l'épaule est guérie, tu fais la fête avec nos amis jusqu'à l'aube, mais tu seras vite rassasiée de tout ce qu'Alexandrie peut t'offrir et impatiente de retrouver ton travail. Ses incertitudes et ses dangers. Et puisque le destin a voulu que ton amant croise ici ton chemin, je sais que tu ne résisteras pas à l'envie de le suivre dès sa mission terminée.

Elle crut déceler une pointe d'amertume dans sa voix. Il lui tendit un verre de vin blanc. Il avait dénoué sa cravate et la contemplait avec sérénité. Elle songea qu'aucune jeune fille de dix-sept ans n'aurait pu résister à la sensualité de cet homme.

— Je me doutais bien que tu me surveillais.

— C'était inutile. Les uns et les autres se sont chargés de me parler de toi. Tu connais le goût pour les commérages en ville. Moi je me contente d'écouter, et tout ce qui te concerne m'intéresse. Tu ne vas tout de même pas me le reprocher ?

Le vin était délicieux, fruité et frais. La sourde rumeur régulière de la mer et le froissement des palmes sous la brise soulignaient le silence. Elle aurait aimé vivre et mourir dans un endroit tel que celui-ci.

— Je ne suis pas du genre à suivre quelqu'un aveuglément, tu le sais bien. Par ailleurs, Umberto n'a pas fini son rapport. Son ministre de tutelle lui a donné toute une liste de personnes à rencontrer.

— Il décolle tout à l'heure avec Imperial Airways pour Malte, d'où il embarquera sur un avion d'Ala Littoria à destination de Rome, annonça Fadil en décortiquant des pistaches. Ne prends pas cet air ahuri. Son épouse vient d'accoucher et les choses se sont compliquées pour elle et l'enfant. Que Dieu le miséricordieux les protège ! J'avoue que je m'étonne un peu que tu te sois entichée d'Umberto Ludovici, tout prince romain qu'il soit. Devant une femme comme toi, il ne fait pas le poids.

Alice était abasourdie. Elle avait quitté Umberto la veille, après un déjeuner au Sporting Club avec des amis britanniques, et ils ne s'étaient pas revus parce qu'il avait été convié à un dîner diplomatique officiel.

Sans doute Fadil l'avait-il croisé lors de cette réception pour en savoir autant. Mais pourquoi diable Umberto ne l'avait-il pas appelée pour la prévenir?

— J'avais peut-être justement envie d'un homme comme lui dans ma vie. Quelqu'un de simple et de reposant, qui ne me pousse pas toujours dans mes retranchements et me laisse respirer.

Il fit une moue dubitative.

— Inutile de te montrer acerbe, Alice. Je t'ai pardonné depuis longtemps.

— Je me demande bien de quoi!

Piquée au vif, elle avait répliqué instinctivement. Fadil prit un air sévère. La rigidité de son corps témoignait de son irritation. Elle se mordilla les lèvres, se sentant à la fois nerveuse et coupable. Comment oublier leur dernière altercation? Son regard égaré, ses mains qui se tendaient vers elle pour la retenir. «Tu veux me frapper, c'est ça? Tu veux me frapper?» avait-elle hurlé dans le vestibule de leur maison, ignorant la présence d'amis qu'ils recevaient à dîner. La scène se réveilla dans son souvenir, ces maudits instants où tout avait chaviré parce qu'elle souffrait de le quitter tout en ne supportant plus l'idée de demeurer à ses côtés. L'image accablante de Fadil qui ne comprenait rien à ses caprices, qui lui avait tant donné et qu'elle accusait sans raison de vouloir la battre alors qu'il cherchait seulement à apaiser son désarroi parce qu'il l'aimait. L'insulte avait été si vile, si méprisable que ses jambes s'étaient dérobées sous lui. Elle s'était ruée dehors, l'abandonnant affalé sur le sol, humilié dans son essence même.

— Seigneur, murmura-t-elle, cachant son visage entre ses mains. Je suis tellement désolée… Je ne sais pas ce qui m'a pris ce soir-là.

C'était la première fois qu'ils évoquaient cet épisode désastreux. Elle en tremblait.

— *Maalesh !* Ne revenons pas sur le passé. La vie continue, n'est-ce pas ? La preuve, tu es tombée amoureuse d'un autre.

Il avait pris une voix distraite. À son air sombre, toutefois, Alice sut qu'il n'avait rien oublié. Brusquement impatient, il s'éloigna pour observer des guêpiers à plumage bleu qui poussaient des cris perçants en dessinant des arabesques dans le ciel. Il s'était découvert très tôt une passion pour l'ornithologie. La fin de l'été amènerait bientôt les premiers oiseaux migrateurs. Pour attraper cailles et passereaux, les paysans disposeraient leurs longs filets en embuscade et planteraient dans la terre ou le sable des bâtons enduits de colle. Grâce à Fadil, les alentours de cet étonnant refuge seraient sans doute préservés. Enfant déjà, il réprouvait cette coutume ancestrale des oiseleurs. Son respect pour la vie animale avait été l'un des motifs de discorde entre son beau-père et lui. Le juge Clifford était un fervent chasseur et ne reculait devant aucun sacrifice, comme celui de se lever avant l'aube en plein hiver pour aller tirer canards et bécassines dans les marécages du lac Mariout. La satisfaction d'abattre ses cibles, la camaraderie entre chasseurs, l'odeur de la poudre, le son mat de l'animal frappant l'eau, les aboiements des chiens se jetant parmi les roseaux pour ramener la proie jusqu'aux barques n'avaient jamais plu à Fadil.

À le contempler suivant des yeux la trajectoire des oiseaux, Alice trouva qu'il avait rajeuni.

— Et toi, tu ne t'es pas remarié ? demanda-t-elle lorsqu'il revint s'asseoir à côté d'elle, enfin apaisé. Thémis n'a pas manqué de me le faire remarquer. J'aurais laissé, paraît-il, un champ de ruines derrière moi. C'est me faire trop d'honneur, tu ne crois pas ?

— Qui sait ? Notre charmante Thémis se révèle parfois d'une perspicacité inattendue.

— Elle était amoureuse de toi. Tu aurais sûrement été plus heureux avec elle. Ses parents auraient fait les difficiles au début, mais avec ton charme et ton talent de persuasion, tu serais arrivé à tes fins. Vous auriez été comblés de bienfaits, d'enfants et de richesses.

Une lueur amusée éclaira les yeux de l'Égyptien.

— Quand je pense qu'à cause de toi j'ai gâché une vie entière avec Thémis, quel malheur !

Alice éclata de rire. Fadil avait toujours eu le don de l'enchanter par son humour et ses traits d'esprit, ce sens de la *nokta* propre aux Égyptiens. Ils rirent de concert, un bref instant complices des mêmes souvenirs heureux. Il n'avait pas répondu à sa question ; sa pudeur l'en empêchait. Un sentiment de satisfaction la traversa, une mesquinerie infantile de savoir que Fadil n'aimait pas une autre femme davantage qu'elle.

— Pourquoi dis-tu qu'Umberto ne fait pas le poids ? demanda-t-elle alors qu'il remplissait leurs verres.

— Il t'aime trop.

314

— C'est exactement ce que mon père a prétendu de toi.

— Par nature, la passion empêche le discernement. Umberto Ludovici commettra envers toi les mêmes erreurs que moi, et il te perdra.

— Suis-je donc condamnée à chercher un homme qui ne m'aime pas ? Jolie perspective ! De toute manière, nous sommes tous plus âgés désormais, et forcément plus sages.

Il inclina la tête d'un air taquin.

— Aurais-tu appris la patience ?

— Non, pas plus que le discernement d'ailleurs, ajouta-t-elle alors que le visage de Karlheinz Winther traversait son esprit.

Du plat de la main, elle chassa le sable et les gravillons accumulés sur les marches, gratta avec ses ongles les interstices des planches de bois pour mieux les attraper.

— As-tu jamais regretté, Alice ?

Pouvait-elle lui mentir ? Il devinait si bien son humeur. À un froncement de sourcils, un silence, une intonation de voix. Jeune mariée, elle avait eu le sentiment qu'il la connaissait mieux qu'elle ne se connaîtrait jamais. Bien sûr qu'elle avait regretté d'être partie ! Loin de Fadil, il lui était arrivé d'avoir peur, peur à en crever, mais elle ne s'était jamais sentie plus vivante.

— Je reviendrai peut-être terminer ma vie ici, avec toi. Un jour, lorsque je serai vieille, couverte de rides et de cheveux blancs et que j'en aurai enfin assez de courir le monde, je viendrai vivre auprès de toi dans cette maison. Nous nous nourrirons de figues et de dattes, nous boirons de l'arak et du vin blanc, et nous serons heureux !

Il y avait là comme un défi, une provocation lancée à la vie. Elle rit, gênée, ne plaisantant qu'à moitié. Dans son regard elle lut toute sa tristesse, ainsi que la lueur d'un espoir qui lui fit honte. Elle ne pouvait rien lui promettre et cet avenir à deux n'était qu'une illusion. La seule certitude avec laquelle elle bataillait depuis des mois était son attirance pour Karlheinz, cette appétence irrépressible pour l'interdit qui l'avait poussée à faire l'amour avec cet Allemand qu'elle méprisait sur la terre brûlée de Castille, la même qui l'avait menée dans les bras de Fadil à dix-sept ans.

— Je me déteste parfois.

Elle avait enlacé ses genoux et il dut se pencher pour l'entendre tant elle parlait bas.

— Je fais souffrir ceux qui sont autour de moi et je souffre tout autant. Est-ce qu'on peut guérir de ça, Fadil ?

Il écarta une mèche de ses cheveux blonds qui voletait dans la brise avec une infinie tendresse, lui caressa la joue du bout des doigts sans rien dire. Il n'avait pas la réponse au mystère de cette femme.

— Pourquoi m'as-tu amenée ici ? Pourquoi as-tu cherché à me revoir ?

— J'ai répondu à ton appel. Si tu es revenue à Alexandrie, c'est que tu avais besoin de moi.

— C'est d'Alma que j'avais besoin, pas de toi ! protesta-t-elle, sachant toutefois qu'il l'avait percée à jour une fois encore.

— Notre magnifique Alma, bien sûr… La mort t'a

frôlée de son aile et tu es revenue à la maison. Je me devais d'être là, moi aussi. Tu vas repartir, *habibtî*, je le sais. Chacun a son heure fixée par le destin. Alors j'ai voulu t'amener dans cette maison pour que tu te souviennes qu'il existe des endroits comme celui-ci, si jamais la désespérance devenait trop douloureuse à supporter.

Ce n'était pas tant de la présomption que la vérité. On a toujours besoin d'une sœur, mais seul l'être aimé offre le refuge souverain. Fadil l'avait appelée «mon amour». Comment ne pas le croire? Elle lui prit la main, entrelaça leurs doigts. Lui avait compris depuis longtemps combien l'amour était une mosaïque complexe, sombre et pure à la fois.

Rome, mai 1938

— On ne l'avait pas vue depuis des siècles. Tu as remarqué son tour de taille ? La malheureuse passerait par le chas d'une aiguille !

— Comment Umberto va-t-il supporter un fils anormal ? Les hommes tolèrent si mal les imperfections chez les autres…

— On raconte qu'il est né sourd et aveugle. Le cordon autour du cou, complètement bleu. Le médecin aurait même demandé s'il fallait sauver la mère ou l'enfant alors que ce pauvre Umberto était en mission en Égypte. C'est un miracle qu'ils aient tous deux survécu.

Pour la première fois depuis neuf mois et la naissance de son petit garçon prématuré, donna Beatrice Ludovici réapparaissait ce soir-là en société. À quelques encablures du Capitole, dans les somptueux salons de la princesse Isabelle Colonna qui bruissaient comme d'habitude de confidences d'hommes politiques et de commérages mondains, l'événement en venait presque à occulter le tintamarre suscité par la visite officielle du chancelier Hitler au Duce.

Umberto entendait les voix frémissantes des invitées, tout à leur joie d'envisager le pire sous l'éclat gris-bleu des fresques Renaissance où batifolaient sirènes, chimères et autres cupidons. Rien n'entamerait jamais le goût pour la médisance des aristocrates romaines. La contre-offensive se devait d'être immédiate. Il contourna le paravent derrière lequel il avait été dissimulé à leurs regards.

— Mon fils n'est ni sourd ni aveugle, annonça-t-il aux commères qui sursautèrent, agrippant leurs sautoirs en perles comme s'il s'apprêtait à les en dépouiller. Beatrice a dû rester à la campagne parce qu'elle a été longtemps alitée. Elle a tenu ensuite à veiller sur le petit jusqu'à ce qu'il soit hors de danger. Il se porte désormais comme un charme. Vous pouvez être pleinement rassurées.

C'était un pieux mensonge, bien sûr, mais la santé précaire de leur troisième fils ne regardait personne. Bien qu'il fût heureux d'avoir échappé à un accouchement aussi redoutable, il déplorait que Beatrice ait eu à subir cette épreuve. On lui en avait épargné les détails, mais elle avait perdu beaucoup de sang et le bébé n'était rien de moins qu'un miraculé. Dans les églises des environs, des cierges avaient brûlé nuit et jour. Il se rappelait encore sa conduite périlleuse sur les routes à lacets de Toscane pour arriver à son chevet, et son soulagement lorsque le médecin lui avait confié qu'elle survivrait. Cependant, en dépit du sup-

319

plice enduré, Beatrice avait été affligée d'apprendre qu'elle ne pourrait plus avoir d'enfants.

Elle se tenait près de l'antique fontaine placée au centre du salon, diaphane dans sa robe du soir en satin de soie, ses cheveux crantés dévoilant sa nuque. Pressentant son attention, elle tourna la tête dans sa direction. Il lui sourit pour l'encourager. Elle avait déploré sa mine de papier mâché juste avant de se rendre à la réception. « Une martyre condamnée aux arènes ! » Pour la première fois, Umberto avait découvert son épouse vulnérable, elle qui témoignait d'ordinaire d'une parfaite assurance face aux mondanités. Et ce n'était pas le seul changement. Ils n'avaient plus fait l'amour depuis la naissance du petit Giorgio. Les premiers temps, l'état de santé de Beatrice avait été une raison légitime, mais il se demanda soudain si un blocage psychologique l'inciterait à se priver à l'avenir d'une vie sexuelle puisqu'elle ne pouvait plus devenir mère. L'idée était effrayante.

— Et comment se porte notre cher Giacomo ? susurra l'une des comtesses. Toujours antifasciste ? Toujours heureux dans le Latium ?

— Les *carabinieri* ont sans doute doublé les patrouilles autour de la propriété pour empêcher mon frère de venir cracher à la figure du Führer, ironisa Umberto.

En prévision de cette visite d'État, Rome était devenue le théâtre d'une mise en scène spectaculaire comme seuls les régimes dictatoriaux savent les orchestrer. Hôte de l'Allemagne à l'automne dernier, Mussolini avait été impressionné par son séjour. À son arrivée, le Duce s'était avancé parmi une double rangée de bustes d'empereurs romains, avant d'être acclamé le long d'avenues pavoisées de bannières que rythmaient des centaines de piliers surmontés de l'emblème fasciste de la hache et des faisceaux. Il avait admiré le faste du spectacle et l'efficacité de l'organisation, mais surtout les défilés militaires qui avaient flatté son goût pour la force et la discipline. Un état d'esprit hélas étranger à cette malheureuse Italie qui préférait la danse, l'humour et la bagatelle aux affaires sérieuses. Il en était revenu avec la certitude que la puissance du Reich était invincible. Désormais, il lui fallait à son tour éblouir le petit caporal autrichien à la voix rauque, venu admirer les chefs-d'œuvre artistiques de la péninsule et rendre un hommage à son allié et maître. Chargé au ministère de veiller au bon déroulement des opérations, Umberto en avait des sueurs froides.

Il s'éclipsa vers le salon voisin en quête d'un répit qui se révéla illusoire. Galeazzo Ciano trônait dans un canapé, accolé à une jeune femme à la mine gourmande. C'était un visiteur fréquent chez la princesse Isabelle. D'aucuns parlaient du palazzo Colonna comme de «l'authentique cour de la capitale» puisque celle de la famille royale ne rivalisait à leurs yeux ni par le faste ni par l'esprit. Ciano s'y rendait le plus souvent sans son épouse Edda, puisant une conquête après l'autre dans l'élégant vivier de princesses et de comtesses à défaut d'y croiser des actrices de cinéma, son autre choix de prédilection.

— Alors, tout est-il prêt pour recevoir notre hôte ?

demanda le ministre en faisant signe à Umberto d'approcher. J'ai visité l'appartement dévolu au Führer au Quirinal. Depuis qu'on a fait refaire le palais royal aux frais de l'État, les salles de bains sont enfin dignes de ce nom. Nous ne pouvons pas laisser les Allemands remporter la palme de l'hospitalité. Ni celle de la séduction.

Sa dernière maîtresse en date gloussa comme si son amant avait eu un trait d'esprit.

— On a repeint les façades, repavé les rues, convoqué cinquante mille avant-gardistes ainsi que les sous-marins dans la rade de Naples, fait répéter le nouveau «pas romain» aux soldats, épousseté Victor-Emmanuel et enfermé des milliers d'opposants à double tour. Il me reste à interroger les augures pour savoir si nous éviterons un déluge comme celui que nous avons essuyé à Berlin lors de la visite du Duce.

— Je décèle sous ton sarcasme une certaine panique, Umberto. L'un comme l'autre me déplaisent.

D'un geste de la main, Ciano indiqua à sa compagne de les laisser seuls. Son visage poupin se renfrogna tel celui d'un enfant boudeur.

— Où en sommes-nous avec le pape ? Persiste-t-il encore à maintenir fermés les musées du Vatican et à se cloîtrer à Castel Gandolfo pour ne pas croiser le Führer ? J'aimerais éviter ce camouflet. En as-tu parlé avec le secrétaire d'État, lui qui passe son temps à recevoir les diplomates et à prendre le thé en ville ?

Umberto releva la pointe d'agacement. Galeazzo se mettrait-il à partager l'anticléricalisme viscéral de Mussolini ? Il évoqua donc sa dernière entrevue avec le cardinal Pacelli, qui lui avait réitéré d'une voix suave que Sa Sainteté ne tolérait pas la tyrannie hitlérienne, notamment à l'encontre des handicapés mentaux et des prêtres, ni la violence antisémite ou les brimades infligées aux fidèles catholiques. D'une manière générale, Pie XI n'accepterait jamais qu'Adolf Hitler veuille instaurer une nouvelle religion dont il serait le Sauveur. Il s'était toutefois déclaré prêt à rencontrer le Führer en privé si ce dernier en faisait la demande «dans les formes voulues», ce qui était impensable lorsqu'on savait que le chancelier du Reich vouait une haine toute particulière au pape pour son hostilité manifeste envers les régimes totalitaires.

— Les musées du Vatican resteront donc clos, conclut Umberto. Le Saint-Siège veut éviter qu'on s'en serve pour des photos de propagande. Sa Sainteté privilégie l'intérêt spirituel de l'Église et le maintien de la morale chrétienne pour le bien de toute l'humanité. Elle prend conseil auprès des évêques allemands qui mènent une lutte discrète mais déterminée contre le régime.

— Si le pape est tellement opposé à Adolf Hitler, il n'a qu'à l'excommunier ! s'emporta Ciano. Ainsi, les choses seront enfin claires. Le Duce l'a d'ailleurs suggéré récemment.

— C'est fort possible, mais le Duce n'est hélas plus crédible à ce propos. L'époque où il refusait de recevoir Hitler et encourageait les démocraties à la fermeté semble bien lointaine. Sa Sainteté et le cardinal Pacelli s'inquiètent de notre rapprochement avec l'Allemagne. Ils redoutent une contagion du nazisme avec son fatras d'aryanisme, d'antisémitisme, de néo-paganisme et Dieu sait quelles absurdités encore ! Dois-je te rappeler qu'ils n'ont guère apprécié la mise en place de l'axe Rome-Berlin pour lequel tu as tant œuvré ?

La mine de Ciano s'assombrit davantage. Il ne tolérait pas les critiques et ses colères étaient réputées. Umberto en avait fait les frais un jour où Galeazzo lui avait jeté un cendrier à la tête.

— Aurais-tu rendu visite à ton frère ? On m'a appris qu'il avait purgé sa peine et qu'il était de retour à Rome. En t'écoutant, j'ai l'impression de l'entendre parler.

La menace implicite n'échappa pas à Umberto, qui serra les lèvres. Son camarade jovial était devenu un homme impatient et susceptible. Au fil des mois, Galeazzo avait pris l'habitude de se mêler d'affaires qui ne concernaient pas son ministère. Désormais, plus rien ne lui échappait, ni les nominations aux divers postes de responsabilité du pays ni les activités policières. À croire que son embonpoint croissant reflète cet appétit immodéré pour le pouvoir, se dit Umberto qui devait néanmoins reconnaître que la fatigue et la lassitude le rendaient lui aussi irritable. Il avait passé des nuits entières à finaliser le programme de la virée nazie à Rome et à Florence, les réceptions, les banquets, les remises de présents et de décorations. Ses échanges avec les responsables de la délégation allemande se déroulaient sur un ton glacial et il avait l'impression humiliante de n'être qu'un laquais à leurs yeux.

— Même si on n'a pas pu les empêcher d'annexer l'Autriche, il était convenu qu'ils nous tiennent au courant de leurs intentions, grommela-t-il. Or tu dis toi-même qu'ils nous ont mis devant le fait accompli. On ne peut pas leur faire confiance. Le Duce n'a-t-il pas rappelé que les Germains mangeaient encore avec les doigts quand Rome témoignait de notre splendeur impériale ?

— *Basta*, Umberto ! Le Duce sait ce qu'il faut à l'Italie. C'est un visionnaire. Certes, l'Anschluss l'a mis de fort mauvaise humeur, mais il est conscient que nous n'aurions pas pu aller en Éthiopie sans leur soutien. Et que fais-tu de l'Espagne ? Nous avons les mains liées puisque nous y sommes engagés.

Umberto ressentit un frémissement au creux du ventre. Son regard s'arrêta sur l'une des fresques baroques peintes par Tempesta. En voyant la mer démontée malmener des voiliers qui se fracassaient sur des rochers, il fut saisi par le pressentiment funeste que son pays se trouvait entraîné vers une tempête inéluctable.

— Justement ! Le Duce avait d'emblée éprouvé une répulsion pour Hitler quand ils se sont rencontrés à Venise. Les premières impressions sont toujours les bonnes. Permets-moi de regretter que son opinion ait évolué, fit-il tout en songeant que ce n'était pas seulement l'attitude de Mussolini envers les Allemands qui s'était modifiée, mais la tonalité même du fascisme, cet esprit qu'il avait tant admiré adolescent. Les Teutons débarqueront demain soir. Ils sont laids, ignares et ils ont l'esprit tordu. Nous allons montrer nos chefs-d'œuvre à ces brutes épaisses et faire des courbettes alors qu'eux nous méprisent. C'est détestable !

Ciano haussa les épaules.

— Ils sont tous d'un ennui mortel, je te l'accorde. Göring est prétentieux et vulgaire, Goebbels infâme, et Ribbentrop d'une bêtise stupéfiante. Je ne comprendrai jamais comment ce fou furieux d'Hitler a pu entraîner le peuple allemand derrière lui et ces tristes sires.

Umberto réfréna un mouvement d'impatience. Une nouvelle fois, le ministre révélait son ambivalence envers l'Allemagne nazie. Un jour il œuvrait pour une stratégie progermanique, avant de traiter le lendemain les responsables politiques de tous les noms en s'affirmant anglophile. C'était à vous donner le tournis. Agacé, Umberto contempla les autres fresques du salon qui dépeignaient une mer apaisée et des ports accueillants. Rien qu'un vœu pieux, songea-t-il. Comment espérer un havre de paix pour le peuple italien alors que le dauphin du Duce est d'une telle versatilité ?

Son attention soudain sollicitée par d'autres convives, Galeazzo se leva d'un bond du canapé.

— J'ignorais que vous fussiez une connaissance de la maîtresse de maison, Miss Clifford.

— Nous partageons un même goût pour l'Orient, Excellence, répondit l'Américaine, faisant allusion aux origines libanaises de la princesse.

Umberto fut stupéfait de découvrir Alice. Elle était vêtue d'une robe en taffetas de soie bleu dont les bretelles dévoilaient ses épaules, avec un collier et des boucles d'oreilles en saphirs et diamants. Il éprouva aussitôt une vive jalousie à l'idée que cette parure pouvait être un cadeau de son mari Fadil Hassan Pacha, tout en trouvant détestable que sa maîtresse et son épouse évoluent au même moment à travers les salons en enfilade.

Galeazzo lui fit un baisemain avant de s'excuser parce que leur hôte et gouverneur de la capitale, le prince Colonna, venait à sa rencontre. La jeune femme planta son regard dans celui d'Umberto, qui restait toujours interdit tant la situation lui paraissait incongrue. Le plus souvent, Alice se révélait à lui pieds nus sur des terrasses d'appartements ensoleillés ou dénudée dans ses bras. C'était la première fois qu'il la découvrait aussi élégante dans un palais exubérant où battait le cœur de Rome. Il en retira non sans crainte la fâcheuse impression qu'elle empiétait sur son territoire. Umberto Ludovici n'aimait pas le mélange des genres. Cette intrusion le mettait mal à l'aise. Il remarqua aussi que sa fine silhouette et sa beauté particulière, cette dysharmonie insolite des traits où brillait un regard tenace, attiraient l'attention. Rome, par superstition et tradition, attachait depuis l'Antiquité une grande importance à l'éclat des yeux, capables de tous les maléfices. Les commères ne manqueraient pas de gloser sur cette présence.

Elle souriait d'un air taquin.

— Les préparatifs de la visite semblent au point, don Umberto. Je vous souhaite que tout se déroule sans attentat ni insultes. Bien que le petit peuple de Rome ne me paraisse pas très enthousiaste à l'idée

327

d'accueillir le Führer, on lui a fait comprendre que sa présence était recommandée sur le parcours. Les pauvres gens ! N'est-ce pas un peu indigeste d'avoir à acclamer deux dictateurs à la fois ?

Il l'entendait à peine. Lorsque Alice faisait l'amour, le sang affleurait à ses seins, son cou, ses joues. Il y avait chez elle quelque chose de tendre et de violent à la fois, une volupté douloureuse, une quête inassouvie et par là même captivante. Il ne l'avait pas aimée depuis dix jours et elle le lui faisait payer en se campant devant lui dans ce salon, insolente et moqueuse.

— Je suis ici avec mon épouse, marmonna-t-il, la mâchoire crispée. Je t'avais prévenue de son retour. Tu aurais dû t'abstenir de venir.

Le reproche fit passer une ombre d'irritation dans le regard de la jeune femme.

— C'est étrange, tout de même, cette propension qu'ont les hommes à toujours chercher à protéger leurs épouses alors que ce sont les maîtresses qui sont le plus à plaindre. Je ne suis pas idiote, cher ami. On ne refuse pas l'honneur d'une invitation chez la princesse Isabelle. Certains de mes confrères se battraient pour découvrir l'intérieur de ces murs.

— Que cherches-tu au juste ? Un esclandre ?

Il était saisi par une colère froide, sans doute irraisonnée. Alice s'était amusée à lui jouer un mauvais tour et sa présence détonnait de manière flagrante dans ce monde dont il se sentait parfois prisonnier, où il tenait le rôle d'époux et de père, d'héritier des Ludovici aussi, avec ses règles et ses devoirs. Il lui enviait son calme et son audace alors que lui s'épuisait à organiser une visite officielle qui l'irritait par le caractère odieux des responsables nazis et l'incurie des ministères italiens. Quant à sa vie maritale, elle s'annonçait déjà orageuse et il tenait d'autant moins à avoir à gérer un scandale. Son épouse était bien moins docile que son amie Edda Mussolini Ciano qui portait des cornes depuis des années. Contrairement à Edda, Beatrice ne s'accommoderait pas de ses infidélités en devenant volage à son tour, du moins l'espérait-il.

Alice serrait entre ses mains sa pochette du soir, la tenant tel un bouclier. Elle poursuivit d'une voix intense :

— Ta remarque est aussi stupide qu'injustifiée. Pour qui me prends-tu, Umberto ? Je ne détermine pas ma vie en fonction de mon amant du moment, surtout lorsque ma démarche n'a rien de calculé. Sache que tu risques de me croiser plusieurs fois au cours des six jours à venir puisque je vais rédiger différents papiers sur ce voyage. Tu pourras toujours m'ignorer. Je n'en prendrai pas ombrage.

Il comprit qu'il l'avait blessée. L'espace d'un instant, il se demanda s'il s'était trompé et si ce n'était finalement qu'un coup du sort qui l'avait amenée ce soir-là chez les Colonna. Du coin de l'œil, il aperçut Beatrice qui pénétrait dans le salon, un verre à la main.

— En attendant, je te laisse, poursuivit Alice. J'ai encore des œuvres d'art à admirer et des gens à voir.

Elle tourna les talons et se dirigea vers la pièce voisine. En franchissant les portes, sa vision se brouilla. L'éblouissement des fresques colorées et des trompe-l'œil sous les plafonds à caissons, l'éclat des dorures et des sols en marbre, les étoffes précieuses, le foisonnement de tableaux et de bibelots lui donnèrent le tournis. Il n'y avait pas un endroit où le regard puisse se poser pour se détendre. Oppressée, elle sortit dans la cour intérieure. Un cardinal en soutane rouge contournait la fontaine parmi les vasques d'orangers et les massifs de buis, flanqué de deux laquais en livrée rouge et bleu portant des flambeaux, comme l'exigeait le protocole. Ainsi allait le monde d'Umberto. Elle était consciente de ne pas y avoir sa place. Son père ne l'avait-il pas élevée dans un esprit de modestie ? Elle en voulait toutefois terriblement à son amant d'avoir réagi de façon aussi égoïste et infantile. Peut-être lui avait-il parlé, en effet, du retour en ville de sa femme. Elle avait sans doute une mémoire sélective. Rien de ce qui concernait Beatrice Ludovici ne l'intéressait. Elle mesura une nouvelle fois combien Umberto était écartelé entre sa vie de famille et les moments qu'il lui accordait. Son dernier-né était venu au monde dans des conditions difficiles et l'enfant en garderait des séquelles sa vie durant. La nouvelle l'avait peinée, elle s'était montrée compatissante et respectueuse de son chagrin, taisant sa propre détresse. Pourquoi ne faisait-il pas preuve de la même délicatesse à son endroit ?

À travers les portes-fenêtres, elle le vit passer avec à son bras Beatrice, qui levait son visage souriant vers lui. À son corps défendant, une pointe douloureuse la transperça et elle regretta d'être devenue une femme amoureuse tristement banale.

Alice appuya deux doigts sur sa tempe, un geste coutumier qui lui permettait de ne pas céder à l'émotion et de se concentrer. Depuis l'arrivée du Führer quelques jours auparavant à la nouvelle gare d'Ostiense et son trajet en carrosse royal jusqu'au Quirinal à la lueur des flambeaux, elle avait réussi à dominer son exaspération. Ce matin-là, toutefois, le claquement des bottes sur les pavements du musée de la villa Borghese avait fini par avoir raison de sa patience. Comment pouvait-elle supporter en ces lieux si enchanteurs les mines satisfaites et les rires gras de la délégation allemande qui se pourléchait encore les babines d'avoir absorbé l'Autriche ? Selon ses informations, le Führer avait vivement remercié Mussolini de ne pas avoir empêché l'Anschluss, lui jurant une reconnaissance éternelle. « Abject » était le seul adjectif digne de qualifier les dirigeants de l'Olympe nazi qu'elle jugeait grossiers, petits-bourgeois et insolents. Elle regrettait de ne pas pouvoir l'employer dans son article.

La meute suivait le guide, un historien de l'art réquisitionné par les instances fascistes, affublé d'un uniforme élimé de la Milice. Alice avait remarqué que le chancelier du Reich ne détaillait avec ravissement que les œuvres d'art les plus académiques et qu'il se prévalait volontiers des commentaires éclairés des connaisseurs. Il lâcha un râle de satisfaction devant les couleurs intenses d'un tableau du Guerchin. Visiblement, Hitler admirait surtout l'habileté technique chez un peintre ou un sculpteur, mais demeurait insensible à toute quête artistique. Suspendus à ses lèvres, ses sbires faisaient remarquer que leur Führer était «un grand artiste». Quant au Duce, il dissimulait mal son ennui, jetant des coups d'œil avides par les fenêtres en direction du parc tel un écolier dissipé.

— Le séjour avait pourtant mal commencé, chuchota une voix à son oreille. Le Führer était fou de rage de voir le Duce relégué par le protocole derrière Sa Majesté Victor-Emmanuel. Heureusement que l'Italie ne dispose pas que d'un souverain nabot pour séduire, mais aussi de peintres et de sous-marins.

La jeune femme perçut le souffle sur sa peau mais ne broncha pas. Elle s'était préparée à le voir. Elle termina de noter ses observations dans son carnet avant de réagir.

— Où étiez-vous donc passé, Herr Winther ? Je ne vous ai pas croisé ces derniers jours. Vous n'étiez même pas à Naples pour la parade navale.

— Puis-je en déduire que je vous ai manqué ?

Karlheinz Winther, lui aussi, avait été certain de la retrouver lors de ce séjour de propagande. Aucun journaliste digne de ce nom n'aurait manqué l'occasion d'étudier de près les plus hautes personnalités

allemandes en goguette. Ne manquait à l'appel que
l'obèse Göring, resté à Berlin. Winther avait aperçu
d'emblée la jeune femme dans l'assistance. Ravissante
dans un tailleur rouge cerise, elle détonnait parmi
leurs confrères aux vestons informes et aux feutres
cabossés. Il s'était demandé si elle avait cherché à
se faire remarquer, ce qui n'était pas forcément une
bonne idée. Il la complimenta néanmoins sur sa tenue
pimpante.

— Taisez-vous ! ordonna-t-elle.

Le Führer débitait un monologue contre le christianisme qu'il qualifiait de première vague bolchevique sur l'Europe aux conséquences négatives pour
la civilisation. Selon lui, le christianisme aurait détruit
Rome, qui lui avait pourtant permis de devenir une
religion universelle. De temps à autre, il se tournait
d'un air déférent vers Mussolini pour quêter son
assentiment, mais le Duce restait silencieux. Alice
essaya de garder un visage impassible en écoutant ces
inepties.

— Le Saint-Père doit avoir les oreilles qui sifflent à
Castel Gandolfo, murmura Winther.

— C'est une marotte de votre chancelier qu'on
notait déjà dans *Mein Kampf* parmi d'autres théories
fumeuses. Voilà pourquoi je trouve ce livre tellement
effrayant.

— Ne parlez pas trop fort, vous risqueriez de
perdre votre accréditation.

— Pourquoi donc ? Le Troisième Reich ne
cherche-t-il pas justement à faire peur ? Les dictatures
se repaissent de l'intimidation et de la terreur.

Hitler s'arrêta devant un tableau, ses mains gantées de gris croisées devant son ceinturon. Il faisait l'effet à Alice d'un modeste fonctionnaire des postes à la peau glabre et à la digestion délicate. Sa suite patientait, soumise. Parmi eux, le petit Goebbels au pied difforme et au visage de fouine, Rudolf Hess, dauphin en titre, l'homme qui était né à Alexandrie et avait paradoxalement réveillé chez elle le goût d'écrire, Himmler, le fondateur de la SS et chef de la Gestapo, les pupilles fixes derrière ses lunettes rondes qui accrochaient la lumière. Alice repensa à la conversation qu'elle avait eue avec Victor dans le salon des Borghi à Alexandrie, ses mains martyrisées posées sur la table. En dépit de ses efforts, elle ne put cacher sa répulsion.

— Himmler a déclaré que le Quirinal dégageait une odeur de catacombes, précisa Karlheinz qui avait suivi son regard. Ces gens-là haïssent la monarchie.

— Ils haïssent tout ce qui ne leur ressemble pas, tout ce qui est intelligent, sensible et libre.

S'apercevant que Winther se tenait collé à elle pour converser à voix basse, elle se raidit. Il sentit sa réticence et esquissa un sourire.

— Vous semblez guérie de vos blessures, Alice. Votre magnifique visage est intact. J'espère que votre épaule s'est également remise. Je présume que tout s'est bien passé à la frontière française et que vous êtes arrivée saine et sauve à la maison.

Aussitôt, le pouls d'Alice s'emballa. Comment avait-elle pu être assez naïve pour croire qu'il la laisserait oublier ? Quoi qu'elle pense de lui, de ses opinions politiques, de son détestable journal qui n'était qu'un tissu d'imprécations, rien ne pourrait jamais effacer ce qui s'était passé entre eux en Espagne.

— Dois-je vous en être redevable toute mon existence?

— Oui.

La vulnérabilité qu'elle avait décelée sur son visage dans le vestibule de la maison à Burgos avait disparu. Ses cheveux gris étaient coupés plus court. Sa carrure était soulignée par un costume de flanelle aux larges revers, avec une cravate en soie bleue nouée au millimètre près. Son assurance était irritante, à l'image de celle de ses coreligionnaires.

— Je m'étonne que vous ne portiez pas l'uniforme. Tous vos petits camarades journalistes sont bottés et casqués telle Minerve jaillissant du crâne de Jupiter.

— Je craignais que vous ne tombiez à la renverse en me voyant en culotte de cheval.

Ainsi, il était bien encore militaire. Comment s'en étonner? Il n'existait pas un Allemand d'importance qui ne fût enrôlé d'une manière ou d'une autre dans les forces armées nationales-socialistes. Les fascistes, eux aussi, vouaient un véritable culte à l'uniforme. Plus ces hommes étaient petits, obèses ou contrefaits, plus ils tenaient à un uniforme galonné pour se donner une stature. Le plus caricatural d'entre eux était sans aucun doute Göring dont les nombreuses médailles tintinnabulant sur sa poitrine annonçaient son passage aussi peu discrètement que les crotales des marchands ambulants sur la Corniche.

— Vous avez l'intention de rester longtemps?

— Hélas, non. Je ne vais même pas suivre les délégations lors de l'étape prévue à Florence. J'étais seulement venu prendre le pouls des relations entre les deux frères ennemis. Je suis satisfait. J'ai eu la confirmation de ce que je pressentais.

— Mais encore ?

Il se tut un moment, prenant plaisir à la contempler.

— Le Führer ne sera jamais apprécié. Non seulement la monarchie le considère comme un petit parvenu dégénéré, mais le Duce prétend qu'il se met du rouge à joues pour se donner meilleure mine. Quant au peuple italien, qui ne cache pas sa méfiance envers l'Allemagne, je m'en fiche puisqu'il n'a rien à dire.

— Ils feront cependant la guerre ensemble.

— Bien sûr ! Les démocraties occidentales ont claqué la porte au nez de Mussolini qui est désormais persuadé que le Führer est invincible. C'est son seul espoir pour obtenir des miettes du festin. Mais j'ai aussi profité de ce séjour pour rendre visite à quelques amis, précisa-t-il. Comme vous le savez, les conversations téléphoniques sont peu sûres. Mieux vaut se parler les yeux dans les yeux, n'est-ce pas ?

— Tout dépend de ce que l'on a à se dire.

Elle était curieuse. Quelle était la véritable motivation du séjour de Winther à Rome ? Qui pouvait se targuer de le connaître au point d'être l'un de ses amis ? L'homme était une énigme. Elle hésita à l'inviter à prendre un verre chez elle pour tenter d'en savoir davantage. Sans doute serait-elle amenée un jour prochain à retourner à Berlin où Winther pourrait éventuellement lui être utile.

On leur fit signe d'avancer, les personnalités ayant emprunté l'escalier en colimaçon pour descendre au rez-de-chaussée. Dans le brouhaha, Alice entendit la voix stridente d'Hitler s'exclamer qu'il regrettait d'être devenu un homme politique et qu'il passerait volontiers son temps à profiter du soleil romain et à visiter les musées. Elle leva les yeux au ciel.

— Il n'était pourtant pas très doué comme aquarelliste, chuchota Karlheinz. C'est curieux, ces gens qui ne se satisfont jamais de ce qu'ils ont.

— Je me faisais justement la même réflexion. Après l'Autriche, à qui le tour ? La Tchécoslovaquie ? Les Allemands de la région des Sudètes s'époumonent pour rejoindre le Reich.

— Moi, je leur donne raison. Ne contribuent-ils pas depuis trois siècles à la richesse de la Bohême ? Or les Tchèques les oppriment depuis que ce pays a été créé de toutes pièces sur les ruines de l'empire austro-hongrois.

— Voyons, qui peut croire au prétexte de populations germaniques maltraitées qu'il faudrait sauver ? Votre propagande distille de fausses informations et ne craint pas de monter de malheureux incidents en épingle. Votre chancelier veut surtout un prétendu «espace vital». Et cela à n'importe quel prix.

— Les marxistes vous diraient que la guerre est une nécessité historique.

Un secrétaire à la mine agitée leur expliqua que Leurs Excellences étaient désormais conviées à prendre une collation dans la petite salle égyptienne. Les accompagnateurs et la presse se voyaient invités à patienter autour du buffet dressé dans le salon d'apparat. Karlheinz regarda le Duce et Galeazzo Ciano emboîter le pas à Hitler.

— J'espère qu'ils savent que le Führer ne touchera pas aux friandises proposées. Pour lui, ce sera infusion et gâteaux secs, de préférence ceux apportés par son ordonnance. L'homme est frugal.

— Un ascète aux habitudes insolites. On raconte qu'il a réveillé tout le Quirinal la nuit de son arrivée et réclamé une main féminine pour préparer son lit sous ses yeux. On a dû faire venir une femme de chambre d'un hôtel voisin.

— Au moins, il ne les culbute pas comme le Duce ! Qu'en est-il d'ailleurs de sa liaison avec Clara Petacci ? Il paraît qu'il en est toujours obsédé et qu'elle fait tout pour le séparer de ses vieilles maîtresses…

Winther faisait allusion à la favorite en titre de Mussolini, une jeune femme pulpeuse de vingt-six ans issue de la bourgeoise romaine, fille d'un médecin réputé qui soignait également le Saint-Père, et dont l'existence affolait toute la péninsule.

— On dirait que vous ne vous intéressez qu'aux futilités. C'est exaspérant ! Sous couvert de cette excursion grotesque, Hitler travaille désormais à une alliance militaire avec Mussolini. L'ignorez-vous, ou cette perspective vous réjouit-elle autant que ces énergumènes ?

L'air débonnaire de Karlheinz Winther finissait par lui taper sur les nerfs. Depuis l'arrivée en ville de la délégation nazie, le souvenir de Victor Weissmann ne la quittait plus. Le musicien juif incarnait toute l'horreur de ce régime totalitaire. Elle n'était pas revenue en Europe pour se laisser distraire par des balivernes.

Karlheinz se retenait d'empoigner la jeune femme par les épaules pour l'embrasser. Elle exerçait sur lui le même attrait violent qu'il avait éprouvé lors de leur première rencontre en Éthiopie. Ils restèrent immobiles, comme pétrifiés, incapables de dénier l'intensité passionnelle qui les liait malgré eux.

— Les démocraties ont failli en laissant les bolcheviques s'implanter en Russie, reprit-il. Seuls des hommes de la trempe d'Adolf Hitler, de Benito Mussolini ou de Francisco Franco ont compris le péril rouge asiatique. Eux seuls ont le courage de le proclamer haut et fort. La guerre est inévitable, en effet.

Un frisson parcourut Alice. Elle croyait pouvoir affronter cet homme sur un pied d'égalité mais ce n'était qu'une illusion. Elle fit un effort pour détacher son regard du sien, s'écarta pour contempler les fontaines et les arbres du parc.

— D'où vous vient cet anticommunisme viscéral ? Vous étiez prisonnier des Russes lorsque la révolution bolchevique a éclaté. Les hommes du tsar vous avaient même condamné à mort pour espionnage. C'est grâce aux rouges que vous avez été libéré. Vous devriez plutôt leur en être reconnaissant, non ?

Aussitôt surgit dans le souvenir de Karlheinz le visage de Kira sous sa coiffe d'infirmière de la Croix-Rouge. Dix-sept ans et un air de Madone. Une apparition divine au sein du camp de prisonniers où les hommes mouraient de malnutrition, de mauvais traitements et du typhus. Comme chaque fois, l'intensité de son chagrin lui coupa le souffle. Il glissa la main dans sa poche, effleura la racine de ginseng qu'elle lui avait offerte. En dépit des conditions extrêmes de leur amour, il y avait eu entre eux trop d'espérance pour jamais oublier.

— Qu'est-ce qui ne va pas ? Vous ne vous sentez pas bien ?

Il s'éclaircit la gorge.

— Quelques années après la guerre, j'ai été commandant d'une escadrille d'avions de la Croix-Rouge en Russie. Nous y apportions des vivres et des médicaments. J'ai vu la corruption des bolcheviques et la misère du peuple à qui ils avaient promis du pain et des terres. Je n'aime pas le mensonge.

Alice était sceptique. Comment croire cette banalité ? Tous les régimes totalitaires mentent. C'est même l'une de leurs singularités. Et les peuples aveuglés en redemandent.

— Qu'est-ce que c'est ?

Karlheinz s'aperçut qu'il tenait la racine dans la main. Kira lui avait fait jurer de ne jamais s'en séparer. Selon les Chinois et les Mongols, elle protégeait des malédictions et des fantômes. De la mort violente, aussi. Sa bien-aimée aurait mieux fait de la garder pour elle. Elle l'avait obtenue d'un vieux Tartare d'Irkoutsk en même temps que des vêtements civils et un revolver qu'elle lui avait remis pour l'aider à s'enfuir. Alice Clifford ignorait que la Révolution, qui avait certes facilité la libération de certains prisonniers, n'avait pas épargné les officiers que l'on avait fusillés sans autre forme de procès. Le dernier soir, après l'amour, Kira avait ri entre ses larmes.

Alice détailla le visage livide de Karlheinz Winther, sa main crispée sur le talisman qu'il avait enfoui dans sa poche. Quelque chose s'était passé en Russie pendant la Grande Guerre. Un drame intime avait dû pousser cet officier émérite de l'armée du Kaiser à combattre ensuite dans les corps francs de la Baltique connus pour leur brutalité, avant de lier son destin à celui d'un personnage aussi détestable qu'Adolf Hitler. Elle doutait désormais que la raison profonde de son engagement vienne d'une opinion politique. Une tragédie, un jour, avait anéanti les espoirs de cet homme qui ne s'en remettrait jamais.

Une main la saisit par le coude. Furieuse, elle tenta en vain de se dégager de la poigne de fer qui l'entraînait à l'autre bout de la salle.

— Qu'est-ce qui te prend, Howard ?

Carter, son vieux compère britannique, la dévisageait avec une sévérité qu'elle ne lui connaissait pas.

— As-tu perdu la tête de te donner comme ça en spectacle avec Winther ?

— Qu'est-ce que tu racontes ?

— Ne fais pas l'idiote ! On aurait dit que vous alliez faire l'amour sous les pins parasols !

Alice s'empourpra.

— Heureusement, personne ne s'en est aperçu. Nos chers confrères sont trop occupés à se bâfrer de pâtisseries.

Du coin de l'œil, elle vit Karlheinz s'éloigner avec l'un des collaborateurs de Goebbels, le ministre allemand de la Propagande, qui lui donna une claque amicale dans le dos. Elle retint un haut-le-cœur.

— Je croyais que ton amant était cet aristocrate romain venu frapper à ta porte l'autre soir.

— Tu te prends pour mon père ?

— Je m'inquiète pour ta réputation.

— J'ai connu Winther en Espagne, voilà tout. Tu sais combien les choses ont été parfois compliquées là-bas. Quant à ma liaison avec Umberto, elle ne regarde que moi. Je t'ai fait cette confidence parce que j'ai confiance en toi et que tu sais tenir ta langue.

Howard leva les yeux au ciel.

— Moi oui, Alice, parce que je suis ton ami. J'espère en revanche que Clemente Gaspari n'a rien remarqué. L'homme est toujours à l'affût. Il se ferait une joie d'informer les services secrets que tu entretiens une certaine familiarité avec le tristement célèbre Karlheinz Winther du *Völkischer Beobachter*, ce torchon de haine.

Il fit une grimace comme s'il se retenait de cracher sur le sol. Howard avait débarqué chez elle à l'improviste quinze jours auparavant. Elle s'était jetée à son cou. C'était la première fois qu'ils se revoyaient depuis Addis Abeba. Entre-temps, il avait reçu le prix Pulitzer pour ses reportages sur la guerre d'Espagne et fait un enfant à son épouse qui vivait paisiblement dans leur cottage du Devon, ainsi qu'Alice l'avait pressenti. Ils avaient trinqué au whisky, puis au vin rouge, renouant avec leurs vieilles habitudes. Umberto avait choisi ce soir-là pour venir lui aussi frapper à sa porte. Elle était légèrement grise, Howard amusé par ce concours de circonstances, et Umberto à la fois suspicieux et contrarié par cette rencontre inopinée. Il avait décliné son invitation à partager un montepulciano avec eux et ils ne s'étaient pas reparlé avant l'épisode orageux chez la princesse Colonna.

— Où est-il d'ailleurs, ton cher prince ? Ne devrait-il pas veiller aux petits bobos de ses hôtes ?

Alice accepta un jus de tomate que lui tendit un maître d'hôtel.

— Il y a eu un changement de programme de dernière minute parce que la police était inquiète. J'imagine qu'Umberto s'en occupe. Il paraît qu'on renonce au forum romain et à la via Appia pour le Panthéon et le château Saint-Ange.

— Bonne idée ! On ferait bien de tous les y enfermer et de jeter la clé dans le Tibre.

Alice préférait cette facette bonhomme de son ami. Elle n'aimait pas être réprimandée, d'autant moins lorsqu'elle avait mauvaise conscience.

Le bruit des bottes résonna à nouveau sur le pavement de marbre. Les dignitaires émergèrent en riant de la salle égyptienne. Alice chercha Karlheinz des yeux mais il avait disparu. Sans doute ne le reverrait-elle pas puisqu'il avait laissé entendre qu'il n'irait pas jusqu'à Florence. On avait fait avancer la vingtaine de voitures des délégations devant la porte d'entrée.

— Et voilà que la caravane repart, soupira Howard en les regardant défiler. On en retire tout de même un odieux sentiment de malaise, tu ne trouves pas ? Cela me fait penser à un tableau du Caravage : une partie de poker entre tricheurs, peinte par un assassin.

— C'est absurde ! L'antisémitisme est complètement étranger à la nature et à l'esprit de ce pays.

Alma Borghi tirait fébrilement sur ses gants en che-
vreau. Elle les jeta en direction de la table basse. Une
pile de journaux se renversa, entraînant les verres et
la carafe de jus de fruits qui se répandit sur le parquet
du salon d'Alice.

— Alma ! Tu ne peux pas faire attention ? Je viens
de mettre du vernis.

Alice agita les mains telles des marionnettes. Iris,
une artiste pensionnaire à la villa Médicis et dernière
conquête amoureuse d'Alma, s'empressa d'aller chercher dans la cuisine de quoi réparer les dégâts.

— Est-ce que tu le crois ? Ce *cretino* de régisseur
m'a demandé si je comptais terminer son film ou si
j'allais devoir quitter le pays avant. Me dire ça à moi !
Je suis certes née à Alexandrie mais je suis italienne
comme toute ma famille. Pour qui se prennent-ils ? Le
Duce n'est pas antisémite. Il a bien accepté des juifs
au Parti fasciste. On lui connaît même une maîtresse
juive, Margherita Sarfatti. Elle l'a façonné pendant

vingt ans, lui a appris à tenir son couteau et sa four-chette, et c'est elle qui l'a guidé dans ses premiers pas d'homme politique.

— Ils ne sont plus amants depuis longtemps, pré-cisa Alice en déplaçant les objets avec ses paumes de main pour aider Iris qui épongeait le sol, à genoux.

Alma alluma une cigarette, les regardant s'agiter sans les voir. Son premier film tourné dans les stu-dios de Cinecittà avait remporté un si vif succès que son producteur l'avait suppliée de ne pas repartir en Égypte, allant jusqu'à lui proposer un beau cachet et à lui trouver un appartement sur la via Veneto. La comédienne ne s'était pas fait prier, d'autant qu'elle venait d'avoir un coup de foudre pour Iris Langlois, rencontrée à un vernissage. Sa mince silhouette, ses cheveux roux effilés au rasoir et ses yeux verts don-naient l'allure d'un elfe à la jeune Française. Celle-ci se redressa en déclarant qu'il faudrait sans doute cirer le parquet pour éviter les auréoles.

Alma continua sur sa lancée.

— Les Italiens ne considéreront jamais les juifs comme une race à part. Le Duce a dit lui-même, lors des accords du Latran, que nous étions là depuis des millénaires et que c'était probablement des juifs qui avaient procuré des vêtements aux Sabines après leur enlèvement. Il a affirmé que nous ne serions jamais inquiétés. Comment peut-il se contredire aujourd'hui ?

Les traits tirés, elle semblait soudain terriblement fragile. Alice comprit que son amie avait été touchée en plein cœur. Il n'y a rien de pire que d'être stigma-tisé pour le hasard de votre naissance. La virulence

345

de l'attaque antisémite par voie de presse après le séjour du Führer en avait surpris plus d'un. Depuis le siècle dernier, on avait certes noté des préjugés latents dans le pays, mais aucun antisémitisme de masse. Le Duce avait d'ailleurs déclaré à un journaliste allemand quelques années auparavant que les juifs italiens s'étaient toujours comportés dignement comme citoyens et bravement battus comme soldats. Cependant, au fil des semaines et de manière inexorable, les mesures discriminatoires s'étaient précisées. Après avoir imposé un recensement, les autorités s'en étaient prises aux juifs étrangers en exigeant leur départ, avant d'interdire aux professeurs et instituteurs d'exercer leur métier.

— Je vais nous préparer des cocktails, déclara Iris. Vous permettez, Alice ? Vous avez un excellent gin et j'ai repéré des citrons et du sucre à la cuisine.

Alma la suivit du regard. Son visage s'attendrit.

— N'est-elle pas merveilleuse ? Elle déteste ses taches de rousseur, qui sont pourtant charmantes. Elle en a dans les endroits les plus inattendus, murmura-t-elle avec une lueur malicieuse.

Alma avait toujours préféré les femmes. C'était un secret de Polichinelle à Alexandrie. Même si ses parents n'en parlaient jamais et que certains de leurs amis d'enfance, les plus frileux sans doute, s'étaient détournés d'elle, la plupart restaient indifférents à sa sexualité, attentifs seulement aux qualités de ses compagnes qui se devaient d'être distrayantes. Adolescente, Alice s'était demandé pourquoi Alma ne l'avait jamais courtisée. Elle avait même pris ombrage des jolies filles que séduisait son amie. «Je suis incapable d'être fidèle et je tiens trop à toi pour te faire de la peine», avait-elle déclaré. Alice en avait retiré une certaine fierté, bien qu'elle eût regretté un temps de ne pouvoir investir toute l'existence d'Alma.

— Tu devrais la voir sculpter la pierre, *ya salam*! enchaîna Alma à voix basse. Avec son marteau et son burin, elle est capable de s'attaquer à des blocs immenses apportés des carrières. Elle ne lutte pas contre la matière, elle l'écoute et l'apprivoise, la polit et la caresse pour en tirer des visages saisissants. Ils naissent du marbre comme s'ils en étaient l'âme même. Tu as vu comme elle est frêle? Et pourtant ses œuvres sont d'une rare puissance. Quand je la regarde travailler, j'ai envie de m'agenouiller pour lui rendre grâce et quand je la tiens dans mes bras, j'ai peur de la briser.

Seigneur! pensa Alice, saisie. Elle n'avait jamais entendu pareille déclaration de la bouche d'Alma. L'avidité douloureuse sur son visage lui rappela combien la passion rendait vulnérable.

Iris apporta les cocktails sur la terrasse. Les trois femmes restèrent un moment silencieuses, perdues dans leurs pensées. Le soleil déclinait sur Rome. En cette fin septembre, une lumière mordorée baignait les dômes, les pierres ocre et blondes et le délicieux désordre des toits de tuiles. Alice observa Iris poser la main sur celle de son amante pour la réconforter, puis se pencher et lui murmurer quelque chose à l'oreille. C'était étrange de voir ce petit bout de femme apaiser la volcanique Borghi, connue pour ses emportements et ses caprices. Alice espérait toutefois qu'elle serait de bon conseil. L'amour mettait en péril les plus passionnés. Or elle pressentait qu'il lui faudrait des idées claires et un jugement sûr afin d'affronter les épreuves à venir. Les cloches des églises se mirent à sonner, appelant aux vêpres.

— Et qu'en pense-t-il, le pape, de voir ces relents nauséabonds venus d'Allemagne nous contaminer ? lança la comédienne d'un ton amer. Il a bien refusé de recevoir Hitler au mois de mai. Les juifs d'Italie n'ont-ils pas participé au Risorgimento, n'ont-ils pas été émancipés et n'ont-ils pas quitté le ghetto pour vivre pleinement dans la société ? Ils ont donné leur sang pendant la Grande Guerre. Et maintenant on interdit à leurs enfants d'aller à l'école…

Elle leva les yeux au ciel, ne trouvant plus les mots pour exprimer son indignation.

— Hélas, les catholiques les détesteront toujours parce qu'ils ont crucifié le Christ, affirma Iris Langlois. Il ne faut rien espérer de ces gens-là. Dans ma famille, j'ai entendu suffisamment de remarques acides sur la cupidité des juifs et leur goût pour les conspirations et la révolution.

Alice attendit que les tintements des derniers carillons s'évanouissent pour intervenir.

— C'est aussi la conquête de l'Éthiopie qui a incité le régime à affirmer son racisme. La consigne est claire depuis deux ans : la « race italienne » doit être protégée. En Afrique, des barrières existent entre les autochtones et les Blancs. Les mariages mixtes sont interdits, les indigènes sont dénigrés. Or à force de parler de «défense de la race» et d'«hygiène de la race», on crée un terreau favorable à l'antisémitisme.

— Disons que Mussolini cherche surtout à plaire à Herr Hitler! s'emporta Alma.

Alice secoua la tête.

— Je ne crois pas que les Allemands aient formulé de souhait précis à ce sujet.

— C'est inutile! Le Duce se pavane devant eux et cela ne lui fera ni chaud ni froid de nous sacrifier sur l'autel de son alliance avec le diable.

La propagande nazie ne faisait pas mystère de sa haine raciale et la brutalité des actes antisémites en Allemagne ne se déroulait pas en secret. Alors que d'odieuses images s'imposaient aux trois jeunes femmes, la sérénité paisible de Rome ne suffit plus à chasser leur malaise. Depuis l'été, une fébrilité latente rendait l'air électrique et les rires grinçants. Alice le signalait dans ses écrits avec l'impression détestable de prêcher dans le désert. Lorsqu'elle câblait ou téléphonait ses articles, il lui semblait devoir franchir un océan de plus en plus vaste. Les Américains ne percevaient pas l'imminence du danger. Ils ne se sentaient guère concernés, affichant même une certaine suffisance. Ils n'étaient pas les seuls à fermer les yeux. Son amie Martha Gellhorn lui avait écrit une lettre d'Angleterre, où elle était en reportage pour sonder l'état d'esprit de la population, lui faisant part de l'apathie et de l'indifférence britanniques. Elle en avait été profondément choquée. Selon elle, l'ouvrier anglais se désintéressait du drame qui frappait ses semblables en Espagne ou en Tchécoslovaquie. «Ils sont sur une île et le monde est ailleurs, avait-elle écrit. C'est l'Angleterre, et demain se joue sûrement un match de cricket.» De son côté, Alice avait dénoncé une Europe devenue un continent à la dérive. En Espagne, les forces républicaines se réduisaient comme peau de chagrin tandis qu'Adolf Hitler avançait ses pions à l'Est. Soucieuse des nouvelles qui lui parvenaient de Tchécoslovaquie, où les Allemands de la région des Sudètes continuaient à vociférer en réclamant leur rattachement au Troisième Reich, elle s'était rendue à Prague pour observer de ses propres yeux ce qui se passait. Elle avait constaté avec effroi que l'armée allemande s'apprêtait à envahir le pays. Voilà des semaines que les diplomates se débattaient pour trouver une solution acceptable pour les deux pays. Mais les derniers discours du Führer parlaient avec résolution de la guerre. Il avait posé un ultimatum au 1er octobre en exigeant la cession des territoires. À Prague, on mobilisait. Chacun savait que si Hitler posait un pied sur cette terre d'Europe centrale, alliée de la France et du Royaume-Uni, son appétit ne connaîtrait plus de limites.

— Peut-être devrais-tu tout de même partir pour Alexandrie? se hasarda Iris. Tu y serais en sécurité.

— Jamais de la vie! Je ne veux pas qu'on dise qu'Alma Borghi a fui devant de petits minables. Le film sort sur les écrans en novembre. Mon public l'attend. Que veux-tu qu'il m'arrive? Si un seul de ces *imbecille* s'avise de s'en prendre à moi, il y aura des émeutes dans la rue!

La jeune Française sembla impressionnée, mais Alice connaissait trop bien Alma pour ne pas deviner que la comédienne fanfaronnait. Alma n'était sûre de rien. L'accélération des événements vous coupait le souffle. Un sentiment d'impuissance agitait les chancelleries, tourmentait les journalistes et empêchait les parents dont les fils étaient en âge de combattre de dormir la nuit.

On sonna à la porte. Alice reposa son verre. La pensée lui traversa l'esprit que cela pouvait être Karlheinz Winther. C'était ridicule puisqu'il avait quitté Rome sans qu'elle l'ait revu après la visite de la villa Borghese. Elle avait suivi les délégations officielles en train jusqu'à Florence, remarquant que le moindre cabanon sur le trajet avait été repeint à neuf pour impressionner le chancelier, puis elle avait assisté au départ du Führer et aux effusions entre les deux dictateurs. Hitler semblait avoir la larme à l'œil à l'idée de retrouver ses terres germaniques. Il était odieux de penser que cet homme-là puisse éprouver la moindre émotion. Les photos et les films de propagande qui le montraient jouant avec ses chiens ou les enfants aux cheveux blonds de ses acolytes lui avaient toujours paru incarner le comble du cynisme.

— Umberto ? Je ne t'attendais pas ce soir.

— Je sais. J'avais besoin de te voir.

— Je ne suis pas seule.

Il fit une moue.

— Quelqu'un d'important ?

— À mes yeux, oui. Au regard des secrets d'État qui te tarabustent, sans doute pas.

Elle avait été sèche mais trouvait cavalière sa façon de débarquer sans s'annoncer. Ce n'était pas la première fois. Un brin agacé, Umberto s'adossa au mur du palier et ferma les yeux. Il voulait la voir seule. Dieu, qu'il avait envie d'elle ! Toute la journée, il avait été taraudé par le désir de lui faire l'amour. Ces derniers temps, il ne voulait plus discuter ni chercher des explications à ce qui se passait dans le pays, ni même parler de la pluie et du beau temps. Son cerveau ressemblait à une caisse de résonance où une cacophonie de sons l'empêchait de réfléchir. Seul lui importait le corps d'Alice.

— J'ai besoin de toi.

Elle sortit sur le palier, tira la porte derrière elle.

— Qu'est-ce qui ne va pas ? Alma est là avec l'une de ses amies. Tu peux te joindre à nous, si tu veux.

Umberto pinça l'arête de son nez entre deux doigts sans répondre. L'exubérance de la comédienne l'amusait et l'irritait à la fois. Depuis son arrivée à Rome, l'Italienne d'Alexandrie paradait dans les réceptions les plus courues de la ville. Avec son buste généreux, la courbe parfaite de ses hanches et ses longues jambes, la Borghi ravissait les cinéphiles. Il n'avait pas l'énergie de la voir. Pas ce soir. Il se sentit soudain pitoyable sur ce modeste palier où s'écaillait la peinture. Une voix joyeuse d'enfant résonna dans la cage d'escalier, une porte d'appartement claqua. Les gens rentraient chez eux pour s'attabler et évoquer en famille les événements de leur journée. Il y aurait des taloches distribuées aux garçons turbulents, des bénédicités marmonnés avant que soit servie la *pasta*. Il songea furtivement qu'il aurait aimé être un père de famille anonyme, artisan, instituteur ou paysan. Il attira Alice à lui, enfouit son visage dans ses cheveux.

— Tu me manques.

Elle lui caressa la tête, puis effleura ses joues, les cernes sous ses yeux. Quelque chose n'allait pas. Depuis la visite d'Hitler, Umberto était devenu plus taciturne. De temps à autre, son haleine sentait le tabac, parfois l'alcool. Il faisait l'amour avec un élan qui n'était pas exempt de désespoir, s'emportait pour un rien. Ils se fâchaient avant qu'elle ne lui pardonne. Lorsqu'elle lui reprochait ces sautes d'humeur, il riait en disant que son mauvais caractère déteignait sur lui. Elle ignorait si un incident dans sa vie personnelle l'avait troublé ou s'il subissait tout simplement la tension du contexte politique auquel ils étaient tous confrontés, lui au premier chef aux côtés de Galeazzo Ciano.

— Et demain, tu seras là ? Ensuite je ne pourrai pas te voir pendant quelque temps. Je ne veux pas attirer l'attention.

Elle s'étonna. Les services secrets étaient déjà au courant de leur liaison. Les yeux et les oreilles de l'OVRA étaient partout. Les agents interceptaient les courriers, écoutaient les coups de fil, les commentaires des gardiens d'immeubles ou encore les commérages de salon. La vie privée des uns et des autres intéressait au plus haut point les autorités. Chacun s'adaptait avec des subterfuges plus ou moins aboutis. Cependant, elle ne voyait pas en quoi la fréquentation d'une Américaine pourrait causer des ennuis à Umberto. C'était plutôt elle qui devait se méfier, en particulier de ses confrères.

Il la dévorait des yeux. Il effleura ses lèvres avec

son pouce. Elle savait que faire l'amour était la seule chose qui parvenait à apaiser son angoisse. Elle se blottit contre lui.

— Alma est très inquiète, tu sais. Ces mesures antisémites qui tombent les unes après les autres… C'est écœurant, Umberto.

Il fronça les sourcils.

— Je n'y suis pour rien.

— Bien sûr, mais Ciano a adhéré au manifeste qui a été publié en juillet et la situation n'a fait qu'empirer depuis. Tu travailles à ses côtés. C'est une façon de cautionner ces pratiques.

Elle avait parlé d'une voix douce, essayant de ne pas blesser son amour-propre, l'une des faiblesses d'Umberto.

— Je t'en prie, ce n'est pas le moment. J'ai d'autres soucis que de m'occuper des juifs. Il ne leur arrivera rien. C'est une posture.

— Comment peux-tu dire une chose pareille avec ce qui se passe en Allemagne ?

— Les Italiens n'obéiront jamais à ces lois. On va s'agiter un temps, puis l'affaire se tassera, tu verras.

La jeune femme fut partagée entre le souci que lui inspirait le trouble d'Umberto et une saine indignation. Comme souvent, il se retranchait derrière des généralités pour nier la réalité. Ces décrets ne touchaient-ils pas des êtres dans leur quotidien ? La préoccupation première d'Alice avait toujours été de donner des visages et des noms aux personnes concernées par des injustices. Elle avait interviewé un couple de juifs autrichiens qui lui avaient montré leurs papiers d'expulsion, anxieux de savoir comment ils allaient pouvoir s'établir dans un autre pays. Il leur fallait des visas, de l'argent, un point de chute. Or tout le monde ne disposait pas d'un réseau amical ou familial au-delà des frontières. Les privilèges d'Umberto l'aveuglaient.

— Italo Balbo a raison de dire qu'en Italie on a perdu le goût de la sincérité. Tu te dois d'être sincère, Umberto. Regarde-toi dans le miroir et pose-toi les vraies questions.

Il la repoussa, contrarié.

— Épargne-moi tes leçons de morale.

— Tu ne trouves pas étrange qu'on soit coincés sur ce palier à chuchoter comme des conspirateurs ? As-tu peur d'entrer chez moi et de tenir ces mêmes propos devant Alma ? Ses cousins en Allemagne sont persécutés depuis des années et voilà que son metteur en scène lui demande si elle restera ici pour terminer son film. N'a-t-elle pas des raisons de s'inquiéter ? Même si tu ne l'apprécies pas, tu sais combien elle compte pour moi. Cette législation discriminatoire touche des êtres humains, Umberto, des personnes de chair et de sang !

Il esquissa un mouvement d'impatience. Le prenait-elle pour un imbécile ? Il n'était pas fier de ces mesures, qu'il réprouvait. Il avait été particulièrement choqué que l'on révoque les naturalisations accordées aux juifs depuis 1919. Par ailleurs, toutes ces brimades étaient contre-productives puisqu'elles concernaient trop de personnes pour ne pas être mal vues. Un vent de mécontentement s'était levé dans le pays. Il s'en était ouvert à Ciano qui l'avait rabroué en affirmant que le Duce ne craignait pas l'impopularité et qu'il finissait toujours par avoir raison. Dans son for intérieur, Umberto commençait néanmoins à douter. Or le doute n'est jamais admis au sommet du pouvoir. L'incertitude et l'appréhension dégagent une odeur nauséabonde que flairent les serviteurs les plus zélés. Le credo des fascistes appelait à «croire, obéir, combattre». Désormais, Umberto croyait moins à la route tracée par Benito Mussolini; il n'avait jamais aimé obéir et les combats à venir lui paraissaient tristement redoutables. Ses épaules s'affaissèrent.

— Londres a demandé au Duce une intervention amicale auprès du Führer pour sauver la paix. C'est la tentative de la dernière chance. Ciano va l'accompagner à Munich.

Alice fit une grimace dubitative.

— Beaucoup y verront certainement un espoir. S'ils parviennent à un accord, ils seront acclamés par les foules comme les sauveurs du monde. Mais moi, je n'y crois guère.

— Tu es toujours tellement pessimiste.

— Réaliste, plutôt. Les intentions pacifiques d'Adolf Hitler sont de la poudre aux yeux. J'ai vu ce qui se passait en Espagne. J'étais à Prague il y a peu. Il faut être le singe qui se voile les yeux et se bouche les oreilles pour penser une seule seconde que les nazis désirent la paix. Ils attendent simplement le moment opportun pour frapper. Quant à nous, nous avons laissé filer toutes les occasions d'empêcher le pire.

Umberto fut décontenancé par ses affirmations, mais Alice savait de quoi elle parlait. La carte de presse donnait accès aux élites des différents pays tout autant qu'un statut de diplomate parce que les gouvernants avaient besoin de journalistes renommés pour faire entendre leur voix. Depuis quelques mois, Alice ne cessait de voyager. Comme ses confrères, elle était amenée à se déplacer parce que la tension en Europe centrale était extrême et que son journal exigeait des articles écrits sur le vif. Umberto ne pouvait s'empêcher d'en éprouver une pointe de jalousie. Lors du séjour de Howard Carter au printemps, il avait mesuré combien l'amitié entre les correspondants était riche de complicités dont il serait toujours exclu. Lui voulait pourtant encore y croire, aux promesses, à la paix. À ce pacifisme viscéral, ce penchant pour l'apaisement, ce goût du plaisir, si chers à ces démocraties dont se moquaient les hiérarques fascistes. La paix valait des sacrifices.

Dans le clair-obscur du palier, la lumière soulignait la peau pâle et les cheveux blonds d'Alice. Les traits de son visage s'étaient toutefois durcis. Umberto perçut à nouveau chez elle ce singulier détachement qui l'avait tant heurté lorsqu'elle lui avait annoncé qu'elle partait pour Madrid. La guerre lui était si familière qu'elle ne la redoutait pas, sans doute l'accueillait-elle pour y brûler ses impatiences.

— L'Italie doit à tout prix tirer son épingle du jeu, insista-t-il. Nous devons rester en dehors d'un conflit. Non seulement notre armée n'est pas prête, mais nous n'avons rien à gagner à nous acoquiner avec les Allemands. Ce serait un désastre, tu entends ?

— Et crois-tu que ton cher ministre pense comme toi ?

— On ne peut jamais savoir avec lui. Ses pensées les plus secrètes, il les réserve à son journal intime.

Alice hocha la tête. Ciano aimait entretenir de bonnes relations avec les correspondants américains. Plusieurs d'entre eux étaient au courant pour ces carnets rouges ou verts. Elle aurait donné cher pour les feuilleter. Une voix retentit de l'intérieur de l'appartement ; Alma s'inquiétait de savoir si tout allait bien. Umberto tressaillit, prêt à fuir. Alice lui agrippa le bras.

— Je serai là demain. Je t'attendrai.

— J'essaierai de venir mais je ne peux rien garantir. Tout dépendra de ce qui se passe à Munich.

Il l'embrassa. Ses lèvres ardentes, exigeantes. Puis il s'élança dans l'escalier. La frimousse d'Iris Langlois apparut dans l'entrebâillement de la porte. Y avait-il un problème ? Alice la rassura.

— C'était ton amant ? s'enquit Alma sur un ton cassant. Il devrait avoir honte. Je parie qu'il est parti la queue entre les jambes parce qu'il n'ose pas me regarder en face !

Alice aurait aimé la détromper, mais elle ne savait pas au juste ce que ressentait Umberto. Il ne lui confiait plus rien depuis des semaines. La seule chose dont elle était certaine, c'était qu'il traversait des orages. Elle ignorait toutefois s'ils en sortiraient indemnes tous les deux.

Berlin, novembre 1938

Alice descendait l'avenue du Kurfürstendamm. De temps à autre, elle s'arrêtait devant un magasin et tâchait de voir dans le reflet des vitrines si elle était suivie. Il lui semblait qu'il n'en était rien, mais elle n'avait jamais été douée pour déceler les filatures. Elle patienta à un croisement pour laisser passer un convoi de camions militaires, puis s'engagea dans l'une des rues qui menaient à la Savignyplatz. Le froid humide lui glaçait l'échine. Elle avait pourtant revêtu son manteau d'hiver, enfoncé un bonnet sur ses oreilles et enfilé des gants fourrés. La pluie mêlée de neige fondue ajoutait à son inconfort. Je ne suis pas faite pour les villes du Nord, songea-t-elle. Elle aimait pourtant Berlin où elle avait fait ses premières armes de correspondante. Elle y comptait encore des amis, des indicateurs aussi. Ces hommes et femmes courageux dont aucun journaliste ne pouvait se passer, surtout sous une dictature.

Elle dépassa une pâtisserie avant de pivoter sur ses

talons et de revenir sur ses pas, feignant d'être saisie par une subite gourmandise. Elle ne décela aucun mouvement brusque chez les passants qui continuaient à avancer, perdus dans leurs pensées. L'une des choses qui l'avaient frappée depuis son arrivée était le mutisme. Dans le métro ou les cafés, on ne s'adressait plus la parole spontanément. C'était à peine si l'on se saluait dans les magasins. La familiarité bienveillante des Berlinois avait cédé la place à une suspicion généralisée qui entretenait un malaise. Cette aphasie collective ne l'avait pas impressionnée à ce point lors de son dernier séjour deux ans auparavant. Sans doute le soleil estival et l'effervescence suscitée par les Jeux olympiques y avaient-ils été pour quelque chose.

La pimpante boutique était décorée d'affichettes qui prouvaient que ses propriétaires contribuaient aux efforts d'entraide nationale. Elle acheta des petits pains encore chauds. Sur le trottoir, un garçon en uniforme des Hitlerjugend, ses culottes courtes dévoilant des genoux gercés par le froid, agita une sébile en exigeant une obole pour le Secours d'hiver. Elle s'exécuta sans hésitation. Il ne faisait pas bon refuser aux nazis ce qu'ils réclamaient. Lorsqu'elle sonna à une porte cochère, une fenêtre s'entrouvrit pour dévoiler le visage méfiant du concierge.

— Herr Grüner, *bitte sehr*.

Le temps qu'il la scrute de la tête aux pieds, elle ressentit un picotement dans la nuque, une désagréable sensation de vulnérabilité d'être exposée en pleine rue. Les concierges étaient souvent en cheville avec la Gestapo. Son seul espoir était de passer pour une Allemande anodine. Elle lui sourit d'un air innocent. Il hocha enfin la tête et la laissa pénétrer dans l'immeuble. Elle traversa la cour intérieure, gravit l'escalier jusqu'au quatrième étage. La porte de l'appartement s'ouvrit sans qu'elle eût besoin de frapper. Otto Grüner l'embrassa sur la joue avant de la débarrasser de son manteau. Elle frissonna en pénétrant dans le salon où il ne faisait guère plus chaud qu'à l'extérieur. Elle remarqua des auréoles d'humidité sur le papier peint et les appuie-tête en dentelle jaunie posés sur les fauteuils, l'argent terni des cadres de photos où on le voyait en compagnie de sa défunte épouse. La solitude se mesure aussi à l'insignifiant. Il s'empressa de mettre de l'eau à chauffer et d'allumer la radio.

— Désolé pour le bruit de fond. Vous savez bien que les murs ont des oreilles. Nous avions choisi de nous promener au Tiergarten la dernière fois, mais mes vieux os ne me permettent plus de m'attarder dehors par ce mauvais temps.

— Comment allez-vous, Otto ?

Le vieil homme flottait dans un cardigan rapiécé aux coudes et portait une écharpe autour du cou.

— Je remercie le ciel d'être moribond, de ne pas avoir de fils pour aller bientôt se faire trouer la peau, et de ne pas être juif.

Il lui servit un thé et disposa les petits pains sur une assiette, puis il rapprocha sa chaise de la sienne pour converser à voix basse. Il s'excusa de ne pas la recevoir plus dignement, mais certains produits étaient déjà rationnés.

— Un vieillard inutile aux ambitions du Grand Reich n'a pas droit à grand-chose, précisa-t-il d'un ton amer.

Alice se rappela le professeur cinq ans auparavant, vaillant dans son élégant costume trois pièces, indigné par l'arrivée d'Hitler à la Chancellerie : « Vous appelez ça des élections légitimes, vous ? Ils se sont emparés du pouvoir par la fraude, l'imposture et le chantage. » Une verve qui avait disparu depuis son éviction de l'université. Il émanait de lui une légère odeur de vieillesse rance. Elle se demanda ce que pouvait espérer un peuple qui ne respectait pas ses anciens.

— Vous participez toujours à votre cercle d'amateurs de poésie ?

Sa question était une façon détournée d'évoquer le cercle d'opposants qu'il avait animé dès les premiers jours de 1933. Il n'avait pas été le seul. Berlin était resté longtemps réfractaire aux nazis qui y comptaient peu de partisans. Dans la « capitale rouge » de la république de Weimar, les ouvriers étaient d'obédience communiste ou sociale-démocrate et l'élite intellectuelle, écrivains, journalistes, juristes, artistes ou hommes politiques, n'avait pas fait mystère de sa répugnance à voir Hitler s'emparer des ministères de la Wilhelmstrasse.

— Les poètes se meurent et la poésie n'enchante plus guère nos contemporains.

Deux de ses camarades avaient été dénoncés, puis enfermés dans des camps de concentration. D'autres, trop effrayés, s'étaient réfugiés dans la passivité. La délation et les scrupuleuses enquêtes de la Gestapo avaient décimé leurs rangs. Les opposants étaient considérés comme des criminels et le seraient comme des traîtres dès la déclaration de guerre.

– Moi qui ai été un pacifiste toute ma vie, je finis par la souhaiter, cette maudite guerre ! Ce sera la seule manière de nous débarrasser de cette vermine.

C'était Otto Grüner qui avait parlé à Alice des grèves illégales, des ouvriers qui refusaient de porter l'insigne nazi sur leur bleu de travail, des catholiques qui distribuaient des tracts pour rappeler qu'il n'y avait qu'un seul véritable maître et qu'Il était né deux mille ans auparavant. À l'époque, la série d'articles qu'elle en avait tirée avait satisfait son rédacteur en chef et contribué à la faire connaître.

La jeune femme lui décrivit sa rencontre avec Victor Weissmann. Il soupira, affligé. Ces cas de figure étaient innombrables. Il lui fournit d'autres noms de victimes, évoqua des camps de concentration moins connus que Dachau ou Sachsenhausen, près de Berlin. Alice regretta de ne pas pouvoir prendre de notes. Elle avait développé un procédé mnémotechnique pour ne pas oublier les éléments les plus importants qu'elle reportait ensuite de manière codifiée dans un carnet, le temps de repasser la frontière. Alors qu'elle le pressait de questions, Otto finit par ouvrir les mains en un geste d'impuissance. Il était vieux et malade, sortait de moins en moins de chez lui. Il doutait même de survivre au prochain hiver. Alice scruta son visage. Elle décelait chez lui une résignation nouvelle, irrévocable. Elle comprit qu'il se supprimerait si la situation devenait intenable. Un pharmacien lui avait fourni un mélange de curarine et de cyanure de potassium.

— Ne me regardez pas ainsi, Alice, et ne me faites pas l'injure de me culpabiliser. Le choix de la mort est la seule liberté qu'il nous reste.

Contrairement à ce qu'il croyait, l'évocation du suicide provoquait chez elle un certain détachement, mais jamais de pitié ni de commisération, alors que pour beaucoup cette seule idée induisait un mouvement de recul ou de révolte qui naissait tout simplement de leur propre peur de la mort. Aux yeux d'Alice, ce geste n'était entaché ni de lâcheté ni d'un quelconque péché envers un Dieu omniscient. La vie n'était pas nécessairement une chose admirable. Dans certains cas, il y avait même une certaine grandeur à y renoncer.

— Connaissez-vous quelqu'un qui puisse continuer à me parler, Otto ? J'ai besoin d'un nouveau contact.

Elle se savait sévère. En acceptant son renoncement sans chercher à l'en dissuader, elle lui signifiait que son temps était en effet compté. Que resterait-il à Otto Grüner ? Sans doute à mourir seul dans cette pièce humide, parmi ses regrets et ses souvenirs éventés. Elle aurait aimé se montrer charitable et ne pas ressentir cette subite impassibilité envers ce vieil homme pour qui elle éprouvait de l'amitié. Cependant, elle devait se garder de sombrer dans un sentimentalisme qui l'aurait empêchée de conserver les idées claires. Cette dureté correspondait aussi à une facette de son caractère qui n'était certes pas exemplaire mais lui permettait d'être encore de ce monde. Ce qu'elle savait de Berlin, de la mainmise des nazis sur le pays et de leurs projets d'avenir l'obligeait à s'endurcir. Le peuple allemand, soûlé d'orgueil, enivré par les victoires et l'exaltation de son Führer, se rêvait conquérant. La souffrance des êtres abandonnés en chemin, Alice ne pouvait que la convertir en mots. Otto Grüner hésita, puis lui fit mémoriser un nom et une adresse. L'un de ses anciens étudiants en droit, proche de l'évêque catholique de Berlin dont les sermons et les lettres pastorales dénonçaient courageusement les exactions du régime.

— Il ne faut rien noter. Vous devez tout garder dans votre tête. Je ne voudrais pas qu'il lui arrive quelque chose.

Elle le rassura aussitôt. Préserver ses sources était primordial et exigeait une grande prudence, une responsabilité que ses confrères et elle n'endossaient pas à la légère.

— Ce jeune homme a participé à un rassemblement de deux cents personnes devant la Chancellerie avant la conférence de Munich. Il m'a raconté que lorsque le Führer est sorti sur le balcon, pas un bras ne s'est levé pour le saluer. Courageux, n'est-ce pas ? La population ici ne manifeste aucun enthousiasme à l'idée de la guerre, mais plus le Führer obtient ce qu'il veut sur le tapis vert, plus il se pare des vertus d'un Messie surnaturel. Cet homme ne sera jamais rassasié. Le compromis de Munich lui a laissé un goût amer. Il considère que les Britanniques l'ont berné. Il veut Prague et le corridor de Dantzig. C'est la diagonale du fou, conclut-il.

Alice frémit aussi bien de froid que d'irritation. Comment les hommes politiques, les diplomates, les journalistes et les citoyens les plus avisés pouvaient-ils prédire l'avenir sans que personne trouve un moyen d'empêcher l'inéluctable ? Elle resta encore une heure avec Otto pour lui tenir compagnie. Elle sentait combien la peur, la fatigue et l'isolement avaient meurtri le vieil homme.

— Si je suis absent la prochaine fois que vous viendrez, adressez-vous à Emma et Franz Gumz. Ils sont propriétaires de la blanchisserie, plus haut dans la rue. Vous pouvez avoir confiance en eux.

Le mot « confiance » était devenu crucial sous le Troisième Reich. L'une des armes de prédilection de tout pouvoir totalitaire était d'instaurer le doute, de déstabiliser l'armature même des familles et des proches. Et pour ce faire, il lavait les cerveaux dès le plus jeune âge et conditionnait la population par une propagande habile et permanente. Dans un tel contexte, l'amitié n'en devenait que plus précieuse.

À l'approche du déjeuner, le bar du grill de l'hôtel Adlon, surnommé « le Club » par les habitués, était bondé. Les journalistes étrangers y côtoyaient diplomates, attachés militaires et hommes d'affaires. Alice prit un instant pour apprécier la chaleur bienfaisante et le son familier du cliquetis des verres et des conversations feutrées. Autour d'elle, on ne parlait que de l'attentat contre Ernst vom Rath, un conseiller de l'ambassade allemande à Paris, qui avait été grièvement blessé par balles à son bureau. Le geste désespéré d'un jeune juif polonais dont elle essaya en vain de saisir le nom. Une délicieuse sensation d'apaisement l'envahit à la vue des bouquets de fleurs disposés sur les guéridons et des fauteuils tapissés de cuir ou de velours. Un peu gênée de se laisser corrompre par ce confort luxueux, elle commanda un Old Fashioned. Il lui fallait un remontant digne de ce nom – bourbon et deux traits d'angustura – pour chasser l'amertume que lui avait laissée son entrevue avec Otto.

— Lors de mes débuts dans cet auguste lieu, j'avais passé un pacte avec le barman pour qu'il me serve des cocktails sans spiritueux qui ressemblent néanmoins à des vrais. C'est fou ce qu'on a admiré ma capacité à tenir l'alcool !

Les yeux bleus de Sigrid Schultz pétillaient. Alice éclata de rire. La correspondante en chef du *Chicago Tribune* pour l'Allemagne et toute l'Europe centrale lui indiqua la table qui lui était toujours réservée. Du haut de son mètre soixante, avec ses cheveux argentés impeccablement coiffés et son teint de porcelaine, elle avait été surnommée «la dame dragon de Chicago» par Hermann Göring. Personne n'était mieux renseigné qu'elle sur les secrets du régime.

— Je suis heureuse de vous revoir, Alice. Cela faisait trop longtemps. J'ai apprécié votre travail en Espagne. On m'a dit que vous y aviez été blessée. Rien de grave, j'espère ? Comme d'habitude, je vous prie, ajouta-t-elle à l'intention du maître d'hôtel.

Alice observa une nouvelle fois la grâce et l'élégance de celle qu'elle avait toujours admirée. Sigrid Schultz avait été la première femme à obtenir un poste aussi prestigieux et vivait à Berlin depuis plus de vingt ans. Elle avait assisté à l'inexorable prise de pouvoir des nazis, décrypté leurs combines sans jamais se laisser intimider. Les cadors du régime savaient qu'elle les méprisait, mais toutes leurs manigances pour l'expulser du pays avaient échoué. Ils avaient notamment tenté de la faire passer pour une espionne en lui faisant parvenir un courrier compromettant, mais elle avait brûlé l'enveloppe sans même l'ouvrir, évitant ainsi une arrestation et un procès retentissant.

— Je suis allée rendre visite à notre ami poète ce matin. Il est très pessimiste. J'ai peur qu'il ne passe pas l'hiver.

Le regard qu'échangèrent les deux femmes en disait long. Sigrid avait d'emblée compris le sous-entendu. Elle ne cacha pas qu'elle était désolée. Otto Grüner avait été son professeur de droit international à l'université de Berlin pendant la Grande Guerre. Elle se le rappelait encore déclarant à ses étudiants que l'Allemagne se repentirait d'avoir violé la neutralité de la Belgique. C'était elle qui l'avait présenté à Alice lors du premier séjour de la jeune reporter – un coup de pouce appréciable.

— J'aurais aimé aller le voir, mais je crains que cela ne lui attire des ennuis.

— Il m'a parlé d'un jeune poète prometteur.

— Soyez prudente, Alice. Nous ne sommes pas à Rome.

Le maître d'hôtel déposa les verres devant elles. Sigrid leva le sien pour saluer sa compatriote.

— *Welcome to Berlin !* J'ai renvoyé ma mère et mon

chien en Amérique. Je préfère les savoir en sécurité. Pendant la conférence de Munich, certains journalistes britanniques ont fait rapatrier leurs familles. Bientôt ne resteront que les durs à cuire.

Elle faisait allusion à ceux qui demeureraient aux premières loges jusqu'à la dernière extrémité, ainsi qu'au... respondants de guerre qui ne manqueraient pas d'affluer au son des canons. Alice trinqua. Elle se sentait apaisée dans l'antre des fauves. Les bombes ne tombaient pas comme à Madrid mais le danger était bien réel. On le reconnaissait au pas pressé des citadins et à leurs regards baissés, au nombre d'uniformes qui arpentaient les rues. L'air de Berlin avait un goût singulier, celui de l'expectative et de l'appréhension. Elle ferma les yeux en savourant sa première gorgée. L'alcool se répandit dans ses veines, lui insufflant une illusion de toute-puissance et l'envie d'être téméraire.

— J'ai écouté vos interventions à la radio depuis Munich, Sigrid. La manière dont vous avez décrit l'arrogance de ces hommes d'État m'a fait sourire.

La correspondante eut un petit rire complice.

– Voilà près de vingt ans que je traque l'information et je demeure toujours aussi sceptique quand des dirigeants se mettent à évoquer la nécessité de conversations « d'homme à homme ». C'est toujours un signe que les diplomates ont perdu la main. J'ai hélas constaté la lassitude des Britanniques et des Français. En revanche, vos fascistes italiens étaient pleins de vivacité.

Alice pensa à Umberto qui avait reçu l'ordre de rejoindre Galeazzo Ciano à la dernière seconde.

Depuis lors, ils ne s'étaient pas revus. Cela faisait plus d'un mois. Elle se demanda si Sigrid avait connu une vie sentimentale aussi chaotique. Elle ne s'était pas mariée. Certaines rumeurs prétendaient qu'elle préférait les femmes. Alma aurait certainement été attirée par sa personnalité enjouée, la vivacité de son esprit, sa détermination.

— Les diplomates et les militaires américains ont une grande part de responsabilité dans toute cette affaire, s'agaça Sigrid. Ils n'ont pas saisi la nature diabolique de ce régime. Des femmes comme vous et moi avons pourtant tout fait pour leur décrire la situation noir sur blanc, n'est-ce pas ?

Alice songea aux efforts de ses amies Martha Gellhorn et Virginia Cowles, à Sonia Tomara qui avait été correspondante à Rome avant elle, à l'impétueuse Dorothy Thompson, que les nazis avaient expulsée de ce même Adlon, à Bella Fromm aussi, cette talentueuse journaliste allemande qui venait de quitter Berlin pour New York car la situation était devenue intenable pour une juive. Si leurs confrères, tel Howard Carter, effectuaient le travail avec la même rigueur, il lui semblait toutefois que la perspicacité de ces femmes apportait toujours une résonance particulière. Alice était fière d'être considérée comme l'une des leurs.

À observer les deux femmes converser à voix basse dans leurs fauteuils capitonnés, on ne pouvait que constater leur complicité. À quarante-cinq ans, Sigrid était désormais l'une des doyennes de la profession. Elle n'avait jamais hésité à prendre des risques pour obtenir des informations, jusqu'à se faire passer pour une fausse patiente dans un hôpital et s'imposer à des conférences réservées aux hommes. Elle avait même découvert les entrées secrètes de l'Adlon qui lui avaient permis de vérifier la présence de clients très discrets. Elle possédait la maturité et l'expérience, et surtout les contacts nécessaires. En lisant le *Chicago Tribune* ces derniers mois, Alice avait remarqué le nom d'un certain John Dickson qui osait dénoncer les camps de concentration et la persécution des juifs, le ressentiment des paysans à qui il manquait de la main-d'œuvre, l'irritation que suscitait parmi la population l'enrichissement visible des dirigeants nazis. Il avait semblé à Alice reconnaître le style caractéristique de sa consœur dans ces articles. Si les lecteurs n'y voyaient que du feu, elle-même était persuadée que John Dickson et Sigrid Schultz ne faisaient qu'un. Sans doute Sigrid câblait-elle ces reportages sulfureux d'Oslo ou de Copenhague. Elle mesura combien la journaliste devait redouter d'être percée à jour par les autorités nazies.

— Avez-vous été chercher vos papiers officiels au ministère de la Propagande ?

— Pas encore, répondit Alice. Je ne tiens pas à dévoiler les sujets de mes reportages ni à être escortée par des fonctionnaires zélés qui se montreront aimables, efficaces et convaincus par les bienfaits du régime.

— Je comprends votre réticence, mais ne tardez pas. Votre passeport américain est une protection, pas un blanc-seing. Vos documents doivent être en règle. Les autorités sont très pointilleuses là-dessus et elles se feront un malin plaisir de vous créer les pires ennuis. On ne joue pas à la *commedia dell'arte* sous le régime de ce cher docteur Goebbels.

Alice s'empressa d'affirmer que les hommes de l'OVRA de Mussolini n'étaient pas non plus des plaisantins, mais Sigrid sembla dubitative.

— La Gestapo, c'est une autre histoire. Les Italiens le savent, d'ailleurs. Et eux aussi la redoutent.

Un homme à la mine glabre et aux cheveux noirs passa près de leur table et s'inclina pour saluer Sigrid. Aussitôt, une expression de déplaisir se peignit sur le visage de la correspondante. Elle le fusilla du regard.

— Mon Dieu, murmura Alice. En voilà un qui ne compte pas parmi vos amis.

— Un imbécile. Dieu sait de quel pays d'Europe centrale il est originaire avec cet accent indéfinissable. Il m'a récemment fait d'étranges remarques en utilisant comme prétexte l'attentat de ce diplomate à Paris. Me prend-il pour une débutante ? Comme si j'étais assez stupide pour acheter ou transmettre des informations destinées à des espions.

C'était l'un des à-côtés de leur métier. Un jour ou l'autre, les correspondants étaient tous approchés par les services secrets de leur propre pays ou des gouvernements étrangers qu'ils tentaient de décrypter. Alice en avait fait l'expérience lors de son dernier séjour à New York. Deux hommes en complet gris l'avaient invitée à déjeuner dans un restaurant de Manhattan. D'elle, de sa famille, de son départ encore enfant de Philadelphie et de sa vie à Alexandrie, ils savaient tout. Visiblement, une enquête approfondie avait été menée. Ils avaient laissé entendre que les États-Unis lui seraient reconnaissants pour tout renseignement qui pourrait servir les intérêts de la nation. Elle s'était montrée prudente dans ses réponses, polie mais distante. Elle les avait assurés de son sincère attachement à une Amérique souveraine, à l'intégrité de son territoire et à liberté de ses citoyens. Sa fidélité se devait toutefois en premier lieu à son journal. Peut-être aimeraient-ils en référer à ses supérieurs hiérarchiques avant qu'elle ne prenne une décision ? Les agents avaient compris qu'ils n'en tireraient pas davantage. L'indépendance de la presse étant sacro-sainte aux États-Unis, ils en étaient restés là.

— Il faut néanmoins prendre cette histoire de vom Rath au sérieux, reprit Sigrid, soucieuse. J'ai entendu des échos déplaisants. Pour ma part, j'ai peur qu'il y ait anguille sous roche et je crains des représailles.

Les correspondants n'avaient pas de scrupules à mettre leurs informations en commun, l'opportunité d'un « scoop » étant très limitée. L'heure du déjeuner avait sonné. Sigrid fit promettre à Alice de revenir la voir avant son départ. Elle lui enjoignit de récupérer sans plus attendre les documents nécessaires à son séjour. Le ministère ne se trouvait qu'à quelques centaines de mètres de l'Adlon, à deux pas de la Chancellerie.

— C'est le nerf de la guerre, ce quartier, plaisanta Sigrid avant de la quitter. On y croise tout le monde, même Herr Hitler.

Le crépuscule tombait. Les réverbères venaient de s'allumer. Les pneus des voitures susurraient sur la chaussée humide, obligeant parfois Alice à faire un pas de côté pour éviter d'être aspergée. Des hommes en chemise brune des sections d'assaut vinrent à sa rencontre, la chahutant sur le trottoir, si bien qu'elle se retrouva plaquée contre l'imposante façade du ministère du Reich à l'Éducation du peuple et à la Propagande. Leur insolence ne fit rien pour améliorer son humeur. Bien qu'une purge sanglante eût éliminé leurs chefs quatre ans auparavant, leur pouvoir de nuisance demeurait palpable. Elle s'était rendue dans l'après-midi à l'adresse fournie par Otto Grüner dans l'espoir de rencontrer son contact. En vain. Selon une voisine de palier, le jeune homme rentrait toujours tard le soir. Ne séjournant que quelques jours à Berlin, elle n'avait pas de temps à perdre et elle savait que chacun de ses déplacements pouvait être surveillé. Elle laissa passer la cohorte turbulente en songeant combien ce quartier était oppressant. Adolf Hitler n'était pas le seul dictateur à considérer l'architecture comme une «idéologie incarnée dans la pierre». Lui avait une prédilection pour le classicisme, pensa-t-elle, et la démesure de ces bâtiments aux lignes épurées infligeait au peuple la sensation humiliante de n'être qu'un misérable insecte.

Une fois dans le hall d'entrée aux dimensions d'une cathédrale, elle suivit les indications qu'on lui donna et parcourut les couloirs aux boiseries en noyer, décorés de tapisseries et d'œuvres d'art probablement issues de collections confisquées. Des bustes en bronze d'Adolf Hitler et de Joseph Goebbels rythmaient ses pas. Les bureaux bruissaient encore d'activité bien que la journée touchât à son terme. Comment s'en étonner? Les Allemands étaient des gens occupés. Les officiels du Reich parlaient ouvertement du «nouveau monde à venir». C'était d'autant plus déprimant que Sigrid lui avait signifié que quoi qu'écrivent leurs correspondants, les Américains continueraient à faire la sourde oreille.

Elle poussa une porte et se retrouva dans une salle enfumée où étaient rassemblés des dizaines de journalistes allemands. Sur une estrade, un homme dictait des instructions. On lui jeta des regards furieux; elle n'avait rien à faire là. Une jeune femme en uniforme la prit par le bras et l'escorta d'un pas décidé jusqu'au bureau réservé aux correspondants étrangers. Les mains moites, Alice dut patienter sur un banc inconfortable, redoutant d'être accusée d'un délit quelconque. Des employés passaient devant elle sans lui adresser la parole, les téléphones n'arrêtaient pas de sonner.

Une heure plus tard, alors qu'elle franchissait une nouvelle fois les hautes portes du ministère, l'humidité la saisit. Elle remonta le col de son manteau, impatiente de rentrer à l'Adlon pour prendre un bain et se changer pour dîner. Elle avait l'intention de se rendre à la Taverna, un petit restaurant sur la Courbierestrasse où une table était réservée chaque soir pour les correspondants étrangers. Elle se réjouissait d'y retrouver des camarades. Balayée par une bise mordante, la Wilhelmstrasse lui parut interminable. Les immenses étendards rouges frappés de la croix gammée claquaient au vent. Un mauvais pressentiment l'incita à se retourner. Une Mercedes noire longeait le trottoir au ralenti, à quelques dizaines de mètres derrière elle. Nerveuse, elle pressa le pas. La voiture resta à distance respectable mais constante. Elle fit un effort pour garder la tête froide et se mêla à un attroupement de passants qui s'apprêtaient à franchir la chaussée. Aurait-elle commis une imprudence en se rendant chez Otto Grüner, puis chez son ami ? Elle avait pourtant pris toutes les précautions. Elle se maudit intérieurement d'avoir eu la bêtise de glisser un mot sous la porte du jeune homme, lui donnant rendez-vous le lendemain. Lui seul pouvait décrypter le message, mais elle avait laissé une trace. Une erreur de novice. Qu'est-ce qui lui avait pris, bon sang ?

— Montez !

Elle sursauta. Une voiture venait de s'arrêter à sa hauteur. Ce n'était pas la Mercedes. Karlheinz Winther avait abaissé sa vitre pour lui parler. Sans réfléchir, elle prit place à côté de lui. Il démarra en trombe, obliqua dans une rue perpendiculaire avant d'accélérer.

— Je crois que je suis suivie.

— Tout le monde est suivi, à Berlin.

Il conduisait vite, concentré sur un itinéraire biscornu qu'il connaissait manifestement par cœur. De temps à autre, il glissait un regard dans le rétroviseur.

— Savez-vous ce que risque un journaliste allemand qui divulguerait ce que vous avez vu et entendu tout à l'heure au ministère ? La mort.

Elle chercha ses cigarettes dans son sac à main. Il était donc présent dans la salle et avait dû la remarquer.

— Venez-vous régulièrement prendre vos ordres au ministère ? Dans mon pays, cela ferait scandale, mais je doute que quiconque ici s'en offusque. Vous autres, les Allemands, ne levez pas le petit doigt sans permission, n'est-ce pas ?

— Je suis sérieux, Alice. N'évoquez pas ce qui s'est passé tout à l'heure.

Les réverbères éclairaient son visage de lueurs blafardes. Son anxiété la surprit. Où était passé l'homme arrogant qu'elle avait connu en Afrique et en Espagne ? À l'approche du Kurfürstendamm, le trafic devint plus dense. Impossible désormais de repérer la Mercedes parmi les bus et les voitures. C'est seulement alors que Karlheinz sembla se détendre. Les grands magasins avaient fermé leurs portes, relâchant une foule de clients chargés de paquets sur les trottoirs. L'agitation joyeuse se devinait aussi dans les cafés et les restaurants.

— Et qu'allons-nous faire maintenant ? L'Adlon se trouve de l'autre côté du Tiergarten. J'avais envie d'un bain et d'un verre pour me remonter le moral.

— Vous pouvez prendre l'un et l'autre chez moi.

— Vous plaisantez ?

— Vous en mourez d'envie. Cessez de vous persuader du contraire.

Il n'avait pas tort. Cet homme, elle le désirait. Toujours, tout le temps. Il était son mauvais génie, sa plus grande faiblesse. L'un de ces êtres qui ne peuvent que vous nuire mais contre lesquels tout combat est dérisoire puisque ni la raison ni l'homme aimé ne sont capables de vous en détourner. Karlheinz Winther parlait à la face obscure de son être, celle aux résonances de douleur et de mort, d'exil et d'abandon, de tentations néfastes, celle qui demeurait néanmoins une part de sa vérité.

Elle se dit qu'elle était curieuse de découvrir son appartement et de percer son mystère. Il y aurait peut-être là un sujet d'article. Un célèbre correspondant de guerre allemand aux ordres de sa hiérarchie politique. La confirmation de la mainmise d'un régime qui ne laissait rien au hasard et surtout pas la presse. Absurde, voyons ! Qui cherchait-elle à tromper ? Elle avait envie de lui, voilà tout. De quoi as-tu peur ? se demanda-t-elle. Cette maudite peur semblable à une sale gangrène qu'elle respirait depuis son arrivée, qui suintait des murs, éteignait les regards et courbait les nuques. Cette peur d'être arrêté pour une opinion politique, une foi religieuse, un sang impur, d'être piqué tel un animal parce qu'on est retardé mental ou affligé d'un handicap qui ose dénaturer la race des seigneurs. Cette peur de se retrouver à quelques kilomètres de ce quartier aux boutiques et aux théâtres prospères, sur un terrain balayé par une bise glaciale, en pyjama rayé, soumis à un tortionnaire en uniforme noir récitant l'appel des détenus jusqu'à ce qu'ils crèvent sous ses yeux… J'ai tellement honte d'avoir envie de lui, se désola Alice.

— Vous venez ?

Il s'était garé dans une rue bordée d'arbres. Une ou deux villas entourées d'un jardin et un immeuble en brique couronné d'un pignon voisinaient avec des bâtiments élégants aux façades d'un jaune coquille d'œuf. Des lampes brûlaient derrière les rideaux tirés. Alice descendit de voiture, leva la tête. La bruine effleura ses joues, ses lèvres. Karlheinz la précéda dans l'escalier jusqu'au premier étage. Son appartement était petit mais chaleureux. Un canapé en cuir et des fauteuils profonds, une bibliothèque en désordre, un beau kilim sur le parquet. Par une porte ouverte, elle aperçut un lit à barreaux de cuivre. Lentement, elle retira son bonnet et son manteau, les accrocha à une patère. Il s'approcha d'une desserte, leur servit des scotchs. Elle contempla les souvenirs disposés sur les étagères, des poteries, des porcelaines d'Iznik, une paire de vases chinois d'un magnifique céladon. Elle se rappela qu'il avait vécu à Shanghai. Il lui tendit son verre, leurs mains se frôlèrent. L'alcool au goût fumé glissa dans sa gorge et dénoua la tension qui raidissait ses épaules. Elle sentit son appréhension se dissoudre.

Il mit quelques bûches dans le poêle. Il avait un

dos puissant, des jambes solides. Quelque chose de coriace et d'âpre qui ne la laissait pas indifférente. Et ce visage, mon Dieu, qu'il la torturait depuis leur rencontre dans la salle du trône du Négus tandis qu'Addis Abeba, livrée au pillage, se consumait autour d'eux ! Il n'y avait rien de serein chez lui, rien de l'élégance ou du raffinement sensuel de Fadil ni de la douceur et de la sensibilité d'Umberto. Ils restèrent un long moment silencieux et elle fut soulagée de ne pas avoir à prononcer des mots d'une affligeante banalité qui ne feraient que révéler sa colère ou son amertume. Lorsque ses doigts frôlèrent sa gorge en défaisant l'un après l'autre les boutons de sa robe, qu'il remonta délicatement sa main le long de sa cuisse jusqu'au porte-jarretelles, écarta sa culotte en soie et caressa ses lèvres, l'exquis frémissement du plaisir naquit au creux de son ventre.

La tête d'Alice sur son épaule, ses seins pressés contre son torse, Karlheinz percevait son souffle régulier sur sa peau. Elle avait sombré dans un profond sommeil. Il restait immobile, soucieux de graver le moindre souvenir dans sa mémoire, admirant ce corps épanoui à la lumière du réverbère qui éclairait la courbe de sa hanche, sa cuisse, le dessin de sa cheville.

Il avait été surpris qu'elle accepte de se rendre chez lui sans opposer de résistance. Il n'aurait jamais pensé qu'elle s'offre ainsi, lucide et passionnée. La seule femme auprès de qui il avait éprouvé une plénitude semblable était morte depuis longtemps. Kira avait refusé de l'accompagner lorsqu'il lui avait proposé de s'enfuir avec lui de Sibérie, persuadée qu'il se débrouillerait mieux seul dans la tourmente bolchevique. Elle avait promis de le rejoindre au plus tôt. Il avait eu la faiblesse de l'écouter plutôt que de suivre son instinct. Alors qu'il attendait enfin sa venue à Berlin, une lettre de la Croix-Rouge lui avait appris que des gardes rouges l'avaient violée avant de lui trancher les seins et de l'abattre. Une innocente parmi des dizaines de milliers d'autres victimes massacrées par ces fanatiques parce que leur allure bourgeoise ne leur convenait pas, que certaines portaient une petite croix autour du cou. Des points noirs dansèrent devant ses yeux. Un mouvement de haine le traversa, laissant dans son sillage la sensation familière de terre brûlée.

Alice soupira dans son sommeil, il écarta tendrement les cheveux de sa joue. Il savait qu'elle avait un amant. Leur confrère romain Clemente Gaspari lui avait appris sa liaison avec Umberto Ludovici, l'un des conseillers du ministre des Affaires étrangères fasciste. Était-elle amoureuse ? Ludovici répondait certainement à ses rêves de jeune fille issue de la bonne bourgeoisie américaine, mais il ne serait jamais que cela, un rêve, une illusion. Une femme comme Alice serait éternellement en quête d'une ardeur plus mordante. Il le comprenait parce qu'ils partageaient un même appétit des sens, une même solitude. Elle ne redoutait pas de se brûler les ailes parce qu'elle n'avait rien à perdre. En cela aussi, ils se ressemblaient. Il caressa son épaule blessée, effleura la pointe de son sein qui se tendit sous ses doigts. En baissant les yeux, il vit qu'elle le dévisageait d'un regard grave et intense, et qu'elle le désirait encore.

— *Juden, raus !*

Ils se réveillèrent en sursaut. Des hurlements montaient de la rue. Sur les murs dansaient des lueurs rougeâtres. Karlheinz sauta du lit, ouvrit la fenêtre et se pencha à l'extérieur. Le cœur battant, Alice se mit à ramasser ses vêtements éparpillés dans la chambre et le salon.

— La synagogue a pris feu, constata-t-il.

— Mon Dieu ! Heureusement qu'on est en pleine nuit. Les pompiers sont-ils arrivés ?

Un fracas de verre brisé l'incita à se pencher elle aussi par la fenêtre. L'incendie éclairait tout le pâté de maisons. Des flammes et des gerbes d'étincelles jaillissaient des trois coupoles de la synagogue. Une horde de braillards cavalait sur la chaussée en brandissant des marteaux et des barres de plomb. Parmi les nombreux citoyens en civil, elle discerna des hommes de la SA. Certains d'entre eux s'attaquaient à des vitrines plus haut dans la rue.

— Que se passe-t-il ? s'exclama-t-elle, ahurie.

— Ernst vom Rath a succombé à ses blessures à Paris. Son assassin est un jeune juif polonais. Le peuple allemand venge la mort de son diplomate.

Karlheinz avait craché les derniers mots sur un ton de mépris ironique tout en enfilant sa chemise.

— Un pogrom, c'est ça ?

Il haussa les épaules.

— Vous étiez au courant et vous ne m'avez rien dit ?

— Que vouliez-vous que je vous dise ? Le ministère nous a annoncé la mort de vom Rath et laissé entendre que la population risquait de mal le prendre.

— Surtout quand on peut compter sur la manipulation des autorités et la diligence de ces brutes de SA pour attiser la haine !

Aveuglée de colère, elle termina de boutonner sa robe avec des doigts tremblants. Elle redoutait le pire pour la population juive. Les nazis allaient profiter de cet incident pour déclencher une nouvelle vague de terreur. Elle pensa à Victor Weissmann, à Alma et aux Borghi. Des bruits de bottes résonnèrent soudain dans l'escalier. On tambourina à une porte. Karlheinz se précipita vers son bureau, sortit un revolver d'un tiroir.

— Ne bougez pas ! ordonna-t-il.

Sur le palier, trois jeunes gens en chemise brune avec des brassards rouges à croix gammée tentaient de défoncer à coups de pied une porte voisine.

— Arrêtez ça immédiatement ! cria Karlheinz. Qu'est-ce qui vous prend ?

— Des juifs habitent là !

— Ils ont quitté le pays. Vous êtes en train de pénétrer chez un fonctionnaire du ministère de l'Intérieur, imbéciles ! Vous savez ce que vous risquez ?

Les garçons aux joues rougies par l'excitation échangèrent un regard. Karlheinz les menaça de toutes sortes de représailles. Le ton autoritaire de sa voix et la carrure de ses épaules les firent douter.

— Venez ! commanda l'un d'eux à ses camarades. Y a de quoi faire dans le quartier !

Alice avait revêtu son manteau et son bonnet. Des mèches blondes dépassaient dans sa nuque et autour de ses joues. Karlheinz ne s'effaça pas pour la laisser passer. Elle leva le menton et le fixa d'un air pugnace. Il dut étouffer l'envie absurde de l'enfermer pour ne pas la perdre. Au cours des dernières heures, il avait eu la faiblesse d'envisager leur avenir loin de l'Allemagne d'Adolf Hitler, quelque part au bout du monde. Un souhait tristement infantile dont il eut presque honte, lui qui se flattait d'être un réaliste, un pragmatique. Il saisit son visage entre les mains et l'embrassa. Un baiser féroce, désespéré. Alice le repoussa avec force.

— Laissez-moi passer ! Tout de suite.

Sa voix était froide, son regard méprisant. Il ne pouvait pas la retenir ni la protéger. La ville allait être mise à sac et Alice Clifford se devait de témoigner. Il ne pouvait pas non plus lui dire qu'il l'aimait, elle lui cracherait à la figure. Il s'écarta de mauvaise grâce. Sur le palier, la porte endommagée s'entrebâilla. Sa vieille voisine en robe de chambre leur lança un coup d'œil apeuré alors qu'ils dévalaient l'escalier.

Tous les magasins appartenant à des juifs étaient pris pour cible. Une fois les vitrines saccagées, les pillards s'enfuyaient avec leur butin. Alice fit un bond de côté pour éviter une chaise qui atterrit sur la chaussée. Visiblement, les vandales n'avaient aucun scrupule à pénétrer dans les appartements, précipitant dans la rue des assiettes, des vêtements, des draps, des objets anodins dont la seule valeur était sentimentale. Au premier étage d'un immeuble, une mère de famille terrorisée tenait un petit garçon dans les bras. Mon Dieu, songea Alice, ils ne vont tout de même pas jeter l'enfant par la fenêtre ! Autour d'elle, ce n'était que des visages crispés, parfois rieurs ou triomphants, et elle entendait le cri lancinant des insultes : « Salauds de juifs ! Assassins ! »

Devant la synagogue en flammes, des policiers patientaient les bras croisés parmi un attroupement de badauds. Des jets de pierres fracassaient les vitraux. Quelques jeunes gens en uniforme sortirent de l'édifice religieux chargés de châles et de livres de prière, d'étoffes brodées, de rouleaux de la Torah qu'ils entassèrent sur le trottoir. L'espace d'un instant, Alice se demanda s'ils tentaient de les sauvegarder, avant que l'un des hommes en chemise brune ne lançât une torche sur les objets du culte. Les flammes crépitèrent de plus belle. Elle leva la tête et remarqua des pompiers debout sur les toits, lance à la main, le dos tourné à l'incendie. Qu'attendaient-ils ? Sidérée, elle comprit qu'ils ne se tenaient là que pour intervenir si le feu se propageait aux maisons des aryens. Karl-heinz observait le spectacle les mains dans les poches. À la lueur des flammes, les traits sévères de son visage semblaient d'autant plus énigmatiques.

— Qu'allez-vous écrire ? hurla-t-elle, révoltée. Que le Reich a organisé ces funérailles nationales en l'honneur de ce type assassiné ? Que la population s'est *spontanément* levée sous le coup de l'indignation ? Que tout cela est légitime ?

Elle s'élança en direction du Kurfürstendamm. Elle avait rarement assisté à un pareil déchaînement de violence. Un homme les dépassa en courant, poursuivi par une meute qui le rattrapa et le roua de coups. Elle fit un mouvement dans sa direction, mais Karlheinz lui saisit le bras.

— Ne faites pas l'idiote ! Ils vont vous tuer vous aussi !

Elle se débattit, horrifiée d'assister à un lynchage sans pouvoir intervenir. Quand le malheureux fut entraîné plus loin, elle se força à respirer, essayant de reprendre ses esprits. Elle devait absolument garder la tête froide. La pensée de s'être donnée à Karlheinz alors qu'une tempête se déchaînait contre une population innocente l'accablait.

— Je ne veux plus vous voir.

— C'est dangereux, Alice.

— Je ne suis pas une enfant. Je n'ai pas besoin de votre protection. Laissez-moi faire mon travail.

Karlheinz hésita, mais il voyait bien qu'elle ne céderait pas. Il se résigna à la voir s'éloigner. Sa fière silhouette longea les trous béants des boutiques éventrées. Il la suivit des yeux, bouleversé, jusqu'à ce qu'elle s'évanouisse dans l'obscurité.

Alice parcourut la ville toute la nuit, hantée par les récits des pogroms survenus dans l'Empire russe et les photographies de l'époque montrant des cadavres d'enfants juifs gisant à l'entrée de villages incendiés. Jamais elle n'aurait pensé être plongée au cœur d'une tornade similaire en pleine capitale allemande. Elle prit quelques photos, peu certaine de leur qualité tant elle tremblait en voyant la foule invectiver brusquement les visiteurs étrangers, confisquant à certains leurs appareils avant de les escorter au poste de police le plus proche. Les forces de l'ordre s'attaquaient plus volontiers aux témoins des émeutes qu'aux vandales qu'ils laissaient libres d'agir à leur guise. Ce cynisme commandité lui soulevait le cœur.

La lumière blafarde du jour révéla des trottoirs jonchés de débris de verre. Des badauds se pressaient devant les magasins, avides de participer au pillage. Les enfants volaient des jouets, les mères de famille s'emparaient de bas et de colifichets, et quand un passant tentait courageusement de s'interposer, il était hué et devait battre en retraite. Il flottait dans l'air d'âcres relents d'essence et de bois calciné ainsi qu'une espèce de triomphalisme, une joie mauvaise. C'est une curée, pensa Alice, qui assistait impuissante au spectacle désolant de ces malheureuses victimes ramassant à mains nues les décombres de leurs biens sous les quolibets de leurs compatriotes.

Plus tard dans la matinée, elle croisa des confrères qui sillonnaient eux aussi les différents quartiers. On lui apprit que des scènes identiques s'étaient déroulées dans toutes les villes d'Allemagne et d'Autriche. Partout, les synagogues brûlaient, les tombes juives étaient profanées, on déplorait aussi des meurtres et des suicides. La férocité des attaques témoignait d'une hystérie soigneusement alimentée par le régime.

Lorsqu'elle se présenta à l'entrée du zoo dans l'après-midi, il n'y avait que peu de clients. Le meilleur divertissement se trouve en ville, aujourd'hui, se dit-elle, amère. Une fois franchies les grilles de la porte des éléphants, elle fit un signe de la tête au gardien pour obtenir un plan. Les émanations de fumée l'avaient rendue quasiment aphone. Son manteau était maculé de suie, roussi aux épaules par des cendres volatiles. Elle regarda autour d'elle, vérifiant qu'elle n'était pas suivie, puis avança en direction de l'enclos des primates. Quand elle avait fixé la veille ce rendez-vous au jeune juriste complice d'Otto Grüner, elle avait pensé qu'ils seraient des anonymes parmi une foule badine d'enfants et de parents. De toute manière, elle n'avait pas grand espoir de le rencontrer. Pourquoi viendrait-il étant donné les circonstances ? Avait-il même trouvé le message qu'elle avait glissé sous sa porte ? Elle sortit son poudrier de son sac et fut effrayée de découvrir dans le miroir ses traits creusés et son regard fixe. Elle effleura ses lèvres qui avaient pris tant de plaisir coupable à embrasser Karlheinz, à goûter le grain de sa peau, à célébrer son corps.

— *Connais-tu le pays où fleurissent les citronniers ?*

Elle tressaillit. Une silhouette vêtue d'un imperméable et coiffée d'un chapeau mou se tenait non loin d'elle.

— *Où dans l'ombre du feuillage brillent les oranges dorées*, chuchota-t-elle d'une voix rauque en citant le deuxième vers du poème de Goethe.

— Marchons un peu. Vous semblez tétanisée.

— Il n'y a pas beaucoup de monde, s'inquiéta-t-elle. Nous risquons d'attirer l'attention.

— Si vous voulez, nous pouvons casser quelques vitrines pour donner le change… Je plaisante, voyons !

Ils sont trop occupés à martyriser les juifs pour s'inquiéter de nous aujourd'hui. Même les bourreaux sont débordés. Tenez, il y a un kiosque là-bas, avec seulement des familles qui achètent des sucreries.

Ils s'attablèrent dans un coin discret et commandèrent des bières. Les lèvres blêmes, le jeune juriste semblait atterré. Il poursuivit à voix basse :

— Rien n'est épargné. Ni les hôpitaux juifs ni les écoles. La Gestapo et les SS profitent des troubles pour arrêter un nombre conséquent de juifs, en priorité des hommes jeunes et en bonne santé. On les transfère dans les camps de concentration. Dachau, Buchenwald, Sachsenhausen… Cela vous dit quelque chose ?

Elle le rassura, elle était au courant de ce qui se passait dans le pays.

— La nature de la persécution a changé. Elle était avant tout économique et politique, elle devient ouvertement physique. Les nazis vont certainement imputer la responsabilité des événements aux juifs. Je ne serais pas étonné qu'on leur réclame une amende pour le meurtre de vom Rath. Sans doute interdira-t-on aussi aux assurances de rembourser les victimes des exactions de cette nuit.

— Vous voulez dire que ces pauvres gens seront obligés de prendre les réparations à leurs frais ? Quelle infamie !

— C'est la manière de penser des nazis. Pour comprendre, il faut entrer dans leur cerveau, si détestable cela soit-il.

C'était la raison pour laquelle elle avait besoin de

contacts comme lui. Des personnes à même de décrire les faits, mais aussi d'en démêler les fils psychologiques, les motivations intimes, sectaires et dogmatiques. Ils parlèrent encore longuement, penchés l'un vers l'autre, le témoignage du jeune homme s'ajoutant à ce qu'Alice avait constaté de ses propres yeux, ses paroles s'imprimant au fer rouge dans sa mémoire tandis qu'un article lapidaire naissait dans son esprit et qu'autour d'eux les juifs de Berlin pleuraient leurs morts, leur avenir et toute espérance.

Rome, mars 1939

Umberto Ludovici glissa un doigt sous son col dur. Il se tortillait sur sa chaise, impatient d'en finir, au grand dam de son épouse Beatrice qui lui lançait des regards sévères. Sous la majestueuse coupole de la basilique Saint-Pierre de Rome, symbole d'une Église à la fois dominante et protectrice, c'était l'affluence des grands jours. S'y pressaient les membres de quarante-cinq familles royales et des dignitaires venus du monde entier, y compris Joseph P. Kennedy, envoyé par le président des États-Unis, une occurrence inédite sur les terres du Vatican. Même les fils de Mussolini s'étaient démenés pour obtenir des billets. La télévision italienne filmait l'événement. En cette matinée du 12 mars 1939, personne ne voulait manquer l'intronisation du nouveau pontife qui avait pris le nom de Pie XII.

— Ce malheureux Eugenio Pacelli qui espérait partir se reposer en Suisse après le conclave se retrouve avec une tiare aux allures de couronne d'épines sur la tête.

— Umberto ! Un peu de respect, voyons, le réprimanda Beatrice.

Les trompettes d'argent retentirent une dernière fois. Au grand soulagement d'Umberto, la procession des ecclésiastiques aux chasubles chamarrées commença enfin à quitter la basilique. La messe terminée, le couronnement devait se tenir à l'extérieur, ce qui n'était pas arrivé depuis des décennies. Il y eut une précipitation peu protocolaire dans l'assistance, certains voulant se pavaner à tout prix aux premières loges. Dans la confusion, Umberto se retrouva au côté de son frère, resté en retrait du cortège d'honneur. Giacomo avait revêtu l'uniforme des princes assistants au siège pontifical. En observant la courte cape sur le costume en velours de soie noir, l'éclatant jabot blanc, les manches en dentelle, l'épée et les décorations, Umberto eut l'impression de voir leur père.

— Ton ministre s'est encore ridiculisé, le nargua Giacomo avec un mouvement du menton en direction de Galeazzo Ciano. Son attitude est indigne des lieux et de l'occasion, tu ne trouves pas ?

Umberto ne pouvait pas lui donner tort. À son arrivée, Ciano avait effectué le salut fasciste avant de remonter la nef d'un pas guilleret en souriant de toutes ses dents, ce qui avait suscité la consternation des dignitaires étrangers. Même Beatrice, qui se montrait pourtant tolérante envers l'époux de son amie Edda, en avait été offusquée. Soudain, Giacomo chancela. Umberto tendit le bras pour l'empêcher de tomber.

— Qu'est-ce qui ne va pas ?

— Ce n'est rien. La fatigue. Je me remets à peine d'une mauvaise grippe. J'aurais dû rester chez moi, mais je ne pouvais pas me permettre de manquer le couronnement du Saint-Père.

— Où est ta femme ?

— Clouée au lit.

Umberto l'aida à s'écarter du flot de l'assistance. Sentant ses forces l'abandonner mais ne voulant surtout pas dévoiler sa faiblesse, Giacomo serra les dents en lui indiquant par quel chemin rejoindre l'une des ailes privées du palais apostolique. Les gardes suisses s'effacèrent pour les laisser passer. Depuis ses blessures reçues sur le front lors de la Grande Guerre, la santé de Giacomo était délicate. Non seulement sa jambe avait été atteinte, mais aussi ses poumons.

— Tu ne vas tout de même pas mourir ici et maintenant, grommela Umberto en le soutenant.

— Avoue que tu serais content !

Umberto ne releva pas le sarcasme. Une trêve fragile s'était instaurée entre eux ces derniers mois. Son séjour derrière les barreaux avait marqué Giacomo, et depuis que son frère était venu le remercier de s'être occupé de dossiers familiaux épineux pendant son assignation à résidence, Umberto se montrait plus conciliant. « Qui cesse de pécher ne demande pas toujours pardon. » Le proverbe égyptien lui était resté en mémoire. S'il avait en effet des difficultés à envisager un quelconque pardon pour les rancœurs passées, il avait choisi de ne plus envenimer leur relation.

— Par ici, *principe*! appela sœur Pascalina.

D'une porte dérobée, invisible dans le mur décoré de fresques, la religieuse leur faisait un signe impatient de la main. Elle les conduisit à travers un dédale d'étroits corridors jusqu'à un salon privé qui donnait sur la place Saint-Pierre, puis s'empressa d'apporter un verre d'eau et un sucre à Giacomo qui s'était affalé dans un fauteuil. Umberto lui demanda d'un ton amusé si son apparition était une opération du Saint-Esprit; elle lui répliqua que l'explication était beaucoup plus prosaïque. Elle avait remarqué le malaise de Giacomo du haut de la loggia San Longino d'où elle avait assisté à la cérémonie en compagnie des deux autres religieuses allemandes au service du Saint-Père.

Umberto ouvrit une fenêtre. En dépit du froid, la foule turbulente applaudissait en criant d'allégresse : « *Viva, viva! Viva il Papa romano di Roma!* » Elle célébrait *son* pape, puisque c'était la première fois depuis deux siècles qu'un natif de Rome devenait le vicaire du Christ. L'homme était admiré pour sa bonté et sa grande piété, tout autant que pour sa supériorité intellectuelle et sa haute probité morale. On pouvait avoir confiance en lui et en son expérience. Or, en ces temps troublés, chacun cherchait désespérément à être rassuré d'une manière ou d'une autre. L'apparence ascétique de Pie XII et son visage pâle coiffé de la mitre sertie de pierres précieuses témoignaient néanmoins de la charge immense qui pesait désormais sur ses épaules.

— Sa Sainteté sait merveilleusement profiter du faste de l'Église quand c'est nécessaire, fit remarquer sœur Pascalina, mais elle mène une vie quasi monacale et n'apprécie que la simplicité. Quand je pense à tout ce qui l'attend…

Umberto s'étonna de la sentir à la fois lasse et soucieuse en ce jour de fête. À quarante-cinq ans, la religieuse bavaroise avait vécu des semaines d'une rare intensité. Afin de veiller à ce que le cardinal Pacelli respecte son régime alimentaire et son traitement, elle avait reçu l'autorisation exceptionnelle de demeurer à son service pendant le conclave. Non seulement elle était une intendante hors pair, mais le Saint-Père ne manquerait pas de continuer à profiter de son bon sens et de sa détermination sans faille à le préserver de tous les importuns. Le bouclier qu'incarnait la petite silhouette vigoureuse de sœur Pascalina Lehnert n'était pas près de s'effacer. Au Vatican, certains voyaient son influence d'un très mauvais œil.

— Rassurez-vous, ma sœur, il sera guidé par la force divine, dit Giacomo pour la réconforter. Même si sa modestie l'empêchait peut-être de l'envisager, son élection n'est une surprise pour personne. Son prédécesseur n'avait jamais caché qu'il la désirait et les chancelleries sont contentes. Je crois savoir que même le Duce est satisfait. Que pouvons-nous espérer de plus gratifiant ? ajouta-t-il sur un ton railleur.

— Le Duce prétend surtout que les affaires du Saint-Siège l'indiffèrent, le corrigea Umberto. Mais comme chacun d'entre nous, il s'interroge sur la politique à venir. Le pape va-t-il suivre la ligne antitotalitaire de Pie XI et le durcissement à l'égard d'Adolf Hitler, ou privilégier l'apaisement, comme il l'a fait l'autre jour lors de son premier message à la radio ?

— Si vous saviez combien son âme délicate a soif de paix ! murmura la religieuse avant de s'éloigner pour mieux observer le couronnement par une autre fenêtre.

Umberto contempla les milliers de Romains massés sur la place dessinée par le Bernin. Enserrés par les bras de la double colonnade, eux aussi avaient soif de paix. Ils étaient venus là remplis de foi. Les sceptiques diraient de crédulité. Comment concevoir en effet que les quarante-quatre hectares du Vatican, à la merci du moindre bataillon, puissent imposer le respect au nom d'une seule force spirituelle ?

— C'est surprenant, n'est-ce pas ? fit Giacomo qui l'avait rejoint. Et tout cela vient d'un Galiléen révolutionnaire né il y a près de deux mille ans sur la terre de Palestine. C'est toujours ici que je ressens pleinement combien je suis insignifiant.

L'accent d'humilité frappa Umberto, plus habitué à l'arrogance de son frère. Ses cheveux blancs ébouriffés donnaient à Giacomo un air presque juvénile. Un bref instant, Umberto lui découvrit une fragilité inconnue. Il est vrai que la magnificence des lieux, l'harmonie des proportions et tout ce cérémonial qui célébrait la grandeur de Dieu en terrassant le néant exerçaient toujours une fascination qui ramenait chacun à sa condition la plus humaine et à la perspective de sa mort. Il se rappela sa main d'enfant prisonnière de celle de Giacomo à l'enterrement de leur père, mais aussi son dernier entretien avec Pacelli du temps où le prélat n'était encore que cardinal et secrétaire d'État.

— Es-tu communiste, Giacomo ?

Son frère le dévisagea d'un air effaré.

— Tu es fou ? Qu'est-ce qui te fait dire une chose pareille ?

— Lui, fit Umberto en indiquant le Saint-Père qui venait d'apparaître sur le balcon et qu'on installait sur son trône.

Giacomo blêmit tandis que les cloches sonnaient à toute volée.

— Quand tu étais en prison, il m'a convoqué dans ses appartements privés pour me poser cette question déplaisante. J'ai été pris de court, je te l'avoue.

— Et qu'as-tu répondu ?

— Que tu étais un personnage odieux, mais que l'idéologie marxiste demeurait contraire à ta nature profonde. Rassure-moi, aucun totalitarisme ne trouve grâce à tes yeux, n'est-ce pas ?

— Bien sûr que non ! Je suis meurtri que le Saint-Père ait pu penser cela un seul instant de moi. Mais puisque je n'ai pas été voué aux gémonies et que je continue à exercer mes fonctions, c'est que tu as dû le persuader de mon innocence. Je t'en remercie. Ces derniers mois, j'ai l'impression que je passe mon temps à te remercier. Qui l'eût cru ?

— J'ai pourtant trouvé des textes compromettants dans le tiroir de ton bureau. Ne prends pas cet air offusqué. Tu ne t'es même pas donné la peine de chercher une autre cachette pour la clé depuis la mort de papa. Ta paresse te perdra.

Bon perdant, Giacomo esquissa un sourire.

— *Mea culpa.* Je vois que tu sais garder un secret. Sans cela, qui sait ce que je serais devenu ? Peut-être aurais-je été déporté par tes camarades fascistes dans une île insalubre où j'aurais probablement succombé à une pneumonie, ironisa-t-il. Que veux-tu ? Mes amis viennent d'horizons divers et il m'arrive parfois de les aider. Non pour leurs idées politiques, mais pour leur charme indéniable.

Umberto se demanda si le moment était venu de satisfaire enfin sa curiosité en interrogeant Giacomo sur l'identité de cette jeune femme brune dont il avait dérobé la photo. Depuis lors, pour une raison saugrenue, il la conservait dans son portefeuille. L'intensité du moment l'en empêcha. L'assemblée s'était assagie, retenant son souffle. Il chercha en vain Alice parmi la foule. Elle avait en effet préféré se mêler à la population, déclinant l'invitation d'assister à la cérémonie dans la basilique avec les autres correspondants étrangers. Sans doute se tenait-elle quelque part parmi ces figures immobiles dont les visages étaient maintenant levés vers le balcon. Lorsque le Saint-Père fut ceint de la tiare à trois couronnes, une immense clameur s'éleva à nouveau.

— Bien qu'il soit appelé à servir le Prince de la Paix, Eugenio Pacelli est assez lucide pour savoir qu'il va devoir affronter la guerre, déplora Giacomo. Sa nature profonde est conciliante et c'est de là que viendra peut-être un problème.

— Je croyais qu'il n'avait rien d'un mystique et tout d'un animal politique.

— Mais un animal politique prudent, bien moins fougueux que son prédécesseur. Certains ecclésiastiques comme le cardinal Tisserant ne m'ont pas caché leur inquiétude. Il faut dire que le seul Français de la curie ne mâche jamais ses mots. Rappelle-toi les paroles du Christ : «Je ne suis pas venu apporter la paix, mais le glaive», ce qui signifie qu'il faut détruire par le combat ce qui est vil et corrompu, ce mal profond qui ne vient pas de Dieu mais de la malice des hommes.

Umberto songea que la religion catholique romaine recelait des mystères encore bien obscurs à ses yeux. Il n'avait jamais été un pratiquant fervent. S'il avait besoin de Dieu et de ses saints, c'était surtout par tradition et par devoir, parfois par superstition. Sa foi dépourvue de vigueur ne lui inspirait que des prières timides.

Les deux frères restèrent silencieux, saisis par le visage imperturbable du Saint-Père. Pas un sourire ne venait répondre à l'immense vague d'émotion soulevée par la foule. Il émanait de sa personne une dignité et une gravité qui imposaient le respect.

— Ne soyons plus des ennemis, Umberto, les années qui nous attendent nous l'interdisent, murmura Giacomo d'une voix blanche. Et que le Seigneur ait pitié de lui, comme de nous.

Pas une fenêtre, pas un balcon qui n'eût son lot de curieux. Pas un centimètre carré de libre sur la place Saint-Pierre. Alice avait pris note de l'affluence, de même qu'elle avait remarqué combien les fidèles avaient été nombreux à venir s'incliner devant la dépouille du précédent pontife, pleurant un homme qui avait su tenir tête aux dictateurs et dont personne ne pouvait douter de la fermeté d'âme, si bien d'ailleurs qu'il avait profondément indisposé le Duce et provoqué l'ire d'Adolf Hitler.

Elle se tenait parmi la foule en liesse qui acclamait désormais *son* pape, son évêque de Rome, son berger. Un peuple qui avait perdu ses illusions. Si le fascisme avait été un temps un recours contre le chaos social, si le lustre dont il s'était paré à la suite de la conquête de l'Éthiopie avait fait miroiter dans le cœur de bien des Italiens des réminiscences d'une ancienne gloire impériale, son évolution vers une dictature inflexible et corrompue déplaisait de plus en plus fortement. Le rapprochement manifeste avec l'Allemagne suscitait de vives inquiétudes qui allaient parfois jusqu'au dégoût, d'autant que la violence de la nuit de Cristal qui avait enflammé les villes allemandes quatre mois auparavant avait été un nouveau coup de semonce.

Alice avait dénoncé ce qu'elle avait vécu à Berlin dans un article incendiaire qui avait été publié en première page de son journal. Elle n'avait pas hésité à souligner l'idéologie pervertie du régime national-socialiste. Ses mots sans concession avaient frappé les esprits. Depuis, on l'invitait volontiers à des conférences prestigieuses, un éditeur new-yorkais lui avait même commandé un livre. Elle était désormais persuadée que le totalitarisme nazi possédait quelque chose d'intrinsèquement démoniaque. On ne pouvait pas côtoyer depuis plus de trois ans le Dieu des chrétiens célébré dans les églises de Rome sans songer également aux anges déchus.

Un recueillement particulier gagna les dizaines de milliers d'hommes et de femmes venus assister à la cérémonie. De tous âges, de toutes conditions, vêtus de manteaux élimés ou de fourrures, de bleus de travail ou de vestons d'étudiants, les hommes tête nue sous le vent, les enfants assagis, les femmes ferventes, tous tendaient l'oreille. Par la grâce des micros modernes retentissaient haut et fort les paroles séculaires de la bénédiction *urbi et orbi*, prononcée en latin sur un ton cadencé. Il y était question de la bienheureuse Vierge Marie, des archanges et de tous les saints, de la vie éternelle. Alice fut touchée par la foi si limpide, si confiante, que reflétaient les regards vigilants et les mines apaisées. En les écoutant répondre d'une seule voix «*Amen*» aux invocations, elle leur envia leurs certitudes.

— … *perducat vos Iesus Christus ad vitam æternam.*

Autour d'elle, certains fidèles avaient joint leurs mains en prière. Son cœur se mit à battre plus vite. Comment croire à tout cela? À l'indulgence, à l'absolution, au pardon des péchés? Elle fut traversée par l'envie subite de saisir son voisin par les épaules pour le tirer de son aveuglement. Comment croire à la miséricorde, à la conscience des hommes éclairés ou non par l'Esprit saint alors que le monde n'était que haine et persécutions, des montagnes d'Éthiopie aux plaines de Castille, en passant par les rues de

401

Berlin jonchées de verre brisé et les camps de concentration ?

— *Et benedictio Dei omnipotentis…*

Dans un mouvement fluide, l'immense foule s'était agenouillée. Prise au dépourvu, Alice resta debout, sanglée dans son manteau bleu marine. Au balcon, Pie XII était debout lui aussi, lisant la bénédiction apostolique d'une voix mesurée qui remontait les siècles, celle d'un homme de chair et de sang, d'un pécheur comme les autres qui avait néanmoins autorité pour parler au nom de son Dieu tout-puissant. Une voix qui retentissait entre les pierres d'une cité où tant de chrétiens avaient été suppliciés. En cet instant si solennel, Alice ne pensait pourtant plus qu'à elle-même, à ses faiblesses et à ses renoncements, à ses élans de bonheur semblables à des vertiges, à ses nuits trop obscures.

Le pape Pacelli avait levé sa main droite ornée de l'anneau de saint Pierre pour dessiner un signe de croix. Troublée par le silence recueilli, Alice finit par s'agenouiller à son tour, écorchant ses genoux sur les pavés. Elle joignit instinctivement les mains comme lorsqu'elle était enfant et que sa mère venait dans sa chambre réciter la prière du soir. Les paroles sacrées du successeur du prince des apôtres baignèrent son front, ses épaules, son corps tout entier. Elle éprouva un singulier sentiment d'apaisement, convaincue que la bénédiction d'un homme de foi sincère porte en elle une puissance qui n'est pas de ce monde.

Elle ferma les yeux, s'abandonna à la prière. Ce matin-là, sous le ciel lumineux de la Ville éternelle, les recoins les plus désolés de son âme avaient besoin de puiser du courage en cette force surnaturelle dont Rome demeurait l'éclatant témoin, car Alice pressentait que le pire les attendait et qu'il allait falloir continuer à se battre sans jamais faiblir ni renoncer.

TROISIÈME PARTIE

Rome, octobre 1941

Alice se redressa brusquement dans son lit. Le réveille-matin n'avait pas sonné, à moins qu'elle ne l'eût pas entendu. Ce ne serait pas la première fois. Ces derniers temps, ses insomnies devenaient de plus en plus pénibles. Juste avant l'aube, elle sombrait dans un sommeil comateux dont même d'éventuelles sirènes d'alerte aérienne avaient du mal à l'extirper. Elle se leva d'un bond. Sous le filet glacé de la douche, elle frissonna en maudissant les restrictions qui imposaient aux propriétaires de ne fournir de l'eau chaude à leurs locataires que trois matins par semaine. En dépit de l'absence de chauffage et de la limitation du gaz domestique, elle avait néanmoins préféré demeurer dans son appartement plutôt que de s'installer à l'hôtel comme d'autres correspondants. Elle rêvait d'un café, intense et corsé, mais toutes les provisions du pays étant destinées à l'armée, on n'en trouvait plus que dans les meilleurs restaurants ou au marché noir à un prix exorbitant. Elle saisit les vêtements qui lui tombèrent sous la main, un pantalon, une blouse, une veste de tailleur, enfila son imperméable. Sa sacoche en bandoulière, elle claqua la porte derrière elle et dévala l'escalier.

Deux omnibus bondés lui passèrent sous le nez. Il était hélas impossible de héler un taxi comme autrefois. Ils se comptaient désormais sur les doigts d'une main. Quant aux voitures personnelles, privées de carburant, elles restaient sagement au garage. Exaspérée, la jeune femme pressa le pas. Elle détestait arriver en retard à la conférence de presse quotidienne imposée par le puissant ministère de la Culture populaire, rebaptisé «impopulaire» par ses confrères américains plaisantins. Comme d'autres correspondants, elle avait l'intention de protester contre l'absurdité de devoir subir un imbroglio administratif pour obtenir des cartes d'identité en sus des tickets de rationnement. Même les journalistes allemands, qui constituaient désormais le contingent le plus important à Rome, s'en indignaient. Ce n'était d'ailleurs là qu'un des innombrables griefs qui opposaient les frères ennemis de l'Axe depuis le début de cette maudite guerre.

Alors qu'elle empruntait une ruelle pour prendre un raccourci, trois adolescents des Jeunesses fascistes en chemises noires et culottes de golf surgirent soudain devant elle. Ils affichaient l'air à la fois insolent et stupide de cadors de cours de récréation. Elle songea qu'ils se montreraient moins fanfarons quand ils seraient envoyés au front d'ici à quelques mois. Le cœur battant, elle recula d'un pas. Par les temps qui couraient, il était préférable d'éviter les ennuis.

— Sale communiste !

Un crachat l'atteignit au visage. Deux d'entre eux l'empoignèrent par les bras. Elle poussa un cri. Comment pouvait-elle se faire agresser à Rome en plein jour ? C'était absurde ! Quand le troisième tenta de lui arracher son pantalon, elle comprit ce qu'ils tramaient. Un décret avait interdit aux femmes de porter des shorts en été ou des pantalons, sous prétexte que cette mode infamante avait été inspirée par la Russie bolchevique et les ploutocrates américains. Depuis, de jeunes fascistes en profitaient pour effrayer celles qui osaient enfreindre le règlement, cherchant à humilier ces proies faciles. Assaillie par de mauvais souvenirs, Alice paniqua. Toute sa rancœur se déversa sur ces imbéciles aux ordres de leur gouvernement borné. Elle se débattit si violemment qu'ils eurent du mal à la maîtriser.

— *I'm American ! Let me go, you bastards !*

Elle atteignit l'un d'eux d'un coup de pied à la mâchoire. Sonné, l'assaillant lâcha prise. Les hurlements de la jeune femme avaient alerté des passants. Certains se mirent à encourager les provocateurs tandis que d'autres en vinrent aux mains pour la défendre. Deux *carabinieri* accoururent enfin, les garçons furent obligés de la lâcher. Alice brandit sa carte de presse en tempêtant qu'elle était une citoyenne américaine et qu'elle avait le droit de porter la mode de son pays. Ses arguments finirent par convaincre la petite foule qui se dispersa. Essoufflée, elle resserra la ceinture de son imperméable tout en faisant un effort afin de se montrer polie avec les gendarmes. Elle voulait éviter d'être traînée à la Questura ; l'inefficacité notoire des fascistes faisait toujours perdre un temps précieux. Après l'avoir sermonnée sur le respect dû au Duce et aux glorieux combattants qui se sacrifiaient sans compter, ils la laissèrent tranquille.

Adossée au mur, Alice tremblait encore de rage, révulsée par la sensation de leurs mains sur son corps. Ce n'était pas tant la bouffonnerie de l'agression qui l'avait choquée que la virulence inattendue de sa réaction. Si elle avait été armée, elle les aurait abattus sans hésiter. Jamais elle n'aurait pensé être capable d'éprouver une telle aversion envers des adolescents mal dégrossis. Elle s'aperçut que les boutons de son pantalon avaient été arrachés. Les crétins ! Elle enfila son foulard dans les passants de la ceinture pour le retenir à la taille et rentra chez elle en boitillant à cause d'un talon cassé.

— Signora Clifford, que vous est-il arrivé ? s'exclama le père du petit Marcello lorsqu'elle tourna le coin de sa rue. Vous êtes couverte de sang !

Le cordonnier exagérait, évidemment. En se regardant dans la vitrine, elle s'aperçut toutefois qu'elle avait été griffée à la joue. Il l'entraîna dans sa boutique et l'installa d'autorité sur un tabouret. Sa femme s'empressa d'apporter le nécessaire pour désinfecter la coupure pendant qu'Alice leur racontait l'altercation. L'artisan leva les mains au ciel.

— Ils sont devenus fous ! S'attaquer à une femme ! J'ai honte pour mon pays.

Elle observa les étagères à moitié vides. L'odeur familière de cuir et de colle fraîche n'imprégnait plus les murs. Désormais, les clients de Tino l'imploraient de rafistoler des souliers dont les semelles en carton tombaient en morceaux. Les soucis l'avaient fait maigrir. Seule son épouse Rosella n'avait rien perdu de sa superbe. Le regard noir toujours aussi mordant, la voix de la Romaine résonnait haut et fort dans le quartier lorsqu'elle faisait la queue pour obtenir les rations de nourriture dévolues à sa famille.

— S'il n'y avait que des gamins mal élevés pour se comporter ainsi…, se désola-t-elle alors que l'alcool sur la peau écorchée faisait grimacer Alice. On se croirait revenus en 1925. Ces affreux *squadristi* arpentent les rues armés de gourdins et au premier propos défaitiste traînent de force le malheureux jusqu'à une pharmacie pour lui faire avaler de l'huile de ricin.

— Tous des corrompus ! gronda son mari. Ah, je regrette de ne pas avoir suivi mon cousin lorsqu'il a émigré chez vous, à New York !

Si le peuple se méfiait des Britanniques, de leurs visées impérialistes et de leur volonté irritante de dominer une mer Méditerranée considérée d'essence italienne, personne ne trouvait rien à redire sur le pays des hommes « libres et courageux », tel que le proclamait l'hymne national américain. Les nombreuses familles italiennes émigrées outre-Atlantique envoyaient de l'argent à leurs proches tout en chantant les louanges de cette terre généreuse. Une propagande redoutablement efficace qui exaspérait le Duce.

Des clous entre ses lèvres, Tino cessa soudain de marteler la chaussure.

— Signora Clifford, vous croyez qu'il va y avoir la guerre entre nous ?

— Oui, j'en suis persuadée. La plupart des Américains sont déjà rentrés chez eux car le département d'État refuse de renouveler leurs passeports. Les consulats sont fermés. L'Amérique a gelé les avoirs bancaires des pays de l'Axe, entraînant des représailles similaires. Je ne peux plus accéder à mon compte American Express depuis le mois de juin. Je suis d'ailleurs endettée auprès de tous les commerçants du quartier.

Les Italiens n'avaient pas hésité une seconde à venir en aide à leurs hôtes américains en leur faisant crédit. Une touchante preuve d'amitié. La population avait une confiance aveugle en eux que ne partageaient pas les gouvernants, ni la presse fasciste, qui cherchait à les discréditer en ridiculisant le président Roosevelt et son épouse par des caricatures obscènes.

— Ce serait terrible pour nos pauvres enfants de se battre contre des Américains, murmura Rosella, accablée.

Alice comprit qu'elle pensait à Fausto, leur fils aîné. Il avait été blessé lors de la campagne de Grèce, au cours de laquelle l'armée italienne, sous-équipée et mal ravitaillée, avait subi de retentissantes défaites. Depuis cette déroute, le pays grondait de colère.

Tino brandit triomphalement la chaussure réparée.

— À moins que ce ne soit un jour de fête. Si les Américains entrent en guerre, ils sont sûrs de la gagner et nous serons enfin débarrassés de l'homme du balcon.

412

Alice ne lui donnait pas tort. Elle redoutait cependant les sacrifices qui seraient nécessaires pour arriver à la victoire finale et le nombre incalculable de morts à venir. Elle ne se faisait aucune illusion sur la détermination des nazis, galvanisés par leurs succès militaires, à poursuivre leur croisade insensée. Qui aurait pu les raisonner ? Même la trentaine d'exhortations du pape Pie XII pour que les belligérants consentent rapidement à une paix « juste et honorable » n'avait eu aucun effet. Le Saint-Père prêchait dans le désert. Et comment envisager sérieusement un statu quo avec une hégémonie nazie sur le continent ? Churchill ne le tolérerait jamais. Désormais, il n'était plus question de savoir si l'Amérique allait entrer dans le conflit, mais à quel moment.

Rosella reboucha soigneusement le flacon d'alcool avant d'essuyer ses mains sur son tablier. De nouvelles rides creusaient son front. Elle sortit de sa poche une médaille religieuse accrochée à une chaîne dorée.

— Fausto fait partie du corps expéditionnaire envoyé en Russie. On leur a demandé de laisser leurs médailles de baptême à la maison. Il paraît que si les Soviétiques les font prisonniers et découvrent qu'ils sont chrétiens, ils les tuent sur-le-champ. J'ai peur pour lui nuit et jour, ajouta-t-elle, bouleversée.

Alice l'enlaça pour la réconforter. Depuis qu'Adolf Hitler avait rompu son pacte avec l'Union soviétique et franchi le Rubicon en attaquant la Russie le 22 juin dernier, les cartes du jeu avaient été redistribuées.

— Au moins, là-bas, il se bat contre la tyrannie bolchevique, déclara son mari. S'en prendre à la Grèce n'avait aucun sens, mais ce combat-là est juste. Ses lettres prouvent d'ailleurs qu'il en est fier.

— Il a vingt et un ans ! explosa-t-elle. Il n'est pas fait pour la guerre mais pour la vie ! Ce sont les Allemands qui ont entraîné le Duce dans cette folie. Et s'il s'est empressé d'y envoyer nos garçons, c'est parce qu'il ne veut surtout pas que l'Allemagne victorieuse nous dicte ses conditions en nous traitant d'incapables. Ce sont eux qui aiment obéir aux ordres et tuer, pas nous ! Le Duce nous le reproche assez, non ? Il prétend sans cesse qu'on doit s'endurcir et se comporter en guerriers. Mais qu'est-ce qu'il veut ? Qu'on devienne des monstres, nous aussi ?

Rosella reprit son souffle, les poings sur les hanches.

— Je les maudis, ces Allemands ! Ils paradent dans nos villes et fichent leur nez partout. Ils dévalisent nos magasins. Ils nous retirent même la nourriture de la bouche. Regardez mon panier de courses ! s'indigna-t-elle en l'agitant. Vide, encore une fois. Comment croient-ils que je peux nourrir correctement Marcello avec seulement deux verres de lait par jour ? Ce matin, on manquait encore de beurre et de sucre. Le pain et les spaghettis sont immangeables parce qu'on n'a plus de farine de blé !

Tino tenta d'apaiser son épouse qui avait éclaté en sanglots. On racontait que les cambrioleurs dérobaient désormais la nourriture des garde-manger plutôt que les bijoux. Même les chats errants du Forum et du Panthéon commençaient à disparaître de manière mystérieuse. La corruption de l'Agence centrale responsable de la distribution des vivres était notoire. On parlait d'incompétence et de petits trafics entre amis. La population, elle, souffrait non seulement des restrictions mais aussi des bombardements sur les grandes villes. Rome retenait son souffle. Dès la déclaration de guerre de Mussolini à l'Angleterre et à la France, le pape s'était efforcé d'obtenir des Alliés qu'ils épargnent la Ville éternelle. Les Anglais, traumatisés par le Blitz de Londres, avaient accepté à contrecœur de préserver le Vatican. Désormais, les réfugiés affluaient pour se mettre à l'abri. Les Romains espéraient survivre à l'enfer venu du ciel qui ravageait Turin, Gênes ou encore Naples. Alice ne pouvait rien faire pour soulager la peine et les difficultés de Rosella. Les bras ballants, agacée par son impuissance, elle repensa à l'humiliation de l'agression. Tout cela lui semblait aussi pathétique qu'affligeant.

Quand elle parvint en haut de l'escalier qui menait à son appartement, elle trouva Umberto assis sur les marches, fumant une cigarette. Elle ne s'en étonna pas. Tous les téléphones étant sur écoute, ils n'osaient plus s'appeler. Depuis que les relations avec le président Roosevelt s'étaient tendues, les hommes de l'OVRA la surveillaient avec une attention plus soutenue, surtout lorsqu'elle se rendait à l'ambassade, et les fascistes haut placés évitaient soigneusement les Américains. Quant aux antifascistes, ils hésitaient à les contacter de crainte d'être compromis. Même les indicateurs se faisaient rares. Alice avait dit maintes fois à Umberto que leur liaison finirait par lui causer des ennuis, mais il persistait à venir jusque chez elle. Comment ne pas admirer sa ténacité ? Cette preuve d'amour, aussi. Elle verrouilla la porte derrière eux en regrettant toutefois de ne pas être seule à ce moment-là. Elle aurait eu besoin de la tranquillité de son refuge pour se ressaisir. Elle aimait Umberto, mais il pouvait parfois se montrer envahissant. Dans le salon, il se versa une grappa qu'il but d'une traite.

— Beatrice a failli mourir.

Il dénoua sa cravate d'un geste rageur. Alice ne l'avait jamais vu aussi agité depuis que l'Italie avait déclaré la guerre à la France, lui infligeant un misérable coup de poignard dans le dos puisque les troupes allemandes avaient déjà envahi le nord de l'Hexagone. Elle se rappela que Beatrice Ludovici était affiliée à la Croix-Rouge, de même que la plupart des Italiennes de la haute société, et qu'elle servait comme infirmière sur un bateau-hôpital quelque part le long de la côte albanaise. Elle examina sa joue dans le miroir, pendant qu'Umberto poursuivait d'une voix blanche :

— Des avions britanniques les ont bombardés en pleine nuit alors que la croix rouge était bien en évidence. C'est indigne, non ? Quand le navire a commencé à couler, les infirmières ont dû se jeter à la mer dans l'espoir d'atteindre les canots de sauvetage. Il y a eu une quarantaine de morts parmi l'équipage. Beatrice a passé plusieurs heures dans l'eau glacée. Edda Ciano était avec elle.

— Elle a été blessée ?

— Heureusement, non. C'est un miracle. J'espère qu'elle n'a pas attrapé une pneumonie.

— Edda Ciano, la fille du Duce, le corrigea Alice. A-t-elle été blessée ?

Il sembla surpris.

— Je ne pense pas. Beatrice me l'aurait dit. Quand elle a réussi à me joindre au téléphone, elle m'a seulement précisé qu'Edda se trouvait avec elle.

Alice hocha la tête. C'était un bon sujet. La fille du dictateur pataugeant dans la mer Adriatique au péril de sa vie. Certains de ses confrères murmuraient qu'Edda Mussolini Ciano était une femme à l'influence dangereuse. Peut-être méritait-elle un portrait ? Cette jeune comtesse semblait plutôt lucide. N'avait-elle pas déclaré un soir, après quelques verres de champagne, qu'il valait mieux profiter des occasions pour s'amuser car ils finiraient tous pendus piazza Venezia ? Les rumeurs les plus déplaisantes parlaient d'alcool et de drogues. Alice pensait plutôt qu'on ne lui pardonnait pas son esprit incisif, ni son goût notoire pour la bagatelle. Son dernier amant en date serait Emilio Pucci, un flamboyant aviateur. Elle doutait toutefois que la fille du Duce lui accorde une interview comme l'avait fait son père.

Elle se rendit dans sa chambre pour se changer. Elle n'avait pas l'intention de rester enfermée dans son appartement avec Umberto que le courage de son épouse avait visiblement bouleversé.

Il s'appuya au chambranle de la porte et la regarda choisir une robe dans le placard.

— Tu ne dis rien ?

— Que veux-tu que je te dise ?

— Beatrice aurait pu mourir.

Alice découvrit, irritée, qu'elle avait des bleus sur une cuisse.

— Il faut croire que certains aiment vivre dangereusement.

— Tu t'en fous ?

— Oui.

— Ce n'est pas parce que toi tu n'attends aucune commisération quand tu te lances dans tes aventures débridées que je ne dois pas m'inquiéter pour ma femme ! Beatrice est très courageuse. Elle aurait pu se contenter de rester à la maison pour s'occuper de nos enfants.

— Je croyais que vous aviez des gouvernantes. Vos garçons vivent dans la propriété familiale de ton épouse en Toscane. Eux, au moins, doivent manger à leur faim. Pas comme les pauvres sujets affamés de ton Duce bien-aimé et de son gendre obséquieux.

— Tu es odieuse, Alice.

Umberto connaissait ses humeurs changeantes, mais aujourd'hui il n'avait pas la patience d'y accorder de l'attention. Beatrice aurait pu mourir noyée ou brûlée vive dans l'incendie du navire. Il ferma les yeux pour chasser les images de ce cauchemar. Ils s'étaient âprement disputés quand elle avait insisté pour servir comme infirmière. Qu'avait-elle à prouver ? Il la croyait plus casanière, plus passive. Comment aurait-il fait pour expliquer à leurs trois petits que leur mère ne reviendrait plus ? Malheureusement, Alice ne supportait pas qu'il lui parle de sa famille. Il

418

n'y avait que Giacomo, avec son mauvais caractère et son franc-parler, pour trouver grâce à ses yeux. Il en vint à regretter de s'être précipité chez elle sans réfléchir, aiguillonné par le besoin de la voir.

Alice attacha un soin particulier à plier son pantalon, agacée qu'Umberto n'ait rien remarqué de ce qui lui était arrivé et furieuse qu'il ait jugé nécessaire de venir lui parler des mésaventures de son épouse.

— Pardonne-moi, mais je ne vois pas très bien en quoi je peux t'être utile. Si tu es tellement inquiet pour ta femme, pourquoi ne vas-tu pas la chercher en Albanie ? Elle sera sûrement heureuse de te retrouver après son calvaire.

Comme elle peut être intransigeante, se désola Umberto. Était-ce le fait de ne pas être mère qui expliquait son manque de compassion ? L'image de ses enfants le poursuivait. Leurs regards confiants, leurs mines réjouies. Aussi turbulents que tendres, ils aimaient se jeter dans ses bras et se pendre à son cou. Leurs petits corps énergiques lui manquèrent soudain avec une intensité inattendue. Troublé, il passa une main dans ses cheveux. Il se désespérait parfois de ces élans d'émotion alors qu'au palazzo Chigi comme en présence du Duce, il fallait afficher un visage martial et une fermeté à toute épreuve.

À le voir aussi grave, Alice se demanda soudain si Umberto avait l'intention de rompre. Une entente tacite s'était pourtant établie entre eux depuis leur séjour à Alexandrie. Lui ne quitterait jamais son épouse et elle ne le lui demanderait pas. Il était toutefois plus difficile de se contenter d'un amant marié en temps de guerre qu'en temps de paix. Le conflit avait lesté leurs sentiments d'un fardeau insidieux, celui de la peur, des compromissions et de l'imminence de la mort. Sa gorge se serra. Bien que cela lui en coûte, elle était obligée de reconnaître qu'elle redoutait de le perdre. Elle tenait à Umberto en dépit de ses maladresses et de tout ce qu'il ne pourrait jamais lui offrir. Il la rassurait, la faisait rire ; il était un merveilleux amant. Et leur amour qui n'avait rien de passionnel la laissait parfaitement libre. À cet instant-là, sa crainte de l'abandon lui parut plus pernicieuse que jamais, une méprisable faiblesse, mais un mauvais pressentiment lui mordit le cœur. Le temps leur avait toujours été compté. C'était la rançon que payaient les femmes de son tempérament pour leur indépendance. L'insouciance et la sérénité leur étaient défendues. Elles n'avaient droit qu'aux amours interdites, les seules qui puissent un temps les satisfaire. On pouvait se nourrir de ce feu permanent, en ressentir de l'exaltation, en retirer une jouissance certaine. On pouvait s'y brûler, aussi.

— Parle-moi, Umberto. En quoi puis-je t'aider, *tesoro mio* ?

Elle vint vers lui, vêtue de sa lingerie en soie, leva son visage, mêla son souffle au sien. Umberto tressaillit, puis vit la marque sur sa joue.

— Que t'est-il arrivé ?

— Rien. Je me suis cognée.

Il effleura son cou, ses seins. Comme chaque fois, Alice frémit. Quand il glissa un bras autour de sa taille, elle se laissa faire tout en percevant son anxiété.

Elle saisit sa tête entre ses mains, l'obligea à la regarder. Elle offrait son corps parce que Umberto était incapable d'y résister. Ce jeu de la séduction la rassurait dans les moments où elle se sentait fragile. Elle n'avait aucune honte à s'en servir. C'était un échange vieux comme le monde.

Umberto fit glisser la bretelle de son soutien-gorge. Elle s'efforça de chasser de ses pensées tout ce qui était sombre et trouble, cet avenir incertain qui la tenait éveillée des nuits entières. Le seul moyen de survivre était de saisir pleinement l'instant présent, de tout oublier, sauf la main ferme d'Umberto sur sa nuque, ses lèvres sur sa bouche et sa poitrine, ce désir charnel dans un monde imparfait, ce bonheur fou de célébrer le corps de l'homme aimé qui l'arrimait à la terre. L'épouse d'Umberto était saine et sauve, il était donc libre de faire l'amour à sa maîtresse. En aurait-il été de même si Beatrice Ludovici était morte ?

Une aile du palais Ludovici avait été transformée en hôpital militaire. En se présentant au portail, Alice se dit qu'elle venait certes rendre visite à un ami blessé, mais qu'elle était surtout curieuse de découvrir où Umberto avait passé son enfance.

— Où puis-je trouver Virgilio Testa ?

Une infirmière vérifia le nom dans un cahier, puis lui indiqua de prendre l'escalier au fond de la cour. Le soleil automnal brillait dans le ciel bleu. L'air était frais, revigorant. Une belle harmonie se dégageait des proportions du palais, reflet d'une perfection esthétique qui se voulait aussi agréable à l'œil qu'apaisante et favorable à l'équilibre psychique. Parmi les statues d'hommes illustres de la cour, elle reconnut Romulus, le premier roi de Rome, ainsi que l'empereur Auguste. Le travertin, les marbres et les pierres antiques réfléchissaient la luminosité joyeuse qui faisait partie intégrante de la personnalité d'Umberto et que seule la guerre avait réussi à ternir.

Au premier étage, sous les fresques qui ornaient une enfilade de salons, s'alignaient des lits à barreaux.

Alice respira cette odeur particulière, mélange d'antiseptiques et de relents de corps souffrants, et se demanda si elle imprégnerait les étoffes et les tentures murales en soie. Quelques femmes étaient assises au chevet des blessés. Une jeune infirmière, les bras chargés de pansements, la guida vers un lit au fond du deuxième salon. Une remarquable collection de peintures, des paysages, se chevauchait jusqu'au plafond où des angelots en stuc dansaient une farandole. Elle songea à la perte inestimable que représenterait la disparition de ces œuvres d'art en cas de bombardement. Sans doute le prince Ludovici avait-il mis certaines choses à l'abri, mais il aurait fallu dépouiller le palais et le démonter pierre par pierre pour le préserver. La voyant approcher, Virgilio se fendit d'un large sourire. Elle l'embrassa sur la joue, entrouvrit son sac pour lui montrer une bouteille de cognac.

— Je te devais bien ça, mon vieux. Tu m'en avais offert une à Madrid.

À son retour de la guerre d'Espagne, Virgilio lui avait écrit pour lui donner de ses nouvelles. Le jeune homme avait repris sa thèse de littérature, espérant se faire oublier des autorités. Il avait eu de la chance. Certains de ses camarades avaient préféré se réfugier en France où leur avenir leur avait semblé moins risqué.

— C'est gentil de venir me rendre visite. Ils vont tous m'envier ma ravissante petite amie. Regarde, ils te dévorent déjà des yeux. Sauf mon voisin de gauche, évidemment. Lui est prêtre. Les belles femmes comme toi lui font peur.

Virgilio s'efforçait de plaisanter, mais sa mine était terreuse. Il avait aussi beaucoup maigri. Un imposant bandage était enroulé autour de son torse.

— Tu vas t'en tirer ?

— Cette fois encore, mais si je dois sacrifier une partie de mon corps à chaque campagne, Dieu sait ce qu'il restera de moi quand on aura capitulé.

Son ironie était amère. Il avait dû être amputé de deux doigts de pied au cours de la campagne de Grèce à cause d'engelures. Il s'estimait chanceux, car des milliers de combattants étaient morts ou avaient perdu une main ou un pied parce que le Duce avait été incapable de les équiper correctement pour l'hiver.

— C'était moins difficile en Espagne parce que je défendais une cause à laquelle je croyais. Maintenant, je lutte simplement pour survivre. Mais le pire est devant nous. Bientôt, nous allons devoir combattre contre vous.

L'absurdité de la situation exaspérait Alice. Comment pouvait-elle devenir l'adversaire de Virgilio, de Tino, de tous ses amis italiens ? Sans oublier Umberto, ce qui l'effrayait le plus. Elle allait devoir quitter le pays pour ne pas être internée par les autorités fascistes, le sort classique réservé aux ressortissants d'un pays ennemi. Elle ne supporterait pas d'être retenue contre son gré. La plupart des agences de presse américaines avaient déjà rappelé leurs correspondants, les remplaçant par des Italiens ou des Suédois. À l'ambassade, où elle se rendait deux fois par jour, on l'avait assurée qu'elle pourrait partir avec le train diplomatique en cas de déclaration de guerre. Alice n'était cependant pas certaine que le Duce accorderait des visas de sortie du territoire. Son journal lui demandait depuis des semaines de prendre ses dispositions afin de rentrer en Égypte. Les sujets d'articles n'y manquaient pas. Le pays était devenu une plaque tournante pour les troupes alliées, les affairistes et les espions en tous genres. À la frontière libyenne, les soldats allemands de l'Afrikakorps, sous les ordres du général Rommel, menaient la vie dure aux Britanniques. La jeune femme continuait toutefois à renâcler. Quitter Rome revenait à se séparer d'Umberto sans aucune certitude de jamais le revoir.

— C'est affligeant, tu sais, murmura Virgilio. La désorganisation, la méfiance dans l'armée. Les officiers sont des imbéciles, les soldats des ignares. J'ai vu des fantassins qui n'avaient jamais tiré un coup de fusil. Pourtant nous ne sommes pas de mauvais combattants, contrairement à ce que l'on croit. Nous sommes tenaces et courageux. Voilà bien le triste résultat de vingt ans d'esclavage et d'appauvrissement moral du peuple italien !

— Ce qui me frappe, c'est l'apathie de la population. Chacun dénonce les failles du régime, la corruption et l'incompétence, mais personne ne parvient à se coordonner pour renverser le gouvernement. Il vous manque quelques centaines de volontaires prêts à risquer leur vie pour le bien commun.

— Bah, on nous a lavé le cerveau depuis trop longtemps ! Les gens craignent le chaos qui régnait avant 1922 et ne parviennent même plus à concevoir une autre politique. À leurs yeux, ce n'est pas le fascisme qui est à la source du problème, mais la manière dont il aurait été perverti par des incapables. Ils espèrent le réformer alors qu'il faudrait l'abattre. Pour beaucoup, le Duce n'est responsable de rien. À les entendre, il ne serait même pas au courant de tous ces errements. Ils conservent l'illusion que Benito Mussolini est un génie. Plus infaillible encore que le pape !

Il fallait aussi reconnaître qu'il était difficile pour les antifascistes de planifier un coup d'État. Les agents de l'OVRA avaient infiltré tout le pays, des villages reculés aux immeubles urbains. Les Italiens étant bavards, il était quasiment impossible d'organiser des rencontres entre conspirateurs sans se faire remarquer. Bien que les agents au service du Duce fussent moins implacables que ceux de la Gestapo, ils maintenaient le peuple sous surveillance, aidés depuis le début de la guerre par les hommes d'Heinrich Himmler. Présents sur le territoire pour surveiller les Allemands, les policiers SS signalaient à qui de droit toute velléité de résistance.

Ils se turent en voyant approcher un médecin en blouse blanche entouré d'infirmières. La petite troupe encercla le lit du prêtre. Le médecin l'examina pendant quelques minutes, puis repartit en marmonnant avec toute son équipe.

— Ils l'ont déjà opéré deux fois depuis son arrivée hier soir, chuchota Virgilio. Ils n'ont pas beaucoup d'espoir.

En l'observant de plus près, Alice s'aperçut que l'homme avait le teint jaunâtre de ceux qui souffrent d'une infection au foie. Son visage fiévreux luisait de transpiration et il respirait difficilement. Elle se demanda si ses parents étaient encore en vie, s'il avait des frères ou sœurs pour lui rendre visite. Un prêtre était-il condamné à mourir seul ? C'était injuste. Elle se leva, contourna le lit de Virgilio et s'assit sur une chaise près de lui. Un peu hésitante, elle posa une main sur la sienne. La peau était moite et froide. Elle ne savait pas s'il était conscient de sa présence ni comment le réconforter. Devait-elle réciter un Notre Père ? Elle n'en connaissait les paroles qu'en anglais. Il ne les comprendrait sans doute pas, mais reconnaîtrait la cadence de la prière. Soudain, il ouvrit les yeux et la fixa avec intensité. Elle retira prestement sa main, gênée de son audace.

— Je suis désolée, mon père. Je voulais simplement vous tenir compagnie.

Comme il essayait de parler, elle se pencha vers lui, soucieuse de savoir s'il avait besoin d'un verre d'eau ou de calmants.

— Prenez ma sacoche.

— Où cela ?

— Dans l'armoire.

Elle remarqua derrière lui le meuble en bois blanc destiné aux affaires des blessés. Dans l'un des casiers reposait une mallette en cuir fatigué. Il lui demanda de l'ouvrir. Elle y trouva une étole marquée d'une croix, un bréviaire, les objets du culte nécessaires à un aumônier aux armées pour dire la messe.

— Mon carnet… dans la sacoche. Dites-lui !

Il avait commencé à s'agiter. Anxieuse, elle saisit sa main entre les siennes.

— Dire quoi, mon père ?

— Promettez-moi de lui dire… Au prince Ludovici.

— Je vous le promets. Reposez-vous maintenant.

Son regard tourmenté s'enflamma un bref instant, puis son visage changea de couleur graduellement, virant au gris, la vie refluant peu à peu de son corps. Alice accentua la pression sur ses doigts pour qu'il sente sa présence. Quelques secondes plus tard, il ne restait plus de lui qu'une enveloppe charnelle et la fixité de ses yeux grands ouverts. La jeune femme demeura pétrifiée, troublée par un curieux sentiment de perte. Une infirmière se précipita et lui demanda de bien vouloir s'écarter, tandis qu'elle s'empressait de dresser un paravent autour du mort. Tel un automate, Alice retourna s'asseoir à côté de Virgilio.

— Le malheureux. Je pensais bien qu'il ne passerait pas la journée. Tu vas faire quoi avec ça ?

Elle s'aperçut qu'elle avait posé la sacoche sur ses genoux.

— Il m'a parlé d'un carnet.

— Pourquoi ?

— Je l'ignore.

Elle effleura le cuir couvert de taches. La poignée était à moitié arrachée. La pensée saugrenue la traversa de demander à Tino de la réparer. Elle fouilla discrètement l'intérieur en quête du carnet. En vain. Une fleur séchée et des mémentos en souvenir de personnes décédées avaient été glissés entre les pages du bréviaire. Comme Alice se fiait toujours à son intuition, elle décida qu'il lui fallait partir sans tarder, avant que quelqu'un ne lui demande pourquoi elle dérobait le bien d'un aumônier qui venait de rendre l'âme.

De retour chez elle, la jeune femme prit la précaution de tirer les rideaux du salon avant d'allumer les lampes. Un geste inconséquent puisqu'elle n'avait pas de vis-à-vis, mais elle se sentait nerveuse. Elle retourna la mallette dans tous les sens, la secoua, fit glisser ses ongles sur les coutures. Il en émanait une odeur rance de poussière et d'humidité. Le pauvre prêtre s'était trompé, il avait dû ranger son calepin ailleurs.

La singularité de sa requête ne la surprenait qu'à moitié. On ne pouvait pas vivre au cœur de la Ville éternelle sous un régime autoritaire sans saisir l'importance de la dissimulation. Les chrétiens n'avaient d'ailleurs jamais été étrangers au monde du secret. À Rome, les premiers fidèles s'étaient réfugiés dans les catacombes, communiquant par langage codé et signes de reconnaissance dont le poisson avait été le plus notoire, en souvenir de saint Pierre, le pêcheur du lac de Tibériade. Un peu dépitée, Alice finit par employer les grands moyens et prit un couteau pour découper la doublure. C'est alors qu'elle découvrit un double fond, ainsi qu'un carnet noir entouré d'un élastique.

Elle le posa sur la table basse et l'observa un long moment, les mains jointes sur ses genoux. Elle pressentait que les choses ne seraient jamais plus pareilles une fois qu'elle l'aurait ouvert. Elle ne connaissait rien de ce prêtre, ni son nom ni ses derniers déplacements. Si le Vatican ne disposait pas à proprement parler de services secrets, il animait cependant un réseau efficace d'« agents » dans le monde entier, aussi bien des religieux que des civils, dont il récoltait des informations. Elle savait par ailleurs que Giacomo Ludovici était prince assistant au siège pontifical et qu'il ne portait pas le régime fasciste dans son cœur. Ainsi n'était-il pas bien difficile de relier les morceaux du puzzle.

Elle se leva pour se verser un verre de vin, prit un moment pour regarder autour d'elle. Comme elle aimait cet appartement ! Le parquet de guingois, les craquements du vieil immeuble qui soupirait les soirs de sirocco, la frise qu'elle avait découverte en décapant la peinture lorsqu'elle s'était installée, la terrasse et la vue sur les toits, les dômes de Rome. Umberto et elle y avaient été heureux. Elle savoura le montepulciano qui lui rappelait toujours des moments de bonheur, avant de se pelotonner dans le fauteuil pour lire.

— Vous avez demandé à me voir, Miss Clifford ?

Giacomo Ludovici avait déjà les cheveux blancs, qu'il portait un peu longs dans la nuque. Moins grand qu'Umberto, il possédait néanmoins la même structure de visage et son élégance nonchalante.

— Je vous en prie, entrez.

Alice, intimidée, était restée sur le seuil de la bibliothèque à le contempler. Il vint vers elle en boitant légèrement. Sa poignée de main était ferme, son regard intelligent. Il dégageait un air d'autorité et de calme. Elle le remercia de la recevoir, lui expliqua qu'elle était venue la veille rendre visite à un ami hospitalisé dans le palais.

— Son voisin était prêtre. Il est mort sous mes yeux. J'ai quelque chose à vous remettre de sa part.

Quand elle lui montra le carnet, les traits de Giacomo Ludovici se figèrent. Il jeta un coup d'œil vers son bureau encombré de papiers et de livres où trônait un téléphone en bakélite noir.

— Suivez-moi ! ordonna-t-il en saisissant une canne à pommeau d'argent.

Ils traversèrent un salon de musique avant d'emprunter un étroit escalier jusqu'à l'étage sous les combles, où Alice fut surprise de découvrir une nursery. Quelques toiles de facture moderne ornaient les murs. Des jouets en bois étaient empilés dans un coffre, trois bureaux d'écoliers disposés devant un tableau noir. Un cheval à bascule à longue crinière attira son attention. Elle se demanda si Umberto l'avait chevauché enfant.

— Je préfère vous recevoir dans une pièce sans téléphone, Miss Clifford. Je doute qu'on soit venu y poser des micros et mes enfants sont à l'école. Nous serons tranquilles.

Cette prudence était de mise depuis des années pour les opposants au régime. Certains débranchaient leurs appareils téléphoniques ou les plaçaient sous des couvertures avant de parler, d'autres faisaient jouer leurs gramophones pour couvrir leurs voix. Il était même arrivé à Alice de mener une interview dans une salle de bains, assise sur le rebord de la baignoire. Elle expliqua à Giacomo Ludovici comment le carnet était parvenu jusqu'à elle, lui avoua qu'elle avait pris la liberté de le lire parce que c'était son devoir de journaliste.

— Je sais, Miss Clifford. J'apprécie votre plume depuis vos reportages sur la guerre d'Éthiopie. Elle est acérée et courageuse.

Elle accepta le compliment, un brin gênée.

— J'ai appris son identité à l'instant par l'infirmière. Il s'agissait du père Luigi Anselmi. Un jésuite. Le pauvre homme avait certainement ses entrées au Vatican; le destin l'aura empêché de s'y rendre à temps. Son témoignage est accablant. J'ignore si son nom vous dit quelque chose, mais il semblait avoir confiance en vous.

En lui remettant le précieux calepin, Alice eut un pincement au cœur. Elle l'avait relu plusieurs fois sans réussir à fermer l'œil de la nuit tant ce que le prêtre y avait consigné l'avait glacée d'effroi. Giacomo le prit avec déférence pour le feuilleter. Elle scruta son visage en quête d'une expression qui trahirait une même stupéfaction, un même dégoût, mais il demeura impassible.

— Je vois que le père s'est rendu en Pologne et en Russie. Les exactions commises par les troupes nazies sont hélas déjà connues, mais son témoignage est précieux car il corrobore les informations que reçoit le Saint-Père depuis le début de la guerre.

Alice se raidit.

— Vous voulez dire que les massacres de juifs et l'élimination du clergé catholique polonais tels qu'ils sont rapportés dans ces lignes sont de notoriété publique ? Et le pape ne proteste pas ?

Giacomo déplaça un ourson en peluche posé sur l'un des deux fauteuils qui flanquaient la cheminée avant de l'inviter à s'asseoir.

— Le Saint-Père sait que son choix de ne pas dénoncer explicitement les crimes du nazisme peut être mal interprété, et cela l'afflige. Pourtant vous devez me croire quand je vous dis qu'il ne reste pas inactif.

— Mais on a besoin d'entendre des paroles fortes ! Le père Anselmi évoque des assassinats méthodiques. Vous rendez-vous compte de ce que cela signifie ? Du nombre de victimes innocentes ?

Il lui sembla soudain incongru de parler de ces horreurs dans cette pièce chaleureuse dévolue aux joies enfantines. L'enjeu était pourtant de taille. Chaque génération se devait de préserver son âme et celle du monde pour les transmettre à ses enfants. Or les scènes de barbarie décrites par l'aumônier la hantaient. Ce qu'elle avait constaté en Espagne ou à Berlin, ainsi que le témoignage de Victor Weissmann, lui avaient déjà laissé entrevoir le pire. Non sans désarroi, elle pressentait toutefois que son imagination ne pouvait concevoir ce qui se déroulait réellement dans les territoires conquis par les troupes d'Adolf Hitler.

— Le père Anselmi rapporte un enfermement des juifs dans des ghettos polonais où on les laisse mourir de faim. Il parle aussi de déportations récentes de juifs allemands dans des camps de concentration. C'est une volonté évidente de persécution, voire d'anéantissement.

Une ombre obscurcit le visage de Giacomo Ludovici.

— Je ne peux pas vous dévoiler les démarches du Saint-Père que son action oblige à la plus grande prudence. Sachez cependant que chaque fois qu'il a parlé des juifs, les représailles nazies ont été terribles, et lorsqu'il a protesté en janvier 1940 dans les bulletins de Radio Vatican contre les atrocités commises envers le clergé polonais, celles-ci se sont intensifiées. On l'a alors supplié d'être prudent dans ses propos.

Par l'une des fenêtres qui donnaient sur la cour, Alice vit des brancardiers emporter un corps sur une civière. Un sentiment d'abattement la traversa. De révolte, aussi.

— La dernière fois que Pie XII a prononcé le mot « juif », c'était il y a deux ans, dans son encyclique *Summi Pontificatus* d'octobre 1939. C'est un peu loin, vous ne trouvez pas ? Ce grand diplomate est un homme d'expérience. Sa parole a du poids. Même le président Roosevelt l'écoute. Il doit agir ! C'est son devoir !

Giacomo Ludovici détailla cette jeune femme que la colère rendait si captivante. La maîtresse de son frère possédait une beauté magnétique. Il avait appris leur liaison grâce à l'une de ces indiscrétions courantes à Rome. On lui avait même laissé entendre qu'elle était l'amour de sa vie. Jusqu'à aujourd'hui, il n'avait pas voulu le croire. Umberto avait toujours été un garçon léger, adepte d'aventures sans lendemain en dépit de l'affection qu'il portait à son épouse. Mais maintenant qu'il découvrait Alice Clifford, Giacomo comprenait mieux son engouement.

— Vous étiez proche de son prédécesseur dont la parole portait le fer dans la plaie, insista la correspondante. N'êtes-vous pas dubitatif devant la manière dont Pie XII aborde cette guerre ?

Giacomo ouvrit les mains en signe d'impuissance.

— Le pape Pacelli vit une situation beaucoup plus complexe que Pie XI. Il a très clairement déclaré qu'il n'existait qu'une seule race, la race humaine, et que l'on ne pouvait faire de distinction entre les chrétiens et les juifs. Personne ne doute de sa droiture morale ni de son inclination pour la cause des Alliés, d'où la haine qu'il inspire aux nazis. Malheureusement, les victoires d'Hitler ont isolé le Vatican, qui est devenu un lieu d'asile pour les persécutés. Le pape doit aussi veiller à la neutralité du Saint-Siège afin de demeurer un interlocuteur fiable pour tous les belligérants. Depuis que le Duce a menacé d'envahir ce « terreau d'espions », le Saint-Père s'attend à une arrestation, mais il n'a pas peur. Sans troupes pour se défendre, il ne dispose que de son intelligence et du dévouement de ses fidèles. Les croyants vous diraient aussi de l'Esprit saint, précisa-t-il, le regard franc. C'est pourquoi, en dépit des réserves que j'ai eues envers Eugenio Pacelli lors de son élection, je m'incline aujourd'hui devant ses choix diplomatiques et politiques.

Giacomo Ludovici ne pouvait pas lui dire toute la vérité. Il lui était impossible de trahir l'un des secrets les mieux gardés du Vatican, un secret qui mettrait en

435

danger la vie de Pie XII et menacerait non seulement celles de millions de catholiques, mais l'institution même de l'Église. Seule une poignée de personnes était au courant du soutien tacite qu'accordait le Saint-Père à la résistance intérieure allemande par l'entremise d'un réseau de laïcs ainsi que de religieux jésuites et dominicains. Des opposants à Hitler projetaient en effet depuis de longs mois un coup d'État qui entraînerait l'élimination physique du Führer. Or, pour mener à bien ce projet audacieux tout en veillant à la pérennité de l'Allemagne, ils avaient besoin de faire confiance à un intermédiaire au-dessus de tout soupçon.

La correspondante restait dubitative. Une légère rougeur rehaussait ses pommettes et son regard était courroucé. C'est fou ce qu'elle est belle ! pensa Giacomo. Son indignation était sincère. Elle s'était mise en danger depuis la publication de son article dénonçant les crimes antisémites. Sur la liste noire de la Gestapo, le nom d'Alice Clifford figurait certainement en bonne place. On ne l'autoriserait jamais à remettre les pieds sur le sol du Troisième Reich. Il l'admirait même d'être encore présente sur le territoire italien où la Gestapo avait désormais son mot à dire. Était-elle intrépide à ce point ou tout simplement amoureuse ?

— J'ai besoin de savoir, vous comprenez ? De trouver un sens à tout ceci pour garder espoir.

Il comprenait son désarroi et regretta de ne pouvoir lui parler des tentatives de l'Abwehr, le service de renseignements de l'état-major allemand aux ordres de l'amiral Canaris, pour établir un contact avec le gouvernement britannique par le truchement du Vatican. La plus grande méfiance était de mise de part et d'autre. Seuls des ingénus pensaient qu'il suffisait d'éliminer Hitler pour que le régime nazi s'effondre. L'assassinat du Führer entraînerait nécessairement une dictature militaire de transition avant la mise en place d'un gouvernement démocratique. Cette préparation réclamait du sang-froid et du courage de la part de chaque conspirateur qui mettait en danger la vie de toute sa famille. À la voir si découragée, Giacomo eut envie de la rassurer.

— Connaissez-vous saint Thomas d'Aquin ?

Elle s'étonna.

— Pas particulièrement. Pourquoi ?

— Voilà vingt siècles que l'Église de Rome est confrontée au dilemme d'être une institution spirituelle inscrite dans une réalité politique.

— Le moins que l'on puisse dire, c'est que ses actes n'ont pas toujours brillé par leur tempérance !

Giacomo esquissa un sourire.

— Saint Thomas d'Aquin a réfléchi à la justification de certaines guerres, ainsi qu'au tyrannicide. Selon certains théologiens catholiques, la violence politique peut être une nécessité. Les jésuites, en particulier, partagent cette opinion. Je livre cela à votre réflexion pertinente, Miss Clifford, tout en vous rappelant que le silence est parfois une preuve de sagesse.

Alice comprit qu'il lui demandait de ne rien écrire à ce propos. Elle chercha à décrypter ces paroles elliptiques. Hitler était sans aucun doute un tyran et le père Anselmi avait été un jésuite. Ses yeux s'écarquillèrent. Pouvait-on envisager l'inconcevable ? Que Pie XII ait accepté de cautionner l'élimination physique du Führer ? Elle secoua la tête. Son imagination lui jouait des tours. Ce qui semblait certain, en revanche, était l'implication discrète du Vatican aux côtés des résistants allemands à la tyrannie hitlérienne. Elle devina, hélas, qu'elle n'en saurait pas davantage.

— Je vous remercie de votre confiance, prince. Soyez assuré que je sais tenir ma langue quand cela est nécessaire, mais mon devoir m'oblige aussi à parler.

Giacomo Ludovici fut aussitôt sur ses gardes.

— Que voulez-vous dire ?

— Je ne crois pas au hasard. Si le carnet du père Anselmi est arrivé jusqu'à moi, c'est que je devais en témoigner. J'ai écrit mon papier la nuit dernière.

— Alors vous risquez gros. Votre article décrivant le pogrom de Berlin ne vous a pas fait que des amis. La Gestapo est très active à Rome. Vous êtes certainement sous sa surveillance. Je vous conseille de quitter le pays avant de le publier.

Alice détourna les yeux. Il était trop tard pour cela. À l'aube, elle avait escaladé sa terrasse, marché quelques mètres sur le toit avant d'atterrir sur celle de sa voisine, une jeune institutrice. Elle avait frappé à la porte-fenêtre de sa chambre. Comme convenu, Lucia lui avait ouvert, le visage encore ensommeillé, et prêté un double des clés de son appartement. Son immeuble donnait sur une rue parallèle à celle d'Alice. Personne ne l'avait suivie. Elle était arrivée chez son indicateur Marcus Tullius alors que le soleil commençait à

438

se lever. Elle était venue lui demander une immense faveur. Lui seul avait les contacts pour contourner la censure et faire passer sans attendre son article par la Suisse, d'où il parviendrait dans son intégralité au bureau de New York. Malade, le vieux journaliste avec qui elle se promenait autrefois dans les jardins du Pincio n'avait plus que quelques mois à vivre. L'homme ne redoutait pas de terminer ses jours en prison si son geste pouvait servir la cause de la liberté. Après avoir lu l'article d'Alice, il avait pleuré.

— Mon papier paraîtra au plus tard demain matin en première page de mon journal.

— Est-il signé de votre nom ?

— Oui.

Elle pensa à Sigrid Schultz qui avait eu, elle, l'intelligence de prendre parfois un pseudonyme pour ne pas se faire expulser d'Allemagne. Alice n'y avait même pas songé. Était-ce de l'inconscience ou de l'orgueil ? Le père Anselmi avait donné sa vie pour apporter son témoignage jusqu'aux portes du Vatican. Elle refusait que son sacrifice fût vain. Le silence de Pie XII avait peut-être une justification politique telle que l'entendait Giacomo Ludovici, mais son rôle à elle était de parler à haute et intelligible voix, de crier la vérité si nécessaire.

Elle s'approcha d'un panneau où se chevauchaient en désordre des dessins et des photographies de famille. La bouille joyeuse d'Umberto lui sauta aux yeux. Sur l'un des clichés, elle le découvrit petit garçon sortant de la mer, les cheveux plaqués sur le crâne, sur un autre à cheval, souriant à l'objectif. Elle crut également reconnaître Giacomo parmi une bande de gamins. Il y avait aussi des photos d'eux adolescents, quelque part à la campagne, ainsi que des images plus récentes d'enfants, sans doute ceux de Giacomo. Elle chercha les fils d'Umberto. Ressemblaient-ils à leur père ? Une émotion trouble la traversa. Cet équilibre paisible lui paraissait si fragile.

— Vous l'aimez, n'est-ce pas ?

Elle se retourna vivement. Giacomo Ludovici avait allumé une cigarette.

— Mon frère. Vous l'aimez ?

Elle sentit le rouge lui monter aux joues, s'en voulut d'être toujours aussi puérile quand il s'agissait d'évoquer des sentiments.

— Je ne vois pas ce dont vous voulez parler. Je connais don Umberto, en effet. Il m'accorde de temps à autre un entretien pour évoquer la politique du ministre des Affaires étrangères. Lui, je le connais aussi. J'ai rencontré Galeazzo Ciano la première fois à Addis Abeba.

Giacomo lui offrit une cigarette qu'elle refusa.

— Ne noyez pas le poisson, Miss Clifford. Je ne vois aucun mal à ce que vous ayez une liaison avec mon frère. On m'a dit qu'il était heureux de vous compter dans sa vie. J'espère seulement qu'il ne vous fera pas souffrir. Umberto peut se révéler… Comment dire ? Il lui arrive de faire souffrir les autres malgré lui.

Alice haussa les épaules. Le mensonge, par omission ou non, exige une constance qui peut se révéler fastidieuse. Elle choisit de lui faire confiance.

440

— La souffrance ne m'est pas étrangère. Je ne la redoute plus depuis longtemps. Et nos petits chagrins d'amour-propre me semblent de nos jours bien dérisoires. Je saisis le bonheur quand il passe, voilà tout. C'est une grâce d'être heureux, vous ne pensez pas ? Fût-ce l'espace d'un moment… Je n'en demande pas davantage.

Cette intelligence de la douleur émut Giacomo. Alice Clifford recelait des fêlures secrètes d'où naissait sa détermination. Elle était tenace et téméraire. Imprudente aussi. L'une de ces femmes précieuses qui suscitent le respect, donnent envie à celui qui les aime de les préserver de tout mal. Si jamais Umberto la perd, il ne s'en remettra pas, songea-t-il, étrangement affecté.

Karlheinz Winther jeta un coup d'œil agacé à sa montre-bracelet. Son ami Werner avait une heure de retard. Ce n'était pourtant pas dans ses habitudes. Il éprouva une légère inquiétude, se reprit aussitôt. Qui pourrait en vouloir à cet officier émérite ? Depuis le succès de ses missions au service de l'Espagne nationaliste, le colonel Werner Borchard avait ses entrées au haut commandement et ses exploits militaires ultérieurs n'avaient fait que renforcer son prestige. Le Führer lui-même l'avait convoqué à son quartier général de Prusse-Orientale. Confortablement installé dans l'un des salons de l'hôtel Albergo Flora, sur la via Veneto, Karlheinz se résigna donc à prendre son mal en patience. Sans doute Werner avait-il été retenu pour une raison banale, mais quiconque appartenait à une conspiration vouée à l'élimination d'Adolf Hitler et à la chute du Troisième Reich n'avait jamais l'esprit tranquille.

Il se rappela le jour où son meilleur ami était venu le trouver après la capitulation de la France en juin 1940, alors même que le Führer semblait invincible.

442

« L'Allemagne est perdue, avait affirmé Werner. Notre pays est voué à la destruction si nous ne retirons pas le pouvoir à Hitler. » Il avait alors rejoint la poignée d'hommes décidés à renverser le dictateur. Un choix qui relevait de la haute trahison ; un engagement déchirant pour tout officier que Karlheinz n'avait pas non plus pris à la légère. Les risques encourus ? La mort par pendaison, mais plus cinglant encore pour ces hommes de devoir, l'indignité nationale.

Ce jour-là, Werner lui avait demandé ce qui l'avait entraîné, lui, à faire le choix de la traîtrise. L'explication semblait tellement insignifiante. C'était des mots qui l'avaient décidé, de simples mots qui avaient résonné en lui plus fortement encore que le goût de la vengeance, des mots prononcés pendant la guerre civile espagnole, un jour d'octobre 1936, par le recteur de l'université de Salamanque. Karlheinz voyait encore la frêle silhouette de Miguel de Unamuno se dresser dans l'amphithéâtre bondé de nationalistes vociférant leur amour de la mort en conspuant cet esprit libre. « Je viens d'entendre le cri nécrophile *"Viva la muerte !"* qui sonne à mes oreilles comme "À mort la vie !" », s'était écrié le philosophe, avant d'ajouter : « Vous vaincrez mais vous ne convaincrez pas. Vous vaincrez parce que vous possédez une surabondance de force brutale, vous ne convaincrez pas parce que convaincre signifie persuader. Et pour persuader il vous faudrait avoir ce qui vous manque : la raison et le droit dans votre combat. » Ses adversaires, fous de rage, avaient hurlé : « À mort l'intelligence ! » À ce moment précis, Karlheinz avait choisi son camp. Comment peut-on insulter l'intelligence et rester vivant ? Il avait donc fait le choix de la vie, mais aussi de la raison et du droit, deux valeurs qu'il avait longtemps délaissées, tout entier consumé par sa haine du communisme et son mépris pour les démocraties corrompues. Des valeurs qui avaient été celles de son père et qu'il lui avait fallu retrouver pour ne pas perdre son âme.

Il demeurait toutefois convaincu que le monde ne pouvait s'expliquer par la seule raison, que des forces obscures naissaient de territoires maudits comme dans l'esprit des tyrans. Il n'y avait pas eu que ces paroles de sagesse, bien entendu. Il avait été révolté par le spectacle accablant d'une clique de nabots veules, grossiers et fanatiques, d'une révoltante bestialité et d'un cynisme à faire pâlir le sien. Il y avait de quoi faire réfléchir un homme et lui infliger des cauchemars, les vrais, ceux qui vous réveillent en pleine nuit, un pieu fiché dans le cœur.

— Quel automne pourri ! s'exclama Werner, l'aspergeant de gouttes de pluie en retirant son manteau. Je sais que c'est idiot, mais j'imagine toujours Rome sous le soleil.

— Tu es en retard, mon ami. Je commençais à me faire du souci. Alors, quelles sont les dernières nouvelles ? Nos glorieuses armées continuent-elles à remporter des batailles et les *Einsatzgruppen* à massacrer allégrement les ennemis du Reich ?

Le sarcasme de son ami inquiéta Werner qui jeta un regard soupçonneux autour d'eux. Karlheinz s'empressa de le rassurer. Ici, ils pouvaient parler librement. La plupart des employés de l'hôtel étaient soudoyés par l'Abwehr, le service de renseignements auquel il appartenait et qui ne brillait pas par son allégeance au Führer. Quant aux clients, des militaires allemands, ils étaient trop occupés à profiter des divertissements qu'offrait la Ville éternelle.

— Je présume que tu as fini ton inspection de nos divisions stationnées dans la péninsule. Vas-tu écrire dans ton rapport que nous aidons fidèlement notre allié fasciste à lutter contre les Britanniques tout en surveillant ces charmants Ritals en qui aucun nazi raisonnable ne peut avoir confiance ?

Karlheinz observait son camarade en souriant, heureux de le revoir. Mais Werner semblait si soucieux qu'il cessa de plaisanter.

— Pourquoi cette tête d'enterrement ? Je croyais que tu te réjouissais de passer ta permission à Rome. On y mange encore correctement et tu pourras acheter des cadeaux à ta femme.

— Je viens d'apprendre que toi et moi prenons le train ce soir pour la Russie.

Aussitôt, le visage de Kira dansa devant les yeux de Karlheinz.

— Qu'est-ce que tu racontes ? Qui a pu te dire une chose pareille ? Je n'ai pas encore terminé ce que j'avais à faire ici.

Il avait un rendez-vous dans une demi-heure avec monseigneur Ludwig Kaas, l'un des plus proches conseillers de Pie XII, l'interlocuteur privilégié de l'opposition allemande depuis plusieurs années. Un homme extrêmement prudent. Les atermoiements des conspirateurs depuis l'invasion de la Pologne et les difficultés qu'ils rencontraient dans la mise en œuvre de leur projet d'éliminer Hitler faisaient parfois douter de leur sincérité. Il avait fallu convaincre le prélat soupçonneux de recevoir Karlheinz puisque l'intermédiaire habituel, un avocat bavarois, avait eu un empêchement.

Werner se pencha vers lui pour parler à mi-voix.

– J'ai été surpris, moi aussi. En ce qui me concerne, c'est assez clair. J'ai reçu un nouveau poste de commandement. Quant à toi, j'ignore pourquoi tu te trouves sur la liste qu'on m'a soumise ce matin. N'as-tu reçu aucun avertissement à ce propos ?

Karlheinz fit signe que non, mal à l'aise. La méfiance était devenue pour lui une seconde nature. Il réfléchit aux raisons plausibles d'un pareil ordre de mission. La résistance soviétique se révélait aussi surprenante qu'inquiétante pour les forces de l'Axe. Qu'espérait-on de lui ? Depuis l'invasion, le pays tout entier faisait bloc contre les Allemands. L'espoir de susciter désormais une insurrection contre le dictateur communiste était absurde ! Il réprima un geste d'agacement. Son supérieur, le colonel Hans Oster, l'avait assuré qu'on avait besoin de lui à Rome. Arrivé trois jours plus tôt, il n'avait guère envie de la quitter pour une destination aussi peu engageante que l'Union soviétique, d'autant moins qu'il n'avait pas encore vu Alice. Il s'en voulait de ne pas avoir été aussitôt la trouver. Pour quelle raison stupide avait-il pensé qu'il aurait le temps ? Personne n'avait plus le temps de rien depuis le début de la guerre. Saisi d'une étrange pudeur, il avait même évité de se rendre à l'Association de la presse étrangère pour ne pas l'y croiser, ne fréquentant que les hôtels et les bars qui grouillaient de ses compatriotes. Il redoutait de lire le mépris dans ses yeux, une aversion qui lui était devenue insupportable depuis qu'ils avaient fait l'amour à Berlin. Trois années s'étaient écoulées, la guerre avait éclaté, mais il ne parvenait toujours pas à oublier la sensation qu'il avait éprouvée cette nuit-là. Celle d'une renaissance. Le regard indifférent et ironique qu'il portait sur le monde n'avait pas résisté à l'ardeur que lui inspirait cette femme. C'était dangereux. Une faiblesse qui pouvait le perdre. Alice ne lui avait évidemment plus donné signe de vie, mais il ne regrettait pas son mensonge par omission, ni d'avoir saisi le moment où elle aussi avait eu envie de lui. Rien, jamais, ne lui ferait regretter d'être tombé amoureux d'Alice Clifford.

— Qu'est-ce que tu viens de dire ?

Werner répéta patiemment :

— Tout à l'heure, à notre quartier général à l'hôtel de Russie, ta consœur américaine a été évoquée, celle pour laquelle tu as risqué ta vie en Espagne. Il paraît qu'elle a fait des allusions précises à l'élimination de juifs polonais. Visiblement, elle est très bien renseignée. Son article a fortement déplu en haut lieu. Heureusement qu'elle est américaine, sinon je n'aurais pas donné cher de sa peau.

Un frisson glaça l'échine de Karlheinz. Il était moins certain que Werner de l'impunité d'Alice. Un décret se trouvait en préparation depuis quelques semaines, qui allait permettre de déporter les ennemis du Troisième Reich et de les faire disparaître en Allemagne sans laisser de traces. Étant donné le zèle des hommes de la Gestapo, ceux-ci n'attendraient pas qu'il soit promulgué pour l'appliquer.

— Je dois la prévenir.

Werner sembla agacé.

— Pourquoi ai-je toujours le sentiment préoccupant que cette femme te fait perdre tes moyens ? Je croyais que c'était de l'histoire ancienne entre vous.

Karlheinz fit un geste pour se lever, mais Werner le retint par le bras.

— Où vas-tu ?

— Elle est en danger.

Les traits de Werner se durcirent. Il reprit d'une voix métallique.

— Laisse-la se débrouiller. Nous ne sommes plus en Espagne. Les enjeux sont beaucoup plus importants. Tu es un rouage essentiel de la conspiration. Tu ne peux pas te permettre de nous mettre tous en péril à cause d'elle.

— S'ils pensent qu'elle espionne pour les Américains, ils ne reculeront devant rien pour la faire parler. Ils la tortureront pour savoir où elle a obtenu ses informations sur la Pologne, sur les camps, sur les massacres… Et une fois qu'elle ne sera plus qu'une loque humaine, ils la tueront.

— Ils sont aux aguets, Karlheinz. Ils profiteront du moindre faux pas. Nous prenons des précautions infinies pour qu'on ne puisse pas remonter jusqu'à nous. Et maintenant tu veux aller parler à cette Américaine ? Quelqu'un te verra. Et puis, pourquoi t'écouterait-elle ? Pourquoi ferait-elle confiance à un officier d'une armée honnie ? Cette femme-là te fait courir des risques insensés. Je t'ai déjà sauvé la mise en Espagne. C'est grâce à moi que tu as pu quitter le pays en douce. La chance ne te sourira pas une seconde fois.

— Lâche-moi, Werner !

Karlheinz percevait chez son camarade cette angoisse qu'enduraient tous les conjurés depuis des mois. Ils n'étaient pas nombreux, d'anciens hommes politiques, des militaires haut gradés, des catholiques, des membres de la noblesse… Plusieurs cercles d'opposants qui ne se connaissaient pas nécessairement entre eux, qui ne partageaient pas toujours la même sensibilité politique mais devaient néanmoins élaborer une stratégie commune afin d'éviter le chaos à la chute du monstre et l'invasion des bolcheviques sur leur territoire.

Werner n'avait pas tort. Les hommes de l'Abwehr étaient surveillés par les SS aussi bien à Berlin qu'à Rome. Comme le Vatican conférait à la capitale italienne un statut particulier, les allées et venues y étaient particulièrement épiées. On ne savait jamais d'où pouvait venir la trahison. Himmler avait à sa disposition des prêtres défroqués qui espionnaient les catholiques antinazis en Allemagne pour les détruire et connaissaient tous les arcanes du Saint-Siège. Son rendez-vous avec monseigneur Kaas revêtait une importance capitale. Rien ne devait fragiliser cette rencontre préparée depuis longtemps, un moment d'égarement pouvait leur être fatal.

— Fais-moi confiance.

— Tu as trois heures, Karlheinz. Pas une minute de plus. Et tu seras sur le quai de la gare ce soir pour prendre le même train que moi. C'est compris ?

En fin de journée, Karlheinz pénétra d'un pas pressé dans l'un des salons damassés de rouge du palazzo Chigi. Entouré de diplomates et d'officiers de la Wehrmacht, le ministre Galeazzo Ciano pontifiait sous l'une des tapisseries. Les officiers de l'état-major italien semblaient, eux, de fort mauvaise humeur. Les entreprises guerrières du Duce ne remportaient pas leur approbation et la récente défaite de leurs troupes en Éthiopie, qui avait entraîné le retour du Négus à Addis Abeba, n'avait fait que renforcer leur mécontentement. Il était loin, le temps triomphal de la renaissance de l'Empire. Désormais, il régnait cette atmosphère particulière aux réceptions des pays de l'Axe en guerre, un mélange d'assurance et d'éclat sous lequel perçait une certaine fébrilité. Karlheinz fit le tour de la pièce jusqu'à ce qu'il trouve Umberto Ludovici, en grande discussion avec un conseiller d'ambassade japonais.

— Don Umberto ?

L'aristocrate le toisa de cet air distant mâtiné d'hostilité qu'affichaient désormais tous les Romains envers leurs alliés allemands. Leur animosité se manifestait de manière ingénieuse. Personne n'y faisait exception, ni le garçon de café qui mettait un temps interminable pour prendre une commande, ni le piéton qui ralentissait le pas pour gêner le passage. Il était devenu impossible aux Allemands de se loger en ville, si bien que le Duce avait été obligé d'exiger que certains hôtels réquisitionnent des chambres à leur intention. Si Karlheinz avait été d'humeur, il se serait amusé de cette posture.

— J'ai besoin de vous parler en privé. Suivez-moi !

Umberto n'en croyait pas ses oreilles. Cet officier de la Wehrmacht avait-il perdu la tête ? Comment osait-il lui donner des ordres dans l'enceinte même du ministère des Affaires étrangères ? Décidément, l'insolence de ces types-là ne connaissait aucune limite.

— Je ne pense pas que…

— Maintenant !

Le diplomate japonais qui s'entretenait avec Umberto les regardait tour à tour, fasciné par l'altercation. D'autres convives les observaient avec curiosité. Le regard sévère et l'autorité naturelle de l'Allemand finirent par avoir raison d'Umberto qui redoutait un esclandre. Il s'excusa auprès de son interlocuteur. Les deux hommes quittèrent le salon et s'éloignèrent de quelques pas dans le couloir. La pluie tambourinait contre les fenêtres dont les encadrements laissaient passer des courants d'air glacés.

— Pour qui vous prenez-vous ? s'emporta Umberto. Je ne suis pas votre domestique. Vous n'avez pas à me parler sur ce ton !

— Dites à Alice de quitter Rome sans plus attendre. Sa vie est en danger.

Umberto blêmit. Un bref instant, il eut l'impression de se dédoubler. Comment cet étranger osait-il parler aussi familièrement d'Alice ? D'où même savait-il

451

qu'ils se connaissaient ? Des pensées folles se mirent à courir dans sa tête. Aucun homme n'évoque une femme avec un tel accent de sincérité si celle-ci ne compte pas pour lui.

— Son dernier article, celui sur les camps, a fortement déplu. Vous saisissez ?

Umberto n'avait aucune idée de ce à quoi l'Allemand faisait allusion, mais il refusa de se laisser impressionner.

— Miss Clifford est une correspondante américaine dont toutes les accréditations sont en règle. Elle réside légalement sur le territoire italien et, de ce fait, elle est sous la protection du Duce. L'Allemagne n'a strictement rien à dire à ce sujet.

Karlheinz se demanda ce qu'Alice pouvait bien lui trouver. Le garçon avait de l'allure, certes, et il n'était pas mal de sa personne. Il possédait à l'évidence tous les attributs de la prospérité et de l'insouciance. Mais il était faible et indécis, cela se devinait à sa façon de se mouvoir. Il n'avait jamais combattu, il n'avait jamais tué. L'ascèse, le jeûne, la vengeance lui étaient étrangers. C'était le genre d'homme béni du ciel qui n'avait jamais eu à se battre pour obtenir quoi que ce soit, qui trompait sa femme pour tromper le temps et ignorait tout de la solitude, de la cruauté ou de la souffrance sans espoir.

— Vous allez vous rendre chez elle de ce pas, lui dire que Karlheinz Winther lui ordonne de quitter le pays car elle n'y est plus en sécurité. Vous allez la surveiller et vous assurer qu'elle vous obéit. Tant que vous serez auprès d'elle, la Gestapo ne l'emmènera pas

452

en Allemagne pour la torturer avant de la faire disparaître. Est-ce que je me suis bien fait comprendre ?

Leurs visages étaient distants de quelques centimètres. Cet homme l'aime et il a peur de la perdre, pensa Umberto, pétrifié. Une telle rage ne pouvait naître que d'un sentiment d'amour. D'une certaine façon, ce colonel de la Wehrmacht ressemblait à Alice. Ils possédaient la même intransigeance, la même détermination. Et ce trait de violence. Il se demanda si Alice avait un jour aimé Winther.

— Pourquoi ne pas le lui annoncer vous-même ?

Karlheinz serra les lèvres. Cela aurait été inutile. Obstinée comme l'était Alice, avec son goût pour le danger et la provocation, elle lui aurait ri au nez.

— Vous disposez sûrement des relations nécessaires pour faciliter le départ de Miss Clifford en ces temps quelque peu troublés. Cette fois-ci, la démarche serait plus compliquée pour moi.

Umberto subit son regard moqueur et se retint de lui flanquer un coup de poing. Cet homme avait joué un rôle non négligeable dans la vie d'Alice mais elle ne lui en avait jamais parlé. Une autre omission, un autre secret.

— Je vais la prévenir, siffla-t-il, les dents serrées. Lui faire quitter Rome, l'éloigner de vous et de la férocité de vos hommes. L'obliger à se mettre à l'abri, autant que nous puissions l'être des monstres que vous avez nourris en votre sein et portés au pouvoir. Vous autres, Allemands, êtes tous responsables de cette guerre et coupables des crimes que commet Adolf Hitler en votre nom !

La haine de l'Italien donnait à Karlheinz envie de sourire. Elle n'était pas seulement due à son uniforme et à ses galons, mais aussi au lien qui l'unissait à Alice et que Ludovici ne parvenait pas à définir. Il eut presque envie de le rassurer, de lui dire que leur sentiment passionnel ne représentait pas pour lui une menace. Même s'il activait une bombe pour éliminer le Führer ou l'abattait de sang-froid, Alice ne l'aimerait pas pour autant. Il leur manquait cette résonance essentielle qui ne se décrétait pas, ne s'apprenait pas : l'harmonie. Leurs mondes ne s'accordaient pas ; Alice ne partageait pas ses convictions et ne lui pardonnerait jamais certains choix de son passé. Même aujourd'hui, d'inévitables compromissions obscurcissaient son action. Pour être innocent sous le Troisième Reich, il fallait être enfermé dans un camp de concentration ou mort. Entre Alice et lui, il n'y avait que cette passion charnelle, insatiable, cette attirance tourmentée, aussi ardente qu'éphémère. Umberto Ludovici n'avait rien à redouter puisque lui, elle l'aimait. Comment aurait-il pu en être autrement ? Ce prince romain incarnait un monde de légèreté et de liberté, un monde qui lui était interdit depuis longtemps.

— Protégez-la, commanda Karlheinz. C'est tout ce que je vous demande. Le reste n'a aucune espèce d'importance.

Il tourna les talons, heureux d'avoir trouvé le moyen de sauver Alice malgré elle. Il avait aussi accompli son devoir en rencontrant monseigneur Kaas dans la crypte humide d'une église déserte. À la lumière des cierges qui éclairaient les sépultures, alors qu'une religieuse aux traits indistincts veillait près de la porte, le prélat l'avait écouté avec attention. Le message que Karlheinz avait apporté de Berlin serait transmis au Saint-Père. C'est ainsi que la résistance allemande poursuivait son combat souterrain pour l'honneur de sa patrie, un combat solitaire, ingrat, mené dans l'obscurité et l'opprobre. Et plus le régime criminel d'Adolf Hitler remportait des victoires tout en entraînant l'Allemagne vers l'abîme, plus ses opposants luttaient, avec leurs armes dérisoires, mais la rage au cœur.

Karlheinz perçut sur sa nuque le regard ombrageux d'Umberto Ludovici. En avançant dans le couloir, il entendit les rires provenant du salon où se divertissaient Galeazzo Ciano et ses hôtes. Il aurait aimé boire un dernier verre, mais il n'avait pas le temps de s'attarder. Il se devait d'être fidèle à son dernier rendez-vous, à ce train militaire qui l'attendait pour l'emmener jusqu'à Bologne, puis vers l'Est, vers ce redoutable hiver dont il avait tant souffert lorsqu'il était prisonnier de guerre et qui avait eu raison de toutes les armées qui s'étaient attaquées à ces étendues vertigineuses. Les vers d'Ovide lui revinrent en mémoire : « Là habitent le Froid qui engourdit, la Pâleur, le Frisson et la Faim qui tenaille. » Un bref instant, la peur lui noua le ventre. Il dévala le grand escalier. L'heure était venue de repartir vers la Russie sans savoir si elle serait son tombeau.

Il était dix heures du soir lorsque Umberto sonna enfin à la porte d'Alice. Un frisson d'angoisse le parcourut. Pourquoi ne répondait-elle pas ? Il l'appela à voix basse, redoutant de déranger les voisins. Quelques instants plus tard, elle lui ouvrit enfin, emmitouflée dans plusieurs chandails, une écharpe autour du cou. Elle sembla inquiète de le voir apparaître aussi tard, lui demanda s'il y avait un problème.

— Oui, toi.

Une lampe solitaire brillait dans le salon. Un livre était retourné sur la table basse, une couverture roulée en boule dans le fauteuil où elle aimait lire. Son parfum d'intérieur aux notes d'ambre et d'épices tentait de chasser les relents d'humidité. Le poêle ne fonctionnait pas à cause des restrictions. Il s'était toujours senti apaisé et reconnaissant à la Providence de savoir Alice perchée dans ce belvédère sous les toits ou arpentant le dédale de ruelles autour de la piazza Navona, ses yeux rieurs, heureuse et proche de lui. L'idée de son départ imminent l'accablait.

— L'un de tes amis est venu me trouver tout à

l'heure. Il m'a dit que tu étais en danger de mort parce que tu avais écrit un article qui dénonçait la barbarie nazie. Il m'a ordonné de te faire quitter Rome. La Gestapo aurait l'intention de t'enlever. J'ignore pourquoi tu fréquentes des officiers de la Wehrmacht qui connaissent les intentions de la Gestapo, mais en l'occurrence c'est probablement une aubaine. Je dois dire qu'il a été très convaincant. Voici ton visa de sortie du territoire, conclut-il en posant des papiers sur la table. Tu prendras le train jusqu'à Menton, puis tu traverseras l'Espagne pour rejoindre Lisbonne. Tu pars demain.

En l'écoutant débiter ses instructions d'une seule traite, Alice eut comme un vertige. Elle ne comprenait pas cette soudaine irruption chez elle ni ce discours aberrant. Le propos d'Umberto était plein de sous-entendus et sous l'anxiété perçait la colère. D'une manière détournée, il semblait lui en vouloir. Elle se demanda ce qu'il pouvait avoir à lui reprocher. Giacomo serait-il venu le trouver ? Umberto lui en voulait-il parce qu'elle avait été voir son frère en cachette ? Elle les croyait pourtant réconciliés depuis le début de la guerre. Et de toute manière, le carnet du père Anselmi ne le concernait pas.

— De qui parles-tu ?

Il prit une profonde inspiration.

— Du colonel Karlheinz Winther, qui semble désireux de te sauver la vie une nouvelle fois, si j'ai bien compris. Je regrette que tu ne m'aies jamais parlé de lui. J'ai eu l'air d'un imbécile quand il est venu au ministère. J'avoue qu'il m'a effrayé. J'ai peur pour toi,

Alice ! À chaque instant. Pourquoi t'es-tu encore mise en danger ?

D'un seul coup, Alice eut froid. Elle se frotta instinctivement les bras pour se réchauffer. Karlheinz était à Rome sans qu'elle l'ait su. Pourquoi aucun de leurs confrères n'avait-il fait allusion à sa présence ? Elle avait pourtant passé l'après-midi à l'Association de la presse étrangère.

— Que t'a-t-il dit exactement ?

Umberto leva les mains avec cette gestuelle démonstrative qui lui était familière. Alors qu'il lui décrivait leur entrevue, Alice ressentit un malaise. L'idée que ces deux hommes puissent un jour se rencontrer et parler d'elle ne lui avait jamais effleuré l'esprit. Comment pourrait-elle avouer à Umberto la complexité des émotions que lui inspirait Karlheinz Winther ? Il ne les comprendrait pas et en serait blessé. Or pour rien au monde elle ne voulait lui faire de peine. Elle n'éprouvait pas la même sollicitude envers Winther, qu'elle jugeait de taille à se défendre.

— Il prétend que je dois partir ?

— Sans attendre. Tu risques ta vie en restant ici. J'ai tout organisé. Je vais veiller sur toi jusqu'à ce que tu aies quitté le pays.

Elle hocha la tête. Si Karlheinz avait jugé utile de prévenir Umberto, c'était que la menace devait être sérieuse. Il ne se serait jamais abaissé à une telle démarche sinon. Sa sincérité était évidente. Personne ne plaisantait avec les policiers de la Gestapo. À la seule pensée d'avoir attiré leur attention, elle eut la gorge sèche. Elle ne prendrait pas le risque d'ignorer son avertissement. Quelque chose avait toutefois dû l'empêcher de venir le lui annoncer lui-même. Il aurait certainement aimé lui imposer une nouvelle fois son autorité. Elle dut admettre à son corps défendant qu'elle le regrettait. Comme chaque fois, Karlheinz aurait réussi à la troubler, provoquant cet emballement des sens qui ressemblait à une ivresse. Elle songea à quel point il était étrange que cet homme se trouve toujours sur son chemin dans les moments les plus périlleux de son existence.

— Sais-tu s'il reste quelque temps à Rome ? S'il est en poste ici ?

Aussitôt, elle s'en voulut de la fébrilité dans sa voix. La mine sombre d'Umberto lui indiqua qu'il l'avait perçue, lui aussi.

— Aucune idée. J'ignore même comment il a pu accéder à cette réception au ministère, mais leur fichu uniforme leur ouvre toutes les portes ! En tout cas, il semblait pressé.

Umberto lui prit les mains, qui étaient glacées, effleura sa joue d'une caresse, l'attira à lui. Que n'aurait-il donné pour la savoir saine et sauve en Amérique ! Un vœu pieux. Alice n'avait jamais caché qu'elle rejoindrait l'Égypte le jour où elle déciderait de quitter Rome. Il se la rappela à Alexandrie. Sa joie de vivre, sa peau hâlée, l'éclat presque platine de ses cheveux décolorés par le soleil et le sel de mer. Il l'avait trouvée particulièrement lumineuse dans sa ville d'élection. Les souvenirs doux-amers de ces jours bénis refluèrent dans sa mémoire. Alice retournerait à Alexandrie comme l'on revient à la source du bonheur. Mais aujourd'hui, tout avait changé. Restée neutre, l'Égypte se pliait néanmoins aux termes de son alliance avec l'Angleterre et coopérait pleinement avec son alliée, accueillant ses troupes sur son territoire et ses cuirassés dans ses ports. Les bombardements n'épargnaient pas Alexandrie. Quant aux hommes du général Rommel, ils avançaient résolument à travers le désert en direction de la frontière. La menace d'une invasion de l'Axe se précisait de jour en jour. Umberto était convaincu qu'Alice obtiendrait les passe-droits nécessaires pour se rendre sur le front. Lui interdire de témoigner reviendrait à lui couper les ailes. Personne ne pouvait empêcher Alice Clifford de vivre comme elle l'entendait. Elle n'avait pas de mari pour la supplier de rester à l'abri, ni d'enfant dont elle aurait été responsable. Elle était seule et libre, ne rendait de comptes à personne. Il respira son parfum, lui caressa tendrement le dos. Il ne supportait pas l'idée de la voir s'en aller, de la savoir loin de lui, probablement en danger sans qu'il puisse intervenir.

— J'ignore qui est cet officier allemand, mais il t'aime.

Alice perçut son anxiété. Ce n'était pas tant de la jalousie de sa part que la détresse de ne pas comprendre. Depuis sa rencontre avec Fadil, Umberto s'était pourtant efforcé de poser moins de questions, de ne pas chercher à posséder chaque recoin de son existence, mais l'heure était venue de se quitter et il ne parvenait plus à cacher son désarroi. Un élan d'affection l'envahit.

— Il y a quelques années, Karlheinz Winther était

correspondant de guerre, lui aussi. Nous nous sommes rencontrés en Éthiopie ; il a manqué de respect à l'empereur Haïlé Sélassié. Je l'ai trouvé outrancier et insolent, et je le lui ai fait comprendre. Nos chemins se sont ensuite croisés en Espagne. Il m'a sauvé la vie quand les nationalistes ont voulu ma peau.

— Et tu ne l'as jamais revu ?

— Si, lors de la visite d'Hitler que tu as aidé à organiser. Puis à Berlin, au ministère de la Propagande où il venait chaque jour prendre ses ordres chez le docteur Goebbels.

Umberto lut le dégoût sur son visage, ce qui le rassura. Même s'il était persuadé qu'Alice lui disait la vérité, il n'était pas crédule. Il l'aimait trop pour ne pas deviner qu'elle lui taisait quelque chose au sujet de cet homme. Auprès d'elle, il avait toutefois appris que la vérité ne chasse pas les cauchemars, mais les éclaire d'une lumière crue. Il lui était reconnaissant d'avoir dissipé un pan du mystère et ne voulait plus s'attarder sur le personnage de Karlheinz Winther. Alice demeurerait à jamais insaisissable, ses silences autant d'abîmes. Il respectait son jardin secret. En dépit de ses doutes et de ses craintes, il avait confiance en elle, en son intégrité. C'était elle qui lui avait appris que l'amour véritable consistait à laisser l'autre s'accomplir pleinement, de manière absolue. Ce qui lui importait dorénavant, c'était les heures qui leur restaient, précieuses et fugitives, quelques heures qui relevaient du miracle, une dernière nuit pour la tenir entre ses bras.

Jusqu'à maintenant ils s'étaient toujours aimés en s'abandonnant à l'allégresse de leurs corps jeunes et souverains. Ils mesuraient désormais à quel point l'enveloppe charnelle de l'autre était vulnérable. Le sang qui affleurait sous l'épiderme, l'entrelacs des veines, les discrètes imperfections… La révélation de cette fragilité les rendait humbles, leur inspirait un sentiment de gratitude et d'émerveillement, leur faisait monter les larmes aux yeux tant ils désiraient se protéger et se chérir. Ils se découvraient une innocence nouvelle, comme une gravité. Sans doute n'avaient-ils plus rien à perdre, aussi ne craignaient-ils plus de révéler l'un à l'autre cette tendresse que l'on dissimule si souvent par pudeur, par défiance de mettre son âme à nu, cette insondable tendresse d'un cœur aimant.

Alice effleura la peau d'Umberto pour en conserver l'empreinte sur ses doigts et graver sa silhouette dans sa mémoire. Elle étudia ses traits réguliers et harmonieux, dessina le contour de ses épaules, de son torse. Elle caressa son sexe. La passion qu'elle lisait dans ses yeux la bouleversa parce qu'elle était celle d'un homme intègre. Quand il la pénétra enfin, elle saisit son visage entre ses mains pour l'embrasser et emporter avec elle la mémoire de ces lèvres ardentes, de cette communion de désir et de folle jouissance qui les envoûtait depuis leur première nuit partagée il y avait à peine quelques années, il y avait déjà des siècles.

Le Caire, février 1942

Fadil Hassan Pacha était en colère. Ce sentiment lui était étranger. Cette authentique colère que d'aucuns appellent salutaire, celle qui ravage autant que la passion amoureuse, signifiait à ses yeux une perte de contrôle de soi, une altération disgracieuse des traits du visage comme de la rigueur de la pensée. Une regrettable faiblesse. Son père était colérique ; il était mort trop tôt d'un coup de sang. Posté ce soir-là à l'une des innombrables fenêtres du palais royal d'Abedin, Fadil était néanmoins animé par un sentiment de rage qui lui faisait serrer les poings.

— Ils n'oseront pas.

— Bien sûr que si ! s'emporta Ahmed Bey, l'un des amis du roi Farouk. Pourquoi les Anglais résisteraient-ils à une nouvelle occasion de nous humilier ? Je te répète qu'ils paniquent parce que Rommel a pris Benghazi et qu'il sera bientôt dans nos murs. Les Britanniques n'ont pas réussi à conserver la Grèce. Ils ne conserveront pas davantage l'Égypte et nous en serons enfin délivrés, grâce à Dieu ! Je m'en réjouis d'avance.

— Est-ce que ce sont des chars là-bas ?

— Je remarque surtout des automitrailleuses et un bataillon de soldats.

Les deux hommes continuèrent à observer le spectacle déroutant de ces centaines de militaires qui encerclaient le palais, prenant en otage le souverain parce qu'il refusait de laisser le Royaume-Uni lui dicter la nomination de son futur Premier ministre. L'ingérence des Britanniques n'était pas nouvelle. Ils avaient placé des hommes à eux partout, aux conseils d'administration, dans les ministères, si bien que Fadil avait parfois l'impression odieuse d'être tenu en laisse. Ils avaient déjà songé à exiger l'abdication du roi Farouk dont le comportement attentiste leur déplaisait. L'héritier du trône, un oncle du roi, leur paraissait plus malléable. Mais si les Anglais faisaient preuve le plus souvent d'une hypocrite subtilité, voilà qu'ils ne prenaient plus de gants. L'entrée en guerre des États-Unis avait modifié la donne et la progression allemande vers les frontières égyptiennes se précisait de façon inquiétante. Désormais, la Wehrmacht menaçait le libre passage par le canal de Suez, ainsi que la base arrière des troupes anglaises et le port d'Alexandrie où mouillaient leurs cuirassés. L'approvisionnement des soldats venus de tout l'Empire britannique était en jeu. Si Adolf Hitler s'emparait de la terre des pharaons, il mettrait le feu à tout le Moyen-Orient. Les Anglais ne pouvaient pas tolérer un gouvernement indocile et préconisaient comme moindre mal la nomination de Mustafa Nahas Pacha, du parti Wafd. De son côté, le roi Farouk voulait bien envisager un gouvernement de coalition autour de Nahas Pacha, mais il refusait de lui laisser le champ libre.

Un officier britannique s'approcha des grilles cadenassées et tira des coups de revolver pour faire sauter les loquets. Fadil eut l'impression que les balles l'atteignaient dans sa chair. La voiture de l'ambassadeur Sir Miles Lampson vint se garer devant la porte principale.

— Suis-moi ! lui ordonna Ahmed Bey. Dieu sait ce que ces salauds ont manigancé. Ils ont peut-être des velléités d'assassiner Sa Majesté.

Le cœur battant, Fadil lui emboîta le pas. La guerre n'avait fait qu'exacerber l'inimitié entre les deux pays. Voilà des mois que le peuple subissait une inflation galopante, des restrictions de kérosène et de denrées alimentaires. On manquait cruellement de pain. Dans les quartiers pauvres du Caire, les boulangers étaient accusés de mélanger de la sciure à leur farine. Des manifestations de protestation éclataient régulièrement, attisées par les nationalistes, qui rendaient les Anglais responsables de tous les maux. Les dirigeants des Frères musulmans menaient une propagande active et envisageaient des actes de sabotage. La veille encore, les étudiants de l'université du Caire et de celle d'al-Azhar avaient défilé en scandant les noms de Rommel et du roi Farouk. Leur impatience et leur colère ne faisaient que s'amplifier. Les racines de leur mécontentement étaient toujours les mêmes. L'Angleterre n'avait-elle pas promis l'indépendance aux pays nés de la dissolution de l'Empire ottoman sans jamais l'accorder ? Soucieuse de ses intérêts économiques et stratégiques, elle avait imposé des traités iniques et ne cessait de trahir sa parole, se posant en ennemie jurée des Égyptiens et de l'islam. Après tout, cette guerre entre Londres et Berlin ne les concernait pas ! Quant à leurs officiers, ils ne cachaient pas leur admiration pour leurs alter ego de la Wehrmacht, parangons de discipline et d'efficacité.

Les deux hommes croisèrent des domestiques pétrifiés et des fonctionnaires au teint blême. Les antiquités des salons et les longs corridors du palais semblaient figés dans l'expectative. Un curieux silence régnait dans ces lieux d'ordinaire bruissants d'activité. Chacun mesurait qu'il se jouait là un événement déterminant pour l'avenir du pays. Sir Miles Lampson apparut au bout du couloir. Son imposante stature était flanquée de la silhouette tirée à quatre épingles du général Stone, le commandant des troupes britanniques en Égypte. Les deux hommes se dirigèrent d'un pas décidé vers le bureau de Sa Majesté. Ahmed Bey indiqua à Fadil une porte entrebâillée d'où ils purent apercevoir Hassanein Pacha, le chambellan du roi, mince et élégant, qui se tenait près du fauteuil de son maître comme pour le préserver. L'ambassadeur lut une déclaration accusant le roi Farouk de soutenir l'ennemi, de violer les engagements pris par l'Égypte envers son alliée britannique et d'un comportement irresponsable.

Fadil serra les dents. L'indignation et l'humiliation faisaient battre le sang à ses tempes. Quoiqu'il n'ap-

466

préciât pas particulièrement le caractère jouisseur de ce jeune roi de vingt-deux ans, étant donné qu'à son âge lui-même assumait déjà de lourdes responsabilités, il n'admettait pas qu'on s'adressât à lui sur ce ton. L'ambassadeur déclara que Farouk était indigne d'occuper le trône, puis il lui tendit un document d'abdication. Fadil tressaillit ; un voile noir lui obscurcit la vue. Ahmed dut le retenir pour qu'il ne fasse pas irruption dans la pièce où les quatre personnages se toisaient en silence.

— Reste tranquille ! chuchota-t-il. Tu vas nous faire repérer et tu ne feras qu'empirer la situation.

— On ne peut pas laisser faire ça ! C'est une honte ! Une attaque flagrante à notre indépendance.

La tension était extrême. Fadil discernait le profil livide du roi. Sir Miles Lampson triomphait, prenant plaisir à imposer cette nouvelle vexation au souverain. Ces derniers temps, il n'avait eu de cesse de lui manifester son mépris en l'appelant «le garçon». Sa haute carrure de cent quinze kilos symbolisait un Empire britannique impénétrable et stoïque. Il sembla toutefois à Fadil que le général Stone affichait une certaine réserve. L'officier supérieur tentait de rester impassible mais donnait l'impression d'avoir avalé du vinaigre. On savait les commandants militaires plus réticents que les politiques à forcer la main d'un roi soutenu par son peuple. Ils redoutaient une réaction violente de la population et une grève générale mettrait leur armée en fâcheuse posture car celle-ci ne pouvait se passer de la main-d'œuvre égyptienne.

Pendant que Farouk lisait le texte de l'abdication,

Fadil songea, désespéré, que si le roi renonçait au trône sous la contrainte, le pays basculerait dans les bras d'une collaboration avec l'Allemagne. Ahmed ne lui lâchait pas le bras. Bien qu'il admirât la fermeté courageuse avec laquelle Winston Churchill avait su rassembler son peuple contre l'Allemagne, il repensa au cynisme et à l'arrogance des Britanniques. L'autre jour, à Alexandrie, des soldats éméchés s'étaient amusés à faire tomber les tarbouches des passants. Les Égyptiens modestes ne disposaient d'aucun moyen pour se défendre. Les Anglais avaient conquis un empire en s'aliénant les peuples colonisés dont certains ne décelaient pas chez les ennemis de Londres, fût-il le Troisième Reich, les mêmes vices que dénonçaient les démocraties occidentales.

— Vous avez rédigé cela sur un torchon, déclara en français le jeune roi d'une voix blanche en tenant le papier entre deux doigts.

Après que son chambellan lui eut glissé quelques mots à l'oreille, il réfléchit un instant avant d'ajouter :

— Nous vous demandons une dernière chance.

Un frisson parcourut l'échine de Fadil. La crise pouvait-elle encore être évitée ? Le visage de l'ambassadeur tressaillit. Visiblement, il ne s'était pas attendu à ce retournement de situation. Le roi promit alors de convoquer sans plus attendre celui que les Britanniques considéraient comme le seul capable de s'opposer intelligemment au palais et de résister aux sirènes germaniques, et de laisser Nahas Pacha choisir librement son gouvernement. Après un silence tendu, l'ambassadeur finit par s'incliner. Les deux Britanniques saluèrent sèchement le jeune souverain avant de se retirer. Sir Miles avait donc obtenu gain de cause et l'abdication avait été évitée de justesse.

Ahmed Bey referma doucement la porte entre-bâillée, laissant le roi seul avec son chambellan. Fadil s'aperçut que ses mains tremblaient.

— Ce qui vient de se passer changera le cours de l'histoire de notre pays. On ne pardonnera pas au roi de s'être soumis au pouvoir colonisateur, l'armée ne supportera pas l'affront de ne pas avoir réussi à le défendre, et aucun Égyptien ne digérera jamais cet outrage.

— Tu penses bien que la censure empêchera toute mention de ce désolant spectacle.

Fadil alluma une cigarette dont il tira quelques bouffées nerveuses.

— Tout le monde aura vu les automitrailleuses traverser la ville en direction du palais. La haute société ne manquera pas de jaser dès ce soir. Crois-moi, mon ami, une trajectoire vient de se briser sous nos yeux. Pour ma part, je ne mettrai plus jamais les pieds au Gezira Sporting Club ! décréta-t-il en faisant allusion au magnifique cercle sportif fréquenté par les Britanniques auquel appartenait aussi l'élite égyptienne.

— Et les Allemands, tu en fais quoi ? ironisa Ahmed Bey. Je doute que les petits camarades de Rommel soient ta tasse de thé.

Fadil haussa les épaules.

— Ils ne pourront pas vaincre la coalition contre nature des Américains et des Soviétiques. Ils sont pris en tenaille. Tôt ou tard, ils seront obligés de capituler.

Quant à nous, cette affaire ne nous concerne en rien. Mon seul objectif, désormais, c'est que la Grande-Bretagne quitte notre pays au plus tôt.

Voyant l'émotion de son ami, Fadil le serra dans ses bras avant d'écourter leur entretien. Il avait soudain l'impression d'étouffer entre les murs silencieux du palais. Lorsque les soldats britanniques massés devant les grilles s'écartèrent pour le laisser passer, il serra les dents. Depuis le début de la guerre, Le Caire et Alexandrie grouillaient d'uniformes kaki. Les recrues britanniques frappaient par leur jeunesse et leur insouciance. Ces militaires au teint rougi par le soleil hantaient les bars et les terrains de sport, puis disparaissaient dans le désert pour participer à des batailles dignes d'un jeu d'échecs contre l'ingénieux général Rommel. Ceux qui en réchappaient perdaient parfois de leur suffisance. Dans leurs regards brûlaient alors de lancinantes images où le sang de leurs camarades s'écoulait dans le sable et des squelettes se dressaient, telles des sentinelles pétrifiées, dans les tourelles des chars carbonisés.

Fadil prit la direction de l'hôtel Shepheard, indifférent au vacarme de la foule, des tramways et des voitures, à l'enchevêtrement des charrettes dans les rues pavées où flottaient les odeurs familières d'épices et de fèves mijotées. Une ardeur nouvelle marquait ses traits. Fadil n'était pas naïf. La priorité était évidente : les Alliés devaient vaincre Hitler et Mussolini, et pour cela il fallait les aider. Mais le jour viendrait où les Anglais seraient boutés hors du pays. Lui, l'Alexandrin, le Méditerranéen, le libéral à la fois admiratif du caractère unique de son peuple qui descendait des pharaons et respectueux du rôle fécond de ceux venus s'installer au fil des siècles, se découvrait une fibre nationaliste aussi troublante qu'exaltante. Pour atteindre son but, il suffit d'être patient et déterminé, songea-t-il en allongeant le pas. Et de laisser grandir les ferments de la colère.

Alice était d'excellente humeur, si bien qu'elle jugeait même de bon ton l'opulente décoration du Shepheard, l'hôtel emblématique du Caire, dont les cariatides en ébène à la poitrine triomphante, les colonnes couronnées de lotus inspirées du temple de Karnak, les tapis persans et la coupole de verre lui rappelaient l'intérieur d'un musée orientaliste. Plutôt critique envers ses contemporains, la correspondante, vêtue d'une robe en crêpe ornée de broderies, buvait du champagne en songeant qu'elle n'avait jamais non plus éprouvé pareille bienveillance envers l'humanité.

Elle s'était rapidement remise de son long périple depuis Rome. Arrivée saine et sauve à Lisbonne, elle avait embarqué sur un rafiot battant pavillon portugais qui faisait la liaison Lisbonne-Le Cap-Yokohama. Après quatre semaines de navigation, quelques tempêtes et d'interminables parties de poker, elle avait débarqué à Lourenço Marques, au Mozambique, puis elle avait pris plusieurs hydravions pour rejoindre Le Caire. Son rédacteur en chef s'était déclaré enchanté lorsqu'elle lui avait télégraphié qu'elle partait pour le front.

En attendant Alma, ce soir-là, elle s'était installée dans un fauteuil d'où elle surveillait le Long

Bar. C'était agaçant qu'il fût encore réservé aux hommes, car il suffisait d'y laisser traîner une oreille pour apprendre des anecdotes croustillantes. Seule Lee Miller, sa consœur photographe qui avait vécu quelque temps avec son mari égyptien au Caire, s'y était aventurée d'autorité. Alice avait bien tenté d'approcher Joe, le célèbre barman, pour glaner des informations, mais l'homme se révélait hélas être une tombe. Il lui fallait pourtant de quoi nourrir ses articles. Les censeurs étaient sévères et l'irritaient davantage que du temps de la guerre d'Espagne, puisque cette fois-ci elle se heurtait à son propre camp. On demandait en effet aux journalistes alliés d'éviter de mentionner trop souvent le nom de Rommel pour ne pas en faire un héros et de privilégier des périphrases telles que «forces de l'Axe» ou «haut commandement allemand». On lui avait aussi récemment refusé une chronique où il était question des Frères musulmans et du grand mufti de Jérusalem, qui avaient pris le parti d'Hitler.

— Vous êtes magnifique, ce soir, Miss Clifford. Décidément, le Shepheard demeure une oasis des plus agréables.

Il lui fallut quelques secondes pour reconnaître l'homme qui lui adressait le compliment. Deux jours auparavant, tous deux avaient le visage dissimulé sous des foulards. Une tempête de sable les avait surpris en plein désert alors que les camions militaires roulaient en file indienne sur l'étendue caillouteuse. Le jeune officier avait paniqué en apercevant le brouillard ocre fondre sur eux. Alice avait crié qu'il fallait arrêter le convoi et remonter les vitres. Elle lui avait montré comment boucher les interstices du radiateur et humidifier son foulard. En quelques minutes, ils s'étaient retrouvés isolés, prisonniers de l'habitacle autour duquel grondait le vent, tandis que les grains de sable coupants comme du verre décapaient le camion. Le sable menaçait d'engloutir le véhicule, s'infiltrait malgré leurs précautions, se collait à leurs vêtements, s'insinuait dans leurs oreilles et leurs narines. On racontait qu'il était assez fin pour traverser les bouchons de liège des bouteilles de vin. L'officier avait commencé à suffoquer. Affolé, il avait voulu descendre de voiture. Alice avait dû le gifler pour le ramener à la raison.

— Vous semblez remis de vos émotions, capitaine Hardy.

— Je vous en prie, appelez-moi Peter.

Comme il paraissait juvénile avec ses taches de rousseur et cette allure flegmatique qu'affichaient tous les officiers anglais qu'elle pouvait croiser en Égypte ! Ayant retrouvé son aplomb, il cherchait désormais à la charmer. Alice ne s'en étonna pas, habituée depuis l'adolescence à susciter l'intérêt des hommes. C'est encore un gamin, songea-t-elle, un gamin généreux et prêt à se sacrifier parce que cela lui donne l'illusion d'être un adulte utile. Aussitôt, elle se reprocha son cynisme. Peter Hardy et ses camarades se battaient en conscience pour une cause juste. Elle ne devait pas les réduire à leur désinvolture, à leur penchant pour le polo et les night-clubs qui était aussi une forme de pudeur, ni à cette trompeuse gaieté du Caire.

Au même moment, le magicien habilité par l'hôtel à venir divertir la clientèle traversa la pièce et se dirigea vers la terrasse. L'homme s'illustrait par des tours de cartes, lisait dans le marc de café et les lignes de la main. Peter Hardy avoua à Alice qu'il lui avait prédit qu'il allait bientôt rencontrer la femme de sa vie. Son jeu de séduction maladroit l'amusa. C'était une guerre où toutes les chimères avaient droit de cité. Le haut commandement britannique n'avait-il pas fait appel à un illusionniste pour le seconder dans ses opérations de camouflage ? Afin de tromper l'ennemi, l'homme avait réussi la prouesse de dissimuler le port d'Alexandrie aux avions de l'Axe et s'employait désormais à faire fabriquer des chars factices.

— Je tiens à vous remercier de m'avoir sauvé la vie, Miss Clifford. Si j'étais descendu du camion, je me serais probablement égaré dans la tempête et personne ne m'aurait retrouvé.

Il n'avait pas tort. Au moins saurait-il comment agir la fois prochaine. Quand il l'invita à dîner, Alice expliqua qu'elle attendait une amie, qui venait d'ailleurs d'arriver. À l'orée de la pièce, Alma faisait en effet une entrée remarquée, roulant des hanches. Ses admirateurs se levèrent pour la saluer. Le timbre moderne de sa voix en avait fait une vedette incontournable du cinéma égyptien qui ne se concevait pas sans musique, danses et chansons. Alice regarda avec envie Peter Hardy s'éloigner en direction du Long Bar.

— Décidément, il n'y en a plus que pour les Anglais ! s'exclama Alma en s'asseyant à côté d'elle. Cette ville est devenue la seconde capitale de la

Grande-Bretagne. Ce n'est pas pour me déplaire, je te l'avoue. J'apprécie qu'ils soient un rempart efficace contre ces sinistres nazis. Mais raconte, que te voulait ce charmant garçon ?

Elle marqua une pause.

— Toi, tu me caches quelque chose, *carissima*… Je t'ai rarement vue aussi radieuse.

Alice leva son verre d'un air taquin sans cacher sa satisfaction. Elle avait gardé égoïstement la nouvelle pour elle, attendant qu'Alma arrive d'Alexandrie pour la lui annoncer de vive voix. Pourtant, un soupçon d'inquiétude la traversa. Pourvu que son amie ne commence pas à lui détailler toutes sortes d'épreuves ! Elle ne voulait pas envisager des infortunes mâtinées de disgrâce. Elle était heureuse. Un état d'esprit infiniment précieux.

— J'attends un enfant.

Alma resta bouche bée.

Quelques jours auparavant, Alice avait été consulter un médecin. Sa mine résignée, un brin condescendante parce qu'elle était célibataire, l'avait exaspérée.

— Tu as décidé de le garder ? s'inquiéta Alma.

— Oui.

Alice soutint le regard de son amie qui fouillait le sien en quête de quelque chose de trouble ou de frénétique, mais elle n'y décela qu'une tranquille assurance.

— J'ai trente-deux ans. Je suis une grande fille.

— Tu as pourtant toujours déclaré que l'idée d'avoir un bébé te terrorisait.

— Peut-être ai-je enfin accepté que ce n'est pas un crime d'être quelqu'un d'imparfait ?

— Mais un enfant ! Cela te correspond si peu !

Alice tressaillit, heurtée par sa franchise. Comment lui en vouloir ? Alma connaissait ses fragilités. Elle avait le droit, sinon le devoir de dire tout haut ce qu'Alice continuait à penser tout bas, s'étonnant encore de ce lâcher-prise, de ce saut dans l'inconnu. Sans doute son départ précipité de Rome, où elle avait été arrachée à l'homme qu'elle aimait, y était-il pour quelque chose, de même que la décision qu'elle avait prise à Madrid. De ce jour-là, il lui était parfois arrivé de se demander si son corps n'avait pas été irrémédiablement abîmé. Le chagrin qu'elle avait alors ressenti l'avait surprise. Le choix de ne pas devenir mère était une chose, l'impossibilité de donner la vie une autre.

— Puisque le destin m'accorde une seconde chance, je serais folle de la rejeter. Et non, je ne vais pas le dire à Umberto. Pourquoi l'ennuyer ? Il ne quittera pas sa femme pour moi. Et de toute manière, personne ne peut dire ce qu'il adviendra de nous dans les années à venir.

Trop penser à Umberto la rendait nerveuse. Grâce à des amis à lui, qui avaient accès au courrier diplomatique, elle recevait des lettres où il lui avouait qu'elle lui manquait affreusement. Quoi qu'elle en dise, Alice redoutait sa réaction, de même qu'elle craignait de laisser échapper un jour, sous le coup de l'émotion, qu'elle avait avorté. Cet enfant-ci relevait du miracle. Elle le désirait comme preuve tangible de leur amour, et peut-être aussi parce que la solitude en venait parfois à lui peser.

Alma réclama le cocktail fétiche de la maison, à base de cognac et de gin, au *souffragi* en robe blanche ceinturée de rouge. Alice voyait bien que son amie bataillait entre l'envie de partager sa joie et celle d'exprimer des craintes légitimes. Le regard attentif d'un officier français se posa sur elles. Il était petit, sec et nerveux. Elle se fit la réflexion que les Français étaient beaucoup plus agités que les Britanniques. Les hommes de l'armée française du Levant restés fidèles à Vichy et la poignée de militaires qui avaient répondu à l'appel du général de Gaulle passaient leur temps à se taper dessus, au sens littéral du terme, notamment à Alexandrie où la flotte française désarmée de l'amiral Godfroy mouillait dans la rade sous la protection des Britanniques. Cette nervosité permanente avait quelque chose de presque sexuel, se dit-elle. En cet instant, sa conversation avec Alma autour d'une naissance lui sembla étrangement surréaliste.

— Tu n'as pas voulu d'enfant avec Fadil, qui aurait été un père idéal, et voilà que tu te réjouis de t'occuper seule d'un bébé avec les Allemands à nos portes ! Je ne te comprends pas.

— On dirait que tu ne me fais pas confiance.

Elle regretta de s'être confiée. Bien qu'elle s'en défende, les réticences d'Alma avaient réveillé ses propres peurs.

— Je ne suis pas sotte, voyons. La situation est horriblement confuse, mais as-tu jamais connu un moment dans ma vie où les choses aient été simples ? Je ne serai peut-être pas une mère idéale, mais je pense pouvoir être digne de mon enfant et l'aimer.

Saisie d'angoisse, ses traits se durcirent :

— J'ai besoin de toi, Alma, je veux que tu sois sa marraine. Je serais plus tranquille si jamais il m'arrivait quelque chose.

Ce ne fut qu'à cet instant-là qu'Alice mesura combien l'avenir continuait à l'effrayer. Un Anglais passa devant elles, maniant maladroitement des béquilles. On l'avait amputé d'une jambe et son pantalon était épinglé à la hauteur de sa cuisse. Était-elle inconsciente pour désirer en pleine guerre l'enfant d'un homme marié qu'elle ne reverrait peut-être jamais ? L'ennemi menaçait l'intégrité de son pays d'adoption. Serait-elle forcée de fuir pour protéger son nouveau-né ? Alice ferma brièvement les yeux pour chasser ces idées noires.

— J'espère que tu es consciente que cela va t'obliger à rester tranquille pendant les mois à venir. Tu ne pourras plus te précipiter dans le désert dès qu'il y aura une escarmouche, ni sortir jusqu'à l'aube dans les cabarets avec l'espoir de glaner des informations auprès d'officiers éméchés. Tu vas devoir te reposer et manger sainement…

— Ce n'est qu'un enfant, Alma, pas une maladie mortelle ! Je veux croire qu'il s'agit d'un événement heureux. Ne peux-tu pas le voir ainsi, toi aussi, et t'en réjouir pour moi ? Je t'en prie…

Alma fit un geste théâtral comme si elle rendait les armes. Elle but une gorgée de son cocktail pour se donner du courage, puis elle lui sourit, de ce sourire étincelant qui illuminait les salles obscures.

— Tu as raison, *dearest*. Nous ne devons pas avoir

peur. C'est une grande joie, *ya salam* ! Tu es une femme merveilleuse et cet enfant sera heureux, inch Allah !

Tandis qu'un soulagement intense parcourait Alice de la tête aux pieds, Alma tourna son regard vers le hall d'entrée.

— Et à lui, tu lui as dit ?

Alice regarda Fadil approcher. Ce soir-là, ils avaient prévu d'aller danser au Kit Kat Club, un nid à espions qu'elle appréciait particulièrement. Elle s'étonna de son retard, lui pour qui la ponctualité était la politesse des rois. Visage blême et mâchoire contractée, il avait la mine grave des mauvais jours. Aussitôt, le cœur de la jeune femme se serra. Fadil avait toujours rêvé d'avoir un enfant avec elle. L'un de ses plus grands chagrins était qu'elle fût partie sans lui avoir donné un fils. Elle fit signe à Alma de se taire.

Dès que Fadil s'assit à côté d'elle, Alice perçut sa colère. Elle fut prise de panique, persuadée qu'il avait appris la nouvelle. Il avait toujours eu un don de double vue.

— J'ai un nouveau sujet d'article pour toi, annonça-t-il.

— Comment cela ?

— Tu peux écrire qu'en ce jour honni, à cause du comportement indécent de l'Angleterre, l'Occident a signé son arrêt de mort sur les bords du Nil.

Alexandrie, juin 1942

— Depuis que Tobrouk est tombé, plus rien ne les arrête !

Alma débarqua en trombe sur la terrasse des Borghi, brandissant un journal. Elle tremblait de la tête aux pieds. La ville portuaire en Libye avait résisté de manière héroïque aux troupes allemandes du général Rommel pendant de longs mois. Située non loin de la frontière, la forteresse était devenue l'emblème de la résistance en Afrique du Nord. La ligne de défense de la 8e armée britannique s'étendait de Gazala à Bir Hakeim, le désert était semé de mines, les Alliés se terraient dans un chapelet de casemates que cette nouvelle offensive allemande renversait les unes après les autres tels des dominos, permettant à ses troupes de foncer désormais vers Alexandrie.

— Et maintenant, la flotte anglaise lève l'ancre pour Haïfa et Beyrouth, poursuivit-elle d'une voix étranglée. On nous abandonne alors que les Boches sont à moins d'une centaine de kilomètres.

Dans la villa des Borghi, où plusieurs chambres avaient été attribuées à des convalescents britanniques, c'était la consternation. Alice se laissa choir dans un fauteuil en osier. Ses cheveux mouillés étaient plaqués sur son crâne, elle avait encore un goût d'iode sur les lèvres. Se baigner dans la mer était le seul moyen pour que son ventre cesse de l'incommoder. Ce matin, elle s'était étonnée d'être seule sur la plage. Jusqu'à maintenant, en dépit des bombardements nocturnes et des alertes journalières qui forçaient les gens à descendre aux abris, beaucoup d'Alexandrins s'étaient efforcés de vivre normalement. Bien qu'ils fussent cernés de campements militaires et que leur port fût une cible de choix pour l'ennemi, on continuait à se baigner à Ramleh, on jouait au golf et on prenait le thé chez Pastroudis. À dire vrai, la peur n'était pas partagée par tout le monde. Certains ne voyaient pas d'un mauvais œil l'avancée de Rommel. Des drapeaux allemands et italiens reposaient enroulés dans des tiroirs, des portraits d'Hitler et de Mussolini attendaient d'être accrochés aux murs. Mais les banques et les gares étaient désormais prises d'assaut par tous ceux qui redoutaient, eux, le triomphe des fascistes.

Le père d'Alma fumait son cigare en contemplant son jardin, les mains croisées dans le dos.

— Maman et toi devez rejoindre Le Caire tout de suite ! tempêta Alma. Vous avez déjà assez tardé. Ils partent tous, les Vincendon, les Menasce, les Max Rolo, les Roger Aghion... C'est devenu trop dangereux pour des gens comme nous.

Un frisson parcourut le vieil homme. Ces dernières années avaient déjà apporté leur cortège de vexations. Lorsque l'Italie avait déclaré la guerre, tous ses ressortissants, même les antifascistes, avaient été enfermés dans des camps d'internement et leurs biens séquestrés. Les juifs avaient eu droit à un interrogatoire individuel par les Britanniques, avant d'être relâchés sous certaines conditions, ce qui avait permis à Samuele Borghi de regagner sa maison. Il trouvait toutefois détestable de devoir montrer régulièrement le passeport qui lui avait été remis en tant que résident d'un pays ennemi, un accordéon de feuilles tamponnées de sceaux égyptiens et anglais qui lui donnait le sentiment d'être un criminel.

— Et puis, après Le Caire, où irons-nous ? demanda-t-il d'un ton amer. En Palestine, pour rejoindre notre cousin Victor si les quotas d'immigration le permettent ? Au Cap, en Afrique du Sud ? Je préfère mourir ici, chez moi.

— Ne sois pas absurde ! s'enflamma Alma, les poings sur les hanches. Que deviendrait maman sans toi ?

Alice percevait l'angoisse de son amie, car son père était un homme buté. Il avait été marqué ces derniers temps par le nombre d'entreprises juives vendues pour une bouchée de pain. Lui refusait de se séparer de ce qu'il avait construit au fil des ans. Il se sentait aussi responsable de ses employés, dont beaucoup n'avaient pas nécessairement les moyens de s'enfuir. Rien ne le ferait changer d'avis, excepté l'amour qu'il vouait à son épouse depuis plus de quarante ans. Quand Alma agita des billets de train en le suppliant d'être raisonnable, il se mit à fredonner et s'éloigna vers le jardin dont les fleurs et les arbres étaient sa grande fierté.

— Il faut que tu partes avec eux, lui souffla Alice à voix basse. Ta mère refusera de quitter la ville sans toi et ton père ne l'abandonnera jamais.

Aussitôt, Alma se retourna, l'air furibond.

— En te laissant ici toute seule, dans ton état ?

— Mais je vais parfaitement bien !

Alice lui décocha un sourire innocent. Elle ne lui avait pas avoué qu'elle se sentait épuisée, que la veille au soir elle n'avait même pas eu la force de descendre dans l'abri souterrain lors de l'alerte. Elle était restée dans son appartement rendu étouffant par les voiles occultants qu'imposait le commandement militaire pour respecter le black-out. Elle avait écouté tonner les canons de la marine anglaise et les batteries antiaériennes, regardé les balles traçantes et les puissants projecteurs décrire un feu d'artifice dans le ciel, une main sur son ventre pour tenter d'apaiser le petit qui tressautait sous l'orage d'acier. Voyant qu'Alma continuait à hésiter, marchant de long en large, Alice lui expliqua patiemment que si elle accompagnait ses parents jusqu'au Caire, les y installait tout en préparant un départ éventuel pour une autre destination, elle aurait l'esprit tranquille.

— Tu te dois d'abord à eux. Tes frères et sœurs sont déjà partis à cause de leurs enfants. Il ne reste que toi. Iris t'aidera. Elle s'inquiète terriblement à l'idée que tu sois prise ici dans une nasse. Moi non plus, je ne suis pas tranquille. Personne n'ignore ce qui attend les juifs lorsque les nazis arrivent quelque part.

Iris Langlois avait refusé de partir dans le sud de la France avec les autres pensionnaires français de la villa Médicis lorsque ceux-ci avaient dû quitter l'académie de Rome réquisitionnée par le Duce, et avait préféré rejoindre son amante en Égypte. Elle ne s'y sentait pas dépaysée puisque son frère était l'un des officiers français de l'armée du Levant qui avaient pris fait et cause pour le général de Gaulle. L'amour que se portaient les deux femmes ne s'était pas démenti en ces moments éprouvants. Alice était reconnaissante à la jeune artiste d'apporter à Alma une stabilité affective qui lui avait longtemps fait défaut.

— Je ne peux pas te laisser ici. Je suis la marraine de ton enfant à naître.

— Ne sois pas ridicule ! Je ne suis pas la seule femme enceinte à Alexandrie.

— Pourquoi tu ne viendrais pas avec nous ? On fera très attention.

Alice secoua la tête. Le médecin lui avait interdit tout déplacement. Elle n'envisageait pas d'endurer plusieurs heures de voiture sur des routes encombrées de camions militaires et de réfugiés fuyant vers le sud. Les trains, eux, étaient pris d'assaut. On racontait que les gens se hissaient par les fenêtres afin de s'assurer une place. Alice ne redoutait pas grand-chose dans la vie, mais elle refusait de mettre en péril la santé de son enfant.

Après de longues minutes de discussion, elle fut soulagée lorsque Alma alla enfin prévenir son père qu'elle les accompagnerait au Caire. Ainsi qu'elle l'avait prédit, le vieil homme se résigna à suivre sa fille. Il ne leur fallut qu'une heure pour boucler leurs valises. La maison resterait sous bonne garde des domestiques. Les uns et les autres, en larmes, vinrent saluer leurs maîtres. Les officiers convalescents remercièrent les Borghi de leur hospitalité. Ils espéraient encore que la 8e armée parviendrait à empêcher Rommel d'atteindre la ville, mais on devinait à leurs regards fébriles qu'ils n'étaient pas confiants.

Alice trouva poignant de voir ses amis laisser derrière eux non seulement leurs meubles et leurs tableaux, mais aussi leurs souvenirs de famille et leurs affaires personnelles, sans savoir s'ils les reverraient. Il faudrait pouvoir se détacher de tout ce qui est matériel, songea-t-elle avec une pensée émue pour son propre appartement à Rome. Elle en avait confié la clé à Umberto. Toute une partie de sa vie s'y trouvait enfermée, à prendre la poussière.

— J'exige que tu prennes soin de toi, *habibtî*, l'implora Alma. Et ne tarde pas à nous rejoindre dès que tu auras accouché. Ces gens-là ne t'aiment pas non plus, tu le sais bien.

Sur le perron, Alma la serra dans ses bras. Son visage était grave, ses traits tendus. Alice la rassura de son mieux, puis elle suivit des yeux la main gantée de son amie s'agitant par la vitre de la voiture. Une pointe d'appréhension lui noua le ventre. Depuis qu'elle la savait enceinte, Alma avait été une présence attentive et chaleureuse, bien que parfois envahissante. Afin d'être tranquille, Alice avait fini par louer un appartement non loin de la rue Chérif-Pacha. La solitude lui était indispensable, ce qu'Alma avait parfois du mal à comprendre.

Sa grossesse s'était déroulée sans complications. Comme elle avait eu la chance de rester plutôt mince les premiers mois, elle s'était rendue plusieurs fois jusqu'à la ligne de front. Elle avait partagé les repas du mess des officiers, le saumon en boîte, les jus de fruits, les œufs fournis par la tribu des Senussi en échange de sucre et de thé, les puddings au chocolat. Elle avait supporté les longues heures d'inactivité qui pesaient sur le moral de soldats agacés que leur matériel n'ait pas la qualité de celui de leurs adversaires, enduré l'absence d'intimité des latrines, respiré cette odeur entêtante de chameaux et de chèvres, si particulière aux villes du désert, et qui lui avait pour la première fois soulevé le cœur. Alice avait surtout su se faire apprécier, ce qui n'était pas toujours le cas de ses consœurs à qui certains officiers reprochaient d'être autoritaires ou de coucher pour se procurer des informations, une accusation qui avait toujours eu le mérite de la faire rire.

La voiture des Borghi disparut dans des volutes de poussière blanche, laissant Alice seule sur le perron. À en juger par les claquements intempestifs de portières et les aboiements frénétiques d'un chien oublié, les habitants du quartier se volatilisaient. Un poste de radio grésillait au deuxième étage de la villa. Avec ce ton policé reconnaissable entre tous, un journaliste de la BBC égrenait les succès des Allemands en reconnaissant leur supériorité sur le plan tactique.

Alice songea que le flegme des Britanniques et leur sens bien particulier du fair-play risquaient d'être mal compris par une population orientale plus passionnelle, et d'amplifier le mouvement de panique.

La villa de son père se trouvait non loin de là. Elle aurait pu s'y rendre à pied pour prendre de ses nouvelles. Elle n'avait pas été le voir depuis plusieurs semaines, ne voulant pas lui infliger son ventre rebondi. Il y avait là de la pudeur, la crainte aussi de lire la déception dans ses yeux. Sans doute savait-il qu'elle était enceinte. Une bonne âme s'était certainement empressée de le lui annoncer. On trouvait toujours de ces langues perfides pour salir les autres dans la pensée de leurs proches. Il ne l'avait toutefois jamais évoqué lors de leurs conversations téléphoniques, et pour une fois elle lui avait été reconnaissante pour ce non-dit.

Avant de fermer le consulat, le consul américain avait demandé au juge Clifford s'il avait l'intention lui aussi de quitter la ville. Celui-ci avait rétorqué qu'il était trop occupé à construire une maquette de caravelle du XVe siècle. Le diplomate avait dû le prendre pour un illuminé. Thomas James Clifford était pourtant connu autant pour sa sagacité intellectuelle que pour son courage physique. Membre du Royal Yacht Club, il avait pris l'habitude de naviguer avec certains de ses camarades à tour de rôle sur un modeste voilier de plaisance dans le port ouest, souvent au-delà du barrage flottant où la mer pouvait être mauvaise, dans le but d'aider les Anglais à protéger leurs navires de guerre. Ces marins téméraires étaient chargés de relever l'emplacement des mines larguées par les avions allemands afin qu'elles puissent être récupérées le lendemain. À l'écouter raconter ses excursions nocturnes, Alice en avait conclu que son père vivait l'aventure de sa vie.

Alors qu'elle prenait son courage à deux mains pour lui rendre visite, un officier qui se remettait d'une dysenterie amibienne lui proposa une partie de poker. Les clubs où ils se rendaient d'ordinaire étaient désormais fermés, autant ne pas s'ennuyer en attendant Rommel, expliqua-t-il. Alice fut trop heureuse de profiter de cette diversion et vint s'installer à la table de bridge qu'ils avaient dressée sous les arbres à l'arrière de la maison. Le jeune homme lui apporta un coussin pour lui caler le dos.

— Il paraît que les brasseries sur la Corniche ont déjà commandé des *Wurst* aux bouchers.

— Certains magasins ont même placardé « *Willkommen Rommel* » sur leurs devantures, ajouta-t-elle sur le même ton badin. La radio allemande demande aux femmes d'Alexandrie de préparer leurs robes de soirée. C'est regrettable que je n'entre plus dans les miennes !

— Vous auriez mieux fait de partir avec vos amis.

— Je suis correspondante de guerre. Je ne fuis pas à l'approche de l'ennemi. Et puis, Churchill n'a-t-il pas demandé de défendre l'Égypte comme s'il s'agissait de vos provinces du Sussex ou du Kent ? Moi, j'ai confiance en vous.

— Votre assurance est flatteuse, Miss Clifford, mais votre bébé, là, c'est pour quand ?

À voir sa mine soucieuse, elle comprit que cette perspective l'effrayait davantage que l'arrivée imminente des régiments de l'Afrikakorps. Alice se contenta de lui sourire avec un mouvement d'épaules.

— Rassurez-vous, pas avant d'avoir remporté la partie !

Elle avait une bonne main, un carafon d'arak à disposition et la perspective de passer des moments agréables entourée de jeunes gens divertissants dans cette villa qu'elle aimait tant. Avec un peu de chance, elle pourrait même retourner se baigner en fin de journée. De temps à autre, le grondement sourd des canonnades en provenance d'El Alamein retentissait au loin tel un orage d'été. Alice poussa un soupir de contentement ; elle était heureuse.

Deux jours plus tard, dans la soirée, Alice fut ter-
rassée par les premières contractions alors qu'elle était
allongée sur son lit après avoir passé la journée en
proie à une léthargie qu'elle avait attribuée à la chaleur. Une douleur fulgurante la transperça de part en
part. C'est beaucoup trop tôt ! s'affola-t-elle, le souffle
coupé. Le bébé n'était pas prévu avant une quinzaine
de jours. Elle se força à inspirer lentement, à l'écoute
de son corps devenu soudain un être étranger aux
intentions malfaisantes. Les pales du ventilateur bruissaient au plafond, le sang battait à ses tempes. Elle se
traîna jusqu'au salon pour décrocher le téléphone.
Aucune tonalité. À l'exception d'un vieil Arménien,
sourd qui plus est, elle se savait la seule locataire dans
l'immeuble. Les autres s'étaient tous enfuis.

Saisie de panique, elle écarta les voilages protec-
teurs de la fenêtre. Un inquiétant silence régnait dans
la rue. Un réverbère solitaire diffusait une lumière
bleutée, presque surnaturelle. Depuis la veille, toutes
les boutiques étaient fermées, leurs rideaux de fer
baissés. Il n'y avait pas un passant sur les trottoirs, pas

un véhicule sur la chaussée. On aurait dit une ville fantôme. Au cours de la journée, des particules noires avaient virevolté devant ses vitres. Les Britanniques brûlaient les documents compromettants qui ne devaient pas tomber aux mains des Allemands. Une poussière de cendres s'était déposée sur le rebord de sa fenêtre.

Des sirènes d'alerte se mirent à hurler, son pouls s'emballa. Se maudissant d'avoir emménagé dans un immeuble sans *baouab*, ce gardien protecteur, elle décida de rejoindre l'abri au bout de la rue où elle trouverait certainement des mains secourables. Elle était terrifiée à l'idée que son enfant allait peut-être naître, là, maintenant, et qu'elle était seule, prisonnière dans cet appartement. L'image d'Umberto s'imposa, son visage souriant, son regard attentif. Il semblait appartenir à un univers si lointain, si improbable, qu'Alice se demanda si elle ne l'avait pas rêvé.

L'heure était donc venue de mettre au monde l'enfant d'Umberto, de lui donner la vie, de le protéger et de l'aimer tout au long des années à venir. Un défi à la fois grandiose et redoutable. Les mains sur son ventre, Alice se mit à parler à son bébé, à le rassurer, à lui souffler des mots tendres, ceux qui lui avaient tant manqué dans son enfance. Elle le supplia de patienter encore un peu, de la laisser rejoindre des personnes qui les aideraient parce qu'elle avait peur et qu'elle ne voulait pas lui faire mal. Comprends-tu, mon petit, mon trésor ? Tout entière penchée sur son enfant, elle ne sentait pas les larmes couler sur ses joues. Des secousses firent vaciller le plancher sous ses pieds nus.

Des explosions sourdes, tristement familières, retentissaient au loin. Si le port ouest demeurait toujours une cible privilégiée, des bombes incendiaires avaient aussi frappé le terminus de Ramleh, la rue Chérif-Pacha ou la rue des Sœurs. Elle leva la tête, aux aguets. Le bombardement était beaucoup plus soutenu que les jours précédents. Alice s'était rarement sentie aussi vulnérable. Elle retourna dans sa chambre. Des douleurs diffuses entravaient ses mouvements. À bout de souffle, elle se sentait lourde, maladroite. Alors qu'elle essayait d'enfiler une robe, une déflagration fit voler la vitre en éclats. Elle esquissa un mouvement brusque pour éviter les débris de verre, dérapa sur le tapis et se heurta violemment la tête contre un montant du lit.

Fadil tambourinait comme un fou contre la porte de l'appartement. Personne n'avait vu Alice depuis la veille, pas même l'épicier grec dont la boutique se trouvait à quelques pas de son immeuble et qui avait accepté de garder un œil sur la jeune femme. Fadil l'appelait matin et soir pour savoir si Alice était sortie de chez elle, si elle avait fait ses emplettes, si elle lui paraissait en bonne santé. Elle l'aurait détesté de la surveiller ainsi. Mais comment aurait-il pu s'en empêcher ? C'était son devoir de veiller sur celle qu'il aimait depuis ce jour béni où il avait posé les yeux sur le visage envoûtant de cette jeune fille de dix-sept ans, effrontée et solitaire. Même si elle l'avait quitté, même si elle portait l'enfant d'un autre.

— Alice ! Ouvre cette porte !

Depuis l'instant où il avait pressenti qu'elle était en

danger, il agissait instinctivement, avec l'élan viscéral de celui qui aime, cet instinct de survie qui balaie les obstacles, renverse les montagnes, défie l'impossible. Sans doute ne l'entendait-elle pas à cause des déflagrations. Il donna un coup d'épaule dans la porte en bois, puis un autre, décocha des coups de pied violents à hauteur de la serrure qui finit enfin par céder. L'appartement était plongé dans l'obscurité. L'électricité du quartier s'était brusquement éteinte quelques minutes auparavant.

— Où es-tu ? Réponds-moi !

Il la trouva allongée par terre dans la chambre, parmi des éclats de verre qui scintillaient à la lumière de la lune. Affolé, il s'aperçut qu'elle avait des coupures sur les bras et les jambes. Avec d'infinies précautions, il voulut la mettre debout, elle poussa un gémissement. Sa combinaison était trempée. Il comprit aussitôt qu'elle avait perdu les eaux. Il tenta alors de la soulever mais elle était trop lourde. Il lui souffla des mots d'encouragement, l'incita à glisser un bras autour de sa nuque et la porta tant bien que mal jusqu'à l'ascenseur, puis à sa voiture garée devant l'immeuble.

Fadil n'avait pas été surpris lorsque Alice lui avait avoué qu'elle était enceinte d'Umberto Ludovici. Il avait d'emblée perçu l'intensité du lien qui les unissait. C'était une fin de journée, ils prenaient des cafés et des glaces chez Pastroudis. Le teint hâlé, elle revenait d'un reportage. Comme toujours, l'excitation du danger l'éclairait d'une lumière particulière. Il avait ri de la voir toujours aussi volontaire. À un moment donné, il avait posé la main sur son bras tant son énergie était fascinante. Elle avait tressailli, une lueur inquiète dans le regard, avant de lui confier son secret. Il avait eu un serrement de cœur ; le regret de ce qui n'avait pas été entre eux. Si les rencontres ne sont jamais le fruit du hasard, le temps peut se révéler un maître capricieux. Lui avait connu une jeune fille indocile qui n'avait pas eu la patience de laisser grandir leur amour, l'Italien avait rencontré une femme. Il avait compris qu'elle redoutait sa réaction et s'était félicité de compter encore à ce point à ses yeux.

La mâchoire serrée, Fadil démarra et s'élança par les rues désertes d'Alexandrie sous les lumières qui cisaillaient le ciel. Alice, livide, les yeux clos, semblait à peine consciente. De temps à autre, il caressait sa peau moite pour la rassurer. Les projecteurs dardaient leurs puissants faisceaux vers la voûte céleste pour détecter les chasseurs allemands. Les crépitements de la défense antiaérienne répondaient en écho aux explosions qui dévastaient les hangars de Minet el Bassal. L'enfer, cela devait être cela, un vacarme assourdissant, des relents de poudre et de soufre, la fumée âcre des bâtiments incendiés, les corps agonisants parmi les gravats. Et cette terreur animale d'être impuissant à protéger les siens. Une prière s'échappa d'entre ses lèvres. Il déboucha sur la place municipale plantée de palmiers où se dressaient la façade néoclassique de la chambre de commerce et le Cecil, puis, lorsqu'il atteignit enfin l'échappée miraculeuse de la Corniche, il accéléra, pied au plancher, et sa puissante voiture réagit aussitôt.

Rien ni personne n'aurait fait dévier Fadil de sa trajectoire. Sa détermination était absolue. Il savait qu'il n'y avait qu'un seul endroit où emmener sa bien-aimée, un seul asile envisageable au cœur de cet ouragan de fer et de feu. Il voulait l'y déposer telle une offrande, un cadeau inestimable. Les mains crispées sur le volant, il emportait Alice vers la petite maison blanche au-delà de Montazah, son précieux refuge où l'on guérissait de toutes les plaies et de toutes les blessures, celui où il avait retrouvé l'espérance en des jours sombres, où l'épouse charitable de son gardien bédouin reproduirait avec patience, sagesse et dévouement ces gestes ancestraux venus de la nuit des temps qui permettraient à l'enfant d'Alice de naître sain et sauf à la lumière.

Rome, juillet 1942

Umberto ne tenait pas en place. Il arpentait la bibliothèque et les salons silencieux en jetant un coup d'œil aux différentes pendules dont il s'apercevait seulement maintenant qu'aucune ne marquait avec précision la même heure. Avant la guerre, un vieil horloger venait les remonter une fois par semaine. Le brave homme s'était volatilisé sans plus donner de nouvelles. Une occurrence assez commune dans l'Italie fasciste. Depuis lors, rien n'allait plus, ni l'exactitude des pendules du palazzo, ni le pays.

Grillant cigarette sur cigarette, il semait les cendres sur les tapis. On lui avait dit que Beatrice serait de retour vers deux heures de l'après-midi. Il était déjà cinq heures passées. Peut-être s'était-elle égarée parmi les foules errant dans les gares ? Il n'avait jamais croisé une humanité aussi désemparée, des réfugiés hagards fuyant les bombardements, des militaires en transit, des passagers au ventre creux partant à la campagne chercher de la nourriture… Il avait même vu une mère épuisée, ses deux enfants attachés à sa taille par une corde pour ne pas les perdre. Quand il constatait l'état de son pays, Umberto ne pouvait s'empêcher de se demander si l'Histoire se souviendrait des premières réussites de la grande aventure fasciste tant elles pâlissaient devant le spectacle accablant de la corruption et des injustices, de la faim et des destructions qu'entraînait cette guerre absurde. Une guerre menée pour assouvir l'ambition dévorante d'un seul homme alors que personne n'avait voulu de ce conflit, ni le peuple ni la monarchie, ni même la plupart des hiérarques fascistes.

À bout de nerfs, il finit par ouvrir la porte d'entrée et sortir en bras de chemise sur la placette. La chaleur estivale continuait à peser sur les toits, la lumière mordorée à caresser la façade Renaissance de leur palais ornée de sa frise picturale. Il respira cette odeur particulière de Rome en guerre qui montait des glycines, des détritus, des crottins de cheval, du gazogène, des lampes à acétylène, de l'impatience et du désir. C'est alors qu'il vit enfin approcher sa femme, une sacoche de voyage à la main. Beatrice portait l'uniforme blanc à manches courtes des infirmières de la Croix-Rouge. Avec son voile amidonné qui enserrait ses cheveux blonds, elle ressemblait à une religieuse. Elle lui parut si blême, les épaules basses, le regard étrangement absent, qu'il demeura pétrifié en se faisant la réflexion absurde qu'elle marchait peut-être de ce même pas résigné depuis la ligne de front dans le Donetz. Arrivée à sa hauteur, elle posa la tête contre son épaule tout en laissant ses bras ballants. Comprenant qu'elle

497

maîtrisait des émotions dont la douleur n'était pas absente, il l'enlaça avec précaution de peur de rompre cet équilibre fragile. Elle resta là un long moment, silencieuse, les yeux fermés, tout simplement appuyée contre lui.

Umberto se demanda ce qui avait bien pu se passer au cours des trois derniers mois dans cet hôpital de campagne en Russie, aux abords d'une sinistre ville industrielle, pour rendre Beatrice aussi vulnérable et chasser ainsi son assurance, comme si un ressort s'était brisé en elle. Une onde de colère le traversa à la pensée des séquelles que laisserait la guerre chez ces femmes qui s'étaient retrouvées par le jeu des circonstances au premier plan. Comment avait-on pu croire qu'elles deviendraient impunément les mères nourricières de tant de jeunes hommes, blessés, mutilés et déchirés par leurs engagements, dont elles pansaient les plaies physiques et affectives, et qu'elles alimentaient, au propre comme au figuré, de pain et d'espoir ? Qui se préoccupait de leurs blessures intimes ? Pudiques, elles n'en parlaient pas, ou alors si peu. Elles tenaient debout, vaillantes, pour leurs maris, leurs amants, leurs enfants surtout. Parfois même elles donnaient leur vie avec un courage insensé pour défendre leurs convictions.

Submergé par un sentiment protecteur, il serra les dents. Beatrice lui avait écrit plusieurs fois au cours de son séjour. Des lettres composées de phrases courtes, faussement enjouées, destinées à tromper la censure. Jamais rien de compromettant, bien entendu. Elle décrivait les routes de terre, les isbas aux toits de paille, le chant des cailles. Le courage de leurs soldats et l'arrogance de la Wehrmacht, leur combat glorieux mené pour délivrer le peuple russe et le monde entier du bolchevisme. Elle terminait parfois par «*Savoia !*», le cri de guerre des Italiens, et il s'était étonné de ne pas retrouver chez cette infirmière exaltée l'irrévérence subtile de son épouse. Une envie folle le saisit d'enfermer Beatrice à double tour, de lui coller leurs enfants dans les bras afin que le poids de leur amour entrave ses mouvements et qu'elle ne reparte plus jamais, qu'elle reste à l'abri à la maison, aussi caustique qu'elle avait su l'être autrefois, aussi tendre et affectueuse.

Dès qu'elle eut franchi le seuil du palais, Beatrice se rendit dans le grand salon. Elle passa une main sur les guéridons pour vérifier si la poussière avait été faite, examina les bibelots en argent terni. On devinait à sa moue qu'elle déplorait que la tenue de la maisonnée laissât à désirer. Umberto se sentit soulagé en la voyant retrouver ces gestes coutumiers.

Elle s'arrêta, l'air songeur, devant l'espace vide où était accroché autrefois un portrait de l'un de ses ancêtres peint par le Tintoret. Sur les conseils insistants du prince Philippe de Hesse, un de leurs hôtes réguliers avec son épouse la princesse Mafalda, la fille du roi d'Italie, le tableau était parti pour l'Allemagne afin d'orner le Führermuseum qu'Hitler projetait de construire pour y célébrer l'art «véritable». Umberto n'avait jamais compris pourquoi sa belle-mère avait accepté de se séparer de ce chef-d'œuvre. Sans doute Philippe de Hesse avait-il trouvé un argument convaincant en rappelant que le Duce désirait que l'entente entre les deux pays de l'Axe se réalise aussi au niveau artistique. Mussolini n'avait en effet aucun goût pour les belles choses. Il se moquait même de ces mauviettes d'Italiens qui préféreraient rendre les armes plutôt que de voir détruit un campanile de la Renaissance. Lui n'avait aucun scrupule à troquer des peintures contre du pétrole. L'hémorragie d'œuvres d'art en provenance de toute l'Europe à destination du Reich exaspérait Umberto. Il s'en était d'ailleurs ouvert à Galeazzo Ciano qui partageait son agacement devant ce pillage. Ce n'était là qu'un des désaccords de plus en plus profonds qui opposaient le Duce à son gendre.

— Sais-tu que Göring a offert à Galeazzo un Boldini saisi à Paris ? On dit que le tableau a été volé chez un Rothschild…

La voix de Beatrice avait changé. Elle était devenue plus rauque, semblable à celle d'une fumeuse. Elle se tourna vers lui.

— C'est terminé, Umberto.

Un frisson le parcourut en voyant son visage déterminé et la ligne intraitable de ses lèvres. Il n'avait jamais pensé que Beatrice exigerait une séparation. C'était un acte impensable dans leur milieu, presque répréhensible. La famille demeurait une armature sacrée, celle à laquelle on se raccrochait, qui résistait aux turpitudes, aux colères passagères, aux naufrages intimes. Une mission qui remontait les siècles et engageait l'avenir. Savait-elle pour Alice ? Une bonne âme consciencieuse lui avait-elle appris la liaison de son

500

mari? Pire encore, cet élan passionnel qu'il ressentait pour la correspondante américaine? Pourtant, leur génération ne se formalisait pas pour si peu. Chacun tolérait des écarts, reconnaissant que si le mariage était indissoluble, l'adultère permettait d'y survivre.

Les doigts fébriles, Beatrice retira de son annulaire l'anneau en fer noirci que le régime du Duce lui avait offert sept ans auparavant, lorsqu'elle avait sacrifié son alliance en or pour aider à financer la guerre d'Éthiopie. Umberto ne la quittait pas des yeux. La gorge nouée, il pensait au désarroi de leurs enfants, à la désapprobation de sa mère, au scandale qui enchanterait les commères romaines. L'image d'Alice lui cingla l'esprit et le cœur, avec le goût acide d'une liberté devenue brusquement aussi envisageable que redoutable.

Beatrice enleva l'insigne du parti fasciste qu'elle portait épinglé à son uniforme.

— C'est fini, répéta-t-elle.

— Que veux-tu dire?

— Le fascisme. Le Duce. Tout ce qu'on nous a fait croire depuis notre enfance. Les mensonges, les faux espoirs.

Le soulagement qu'éprouva Umberto fut à la hauteur de ce qu'avait été sa crainte. Il se laissa tomber dans un fauteuil.

— Le Duce a perdu son âme en s'alliant aux nazis. S'il en a jamais possédé une. À voir la brute qu'il est devenu, il m'arrive désormais d'en douter. J'ai pourtant cru en lui pendant tant d'années! J'ai cru qu'il avait sauvé notre pays de la ruine, qu'il avait su préserver l'unité de la nation, la grandeur de Rome et celle de l'Église. J'ai pensé qu'il pouvait être notre guide. Et j'ai accepté les sacrifices nécessaires. Mais tout cela n'a plus aucun sens aujourd'hui.

Elle s'assit en face de lui, lissa sa jupe sur ses genoux. Umberto ne l'avait jamais vue aussi blême.

— Lorsque les Allemands s'emparent d'un village ou d'une ville, ils fusillent les civils par centaines et en remplissent les fossés antichars. Parfois, ils mettent le feu aux cadavres. Parfois, leurs victimes sont encore vivantes. Les femmes, les enfants, les vieillards… Les juifs n'ont aucune chance. Aucune.

Les premières fois qu'Umberto avait entendu ces rumeurs, il avait songé à des messages de propagande communiste. L'article d'Alice dénonçant les exactions nazies avait été pour lui le premier coup de semonce sérieux. Il lisait dans le regard désemparé de son épouse que le pire était vrai. Il serra les accoudoirs, effaré par ce qu'elle avait dû endurer, regrettant une nouvelle fois de ne pas avoir su la protéger de ces infamies. Il lui semblait insensé que Beatrice ait observé la guerre de si près alors que lui continuait à trier une paperasserie inutile dans son bureau du palazzo Chigi.

— Nous ne pouvons plus nous taire. Ce qui se passe dans les pays de l'Est dépasse l'entendement. Ce sont nos âmes qui sont en jeu. Rien de moins. Nous risquons la damnation éternelle si nous ne faisons rien.

Pour une catholique comme Beatrice, la vie éternelle n'avait rien d'abstrait. Umberto voyait à l'intensité de son regard qu'elle pesait chacun de ses mots. Lui-même, en dépit de ses doutes et de sa foi frileuse, n'osait y demeurer indifférent. La perspective d'un enfer sans rémission l'effrayait tout autant que les sermons du curé de son enfance contre les tentations du diable.

— Avant de rentrer à la maison, je suis passée voir ton frère. Pour m'excuser. Giacomo a toujours eu une longueur d'avance sur nous, il avait d'emblée pressenti le désastre. Et je l'ai rejeté pendant toutes ces années… D'abord, il s'est montré très méfiant. Assez cinglant aussi. Il a notamment évoqué notre amitié avec Galeazzo et Edda. À ses yeux, les Ciano symbolisent tout ce qu'il déteste. Galeazzo est un jouisseur sans scrupules et un assassin pour avoir attaqué la Grèce en y sacrifiant nos soldats pour son profit personnel, Edda une nymphomane suicidaire qui boit du champagne à chaque repas. J'ai défendu mon amie de mon mieux, fit-elle en esquissant un mince sourire. Je lui ai dit que la frivolité n'était pas un crime. Je lui ai rappelé qu'Edda était avec moi quand notre navire-hôpital a coulé l'année dernière, qu'elle s'est aussi rendue plusieurs mois en Ukraine en tant qu'infirmière. Elle ne passe tout de même pas sa vie à jouer au poker à Capri ! Et ne doit-on pas pardonner et ne pas juger les autres ?

Il hocha prudemment la tête.

— J'ai aussi dit à Giacomo que nous l'aiderions. Il s'est alors inquiété de savoir ce que tu en penserais ; il redoute encore ta réaction. Je ne peux pas agir seule dans ton dos, ce serait trop difficile, et je sais que tu as déjà pris tes distances avec le Duce. Comme l'a fait d'ailleurs Galeazzo, à sa manière.

Elle marqua une pause, inspira profondément.

— Nous ne pouvons plus nous contenter d'être spectateurs, Umberto. Le temps est venu d'agir. Alors, seras-tu à l'avenir avec moi ou contre moi ?

Umberto ne cilla pas. La pendule sonna la demie de cinq heures. Il s'étonna de ne pas avoir peur, lui qui n'avait jamais brillé par son courage. On aurait même dit qu'un poids glissait enfin de ses épaules, qu'il respirait à nouveau librement. Il songea qu'on pouvait donc aussi choisir d'entrer en résistance parce qu'un jour une jeune épouse admirable retire son voile d'infirmière, passe les doigts dans ses cheveux courts avec un geste d'autrefois, tout d'innocence et de sensualité, et qu'aucun homme digne de ce nom ne peut refuser de suivre la mère de ses enfants lorsque celle-ci lui indique le chemin de la vérité et de la vie.

Dans un premier temps, Giacomo lui fit évidemment payer cher ce retour de fils prodigue à la maison. Umberto dut répondre à une rafale de questions intraitables afin de prouver la sincérité de son nouvel engagement. La confiance ne se morcelle pas ; elle se donne et se reprend une fois pour toutes. Après avoir déclaré qu'il ne tolérerait ni caprices ni initiatives intempestives, ce qui infligea à Umberto l'impression pénible d'être revenu à l'époque des culottes courtes, Giacomo choisit de l'associer pleinement à son action. Dès lors, son frère aîné le surprit par la foi absolue qu'il plaça en lui.

C'est seulement au fil des semaines qu'Umberto mesura à quel point Giacomo œuvrait avec diligence depuis le début du conflit. Les conjurés qu'il fréquentait étaient des intellectuels, des hommes politiques de l'époque préfasciste et des militaires moins fidèles au Duce qu'au souverain. Lucides et sensés, tous échafaudaient des programmes pour un nouveau gouvernement. Néanmoins, Umberto ne tarda pas à s'apercevoir que ces opposants avaient une sainte horreur de l'action. Personne ne semblait vouloir prendre la responsabilité effective d'un coup d'État. Il leur manquait le souffle vital de l'énergie qu'avait si bien incarné Benito Mussolini. Le Duce avait su, après la Grande Guerre, épouser l'esprit de son temps et captiver l'âme du peuple italien. Le fascisme avait possédé une ardeur envoûtante, une exaltation baroque à laquelle la mort n'était pas étrangère, se disait Umberto. Il lui arrivait encore de regretter ces élans de fierté et d'enthousiasme qui l'avaient transporté dans sa jeunesse. De ce tourbillon d'entrain et de démesure ne restait aujourd'hui qu'une forme d'hébétude, de nausée indistincte, celle d'un homme embarqué qui n'a pas le pied marin.

Ce jour-là, il avait porté un message à la princesse de Piémont, dont Giacomo prétendait qu'elle était « la seule tête pensante de la maison de Savoie ». Marraine de son neveu Scipione et proche de Beatrice par son rôle à la Croix-Rouge, la princesse héritière était surtout une femme de caractère, idéaliste, courageuse, et possédant une intuition politique très juste. Selon elle, si le roi, son beau-père, ne prenait pas ses distances avec le fascisme, la monarchie risquait de sombrer avec le Duce. Devenue le lien entre les antifascistes et Victor-Emmanuel III, Marie-José de Savoie se démenait pour que le président du Conseil soit démis de ses fonctions. Or le roi avait peur de Mussolini, au sens littéral du terme. Par crainte d'une guerre civile, il refusait d'envisager toute destitution avant que le Grand Conseil du fascisme ne se soit prononcé, ce qui se révélait compliqué étant donné que le Duce ne convoquait plus cette assemblée des caciques fascistes. De leur côté, les deux frères Ludovici demeuraient convaincus que le souverain était un pleutre complexé, buté comme un âne, et que la Providence avait joué un bien mauvais tour à l'Italie en plaçant sur le trône ce malheureux personnage dépourvu de tout sens politique à un moment aussi crucial de l'Histoire.

Umberto fit une grimace en reposant la tasse de « café », un mélange infâme d'orge, de chicorée et de seigle. Le cafetier leva les yeux au ciel, déclarant que certains scélérats profitaient encore des bonnes choses alors que les pauvres gens subissaient toutes sortes de contrariétés, dont la privation de café n'était pas la moindre. C'était devenu un des leitmotivs parmi la population qui ne se gênait plus pour critiquer l'inefficacité et la corruption du régime. Les arrestations pour outrage au Duce ne faisaient que croître. À ce rythme, il faudrait bientôt construire de nouvelles prisons. Umberto songea qu'Alice aurait rédigé un article plein d'ironie à ce propos, et comme chaque fois son absence le glaça jusqu'à la moelle.

Il ressentait leur séparation comme une punition physique. Il souffrait de ne plus tenir son corps entre ses bras, de ne plus caresser sa peau, effleurer les veines bleutées de ses poignets ou le creux de ses coudes, goûter ses lèvres et respirer son parfum. L'intensité de l'acte d'amour lui manquait, cette sensation de vivre en elle et grâce à elle, de même qu'il regrettait sa vitalité, ses coups de gueule, ses humeurs capricieuses et ce rire triomphant qui éclatait parfois tel un coup de tonnerre. Elle n'était plus là pour le rassurer et le ramener à lui-même. Il lui arrivait de ressentir un étourdissement à la pensée qu'il ignorait s'ils se retrouveraient un jour.

Alice aurait-elle été fière de lui ? Elle avait souvent laissé entendre qu'elle ne comprenait pas sa passivité envers le régime. Ils s'étaient plusieurs fois écharpés à ce propos. Puis étaient venues les lois antisémites et la déclaration de guerre, et elle l'avait vu se décomposer peu à peu, gangrené par le doute, pris au piège d'une promesse à laquelle il ne croyait plus. Umberto n'était pas le seul à ressentir cet étrange vertige. Autour de lui régnait désormais une atmosphère particulière qu'on décelait partout, dans les salons des palais prospères, les cafés ou les restaurants, dans les cinémas bondés où les gens sifflaient leur mécontentement au passage des actualités *Luce* autrefois regardées dans un silence religieux. Un vague à l'âme où la honte le disputait à la colère parmi les ruines des illusions.

— Avez-vous des nouvelles de la signora Clifford ? murmura le cafetier, alors qu'Umberto réglait ses consommations.

Il ouvrit de grands yeux. Par quel étrange miracle cet homme pouvait-il savoir qu'il connaissait Alice ? Il se rendit compte alors qu'il s'était arrêté dans le café au coin de sa rue où elle aimait venir tous les jours. Un acte manqué, bien entendu.

— Elle est en Égypte, à Alexandrie. C'est là qu'elle a grandi.

— Tant mieux ! On ne viendra plus les embêter là-bas. Moi, je suis content que mon garçon soit prisonnier des Anglais en Libye. Le Vatican nous donne régulièrement de ses nouvelles. On peut même lui envoyer des colis. Un comité organisé par le Saint-Père s'occupe de nos prisonniers, vous savez. C'est une bonne chose.

L'homme hocha la tête d'un air satisfait. Umberto, lui aussi, avait été soulagé d'apprendre l'échec de l'offensive de Rommel fin juillet. Le brillant maréchal allemand n'avait pas réussi à conquérir Alexandrie, ni Le Caire, échouant aux portes de la vallée du Nil. Selon les informations qu'il glanait quotidiennement au ministère, la situation devenait même de plus en plus critique pour les forces de l'Axe qui redoutaient une contre-offensive britannique dans le désert. Alice était donc saine et sauve.

Dans la rue, quelqu'un le bouscula. Des insultes fusèrent parce qu'il gênait le passage. L'intensité du chagrin qu'il éprouva à se retrouver là, dans l'une des ruelles pavées derrière la piazza Navona, le décontenança. Sur un pan de mur s'écaillait un graffiti à la gloire du Duce. Il songea qu'à l'école de son fils aîné les petits drapeaux qui marquaient l'avancée des troupes italo-allemandes sur une carte d'Afrique prenaient la poussière. Sans doute serait-elle bientôt retirée du mur et rangée dans un placard. En attendant, il fallait serrer les dents et rentrer la tête dans les épaules car rien n'était encore joué. Il enfouit les mains dans les poches de son manteau, reprit le chemin de la maison. Ce soir, il ne passerait pas voir Giacomo pour faire son compte rendu.

Alexandrie, le 5 novembre 1942

Caro mio,

*J'espère que cette lettre te trouvera en bonne santé.
Cela semble être devenu l'une des préoccupations
majeures de notre génération, ce qui est bien regrettable,
car nous devrions plutôt nous soucier de toutes les
choses formidables à accomplir dans l'existence.*

*Je pense souvent à toi. Tout le temps, à vrai dire. J'ai
ton image sous les yeux. Je n'ai pas honte d'avouer que
tu me manques, bien que cette franchise me surprenne
car j'ai toujours été d'une nature pudique. Une manière
de me protéger, comme tu l'as si bien compris. Je profite
de cet exil forcé pour réfléchir aux événements de ces
dernières années. La vie se charge au quotidien de m'apprendre à être moins égoïste, moins farouche, plus généreuse de mes sentiments. J'ai même réussi à faire la paix
avec mon père, ce qui est un exploit. Une preuve de
sagesse peut-être aussi.*

Mon quotidien a pris un rythme de croisière. Je vis

510

heureuse dans une petite maison au cœur de la palmeraie, proche de la mer, et que j'espère un jour te faire
découvrir. Depuis l'été, mon appétit pour le danger s'est
émoussé. Il est vrai que l'état-major américain s'oppose à
la présence de ses correspondantes de guerre sur le
devant de la scène. Obtenir des accréditations est un parcours du combattant. C'est un comble tout de même !
Nous devons toutes lutter pour exercer notre métier.
Avec son ironie coutumière, mon amie Martha Gellhorn
m'a écrit de Cuba qu'elle était ainsi confrontée au problème de son sexe depuis l'âge de cinq ans ! Marty a
contourné l'interdiction en se déplaçant dans les
Caraïbes pour étudier la guerre sous-marine. Elle dit
regretter l'époque de notre implication lors de la guerre
d'Espagne. Comment oublier, en effet ? Martha prétend
fort justement que c'est en Espagne qu'a pris racine notre
espérance d'adulte, lorsque la raison de l'âge mûr est
venue tempérer les aspirations souvent insensées de
notre jeunesse. Nous étions alors tellement convaincues
que le spectacle accablant de l'Espagne empêcherait le
monde de subir ce qu'il traverse aujourd'hui ! Comment
veux-tu que notre désillusion ne soit pas amère ?

Même si je me rends régulièrement au Caire pour
prendre le pouls du monde, je me suis aperçue que ma
quête de signification pouvait être plus intérieure sans
perdre en intensité. Le plaisir que je découvre à une vie
paisible te surprendrait, mais il y a quelque chose de
délicieux à rester entre quatre murs pour écrire. Mon
précédent livre ayant rencontré un certain succès en
Amérique, mon éditeur m'a proposé de poursuivre dans
cette veine. Cela tombe bien. Le temps de la réflexion

me convient. Je savoure l'enchaînement de ces splendides journées sous les ciels lumineux d'Alexandrie. La nuit, j'observe le cheminement des étoiles, j'écoute la rumeur apaisante de la mer et je pense à toi. Je sais qu'un jour je reprendrai mon bâton de pèlerin, car on ne peut pas rester hors du monde sans devenir un astre mort. Et j'aime tant la vie ! Mais pour l'instant je n'ai envie de rien d'autre. « Suis ton cœur aussi longtemps que tu vis. » J'ai toujours apprécié la sagesse des proverbes égyptiens. Mon cœur m'enjoint de rester tranquille, je découvre l'obéissance.

Rommel ayant heureusement échoué dans ses tentatives de conquête, Alexandrie a retrouvé ses habitants et sa joie de vivre. Il règne ici une insouciance indomptable qui pourrait prêter à sourire si les drames qui déchirent l'Europe et l'Extrême-Orient n'étaient pas aussi préoccupants. J'ai désormais grande confiance dans les Britanniques. Montgomery a un sale caractère, mais c'est un stratège remarquable. J'ai rédigé son portrait l'autre jour. Je crois à la victoire.

Je suis toujours heureuse d'avoir de tes nouvelles. Même si tu t'exprimes dans tes lettres à demi-mot, je devine tes pensées intimes et m'en réjouis. Je te supplie toutefois d'être prudent. Le courrier diplomatique a cela de bon qu'il demeure fiable en dépit des vicissitudes. Je bénis nos amis qui nous permettent ainsi de rester l'un auprès de l'autre.

À toi, amore mio,

Alice

Dans son bureau du palazzo Chigi, Umberto replia

la lettre qui avait mis près d'un mois à lui parvenir, avant de la glisser entre les pages d'un roman de Hemingway. Même si Alice lui manquait cruellement, il était soulagé de la savoir raisonnable. Il s'émerveillait de la respiration inespérée qu'elle s'était accordée, persuadé que cette trêve ne pourrait que lui être bénéfique. Il s'était parfois effrayé de la détermination qu'elle mettait à chercher l'affrontement. Il lui avait toujours semblé qu'elle brûlait son existence plus qu'elle ne la vivait. La sérénité qui émanait d'entre les lignes s'expliquait sans doute par l'influence de son entourage. La sagesse de Fadil Hassan Pacha et la vitalité affectueuse d'Alma Borghi avaient dû l'apaiser. Il leur était reconnaissant de ce miracle.

Sa secrétaire vint lui annoncer que Son Excellence demandait à le voir. Umberto vérifia son nœud de cravate dans le miroir, tira sur les poignets de sa chemise afin qu'ils dépassent avec précision des manches du veston. Il avait institué ce rituel avant d'affronter Galeazzo Ciano ou le Duce, comme pour ajuster une armure. L'uniforme en drap bleu sombre des fonctionnaires, un pastiche de la tenue des officiers de marine, était un déguisement qu'il jugeait aussi grotesque qu'humiliant. Se promener en uniforme chamarré alors qu'on n'était qu'un gratte-papier lui semblait du plus parfait ridicule. Son regard se posa sur le jongleur peint par Antonio Donghi, le haut-de-forme toujours en équilibre sur son cigare. Il avait eu un instinct prémonitoire en l'achetant avant la guerre. Ce portrait lui collait à la peau désormais, car il n'y avait pas plus funambule qu'Umberto Ludovici.

Dans son imposant bureau de ministre des Affaires étrangères, Ciano, les mains dans le dos, contemplait d'un air pensif le morceau de fuselage troué de balles de son avion de chasse qu'il avait rapporté d'Éthiopie. C'était son grand fait d'armes et il ne s'en lassait pas. Umberto patienta debout, attendant que Galeazzo daigne lui adresser la parole. Ses humeurs étaient devenues aussi capricieuses que celles de son beau-père. Il s'agirait bientôt de leur dernier point commun étant donné que leurs opinions politiques et leur conception de l'avenir du pays divergeaient de plus en plus. Certains murmuraient avec satisfaction que Ciano était dans le collimateur et que son postérieur ne siégerait plus très longtemps au ministère.

— La vie tient à peu de chose, n'est-ce pas ?

Umberto réprima un mouvement d'impatience. Ces derniers temps, les aphorismes du ministre avaient le don de l'exaspérer.

— Son Excellence a demandé à me voir ?

— Te voilà bien formel, ce soir ! Qu'est-ce qui te prend ?

Umberto en déduisit que Galeazzo voulait s'entretenir avec l'ami et non le conseiller. Il n'y avait pas de quoi se réjouir. Le ministre sombrait parfois le soir dans une mélancolie née d'un ennui existentiel et du pressentiment d'un avenir qui s'annonçait des plus sombres. Umberto avait toujours pensé que Galeazzo se sentirait nettement mieux s'il prenait une bonne cuite ; hélas, l'homme ne possédait pas ce vice-là.

Avec un soupir, Ciano referma son carnet. Il tenait ce journal depuis plusieurs années et ne s'en cachait

514

pas, prenant même plaisir à en lire des extraits à ses proches. On racontait qu'il avait déjà rempli plus d'une dizaine de volumes.

— Combien penses-tu que les Américains paieraient pour obtenir mes Mémoires ? plaisanta-t-il en l'enfermant dans le coffre-fort.

— Une fortune. Je m'étonne toujours de ta franchise. Tu ne ménages personne, même pas toi. Ton portrait du Duce est saisissant de vérité. On le découvre dans toute sa démesure et son humanité.

Satisfait du compliment, Ciano hocha la tête.

— Il ne sera pas publié de mon vivant, je peux te l'assurer. Mes enfants y veilleront le moment venu. Ce sera un bel héritage pour eux.

Umberto songea qu'il aurait certainement été plus profitable de leur transmettre une Italie qui ne soit ni bombardée ni affamée, encore moins mise au ban des nations pour s'être alliée avec le diable. Or Ciano avait tout de même œuvré pour un rapprochement avec le Troisième Reich, faisant preuve à l'époque d'une naïveté déroutante. Il s'était ravisé le jour où Hitler avait envahi la Tchécoslovaquie et vouait depuis aux Allemands une détestation qui confinait à la haine. L'invasion de la Pologne n'avait été qu'un nouveau clou dans le cercueil de son humiliation. Ses efforts pour éviter que le Duce n'entre dans le conflit n'avaient abouti à rien ; sa politique de non-belligérance était restée lettre morte. Désormais, il sondait sans succès les Alliés en vue d'une paix séparée. Les Britanniques se méfiaient de lui comme du choléra. Churchill tempêtait en promettant à l'Italie d'autres souffrances et de prochaines défaites. Ciano étant l'homme le plus exécré du pays, personne ne lui permettrait de parler au nom d'une Italie libérée du fascisme. Le peuple ne voyait pas en lui une alternative à son beau-père. Ils couleront ensemble, songea Umberto, mais ils nous entraîneront avec eux.

— Tu voulais me voir pour une raison précise, Galeazzo ?

Ciano lui jeta un regard agacé. Il détestait être mis sous pression.

— Le Duce prétend que l'année prochaine sera dure pour l'Axe, que 1944 sera meilleure et que nous vaincrons en 1945. Tu y crois, toi ?

Le piège. Avec ces hommes de pouvoir, on ne savait jamais sur quel pied danser. Abonder dans leur sens était le chemin le plus raisonnable à suivre, mais Galeazzo attendait une forme de vérité. D'une certaine manière, je suis le bouffon de sa cour, se dit Umberto. Mais les bouffons eux aussi ont la nuque fragile.

— Non. Nous recevons des rapports très pessimistes de Berlin et de Vienne. Stalingrad tient bon et l'hiver est l'allié de la Russie, comme l'Histoire nous l'a enseigné. Personne ne s'attendait à une telle résistance de la part des Soviétiques.

— Tu parles d'une résistance ! Ils sont contraints et forcés ! Les commissaires politiques abattent les récalcitrants d'une balle dans le dos.

— Staline n'a pas plus de tendresse pour son peuple que le Duce n'en a pour le sien ! rétorqua Umberto sur un ton cinglant. Les Russes ont un sens du sacrifice hors du commun. Le comportement barbare des nazis n'a fait que renforcer leur détermination. Ces imbéciles avaient pourtant été accueillis les bras ouverts dans certaines contrées ! Quant à la situation en Afrique, elle est catastrophique. Le débarquement des Américains en Algérie et au Maroc a atterré les Allemands. À l'ambassade, personne ne s'y attendait. La dernière contre-offensive britannique en direction d'El Alamein a entraîné un sérieux repli de Rommel. Certes, le «Renard du désert» est un militaire brillant, mais sa victoire semble désormais impossible. Je doute que le Duce puisse un jour caracoler sur son cheval blanc sur la corniche d'Alexandrie comme il en rêvait.

Galeazzo s'assit derrière son bureau, l'air accablé. L'impétueux ministre aux allures de jeune premier avait cédé la place à un homme au visage marqué, dont le physique robuste virait au gras. Umberto se demanda si les rumeurs concernant les Ciano étaient justifiées : le couple nourrirait ses chiens de lait et les faisans de la réserve de chasse de Galeazzo ne manqueraient pas de grains. Certaines actrices se vantaient même d'obtenir grâce à lui des pâtes et du café.

— Je voulais te prévenir que cet épouvantable Göring a débarqué de Berlin à l'improviste, poursuivit le ministre d'un ton las. Je te charge de veiller à ce que son séjour se passe correctement. Sans doute voudra-t-il comme d'habitude s'empiffrer de fettuccine chez Alfredo, via della Scrofa. Fais en sorte qu'on ne l'y empoisonne pas !

— Qu'est-ce qu'il nous veut ?

— Rassurer le Duce ! Il prétend, la bouche en cœur, que le Führer va envoyer de nouvelles divisions blindées en Afrique. Des fadaises… Mais, de toute manière, c'est la santé du Duce qui me préoccupe en ce moment. Il a passé dix jours à se reposer à la villa Torlonia. Edda avait déjà évoqué son ulcère il y a quelque temps. S'il tombait malade maintenant, ce serait désastreux.

L'espace d'un instant, le désarroi qui se peignit sur le visage de Galeazzo Ciano était celui d'un fils qui découvre avec effroi que son père est mortel. Il y aurait toujours chez lui une ambivalence entre son admiration pour Benito Mussolini, cette affection proche de l'engouement, et ce ressentiment mâtiné de colère refoulée car son beau-père ne l'avait jamais épargné, le traitant souvent avec une morgue insupportable.

— Tu crois qu'ils me pardonneront ?

— Qui cela ?

Comme souvent, Umberto avait du mal à suivre le cheminement de pensée erratique de son supérieur.

— Les Italiens. Ils savent tout de même que je me suis opposé à la guerre, non ?

— Certes, mais cela ne t'absout pas d'être resté à ton poste de ministre et d'être par conséquent responsable de ce désastre. Selon eux, tu appartiens à un gouvernement de voleurs qu'ils vouent aux gémonies.

Umberto sortit de sa poche l'un des pamphlets dont les Alliés avaient arrosé la capitale et le posa devant Galeazzo. «Les avions alliés effaceront le soleil du ciel de l'Italie», pouvait-on y lire.

— Les bombardements s'intensifient aussi bien dans le Nord que dans le Sud. Les Britanniques larguent des bombes au phosphore sur Turin. Les ouvriers travaillent soixante heures par semaine et crèvent de faim, les grèves se succèdent. Nos soldats meurent comme des mouches ou sont faits prisonniers par dizaines de milliers, les plus chanceux d'entre eux par les Anglo-Américains. Je n'ose imaginer ce qui attend nos prisonniers de guerre chez les Soviétiques. Quant à nos travailleurs forcés en Allemagne, ils sont traités comme des esclaves.

Ciano porta ses deux mains à ses oreilles.

— Ça suffit, Umberto ! On dirait un oracle qui débite des horreurs avec une satisfaction suspecte.

À le regarder se tortiller sur son fauteuil, Umberto eut presque pitié de lui.

— Je fais ce que je peux pour obtenir cette paix séparée, bon sang ! cria Ciano en tapant du poing sur la table.

Umberto se retint de répliquer qu'il ne suffisait pas de ne plus pratiquer le salut fasciste, ni de faire preuve de bonne foi. L'autorité dont aurait pu disposer Galeazzo pour traiter avec les Alliés était morte dans les montagnes enneigées de l'Épire aussi sûrement que leurs soldats. Il ne lui restait plus qu'à attendre le dénouement de cette lamentable histoire en espérant que la Providence se montrerait clémente avec lui.

— L'Abwehr me considère comme un traître, tu le savais ? Au moins, les Allemands reconnaissent mes efforts… Une drôle d'ironie du sort.

Sa bouche se tordit en un pli amer. Ciano continua

un temps dans la même veine, se lamentant d'avoir toujours été incompris par le Duce et par les Italiens. Il prétendit même en avoir assez de la politique.

— Les Allemands ont trahi toutes leurs promesses et tous leurs pactes envers nous depuis des années. Il ne faut jamais leur faire confiance. Toi aussi, tu es sur leurs listes, ajouta-t-il soudain, presque avec gourmandise. Les nazis ont le ministère à l'œil et tu n'as jamais brillé par ta discrétion, ni avec ta maîtresse américaine ni avec tes opinions. Tu devrais prendre exemple sur Giacomo. Ton frère a toujours été plus habile que toi.

Galeazzo avait une manière bien à lui de vous rendre un service tout en étant offensant. Avec le temps, Umberto avait fini par se faire une raison. Mais le ministre disait vrai. Depuis son passage en prison, son frère s'était montré beaucoup plus sage. Il ne parlait plus à tort et à travers contre le Duce sous prétexte que c'était faire injure aux soldats qui mouraient en combattant pour leur pays, et œuvrait en sourdine pour renverser le gouvernement et obtenir une paix séparée. Sans aucun doute, les conspirateurs qu'il fréquentait avaient meilleur espoir que Galeazzo Ciano.

— J'ai faim ! lança Galeazzo en se levant d'un bond. Je veux que tu dînes avec moi ce soir. Bien que le Duce ait interdit qu'on s'amuse et qu'on danse pour respecter le sacrifice de nos hommes, cela ne nous empêchera pas d'évoquer le bon vieux temps. Mais je t'en prie, rentre d'abord te changer, tu as l'air ridicule dans cet uniforme, mon pauvre ami !

Umberto écouta avec compassion la quinte de toux de Giacomo. Ce début d'année commençait mal. On aurait dit que son frère allait recracher ses poumons. Si cette mauvaise bronchite se transformait en pneumonie, il ne donnait pas cher de sa peau. Il s'inquiéta de savoir s'il était suffisamment couvert, puisque tout combustible faisait tristement défaut en ville. Sous le plafond à caissons, la pièce était si spacieuse que le malade semblait perdu dans son lit à baldaquin. Adossé à ses oreillers en robe de chambre de velours, un foulard de soie autour du cou, Giacomo le rassura d'une voix caverneuse.

— Ne te soucie pas de moi. Au moins, j'ai toutes les infirmières de la terre à ma disposition ! Malheureusement, elles m'infligent d'horribles compresses de camphre et d'infectes tisanes au thym. Trêve de plaisanterie, mon vieux, je suis incapable de mettre un pied devant l'autre, je vais encore avoir besoin de toi.

Même si son aîné demeurait toujours aussi autoritaire, Umberto avait choisi de ne plus en prendre ombrage.

— Alors, il en est où de ses réflexions, ton grand ami le ministre ? demanda Giacomo, les yeux fiévreux.

À l'écoute des rumeurs qui bruissaient aussi bien dans les salons de la princesse Colonna ou ceux du Vatican que parmi le petit peuple romain indocile, Giacomo ne doutait pas que Mussolini serait renversé tôt ou tard, et probablement par ses propres gens. Il accordait de ce fait une attention particulière aux humeurs de Galeazzo Ciano. « Un Brutus comme j'en ai rarement vu », se plaisait-il à dire.

— Il se doute que son temps est compté aux Affaires étrangères. Il aimerait que le Duce démissionne et soit remplacé par un gouvernement de coalition. Mais les Alliés font la sourde oreille à toutes ses tentatives pour conclure une paix séparée.

— Évidemment ! Cette canaille est corrompue jusqu'à la moelle. À leurs yeux, seul le maréchal Badoglio est crédible. Lui, au moins, a eu la veine d'être « démissionné » au bon moment, après l'infâme campagne de Grèce lancée à l'initiative de ton petit camarade.

— Accorde-lui au moins le crédit d'avoir tenté d'empêcher l'Italie d'entrer en guerre !

Giacomo fit une grimace en avalant une gorgée de tisane.

— Tout est toujours tellement calculé chez Ciano que c'en est pitoyable. Que fera-t-il une fois que son beau-père l'aura renvoyé comme un malpropre ?

Umberto regretta de ne pouvoir allumer une cigarette. Au fond de sa poche, il dénicha un bonbon à la menthe.

— Aucune idée. Il retrouvera certainement un poste de diplomate. Pourquoi pas ambassadeur auprès du Vatican ? fit-il, une lueur taquine dans le regard.

— Quelle horreur ! Un serpent au paradis. En général, cela se termine mal, on se retrouve à poil et chassé du jardin d'Éden !

— Je doute que tu puisses qualifier le Saint-Siège de paradis. Lui aussi grouille d'animaux politiques sans scrupules.

— Certes, mais moi, je sais comment y manœuvrer.

Giacomo décocha à son frère un sourire malicieux qui le rajeunit de dix ans, avant de déplier un imposant mouchoir en coton pour se moucher bruyamment.

— Il faut à tout prix être prêt à agir lorsque Mussolini tombera, poursuivit-il d'un ton plus sérieux. Le pire serait de laisser un vide. La nature en a horreur. Elle le comble de gens détestables. Nous ne sommes pas les seuls à chuchoter à l'oreille des Américains…

Quand Umberto lui demanda de s'expliquer, son frère lui apprit que les Alliés s'entretenaient avec des « conseillers » italo-américains aux racines familiales siciliennes bien singulières. L'un d'entre eux, un homme d'affaires important, venait d'ailleurs d'arriver discrètement à Palerme.

— La Mafia ? s'étonna Umberto.

— Bien sûr. Après le débarquement en Afrique du Nord, les Alliés songent maintenant à s'attaquer à la Sicile. La Mafia procure aux Américains des informations militaires sur l'île tout en promettant l'ordre social une fois le fascisme renversé. Tu imagines ! La Mafia aux commandes. Une belle revanche contre Mussolini qui lui a toujours mené la vie dure, n'est-ce pas ? Cela reviendra à remplacer une bande de truands par une autre.

— De toute manière, il faudra une coalition antifasciste pour réussir. Aucune des parties n'est assez puissante pour agir seule, ni les monarchistes, ni les communistes et encore moins les libéraux.

— Ce que je redoute le moment venu, ce sont les Allemands. Ils sont déjà très nombreux sur le territoire et Hitler n'hésitera pas à envoyer des divisions supplémentaires quand le Duce tombera. La situation risque alors de s'envenimer sérieusement.

Les traits de Giacomo s'étaient à nouveau creusés. Les soucis de ces dernières années avaient entamé sa santé. Umberto savait que son frère espérait que ses forces ne le lâcheraient pas en chemin et qu'il était soulagé de pouvoir compter sur lui.

— Il y a un nouveau rendez-vous, tout à l'heure. Il faut que tu t'y rendes à ma place.

Il transmit alors à Umberto un message pour l'infatigable monseigneur Montini, l'un des substituts du secrétaire d'État du Vatican et proche collaborateur de Pie XII. Umberto avait déjà rencontré Montini chez la princesse Colonna. Son air distant, presque sévère, dissimulait une nature ardente d'une remarquable intelligence. Prudent en paroles, économe de ses mouvements, l'homme d'Église faisait preuve d'un vrai courage physique. Pour mener à bien ses missions, il n'hésitait pas à sillonner la ville en tenue de civil, changeant plusieurs fois de voiture de crainte d'être suivi, se rendant dans des rues isolées du quartier Parioli ou dans des immeubles à double entrée qui permettaient de fuir rapidement en cas de besoin.

Soudain, une sirène d'alerte émit son hululement strident. Comme chaque fois, Umberto sentit son pouls s'emballer. Il détestait ce sentiment de vulnérabilité. Au début de la guerre, pour garder les Romains sur le qui-vive, le Duce avait ordonné que les sirènes retentissent dès que Naples était bombardée. Inévitablement, les citadins avaient fini par ne plus y prêter grande attention. Cependant, depuis quelques semaines, la menace se précisait de manière inquiétante. Quand Pie XII s'était élevé avec force pour exiger que la Ville éternelle soit épargnée, les Britanniques avaient rétorqué qu'ils ne pouvaient faire abstraction de la présence du quartier général des forces italiennes et de l'important poste de commandement allemand, ni de celle des aéroports militaires et de la gare de triage. Même le pape ne pouvait pas avoir le beurre et l'argent du beurre. Bien que le Duce eût ordonné qu'on éloigne les centres de décision, il était évident que de nombreux militaires et fonctionnaires n'en faisaient qu'à leur tête.

Une porte s'ouvrit brusquement. Une jeune femme aux cheveux bruns coupés à la diable, vêtue d'un pantalon noir et d'un pull-over de ski, déboula dans la pièce et s'arrêta net en découvrant Umberto.

— Pardonnez-moi, don Giacomo, je croyais que vous étiez seul. Je voulais m'assurer que tout allait bien.

Umberto la reconnut aussitôt. Ne conservait-il pas

sa photo dans son portefeuille depuis qu'il l'avait trouvée dans les affaires secrètes de son frère ? Le mystère de la présence de cette fille dans la vie de Giacomo était sur le point d'être enfin élucidé. Elle parlait avec un fort accent.

— Non, je ne descendrai pas à l'abri, protestait Giacomo alors que l'inconnue l'y exhortait. Il y fait beaucoup trop froid. Quitte à mourir, je préfère encore que ce soit dans mon lit. Arrête d'insister, c'est inutile ! Umberto, je te présente Júlia Polgár. Elle est plus butée encore que ma femme, ce qui est à peine croyable. Júlia occupe désormais la chambre de notre ancienne gouvernante, à côté de la nursery. Elle étudie à l'Académie hongroise, à deux pas de chez toi. C'est une artiste.

— Une artiste juive et communiste, précisa-t-elle d'un air provocant. Tout pour plaire de nos jours, n'est-ce pas ?

Giacomo fut saisi par une nouvelle quinte de toux. Júlia se précipita pour lui verser un verre d'eau, se perchant sur le grand lit avec une familiarité surprenante.

— Ce n'est pas la peine de t'en vanter, petite, la gronda Giacomo. D'être communiste, je veux dire.

Il posa néanmoins sur elle un regard d'une bienveillance qu'Umberto ne lui connaissait pas. À les voir ainsi, celui-ci comprit qu'il s'était trompé. Entre son frère et la jeune femme, il n'y avait pas l'ombre d'une attirance sensuelle.

— Vous vous connaissez depuis longtemps ?

— C'est l'épouse de don Giacomo que j'ai rencontrée en premier, expliqua Júlia avec un grand sourire. Donna Flaminia était venue à une exposition au palazzo Falconieri. Elle m'a même acheté une toile.

Umberto allait de surprise en surprise. Il ignorait que sa belle-sœur avait un penchant pour l'art contemporain. C'était encore plus surprenant que d'apprendre que son frère hébergeait une bolchevique dans les combles du palais familial.

— Júlia n'avait nulle part où aller quand les lois iniques de Mussolini ont exigé le départ des juifs étrangers. Elle ne pouvait pas retourner à Budapest. C'était trop dangereux. Alors je lui ai proposé de venir vivre chez nous le temps de laisser passer toutes ces absurdités. Flaminia voulait l'emmener lorsqu'elle est partie s'installer dans le Latium avec les enfants, mais Júlia a refusé de quitter Rome. Dieu sait pourquoi !

La jeune femme s'empara spontanément de la main de Giacomo et la porta à ses lèvres.

— Vous êtes comme un père pour moi, don Giacomo. Il faut bien que quelqu'un veille sur vous. Et puis, je ne suis pas une fille de la campagne. La nature m'abrutit au lieu de m'inspirer. Ici, au moins, je peux travailler. Bon, puisque vous refusez d'être sage, je vous laisse. Je reviendrai tout à l'heure vous apporter votre dîner. Je doute qu'il soit très appétissant, mais je vous réciterai un poème pour faire passer le potage.

Elle fit une étrange pirouette, l'esquisse d'un pas de danse, puis quitta la chambre.

— Grands dieux ! murmura Umberto.

— Je lui interdis de trop sortir en ville car j'ai peur qu'elle se fasse arrêter, mais elle n'en fait qu'à sa tête.

Le terrain de jeu de la maison et des jardins offre pourtant assez d'espace pour qu'elle ne s'ennuie pas trop. Hélas, on est invincible à cet âge-là. J'ignore s'il faut s'en réjouir ou le déplorer.

Umberto tira son portefeuille de sa poche et rendit la photo noir et blanc à son frère, qui le regarda d'un air interrogateur.

— Je sais, c'est absurde. Quand tu étais en prison, j'ai fouillé dans tes tiroirs pour comprendre ce qui se passait. Je ne sais pas ce qui m'a pris, mais j'ai glissé cette photo dans ma poche. J'étais persuadé qu'elle était ta maîtresse.

L'éclat de rire de Giacomo se transforma aussitôt en toux.

— Elle a l'âge d'être ma fille, voyons ! J'avais accepté de cacher des papiers qui lui appartenaient. Elle redoutait que les agents de l'OVRA mettent leur nez dans ses affaires.

Ils restèrent silencieux, écoutant les hululements répétitifs des sirènes. Umberto songea aux bombardements qui avaient ravagé Turin, aux larges taches blanches sur le sol laissées par le phosphore, aux corps calcinés sous les décombres des immeubles en feu. Rome allait-elle subir le même sort ? La perspective de voir sa ville natale consumée par les flammes lui donna froid dans le dos. Un mouvement de colère, presque de haine, contre Mussolini le traversa, laissant comme toujours dans son sillage le goût amer d'avoir soutenu le Duce et d'être en partie responsable de ce désastre. Quelle serait sa pénitence ? Comment expier cette faute que d'autres avaient su éviter ? Giacomo avait fermé les yeux et semblait s'être assoupi. Il lui envia sa tranquillité d'esprit, sa conscience en paix. Si on lui avait prédit quelques années auparavant qu'il serait un jour assis dans la chambre de son frère, sans animosité, à craindre non pas qu'ils s'étranglent mais qu'une bombe britannique ne dévaste leur palais à quelques pas du Capitole, il aurait traité son interlocuteur de fou furieux.

Un quart d'heure plus tard, les sirènes cessèrent de mugir et Giacomo se réveilla.

— Et toi, ta maîtresse, comment se porte-t-elle?

Aussitôt, Umberto se raidit.

— J'ai cru comprendre qu'elle se trouvait en Égypte. Une femme surprenante. Et magnifique, ce qui ne gâche rien. Elle doit beaucoup te manquer.

S'il acceptait de se plier à certaines injonctions de son aîné, Umberto n'était pas disposé à lui faire ce genre de confidences. Il y avait là quelque chose de trop intime, de trop sensible, et il n'aurait pas supporté l'once d'une moquerie.

— Je ne pense pas que tu puisses comprendre, répliqua-t-il sèchement en enfilant le manteau qu'il avait gardé sur ses épaules.

Giacomo le regarda partir, un léger sourire aux lèvres. Drapé dans son orgueil, son jeune frère ne devait pas imaginer une seconde qu'il puisse éprouver des sentiments tout aussi absolus pour son épouse Flaminia. À qui d'ailleurs Umberto et Beatrice n'avaient jamais daigné accorder un regard parce qu'elle ne répondait pas à leurs critères de beauté et de raffinement. Il eut une pensée pour sa femme retirée avec leurs enfants dans la propriété de famille. Elle veillait à ce que les fermes isolées servent d'abri pour les jeunes gens cherchant à échapper au travail forcé en Allemagne. Flaminia n'avait peut-être ni l'éclat ni la grâce d'Alice Clifford, mais elle partageait sa ténacité et son courage.

Rome, septembre 1943

Umberto se tenait dans la cour du palazzo Chigi, des liasses de documents sous le bras qu'il était censé jeter dans un feu de joie dont les flammes crépitaient allégrement. Autour de lui s'agitaient des fonctionnaires paniqués. Il détourna les yeux de la colonne de fumée et contempla un long moment le magnifique ciel bleu. Il éprouva alors la tentation folle d'aller à la plage et se plut à rêver de déjeuner d'un copieux plat de rigatoni épicés et d'une bouteille de valpolicella sur une terrasse ombragée. Contrairement aux Romains, que personne ne tenait très longtemps éloignés du bord de mer, il lui semblait qu'il n'avait pas été se baigner depuis des siècles. Peut-être la mer réussirait-elle à le laver de l'humiliation, des remords, du ressentiment, de la colère et de la haine qui couraient dans ses veines puisque rien d'autre ne semblait y parvenir.

Voyant qu'il demeurait planté là, raide comme un piquet, l'un des secrétaires lui retira les papiers des mains pour les lancer dans les flammes. Umberto lui fit remarquer d'un ton laconique que les nazis avaient commencé leur sanglante épopée en brûlant les ouvrages des auteurs qu'ils n'appréciaient pas. Le jeune homme haussa les épaules. Il n'avait pas de temps à perdre avec ce genre de considérations. Il ne faisait qu'exécuter l'ordre de détruire les archives compromettantes du ministère pour qu'elles ne tombent pas aux mains de l'ennemi. Mais qui était précisément l'ennemi ? se demanda Umberto en le regardant nourrir le feu avec une application de vestale. Les Alliés, avec qui le roi Victor-Emmanuel III venait pourtant de signer un armistice reconnaissant une reddition sans condition, ou les Allemands, qui s'apprêtaient à prendre leur revanche sur un camarade de jeu devenu un traître honni ? Lors de sa déclaration de capitulation sur les ondes de Radio Roma, le maréchal Badoglio avait appelé les Italiens à réagir à des attaques qui viendraient d'autres sources. Son intervention confuse avait suscité un sentiment de flottement et d'insécurité.

Tout s'était accéléré depuis que Mussolini avait été mis en minorité par le Grand Conseil du fascisme deux mois auparavant, puis destitué par le souverain et placé en résidence surveillée. Les villes d'Italie avaient alors vécu des scènes de liesse populaire. Les bustes du Duce avaient été jetés à bas, ses portraits piétinés, les insignes du parti arrachés des vêtements. Ce soir-là, Umberto revenait à bicyclette d'un dîner chez des amis. Dans les rues, on chantait et on dansait au milieu de la chaussée, il avait dû mettre pied à terre. Le fascisme n'était plus. Vingt années d'autoritarisme, de dictature et d'oppression, mais d'ardeur et de fierté nationale aussi, s'étaient évaporées comme en un claquement de doigts. Umberto avait d'emblée compris que personne ne se dirait plus fasciste ni n'aurait le courage de reconnaître qu'il avait cru, parmi tant d'autres, au rêve dessiné par le Duce. «Le peuple versatile n'a pas de conscience», avait commenté sèchement Giacomo.

Dans les étages, les portes ouvertes des bureaux dévoilaient un désordre impressionnant. Les téléphones sonnaient dans le vide. Umberto décrocha son tableau d'Antonio Donghi et l'emballa dans du papier journal. Puis il glissa dans sa poche son carnet de notes et son stylo-plume préféré. Par la fenêtre ouverte, il entendait le grondement sporadique de pièces d'artillerie. Il ignorait s'il s'agissait de régiments allemands se repliant vers le nord ou qui, au contraire, avaient l'intention d'occuper la Ville éternelle, déclarée «ville ouverte» pour éviter qu'elle ne soit la cible de bombardements. Pourtant, la notoriété de la capitale n'avait rien empêché. Chacun restait encore sous le choc de la destruction du quartier de San Lorenzo en juillet par près de six cents bombardiers américains. Des centaines de morts et de blessés, des maisons calcinées, le célèbre cimetière du campo Verano dévasté, tombes et cercueils exhumés. Certains avaient déclaré qu'on pourrait désormais regarder les habitants de Turin, de Gênes, de Naples ou de Palerme dans les yeux. Pour la première fois depuis l'entrée en guerre de l'Italie, le Saint-Père avait quitté le Vatican pour se rendre sur les lieux et s'était agenouillé parmi les décombres de la basilique. Puis, quelques semaines plus tard, il avait franchi une nouvelle fois les limites du Vatican après un second bombardement afin de réconforter la population meurtrie, bénissant encore la foule, les bras en croix, sa soutane blanche tachée de sang.

L'atmosphère de désolation et de fébrilité qui régnait désormais au ministère donnait mal au cœur à Umberto. Ce n'était guère mieux dans les rues où les magasins étaient fermés. On évoquait des pillages dans certains quartiers. Des barricades avaient été érigées par la population, notamment autour de la porte San Paolo, pour défendre la cité contre les Allemands. Des mitrailleuses crépitaient de manière intempestive. Personne ne savait ce qui se passait. Tel un bateau ivre, Rome était abandonnée à elle-même. Plus de deux cents généraux et officiers supérieurs avaient fui la capitale avec le roi et le maréchal Badoglio afin de chercher refuge auprès des Alliés dans le sud de la péninsule. L'armée italienne s'était liquéfiée. Tandis que certains soldats se procuraient des vêtements civils pour rentrer chez eux, d'autres, affamés, leurs uniformes débraillés, demandaient aux passants où ils pourraient se rendre pour combattre les Allemands. Umberto songea que ces malheureux seraient impuissants contre les lance-flammes et les tanks du maréchal Kesselring.

Une femme surgit d'une ruelle, l'air hagard, et empoigna Umberto par le bras :

— Et les Alliés ? Pourquoi ils ne sont pas là ? Qu'est-ce qui va nous arriver ?

534

Umberto lui conseilla de rentrer chez elle et d'attendre que les choses se calment; on y verrait sans doute plus clair dans les jours à venir. Elle le dévisagea comme s'il avait perdu la tête. Son tableau sous le bras, il dut faire un détour à cause d'une barricade improvisée de charrettes, de chaises et de vieilles planches de bois sur laquelle veillaient des gamins aux regards avides. Sur la piazza di Spagna, il avança à tâtons dans un brouillard de poussière et de fumée. Jamais le chemin jusque chez lui ne lui avait paru aussi tortueux.

Quelques jours plus tard, Umberto pénétrait dans une vaste cave voûtée du Vatican qui sentait l'humidité, mais étrangement aussi des effluves d'encens et d'encre fraîche. Ses pas résonnaient sur les dalles de pierre. Des ampoules de faible intensité éclairaient des cartons empilés en un équilibre précaire. Il se demanda si les ossements de saint Pierre se trouvaient à proximité. On connaissait la fascination de Pie XII pour l'archéologie et la déclaration de guerre ne l'avait pas empêché de faire entamer des fouilles dans la nécropole située sous la basilique. Le temps de Dieu n'est jamais celui des hommes, se dit Umberto, une réflexion qu'il se faisait de manière récurrente chaque fois qu'il fréquentait ces lieux. Sans être vraiment superstitieux, il lui semblait troublant de parcourir les entrailles du palais pontifical et ses dédales de couloirs et d'escaliers dérobés alors que des patrouilles allemandes arpentaient les abords de la place Saint-Pierre, au-dessus de sa tête. Désor-

mais, les gardes suisses avaient délaissé leurs pour-
points colorés et leurs hallebardes symboliques pour
des uniformes kaki et des fusils. Une ligne blanche
peinte sur les pavés reliait les deux bras des colon-
nades du Bernin, puis courait le long de la frontière
afin de marquer la limite entre Rome, ses barbares et
leurs proies, et le Vatican, dont les vénérables murs
de pierre et de brique avaient été surélevés par des
barreaux de fer.

— Votre quartier général n'est pas facile à déni-
cher, ma sœur.

Assise à son bureau, sœur Pascalina Lehnert posa
son stylo-plume.

— Mais qui cherche trouve, et vous voilà arrivé
à bon port, don Umberto. En quoi puis-je vous être
utile ?

Il contempla la pile de faux papiers que remplissait
la religieuse. La délivrance d'un sauf-conduit étant
indispensable pour tout visiteur désireux d'accéder
au Vatican, cette paperasserie était devenue un sub-
terfuge idéal pour émettre de nouvelles identités au
nombre croissant des réfugiés, juifs pour la plupart.
Ceux qui ne demeuraient pas sur place étaient héber-
gés à Castel Gandolfo, la résidence d'été du souverain
pontife, à une trentaine de kilomètres de Rome, ou
disséminés dans les couvents, séminaires et autres
bâtiments appartenant au Saint-Siège. En organisa-
trice hors pair, sœur Pascalina gardait un œil averti
sur ces opérations, de même qu'elle veillait sur le
Comité de secours pontifical, ce qui ne manquait pas
de créer des remous au sein du Sacré Collège des car-

dinaux, toujours aussi anxieux de la voir occuper de telles responsabilités.

— Il me faut des papiers.

— Pour qui ?

Il lui remit les documents authentiques de Júlia Polgár.

— Une artiste hongroise qu'héberge mon frère puisqu'elle n'avait nulle part où aller quand ont été promulguées les lois antisémites. Mais depuis l'occupation nazie, Giacomo craint un jour ou l'autre une perquisition à la maison. Vous imaginez sans peine que nos charmants hôtes ne jugeront pas les antécédents de mon frère très recommandables.

Il évita de préciser les penchants politiques de Júlia Polgár. Il savait que sœur Pascalina ne gardait pas un bon souvenir du mouvement spartakiste et de la tentative de révolution bolchevique qui avaient ensanglanté l'Allemagne après la Grande Guerre. Quand elle prit une loupe pour étudier les tampons officiels, Umberto ne put s'empêcher d'esquisser un sourire. Une religieuse faussaire au cœur du Vatican ! Si la vie de tant de personnes innocentes n'avait pas été en danger, la situation aurait été cocasse.

— Comment se porte le prince Ludovici ? Il a la fâcheuse habitude de me faire des frayeurs.

Umberto se remémora le malaise de Giacomo lors du couronnement du Saint-Père quatre ans plus tôt. Il la rassura sur son état de santé, lui expliquant qu'il passait désormais davantage de temps dans leur propriété familiale à la campagne, où il organisait l'accueil de juifs pourchassés, de jeunes gens cherchant à échapper à la conscription, ainsi que l'exfiltration de prisonniers de guerre alliés vers le sud.

— C'est donc vous qui avez repris les rênes à Rome. J'espère que vous êtes à la hauteur.

Comme de coutume, Umberto fut impressionné par son regard intransigeant.

— Vous avez connu quelques égarements par le passé, mais il paraît que vous avez pris de bonnes résolutions depuis l'année dernière.

Il comprenait aisément que Pascalina Lehnert suscite des inimitiés féroces au sein de la curie. La Bavaroise affichait des manières d'une franchise déconcertante alors qu'on s'attendait à une attitude aimable et réservée de la part des gens d'Église. Depuis qu'il fréquentait plus régulièrement le Vatican, Umberto avait toutefois découvert à ses dépens que certains cardinaux, eux non plus, n'avaient pas leur langue dans la poche.

— Je fais de mon mieux, ma sœur.

— Le mieux n'est pas toujours suffisant, don Umberto. En ces temps mortifères, nous devons tous nous surpasser.

En voilà une qui prêche pour sa paroisse, songea-t-il, un brin agacé, car la ténacité de sœur Pascalina était en effet de notoriété publique. Elle n'hésitait pas à quitter le sanctuaire du Vatican au volant d'un camion pour apporter de la nourriture et des médicaments aux religieux qui cachaient des réfugiés. Elle était aussi le bouclier de Pie XII, essuyait les mauvaises humeurs des uns et des autres, répondait aux centaines de lettres adressées au pape à ses bons soins et recueillait autant de doléances que d'informations. Elle ne dissimulait pas non plus son aversion pour certains Allemands installés à Rome, dont un évêque en particulier, aux accointances nazies hautement suspectes. La présence d'espions et d'esprits mauvais au sein même des institutions catholiques n'était un secret pour personne. «Le diable danse toujours au-dessus des couvents, pas des bordels», ironisait Giacomo.

Après les avoir examinés, sœur Pascalina posa les papiers de Júlia sur le haut d'une pile et pria Umberto de revenir chercher les nouveaux le lendemain. D'ici là, la jeune fille serait devenue chrétienne. C'était le prix à payer pour survivre. Son frère serait soulagé de savoir la jeune Hongroise bientôt sous la protection du Saint-Siège, songea-t-il. Encore fallait-il que Júlia se montre raisonnable et accepte de se mettre à l'abri. Depuis que Giacomo n'était plus là pour la surveiller, elle avait la fâcheuse manie de sortir en ville pour frayer avec les partisans communistes. Le plan d'action de ces étudiants était simple : harceler les forces de la Wehrmacht, les fascistes et les traîtres. Júlia transportait maintenant des messages de la Résistance à bicyclette d'un bout à l'autre de la ville, parfois même des armes. Elle disparaissait parfois dans le quartier du Trastevere, où un forgeron façonnait par milliers des clous à quatre pointes, puis elle s'employait à distribuer à ses camarades cette arme redoutable déjà utilisée par les légionnaires de César et destinée aujourd'hui à crever les pneus des convois ennemis.

— Leur nombre est impressionnant, dit Umberto en contemplant les faux papiers.

— Mais, hélas, encore insuffisant. Il aurait fallu tous les sauver. Chaque victime innocente est une victime de trop. En cela, nous avons failli.

Sœur Pascalina se frotta les yeux, visiblement épuisée. Non seulement elle accomplissait toutes ces tâches avec diligence, mais elle veillait aussi sur la santé délicate du Saint-Père, qui ne pouvait pas se passer de sa gouvernante. Umberto se demanda si elle prenait parfois le temps de dormir.

— J'en ai terminé pour aujourd'hui. Je dois maintenant remonter voir Sa Sainteté. Elle est très soucieuse de la rançon que réclame la Gestapo à la communauté juive. Nous devons les aider de notre mieux alors que le temps nous manque. On n'a donné que trente-six heures à ces malheureux pour la réunir, vous vous rendez compte ?

Umberto était au courant pour les cinquante kilos d'or que l'*Obersturmbannführer* Herbert Kappler avait exigé des juifs de Rome pour leur éviter la déportation. L'extorsion était monnaie courante chez les SS, tout autant que l'assassinat, l'un n'excluant jamais l'autre. La religieuse décrocha un flambeau et lui fit signe de la suivre. Au fond de la cave, elle emprunta un petit escalier taillé dans la pierre. La flamme dessinait des ombres vacillantes sur les murs.

— Je ne peux pas m'empêcher de penser parfois que tout fout le camp ! s'exclama-t-elle. Comme vous le savez, les récentes arrestations en Allemagne de certains de nos amis de l'Abwehr ont semé la panique.

Tous les jours, on apprend qu'un résistant est tombé aux mains de la Gestapo, mettant en péril l'ensemble du réseau. Je frémis rien que d'y penser.

Umberto avançait lentement en espérant ne pas trébucher sur les marches irrégulières. Alors qu'elle connaissait visiblement le chemin sur le bout des doigts, lui devait se retenir d'une main aux pierres rugueuses. Une odieuse sensation de claustrophobie le saisit devant l'étroitesse du boyau. L'espace d'un instant, la lumière et l'air pur lui semblèrent inatteignables et une sueur froide lui glaça le front. La voix de sœur Pascalina lui parvint, claire et décidée :

— Il faut néanmoins croire que nous vaincrons, don Umberto. Puisque le Seigneur est pour nous, qui sera contre nous ?

Ce jour-là, quand Beatrice Ludovici ouvrit sa porte d'entrée, elle découvrit Edda Mussolini Ciano, sanglée dans un imperméable beige et coiffée d'un feutre qui tentait de dissimuler ses traits.

— Je te croyais en Allemagne ! s'écria-t-elle en la serrant dans ses bras.

Le visage pâle et émacié, Edda frissonnait comme si l'on était en plein hiver alors qu'il faisait doux et ensoleillé à Rome en cette fin septembre. Un rien soucieuse, Beatrice l'installa dans le salon de lecture, demanda à la femme de chambre de leur préparer du thé et fit appeler Umberto. Silencieuse, Edda regardait dans le vide, ses mains entrelacées posées sagement sur ses genoux. Beatrice se fit la réflexion qu'elle n'avait jamais vu son amie de pensionnat demeurer immobile aussi longtemps. Edda était la vitalité et la vigueur incarnées. Elle avait été l'une des premières Italiennes à porter des pantalons et à conduire une voiture, au grand dam de son père. C'était une fille de tempérament qui jurait comme un charretier, fumait des cigarettes américaines de contrebande et savait tenir son whisky. Un caractère entier, capable de passer de l'indifférence la plus glaciale à une passion dévorante. Cette attitude réservée était donc aussi anormale qu'inquiétante.

— Un jour, j'ai voulu mourir, annonça Edda d'une voix blanche.

Beatrice se raidit, ne sachant pas à quoi s'attendre.

— Lorsque nous vivions en Chine, au début de notre mariage, Galeazzo avait pour maîtresse l'une des plus belles femmes de Shanghai. Un soir, il faisait un temps glacial, je suis restée dehors à peine vêtue dans l'espoir d'attraper une pneumonie. Puis, comme à mon habitude, j'ai commencé à m'ennuyer, précisa-t-elle d'un ton moqueur. J'ai alors pris la décision de ne plus jamais être jalouse, même si je devais un jour trouver mon mari au lit avec ma meilleure amie.

Un bref sourire, tranchant comme une lame, lui écorcha le visage.

— À vrai dire, il n'a pas eu tant d'aventures que cela et toujours avec des filles plutôt sympathiques. Avec le temps, nous sommes devenus amis lui et moi. Car il n'y a pas que l'amour dans un couple, n'est-ce pas ? L'amitié entre un mari et sa femme n'est-elle pas une chose tout aussi importante ?

Beatrice hocha la tête. Comment lui donner tort ? Son mariage avec Umberto connaissait également des hauts et des bas. Elle n'était pas naïve, elle savait qu'il entretenait une liaison avec cette correspondante de guerre américaine qu'elle avait aperçue à une réception chez Isabelle Colonna. Elle avait choisi de fermer les yeux et de taire son chagrin, parce qu'elle aimait

Umberto et qu'un couple se doit de triompher des tempêtes. Cependant, contrairement à Edda, elle n'avait pas pris d'amant, que ce fût par goût ou pour se venger des incartades de son époux. Elle ne doutait pas qu'Umberto éprouvait pour elle de l'affection et du respect, de même qu'un amour forgé depuis leur adolescence, puis leurs premières années de mariage et la naissance de leurs enfants dont aucune maîtresse ne pourrait jamais la déposséder, et cela lui paraissait être l'essentiel.

— Je tiens beaucoup à Gallo, affirma Edda. C'est pourquoi je suis revenue à Rome. Et j'ai maintenant besoin de l'aide d'Umberto.

Beatrice se méfia de la lueur fébrile dans son regard. Depuis qu'elles étaient jeunes, Edda montrait une inclination naturelle pour les idées saugrenues. En temps de paix, cette excentricité avait son charme, mais la situation était devenue trop dangereuse pour l'envenimer. Où diable était donc passé Umberto ? s'agaça-t-elle. Son mari avait l'art de disparaître quand elle recevait certaines amies qu'il jugeait « difficiles ».

— Je suis certaine qu'Umberto fera tout pour te rendre service, mentit Beatrice, car elle ne pouvait pas présager de son attitude. Il s'est inquiété pour vous quand il a appris que vous n'aviez pas réussi à vous réfugier en Espagne après l'arrestation du Duce.

Edda se leva d'un bond et se mit à marcher de long en large. Déroutée par ce changement subit de comportement, Beatrice s'empressa de leur verser le thé dont il ne lui restait que quelques précieux sachets.

— La situation s'est hélas compliquée. Je t'avoue

544

que j'ai été choquée quand le Vatican a refusé de nous accorder l'asile, mais je suppose qu'ils n'ont pas voulu se mouiller. Les Allemands restaient notre seul recours pour rejoindre l'Espagne en avion. J'ai été furieuse quand ces canailles nous ont retenus à Munich avec les enfants. Lorsque j'ai enfin été reçue par le Führer à son quartier général pour lui demander de nous laisser poursuivre notre route, l'imbécile n'a rien voulu entendre. Il prétend que nous sommes ses hôtes, mais il voue une telle haine à Gallo que je ne peux plus me fier à sa parole. De vulgaires otages, voilà ce que ces salauds ont fait de nous ! s'écria-t-elle brusquement, saisie de colère et d'amertume.

Beatrice se retint de répliquer qu'Edda l'avait tout de même bien cherché. Non seulement son amie avait toujours pris la défense des nazis, mais elle avait aussi profité des voyages d'agrément et de ces splendides réceptions auxquels ils l'avaient conviée, tout en se flattant de son lien insolite avec l'exécrable Adolf Hitler.

— Le Führer ne pardonne pas à Gallo d'avoir voté la motion Grandi lors du Grand Conseil qui a conduit à la destitution de mon père. Il le considère comme un traître. Et nous connaissons tous le sort réservé aux traîtres en Allemagne.

La jeune femme frémit, ses grands yeux effarés en quête d'un point d'appui dans la pièce. Un tremblement agita ses mains alors qu'elle tentait d'allumer une cigarette. Au grand soulagement de Beatrice, Umberto choisit ce moment pour les rejoindre.

— Pourtant, maintenant que ton père a été libéré

par les nazis, il devrait pouvoir intervenir en sa faveur, non? Il est vrai que le Duce est probablement trop occupé à mettre sur pied cette absurde République sociale italienne qui va couper le pays en deux et causer encore des centaines de milliers de morts inutiles.

Il s'approcha d'Edda, lui tendit la flamme de son briquet. La jeune femme aspira une bouffée de fumée, la retint dans ses poumons, avant de redresser les épaules en plantant son regard dans celui d'Umberto.

— Je te remercie pour ces précisions, ironisa-t-elle, mais la seule chose qui m'importe en ce moment, c'est le destin de mon mari. Je dois le sauver de ceux qui veulent sa peau. Des nazis et de tous ces fascistes intransigeants qui conseillent désormais mon pauvre père. Gallo m'a demandé de venir ici pour récupérer les éléments de son journal intime qu'il espère utiliser comme monnaie d'échange. Dis-moi, n'aurais-tu rien de plus revigorant à m'offrir qu'une tasse de thé? demanda-t-elle brusquement à Beatrice.

Sans un mot, celle-ci se leva et lui versa un verre de grappa qu'Edda avala cul sec.

— Comme ces crétins ne voulaient pas me laisser quitter Munich, j'ai menacé de faire une grève de la faim. Ils m'ont établi un *Ausweis* au nom d'Emilia Santos. J'ai pris le train, puis une voiture pour me rendre chez l'oncle de Gallo, à Lucca, afin d'y chercher certains des carnets. Je les ai cousus dans mon manteau, dit-elle en leur montrant l'imperméable. Maintenant, il ne me manque plus que les calepins où il relate ses conversations avec Ribbentrop, ainsi qu'un dossier intitulé « Allemagne ». Gallo m'a dit que tu savais où il les avait cachés, Umberto. J'ai donc besoin de toi pour les récupérer.

La mine sévère, Umberto ne cilla pas. Il avait été surpris et agacé d'apprendre la présence de la fille de Mussolini sous son toit, une fréquentation guère recommandable qui risquait de mettre en péril sa crédibilité auprès des résistants. Égoïstement, il regretta qu'elle n'ait pas jugé bon de s'adresser à ses proches. Emilio Pucci, pour ne citer que lui, cet ancien amant qui ne lui faisait jamais défaut. C'était un homme courageux, d'une fidélité exemplaire en amitié. Et puis, il y avait bien ces amies qui avaient accepté de mettre ses bijoux et ses fourrures à l'abri en les emportant au nez et à la barbe des *carabinieri* lorsque les Ciano avaient été assignés à résidence lors de la chute du Duce.

Cependant, à son corps défendant, la détermination d'Edda l'impressionnait. Voilà des mois qu'elle aurait pu se réfugier en Suisse avec ses enfants, mais elle avait choisi de ne pas abandonner son époux à son triste sort. Le chagrin qu'il lisait dans ses yeux ne le laissait pas non plus indifférent. Dans sa mémoire défilèrent ces années passées aux côtés de Galeazzo Ciano, les offenses et les railleries, le cendrier que Galeazzo lui avait un jour lancé à la tête, mais aussi les rires partagés, les parties de golf et de chasse, la générosité et la fantaisie. Il voyait à l'expression angoissée de Beatrice qu'elle attendait de lui qu'il soutienne Edda de son mieux. Son épouse avait une haute conception de l'amitié et de la bienveillance, c'était l'une des raisons pour lesquelles il l'estimait. Dans la poche intérieure de son veston se trouvaient de faux papiers d'identité rédigés au Vatican. La perspective d'avoir à les distribuer à des familles juives cachées dans différents appartements de la ville tout en récupérant des documents fascistes pour rendre service à Galeazzo Ciano lui parut d'un seul coup d'une si délicieuse absurdité qu'il renversa la tête en arrière et éclata de rire.

Beatrice observa cette hilarité imprévue avec réserve. Elle s'était attendue à ce qu'Umberto se mette en colère et qu'il refuse de venir en aide à Edda, qui pouvait se montrer exaspérante. Toutefois, quand il eut repris ses esprits et promis qu'il ne laisserait pas tomber son amie de jeunesse, elle ressentit pour lui un élan de tendresse et d'admiration. Au fil des mois, son mari s'était révélé sous un jour différent, moins insouciant, moins versatile. Il refusait de lui donner les détails des actions qu'il menait pour lutter contre l'oppression nazie, mais elle savait qu'il prenait des risques.

Umberto dévoila alors à Edda l'endroit qu'avait choisi Galeazzo pour y cacher certains de ses carnets, un casier situé dans le vestiaire de l'Acquasanta Golf Club. Il proposa d'aller récupérer les documents le lendemain. Sans doute les Allemands ou les Américains accorderaient-ils à ces écrits un vif intérêt car Galeazzo avait eu la prescience de relater des détails essentiels sur les relations entre les deux grands pays de l'Axe. La valeur de ces carnets était inestimable. En cela, Galeazzo ne s'était pas trompé. Et peut-être ce journal intime pourrait-il en effet lui permettre de gagner rapidement un pays neutre... Quand Edda s'inquiéta de savoir comment elle pourrait ensuite rejoindre son père à Rocca della Caminate, Umberto fronça les sourcils. Il n'était pas question pour lui de se faire arrêter en chemin avec elle ni d'être aperçu dans l'entourage du Duce.

— Je trouverai quelqu'un de confiance pour t'y accompagner, promit-il.

Edda le remercia avec un sourire soulagé. Elle se leva, vacilla sur ses pieds. Elle leur avoua qu'elle ne dormait plus depuis des nuits. Beatrice la soutint par la taille et l'accompagna à l'une des chambres d'amis pour qu'elle se repose. Resté seul dans le salon de lecture, Umberto leva les yeux au ciel. Pourvu que leur soit épargnée une perquisition de la Gestapo cette nuit et que Giacomo n'ait jamais vent de cette histoire ! Des deux éventualités, il ignorait celle qui était le plus à redouter.

Umberto s'arrêta piazza Navona pour lire sur un panneau la dernière ordonnance allemande qui venait d'être placardée dans toute la ville. La peine de mort était promise à ceux qui s'adonneraient au marché noir, écouteraient une radio ennemie, abriteraient un fugitif, posséderaient une arme à feu ou ne respecteraient pas le couvre-feu. Un petit attroupement de citadins étudiait l'affiche d'un air dubitatif. «Autant nous fusiller tout de suite!» ironisa une femme au chignon hasardeux, les poings sur les hanches. «Pour qui ils nous prennent? Une bande de moutons?» renchérit un adolescent exaspéré. Les Romains éclatèrent de rire. Au fil des siècles, ils en avaient vu passer, des vandales. Il en fallait plus pour les impressionner et ils avaient bien l'intention de persister à cacher leurs amis juifs, les soldats déserteurs, les prisonniers de guerre alliés en fuite ou tout autre malheureux qui aurait besoin de leur aide. Ils continueraient à écouter Radio London, même si les interférences pouvaient être irritantes, et les plus courageux d'entre eux à constituer des caches d'armes en prévision d'une insurrection. Umberto pressentait toutefois que les tortionnaires de la Gestapo installés via Tasso ne manqueraient pas d'instiller rapidement l'effroi chez ces esprits rebelles.

Devant l'immeuble d'Alice, il jeta un coup d'œil autour de lui pour s'assurer qu'il n'y avait rien d'insolite. Il s'étonnait de cette aptitude qu'il avait développée en quelques semaines, depuis le début de l'occupation. Tout comportement inhabituel, regard insistant ou attitude suspecte ne manquait pas de l'alerter. Le danger avait aiguisé ses sens. D'une manière paradoxale, il avait rarement eu le sentiment d'être aussi vivant. Après s'être assuré que personne ne l'avait suivi, il traversa la cour intérieure jusqu'à l'escalier. L'eau ne coulait plus dans le sarcophage antique qui tenait lieu de fontaine, depuis que le réseau avait été endommagé par les bombardements. Umberto ne put s'empêcher de ressentir une émotion douce-amère en se remémorant l'expectative joyeuse qu'il éprouvait autrefois à gravir ces marches étroites. Revenir en ces lieux était toujours pour lui un moment particulier. Il lui semblait même entendre parfois l'écho de la voix de la femme qu'il aimait.

Au dernier étage, il frappa quatre coups à la porte, marqua un temps, puis en frappa deux autres.

— Je vous ai apporté de quoi manger.

Karlheinz Winther recula pour le laisser entrer, puis rangea son revolver dans un tiroir. En silence, Umberto s'employa à réchauffer une soupe à base de fèves et de pelures de pommes de terre dont la consistance était rehaussée par d'indéfinissables herbes folles qui poussaient dans le jardin du palazzo. Leur vieille cuisinière avait un talent de magicienne pour concocter d'improbables recettes. Il avait aussi apporté un morceau de pecorino et quelques tranches de ce pain indigeste que subissaient tous ceux qui ne s'alimentaient pas en farine au marché noir. L'idée d'être là, dans la cuisine d'Alice, à préparer un repas pour ce personnage taciturne dont il se méfiait comme de la peste dépassait pourtant l'entendement.

Les deux hommes s'installèrent sur la terrasse, profitant du temps doux et du ciel dégagé. Umberto s'aperçut que l'Allemand avait jardiné, mais les plantes paraissaient rétives à toute résurrection, à l'exception de l'oranger solitaire qui témoignait d'une ténacité à toute épreuve. Winther dévora le repas frugal sans chercher à cacher son avidité. Cet homme n'a aucune pudeur, constata Umberto non sans dédain, du genre à survivre envers et contre tout, même si les chances sont contre lui. Depuis leur altercation au palazzo Chigi, il présentait un visage aux traits creusés qui soulignaient encore davantage cette beauté virile qui devait certainement plaire aux femmes. Bien qu'il fût vêtu d'un pull-over en laine aux coudes usés et d'un vieux pantalon de flanelle, il n'avait rien perdu de sa superbe et affichait encore son insupportable arrogance.

C'était Giacomo, évidemment, qui se trouvait à l'origine de cette situation absurde. On pouvait s'être réconcilié avec son frère sans pour autant qu'il cesse de vous mettre dans l'embarras. Au printemps dernier, à Munich, les SS avaient arrêté Josef Müller, un avocat de renom, mais surtout l'un des informateurs les plus brillants du Vatican. Un homme jovial au regard bleu perçant et au tempérament aventurier que Giacomo avait appris à apprécier lorsque Müller apportait à Rome des documents confidentiels pour Pie XII. Son incarcération avait été un coup dur pour les conspirateurs qui cherchaient à renverser le Führer, surtout pour les hommes de l'Abwehr en relation avec le Bavarois. Ces derniers se trouvaient également dans le collimateur. Plusieurs tentatives d'attentats contre Hitler avaient échoué. Une bombe placée dans l'avion qui le ramenait de Smolensk n'avait pas explosé. Quelques jours plus tard, le colonel von Gersdorff avait décidé de se sacrifier en faisant exploser une autre bombe lors de la visite du Führer à une exposition, mais le chancelier n'était resté que trois minutes au Zeughaus. Une perquisition dans les bureaux de l'Abwehr avait entraîné des arrestations d'officiers haut gradés et fragilisé tout le réseau. C'est ainsi que la Gestapo recherchait désormais activement le colonel Karlheinz Winther. Or Winther se trouvait justement à Rome, à la demande de Müller, quand il avait été informé de cette mauvaise nouvelle. Aussitôt, Giacomo avait proposé de lui venir en aide, mais il ne tenait pas à l'héberger au palazzo Ludovici, ni dans les fermes de sa propriété du Latium. Dans l'attente d'une meilleure solution, l'appartement vide d'Alice Clifford s'était alors imposé à Giacomo comme une évidence, moins à son frère qui en détenait les clés.

— Je vous remercie, dit Karlheinz Winther en essuyant son bol avec un morceau de pain. C'était excellent.

— N'exagérons pas.

— Croyez-moi, après un séjour en Russie, tout paraît délicieux. J'ai aussi repéré quelques bonnes bouteilles dans un placard. Je ne pense pas qu'Alice nous en voudrait si nous en profitions. N'ayez crainte, je ne manquerai pas de les remplacer après la guerre.

Umberto prit note que l'Allemand ne semblait pas douter une seconde qu'il survivrait au conflit. Par la porte-fenêtre de la chambre, il aperçut les draps froissés et détourna aussitôt les yeux. L'idée que cet homme dorme dans le lit d'Alice le rendait fou. Il avait deviné les sentiments qu'elle lui inspirait ; il aurait fallu être aveugle ou insensible pour ne pas les déceler. Or cet appartement sous les toits était l'endroit qui avait vu naître et s'épanouir leur amour. Alice et lui s'y étaient aimés et disputés. Chaque pièce résonnait encore de ses pas. Avant que Winther n'en soit devenu ce locataire temporaire, Umberto y venait de temps à autre rien que pour penser à elle. L'intrusion de ce colonel de la Wehrmacht lui était odieuse, mais il n'avait pas osé s'opposer à la décision de Giacomo.

Lorsque l'Allemand déboucha une bouteille dans la cuisine, Umberto tressaillit. Depuis trois jours, le moindre bruit le faisait sursauter. Il ne parvenait plus à dominer cette sensation d'appréhension et s'en voulait d'être la victime des manœuvres d'intimidation des occupants. D'un geste agacé, il se frotta le front. Jamais il n'oublierait cette sinistre aube grise du 16 octobre 1943. Des rumeurs de persécution avaient circulé pendant plusieurs jours, le versement par la communauté juive de la rançon de cinquante kilos d'or n'avait évidemment servi à rien. Ce jour-là, il avait été réveillé à cinq heures du matin par le coup de fil d'un ami l'informant que les SS encerclaient l'ancien ghetto. Aussitôt, il avait enfourché sa bicyclette pour se rendre sur place. Plus de mille personnes avaient été arrachées de chez elles, surtout des femmes et des enfants, des vieillards aussi, certains encore en vêtements de nuit. Ces malheureux avaient été contraints d'attendre sous la pluie, de maigres effets personnels sous le bras, avant d'être embarqués dans des camions en direction d'un collège militaire, près du Tibre. D'autres juifs avaient été arrêtés en ville, certains dans un immeuble situé à moins de deux cents mètres du Vatican. En fin d'après-midi, quand Umberto était revenu arpenter les ruelles abandonnées autour du portico d'Ottavia, ses pas solitaires avaient retenti sur les pavés humides. Seules des portes battantes claquaient au vent et des mouettes tournoyaient dans le ciel gris en poussant des cris stridents. La sensation de désolation et de honte qu'il avait alors éprouvée continuait à le hanter. Une bouffée de colère l'incita à affronter Winther.

— Vous savez évidemment qu'ils vont mourir.

— Qui cela ?

— Les juifs qui ont été arrêtés samedi ! Ces femmes, ces hommes, ces enfants et ces bébés dans les bras de leur mère, qui représentent la plus ancienne et vénérable communauté juive du monde occidental. Ils vivent ici, sur les bords du Tibre, depuis plus de deux mille ans. Ils vont être envoyés à la mort, comme tous ceux que vous avez déjà assassinés en Europe centrale et en Russie. Tout le monde le sait, les Américains, les Britanniques, la Croix-Rouge… Et personne n'agit. Même le pape ne fait rien ! s'exclama-t-il dans un éclat de rire grinçant qui ressemblait à celui d'un fou.

Winther se rassit à la table. Il prit son temps pour découper le fromage et briser le pain, comme s'il s'agissait d'un festin qu'il tenait à savourer. Sa sérénité était tellement insultante qu'Umberto le dévisagea avec haine.

— Et vous ne dites rien ?

— Quoi que je dise à ce propos, vous ne l'entendrez pas, répliqua Winther sur un ton laconique. Je ne vais donc pas me lancer dans un débat stérile sur les crimes commis par Adolf Hitler et sa bande d'assassins. Vous persisterez à m'insulter et à m'accuser de tous les maux uniquement parce que je suis allemand. Et puisque je suis votre hôte, mon sens de la courtoisie, si élémentaire soit-il, m'empêchera de rappeler qu'en tant qu'éminent fonctionnaire fasciste au service de Galeazzo Ciano et de Benito Mussolini, vous auriez pu vous poser les bonnes questions il y a déjà quelques années.

Umberto, tétanisé, eut l'impression d'avoir reçu une claque. Winther leur servit deux verres de vin.

— Vous êtes dans l'émotion, pas dans la réflexion. Ce n'est pas une bonne chose lorsqu'on est entré en résistance. Je vous conseille vivement de reprendre vos esprits si vous voulez rester en vie pendant que Herr Kappler et ses charmants petits camarades quadrillent la ville. Rassurez-vous, les Américains les en délogeront tôt ou tard, mais d'ici là, il va falloir apprendre à maîtriser vos nerfs.

Winther cessa de le fusiller du regard, poursuivant son repas comme si de rien n'était, si bien qu'Umberto se demanda s'il y avait là une indifférence glaçante au malheur d'autrui ou l'intelligence du pragmatisme. Après tout, si cet homme était arrêté par la Gestapo, il serait aussitôt rapatrié à Berlin, interrogé, torturé, et il terminerait sans doute ses jours pendu à un croc de boucher. Sonné, il revint s'asseoir sans dire un mot. Winther poussa vers lui le second verre. S'établit alors entre eux un silence si profond qu'Umberto croyait percevoir le sang battre dans ses artères.

De son côté, Karlheinz esquissa un sourire. Il voyait bien qu'Umberto Ludovici ne supportait pas de le savoir dans l'appartement d'Alice. Il se demanda ce qu'en penserait la jeune femme. Elle avait toujours eu des réactions inattendues. Peut-être tolérerait-elle sa présence si elle savait qu'il risquait sa peau pour une cause juste. De toute manière, il n'avait guère le choix. Il devait y demeurer jusqu'à ce que Giacomo Ludovici puisse l'exfiltrer vers un lieu moins risqué. Il redoutait de se retrouver dans les geôles de la via Tasso aux mains de Herbert Kappler. Il connaissait le lieutenant-colonel SS et gardait un mauvais souvenir de son intraitable regard gris, de sa joue balafrée et de son rôle au sein des *Einsatzgruppen* qui avaient marty-risé la Pologne. Ils avaient eu des mots, tous les deux, au début de la guerre. Kappler serait enchanté d'épin-gler sa tête à son palmarès. Mieux valait se montrer prudent, l'homme était un fin limier. C'était lui qui avait découvert où les Italiens retenaient Mussolini prisonnier et permis sa libération le mois dernier.

Et pourtant, Karlheinz ne doutait pas qu'il survivrait à cette guerre. Le porte-bonheur de Kira ne quittait pas sa poche, ni les faux papiers réalisés par l'un des meilleurs faussaires berlinois. Ce n'était pas tant de la superstition que la certitude que le destin n'en avait pas encore fini avec lui. Des moines le cacheraient le temps qu'il trouve le moyen de rejoindre la Turquie. Il y avait passé une partie de son enfance, y comptait des souvenirs heureux et des amis fidèles. Les dédales impénétrables d'Istanbul lui offriraient un refuge sûr.

Alors que la lumière cuivrée du crépuscule voilait les toits, les dômes et les clochetons, les deux hommes contemplaient l'ondulation paisible de la ville, absorbés l'un comme l'autre par la force de leurs sentiments et l'incontournable présence d'une femme singulière qu'ils aimaient chacun à sa manière, chacun plus ou moins bien.

— Vous avez de ses nouvelles ? finit par demander Karlheinz.

— Peut-être.

— J'espère seulement qu'elle est saine et sauve.

Umberto se mordilla la lèvre :

— La dernière lettre que j'ai reçue d'elle date d'il y a quelques mois. Elle s'est installée à Alexandrie, où elle a grandi. Mais vous le savez probablement, vous la connaissez si bien…

Karlheinz fut surpris de cette confidence. Il mesura alors combien le besoin de parler d'Alice l'emportait sur la discrétion naturelle du prince romain.

— Je me suis parfois demandé si le bonheur était quelque chose d'impossible pour Alice, mais en la voyant vivre là-bas, j'ai compris qu'elle pouvait être pleinement heureuse. C'est important que la femme qu'on aime soit heureuse.

Karlheinz saisit aussitôt l'allusion. Umberto Ludovici ressentait la nécessité d'affirmer face à lui son amour pour Alice pour mieux le préserver. C'était presque émouvant d'entendre cette soudaine allégresse dans sa voix, certainement l'une des raisons pour lesquelles elle avait été attirée par lui. Sa sincérité, sa spontanéité, sa candeur aussi, avaient dû la toucher. Tout ce que lui ne possédait plus depuis longtemps. Les quelques mois passés en Russie pendant l'hiver 1941 avaient été un nouveau purgatoire. Il avait retrouvé toute l'intensité des émotions que lui avait inspirées ce pays troublant où il avait abandonné son âme. Il était revenu à Berlin meurtri par une foule de souvenirs qu'il n'avait pas réussi à maîtriser et bouleversé par les crimes dont il avait été témoin. Il en était toutefois sorti vivant une nouvelle fois. Un miracle. À moins que ce ne fût une punition, puisqu'il devait continuer à vivre sans une femme aimée à ses côtés.

— Alice est une âme blessée. Le bonheur pour elle est un combat quotidien.

— Je me demande vraiment pourquoi, fit Umberto, agacé que Winther semble en savoir davantage sur Alice que lui. Elle aime son métier. Elle est libre de ses choix en amitié comme en amour. Qu'a-t-elle bien pu vivre de si terrible à part l'échec de son mariage, ce qui n'a pas eu l'air, du reste, de la traumatiser ?

Karlheinz était surpris. Était-ce vraiment possible qu'Alice n'eût pas confié à l'Italien l'événement le plus marquant de son existence ? Il prit alors la mesure de la confiance que la jeune femme lui avait accordée à Berlin lors de cette nuit d'amour inespérée où ils avaient évoqué leur enfance, leurs désarrois, et cette solitude qui leur était si familière. Chaque détail de ces heures précieuses restait gravé dans sa mémoire. Elle lui avait parlé du suicide de sa mère avec une tendresse et un chagrin qui lui avaient broyé le cœur. Sur le moment il n'y avait pas prêté attention, pensant qu'elle faisait cette confidence à chaque homme qui traversait sa vie. Visiblement, il s'était trompé. Il comprit alors pourquoi Alice s'était enfuie parmi les rues berlinoises aux vitrines saccagées et ne lui avait plus jamais donné signe de vie. Ce n'était donc pas tant à cause de l'effet révoltant d'une Allemagne sanguinaire que parce qu'elle lui avait confié la clé de son être dans un rare moment d'abandon.

Karlheinz s'était amusé de l'insolente ironie du sort qui l'avait enfermé malgré lui dans son appartement. La première nuit, il n'avait pas fermé l'œil, fasciné par l'harmonie chaleureuse des lieux qui reflétait une facette de son caractère à laquelle il ne s'était pas attendu. Entrer dans l'intimité d'Alice en son absence ne lui avait posé aucun problème de conscience. Il avait étudié les poignantes photographies de Rome disposées sur des étagères, apprécié la qualité des tableaux, feuilleté les livres de sa bibliothèque. De ses robes pendues dans l'armoire émanaient encore des traces de son parfum. Dans un tiroir, il avait découvert un album qui lui avait révélé les visages de ses amis alexandrins, notamment celui d'un Égyptien élégant qui devait certainement être son ancien mari. Il y avait aussi des photos saisies sur le vif à Madrid pendant la guerre d'Espagne. Sur l'une d'elles, Martha Gellhorn la tenait par le cou et les deux correspondantes riaient aux éclats. Sur une autre, Alice dansait dans un bar entourée de soldats républicains. Son insolente beauté était saisissante d'ardeur.

La voix d'Umberto lui parvint de loin. L'Italien était inquiet, visiblement marqué par ce qui se déroulait à Rome. Il ignorait encore que la situation ne manquerait pas d'empirer avant la défaite inéluctable d'une Allemagne qui avait vendu son âme au diable. Karlheinz se rappela la sévérité de son jugement à son endroit lorsqu'il était venu le trouver pour exiger qu'Alice quitte le pays. À l'époque, Umberto Ludovici était encore un enfant à bien des égards. C'était un homme désormais, et tout lui semblait d'autant plus douloureux qu'Alice était loin.

— Mais enfin, qu'a-t-elle de si extraordinaire ? s'écria Umberto, un brin de désespérance dans la voix.

Karlheinz se souvint de ce jour incandescent où Alice et lui avaient fait l'amour sur la terre de Castille, de son cri d'exaltation alors qu'elle jouissait entre ses bras. C'était pourtant si simple, à la fois déchirant et admirable. Il sourit, étrangement apaisé :

— Elle sauve du néant celui à qui elle se donne.

Rome, janvier 1944

À son arrivée au quartier général de la Gestapo, via Tasso, le protocole d'admission des prisonniers fut respecté à la lettre. Après qu'un formulaire eut été rempli pour l'identifier, on lui ordonna de se dévêtir. Pendant l'humiliation de la fouille corporelle, il garda les yeux fixés devant lui. Une tache d'humidité s'étendait sur le mur. Dehors, l'aube ne s'était pas encore levée et il se concentrait pour percevoir encore la fraîcheur de la pluie mêlée de neige fondue. On lui retira sa montre-bracelet, sa ceinture, ses lacets de chaussure. Ses affaires furent consignées dans un sachet marqué au nom d'*Umberto dei principi Ludovici.*

Le garde qui l'accompagna dans les étages empestait le tabac froid. Lui avançait dans un brouillard, croyant entendre des voix étouffées qui l'interpellaient. Il se demanda si la peur pouvait provoquer des hallucinations. Sur le seuil de l'étroite cellule, on lui retira ses menottes. Quand il remarqua les briques fraîchement posées qui obstruaient la fenêtre, son angoisse de l'enfermement le saisit à la gorge. La porte claqua derrière lui. Il n'y avait rien pour s'asseoir, pas de chaise ni de lit. Adossé au mur, Umberto finit par se laisser glisser jusqu'au sol humide et glacé, enlaça ses genoux.

L'espoir avait pourtant été immense à l'annonce du débarquement des troupes américaines et britanniques dans les environs d'Anzio et de Nettuno, à une soixantaine de kilomètres de Rome. Seuls deux bataillons de SS étaient chargés de défendre la capitale et chacun savait que la population se soulèverait à la première incitation. Tout était prêt pour accueillir les libérateurs. Selon la direction du vent, on entendait les canonnades en provenance des plages d'Anzio. Jamais bruit plus doux n'avait vibré entre les pierres séculaires.

Pour tous les Romains, la perspective d'être bientôt délivrés avait été irrésistible. Une folie douce. Alors que les réunions clandestines se réduisaient d'ordinaire à deux ou trois personnes, voilà que les résistants se retrouvaient nombreux pour rire et trinquer, parler haut et fort de l'insurrection en évoquant l'avenir du pays. D'un seul coup, le froid et la privation de nourriture, le manque de médicaments, l'absence de lait pour les nourrissons, le danger quotidien, les représailles des nazis, la République sociale italienne du Duce – État fantoche mais sanglant – n'étaient plus une préoccupation majeure. Comme enivrés, ils prenaient rendez-vous par téléphone sans précautions, s'attablaient au Caffè Greco, se déplaçaient sans regarder par-dessus leur épaule. L'exubérance naturelle de leur tempérament avait repris ses droits. Tous avaient été persuadés que ce n'était qu'une question de jours et que les Américains défileraient bientôt sous leurs fenêtres. On aurait dit le printemps en plein hiver. Comment auraient-ils pu deviner que les généraux Clark et Lucas, qui avaient gardé un souvenir cuisant d'autres débarquements meurtriers, préféreraient la prudence à l'engagement ?

La réponse de la Gestapo avait été immédiate et féroce. Les hommes de Kappler étaient venus tirer Umberto de son lit. Il s'était trahi par des coups de fil intempestifs à des compagnons résistants. Sous le choc, sa seule pensée avait été pour Beatrice. Dieu soit loué, elle ne se trouvait pas à la maison ! Depuis plusieurs semaines, elle avait rejoint leurs enfants dans le val d'Orcia. De fortes chutes de neige les avaient coupés du monde au début du mois. Il imaginait les nerfs d'acier dont devait témoigner son épouse pour affronter les officiers de la Wehrmacht qui avaient décidé d'établir leurs quartiers sur le domaine, alors que des réfugiés et des prisonniers de guerre alliés se terraient dans les fermes. La famille était étroitement surveillée, accusée par les miliciens de venir en aide aux partisans. La politique de terre brûlée menée par les Allemands au cours de leur retraite depuis le sud de la péninsule en effrayait plus d'un. Les petites villes, les villages, les cultures avaient été ravagés. Pourquoi la Toscane serait-elle épargnée ? Lors de leur dernière conversation téléphonique, Beatrice avait plaisanté avec sa distance aristocratique coutumière, ce qui l'avait rassuré sur son état d'esprit. Elle était tenace, elle ne faiblirait pas. Autour d'elle, les garçons poussaient des cris de joie en se chamaillant pour lui parler.

Les hommes de la Gestapo ne lui avaient donné que cinq minutes pour s'habiller. Le froid l'avait saisi alors qu'on le traînait jusqu'à une voiture. Les rues assombries par le couvre-feu avaient l'allure d'un labyrinthe. Umberto n'avait posé aucune question, émis aucune protestation. Déjà il se demandait s'il aurait la force de ne pas trahir. Le courage de souffrir. Tout résistant arrêté était considéré comme le maillon d'une chaîne. Il suffisait de le faire parler, et les tortionnaires de la via Tasso ne manquaient pas d'imagination pour parvenir à leurs fins.

Il se leva plusieurs fois pour faire quelques pas de crainte de s'engourdir. Des crampes dans le bas-ventre l'incitèrent à frapper à la porte pour demander à aller aux toilettes. À son grand étonnement, le garde s'empressa d'exaucer son souhait. Sa surprise fut encore plus grande lorsqu'on lui apporta peu de temps après un breuvage saumâtre en guise de petit déjeuner. En se rendant compte qu'il commençait déjà à éprouver pour ses geôliers une forme de reconnaissance, il se sentit pitoyable. Le petit rire sec et cynique de Júlia Polgár retentit à ses oreilles. « Il faut devenir comme eux, dur comme la pierre », martelait la jeune Hongroise en serrant les poings, lui reprochant d'être encore trop tendre et bien élevé. Elle avait refusé d'utiliser les faux papiers d'identité préparés par sœur Pascalina. Ses amis étudiants communistes étaient devenus une fratrie dont elle ne pouvait plus se passer. Ils harcelaient les troupes allemandes en utilisant leurs redoutables clous, lançaient des grenades sur les convois, sabotaient les tramways. Et Giacomo n'était plus à Rome pour la raisonner. «Je risque autant dans un couvent où les bonnes sœurs voudront en plus me convertir! Pensez-vous vraiment que les Allemands se priveront d'y entrer?» Elle avait eu du flair, songea Umberto avec amertume. Quelques semaines auparavant, les fascistes et les agents de la Gestapo avaient fait une descente dans des institutions religieuses pourtant sous la juridiction du Saint-Siège. Ils y avaient arrêté des antifascistes, des juifs, des prisonniers de guerre. Depuis, les arrestations s'enchaînaient à un rythme si soutenu que la Gestapo avait étendu ses lieux de détention et d'interrogatoire.

Il avait dû s'assoupir car il sursauta quand la clé tourna dans la serrure. La gorge nouée, il se dépêcha de se relever, décidé à les recevoir debout. On lui passa les menottes. Observant les portes closes des cellules à son étage, Umberto se demanda combien de ses connaissances s'y trouvaient. Des visages virevoltaient dans sa tête, ses relations au Vatican, ses amis proches, d'autres résistants dont il connaissait les surnoms mais heureusement pas les adresses. Il était devenu difficile de suivre chacun à la trace. La dernière plaisanterie à Rome était que la moitié de la ville se cachait chez l'autre moitié.

En descendant l'escalier qui menait à la salle d'interrogatoire, il manqua de trébucher sur les marches. Aurait-il la force de rester silencieux sous la torture?

Chacun avait entendu les récits terrifiants des supplices infligés aux prisonniers. Son honneur lui imposait de maîtriser sa peur, de se montrer digne. Tant d'innocents dépendaient de son mutisme !

Et c'est seulement en cet instant décisif où il craignait de faillir qu'il laissa son souvenir l'envahir. De toutes ses forces, il se raccrocha à la luminosité de son regard, à son sourire, ce merveilleux sourire, à la fraîcheur de sa peau sous ses caresses, à l'élan de son corps. Il se rappela comme elle avait semblé ne jamais avoir peur de rien, comme elle avait triomphé de l'adversité. Il redressa les épaules et son regard intérieur l'emporta loin de ce couloir sans fin, de ces fenêtres murées, de la Ville éternelle qui s'éveillait à un petit matin sale, vers les jours heureux et le vent parfumé de jasmin et de sel marin qui balayait la corniche d'Alexandrie.

Il avança d'un pas plus léger, comblé par la pensée d'Alice, miraculeuse et souveraine. Elle ne l'abandonnerait pas. Ensemble, ils traverseraient les ténèbres.

Le cœur d'Umberto battait fort lorsqu'il pénétra dans la salle aveugle où se dressaient trois hommes en uniforme sombre, des cravaches à la main.

Campagne d'Italie, mars 1944

Assise sur un muret, Alice frappait ses talons contre les pierres effritées avec une insolence gamine, observant le défilé des ânes qui descendaient péniblement la colline, leurs sabots dérapant dans la boue. Ficelés sur leur dos, les corps des soldats morts oscillaient à chaque pas. Assigné à cette tâche macabre que les muletiers du Latium avaient refusée par superstition, l'un de leurs camarades survivants glissa, lâchant une bordée de jurons.

Alice était arrivée la veille dans le secteur américain des combats, non loin de Monte Cassino où les Alliés, qui espéraient faire la jonction avec les régiments débarqués à Anzio, se heurtaient depuis deux mois à une résistance farouche. Pulvérisé par d'intenses bombardements, le célèbre monastère bénédictin perché sur son promontoire n'était plus qu'un amas de ruines que la Wehrmacht s'était empressée de transformer en forteresse. Pour atteindre Rome en remontant la via Casilina, il fallait pourtant faire sauter ce goulet d'étranglement à l'orée de la vallée. L'autre route, celle de l'illustre via Appia, était infranchissable, les Allemands ayant inondé les marais pontins. L'assèchement de ces marécages infestés de microbes, l'une des plus grandes fiertés de Mussolini célébrée avec autant d'emphase que la résurrection de l'Empire, s'était vu ainsi réduit à néant par les généraux d'Hitler. Une tragique ironie du sort, songea la jeune femme. Les deux dictateurs, qui n'avaient eu de cesse de clamer la grandeur de leur pays, avaient acculé les campagnes à la misère et transformé les villes en décombres.

Lorsqu'elle avait atterri le mois dernier à Naples en provenance d'Alger, Alice avait découvert une vision biblique de l'enfer tant y pullulaient tous les vices de l'humanité. Jamais elle n'oublierait la misère grouillante, la puanteur des cadavres ensevelis sous les maisons saccagées, la faim qui conduisait à l'obscénité, la prostitution des enfants et les regards torves des soldats palpant sans vergogne ces fillettes et ces garçons qui s'offraient en pleine rue. Elle y était restée plusieurs semaines, à taper certains de ses articles les plus cinglants dans une chambre d'hôtel miteuse qui ouvrait sur la baie. Le choc d'être ainsi confrontée à l'impudeur, la servilité, l'orgueil et l'outrance après plus de dix-huit mois d'innocence où elle avait vécu isolée du monde lui avait paru d'une rare violence. Depuis, elle ne progressait vers le nord que par étapes d'une odieuse lenteur, légèrement en retrait de la ligne de front puisque l'état-major américain ne tolérait pas la présence de femmes reporters aux avant-postes.

Toutes les guerres se ressemblent. D'interminables

attentes sont entrecoupées par de brusques poussées de fièvre qui vous laissent pantelants. Combien de temps allait-il encore falloir patienter ? Combien de jours, de semaines ou de mois avant de le retrouver ? Les nerfs aiguisés par la colère et l'impatience, Alice se mit à balancer ses jambes de plus belle. À moins de cent cinquante kilomètres d'Umberto, elle aurait pu aussi bien être au bout du monde.

— Sers-toi, on dirait que tu en as besoin !

Un paquet de Lucky Strike apparut sous son nez. Martha Gellhorn vint se percher à côté d'elle et lui offrit la flamme de son Zippo.

— Pauvres gars, ajouta-t-elle d'un ton neutre.

La lugubre procession se terminait et l'on alignait les morts à même le sol. Ils resteraient là, sagement ordonnés dans la boue sous les oliviers, avant d'être emmaillotés dans des draps blancs en grosse toile de lin, puis emportés vers les cimetières militaires. Martha se contenta de froncer le nez. Les correspondantes de guerre ne manifestaient jamais ouvertement une émotion. On aurait pu les croire insensibles, mais une femme ne choisissait pas ce métier si elle n'était pas capable de voir un cadavre sans frémir. «Personne ne veut de notre pitié», avait récemment écrit Marty avec son style lapidaire en décrivant les blessés d'un hôpital de campagne pour ses lecteurs du magazine *Collier's*. Tandis que les reporters-photographes comme Margaret Bourke-White cherchaient toujours le meilleur angle, celles qui témoignaient par leur plume s'imprégnaient des détails humains pour restituer le plus fidèlement possible la réalité, sans renoncer à une sobriété qui tenait autant du respect que de la pudeur.

Elles restèrent un long moment sans parler. Des bombardiers ronronnaient dans le lointain. Sur la route en contrebas, les grincements des boîtes de vitesses attestaient du passage incessant des camions. La quantité de matériel que charriait l'infanterie américaine était impressionnante. Alice avait été frappée par cette avalanche de pièces de rechange, de caisses de munitions, d'essieux et de boulons, de canons et d'obus, de chars flambant neufs, de camionnettes Dodge, de Jeeps et de motocyclettes, de tentes grises, de paquetages, de médicaments et de nourriture… On savait que les Soviétiques disposaient aussi de moyens illimités, mais en chair humaine.

Tel un mirage, l'humidité au loin montait des champs ravagés par le passage des fantassins. Les ruines d'un village dessinaient des ombres noires. Les jeunes femmes respirèrent une odeur de feu de bois ; il serait bientôt l'heure de manger ces rations militaires monotones de viande et de haricots. Quand le soleil perça enfin les nuages, elles poussèrent un soupir de contentement et lui offrirent leur visage d'un même mouvement.

— Cesse de te ronger les sangs, il n'arrivera rien à ton amoureux romain, dit enfin Martha.

Ses cheveux blonds coupés en brosse lui donnaient un faux air d'adolescent.

— Je ne te savais pas aussi optimiste.

— Si je l'affirme, une partie de toi le croira, et je veux t'offrir cet espoir parce que tu es mon amie.

Sa franche bienveillance n'avait pas varié depuis leur séjour à Madrid sept ans auparavant. Marty se plaisait à dire qu'elle préférerait toujours la compagnie de ses amis à une histoire d'amour, si passionnelle fût-elle, car il n'y avait qu'auprès d'eux qu'elle se sentait pleinement elle-même. Son mari Ernest Hemingway se plaignait amèrement de son absence, mais elle ne supportait pas d'être loin de l'Europe en des moments aussi déterminants. Lors de leurs retrouvailles, la veille, Alice l'avait ardemment serrée dans ses bras.

— Ce que tu ignores, c'est qu'Umberto est aux mains de la Gestapo.

Un frisson lui glaça l'échine. Le savoir soumis aux tortures de ces sadiques lui donnait envie de vomir. Alors qu'elle réprimait un haut-le-cœur, elle perçut la main apaisante de Martha sur son épaule. Alice lui expliqua d'une voix blanche comment Umberto avait rejoint la Résistance quelques mois après son départ précipité de Rome. Cette décision l'avait rendue fière, soucieuse aussi car elle s'inquiétait que la légèreté de son tempérament l'empêche de respecter longtemps la rigueur indispensable à un engagement aussi dangereux.

— Les derniers temps, ses lettres s'étaient espacées, mais je prenais de ses nouvelles auprès d'une journaliste suisse. Je me suis laissé bercer par l'idée que tout allait se terminer pour le mieux puisque les Alliés avaient pris pied en Sicile et que le régime fasciste agonisait. La libération de la péninsule n'était qu'une question de semaines. Dès le débarquement à Anzio, nous avons même cru que c'était chose faite. À Rome, les résistants, eux aussi, ont cru la victoire à portée de main. Ils ont été tellement naïfs et imprudents, les malheureux ! Et moi je n'ai pas voulu écouter la petite voix intérieure qui me disait que personne, jamais, n'avait conquis l'Italie par le sud.

L'amertume durcit son visage.

— J'étais heureuse, que veux-tu ? Et égoïste. Je vivais au bord de la mer en regardant notre fille grandir. Chaque jour était une renaissance.

— On ne peut pas toujours être au front. Moi aussi, j'étais tranquille à Cuba pour écrire.

Alice tira quelques bouffées nerveuses de sa cigarette.

— J'ai l'impression de l'avoir abandonné.

— Ne sois pas ridicule, voyons ! Qu'aurais-tu pu faire ? Rester à Rome après que Mussolini nous a déclaré la guerre ? Et te retrouver en résidence surveillée à Sienne, à taper le carton avec les derniers correspondants pendant des mois avant d'être expulsée ? Je serais devenue folle enfermée avec eux, et toi aussi ! De toute manière, tu risquais trop d'ennuis avec tes articles. Et surtout, tu étais enceinte.

Marty marqua un temps pour scruter son amie.

— C'est étrange, mais depuis que tu as un enfant, quelque chose chez toi a changé.

Alice esquissa un sourire, comme si elle regrettait de révéler une faiblesse indigne. Elle éprouvait toujours une vulnérabilité particulière à la pensée de sa fille, une tendresse mâtinée de ferveur et de reconnaissance. Chiara était venue au monde sous les bombardements d'Alexandrie par une nuit infernale dont elle ne gardait qu'un souvenir confus. La douleur et l'effroi avaient cédé la place à l'émerveillement. Dans la modeste maison blanche de Montazah, l'épouse du gardien bédouin de Fadil l'avait aidée à accoucher. Elle se souvenait encore de sa voix rassurante, presque hypnotique, de ses gestes mesurés. Et lorsque le petit corps palpitant avait été posé sur sa poitrine, à même sa peau, qu'elle avait effleuré le crâne duveteux, admiré la perfection des mains minuscules qui s'étaient d'emblée cramponnées à son doigt, elle avait été submergée par un amour féroce, un amour sans limites.

— Penses-tu que cela a transformé ma vision des événements, Marty ? s'inquiéta-t-elle. Il faut pourtant que nous restions objectives. Bien que nos écrits ne changent malheureusement rien au fond des choses, nous devons la vérité à nos lecteurs. Et même si les gens ne sont pas toujours prêts à l'accepter, notre devoir est de témoigner en notre âme et conscience. Ces enfants prostitués de Naples, ces pillages, ces viols par des soldats alliés qui se comportent comme des soudards tout en se présentant en héros… Cette forme de mystification me hante. Est-ce que mon regard est pour autant dénaturé parce que je suis devenue mère ?

Elle observait Martha avec une intensité désespérée tant ces dernières semaines l'avaient marquée. Les souvenirs de la guerre d'Espagne affleuraient lorsqu'elle entendait parler des exactions de certains régiments, aussi téméraires sous le feu ennemi qu'ignobles dans leur comportement.

— Tu es beaucoup trop professionnelle pour cela.

J'ai toute confiance dans tes jugements sur ce magnifique chaos. Mais pourquoi t'es-tu lancée dans cette galère ? À ta place, je serais restée avec ma fille. Il suffit de te regarder pour comprendre qu'elle te manque à en crever.

— Quand j'ai su qu'Umberto avait été arrêté, je n'ai pas hésité une seconde à revenir. Au moins, je me trouve sur le même sol que lui. Rester à l'abri aurait été d'une lâcheté insupportable.

Alice se remémora l'expression horrifiée d'Alma le jour où elle était montée sur un escabeau pour retirer sa sacoche de voyage du haut d'un placard. Les larmes aux yeux, son amie l'avait traitée d'irresponsable, accusée de prendre des risques inconsidérés et menacée de faire intervenir Fadil pour l'empêcher de quitter l'Égypte. Assise au milieu du grand lit, Chiara gazouillait en mordillant son jouet préféré car elle faisait ses dents. Même si l'idée de la quitter lui tordait le cœur, Alice avait laissé en toute confiance sa fille sous la protection de sa marraine et de Fadil.

Ne devait-elle pas tout à Fadil ? Jamais elle ne pourrait le remercier assez pour son geste héroïque lors de cette nuit mémorable. En prenant tous les risques, il avait probablement sauvé la vie de son bébé. Puis, comme toujours, il lui avait offert asile et protection. Son refuge au bord de la mer était devenu le sien. Elle y avait regardé grandir son enfant, sommeillé à l'ombre des palmiers, tiré le lait des chèvres des Bédouins. Elle avait pris le temps de respirer, savouré chaque seconde. Fadil venait la voir presque tous les jours, ses gestes toujours doux et naturels avec le nouveau-né. Un soir qu'il tenait Chiara endormie dans ses bras, elle lui avait souhaité, émue, d'épouser une femme digne de lui et de devenir père à son tour.

Cependant, en dépit des invectives d'Alma, elle avait obstinément continué à préparer ses bagages. Elle n'avait pas eu besoin d'emporter grand-chose. Une fois son accréditation reçue des autorités militaires, on lui remettrait l'uniforme kaki réglementaire, la veste d'officier à ceinturon, les deux jupes et les deux pantalons à coupe plus étroite que celle des hommes, les chemises, les cravates et le calot. Bien que Chiara fût encore trop petite pour comprendre, Alice refusait de lui montrer le mauvais exemple. Elle ne serait pas une mère craintive, dépourvue d'ambition et d'ardeur. Elle lui apprendrait à être intègre, à ne pas trahir, à toujours rester fidèle à son intuition, aux élans de son cœur, à sa vérité profonde.

— Au cours de ma grossesse, j'ai été parfois prise de panique à l'idée de ce qui m'attendait. Puis Chiara est arrivée… Je ne pensais pas être capable d'aimer aussi absolument.

Il y avait dans sa voix une émotion si grave, si fervente que Martha lui enlaça brièvement les épaules.

— Je suis heureuse pour toi, *sweetheart*. J'espère un jour la rencontrer, ta petite merveille. Est-ce que son père est au courant ?

Alice secoua la tête. Elle n'avait rien laissé entendre à Umberto. On n'infligeait pas la naissance de son enfant à son amant par une simple lettre lorsqu'on était séparés par des milliers de kilomètres, une guerre et une épouse. Elle tenait à le lui annoncer de vive voix quand ils se reverraient dans son appartement de la piazza Navona et qu'il la prendrait dans ses bras, qu'elle pourrait lire la lueur dans ses yeux et déceler le fond de son âme. Elle espérait qu'il en serait heureux. Il n'aurait pas à s'inquiéter, elle n'avait pas l'intention de menacer son mariage avec Beatrice Ludovici. Elle saurait élever leur petite fille seule, mais elle ne voulait pas priver Chiara de ce père tendre et généreux. Puisque le destin le permettait, elle tenait aussi à offrir à sa fille l'équilibre qui lui avait tant fait défaut, celui de connaître ses deux parents. Chiara grandirait avec le soutien d'Umberto, sa main dans la sienne.

— C'est l'heure du casse-croûte ! appela une voix joyeuse.

Virginia Cowles s'approcha, munie d'un plateau improvisé sur lequel reposaient leurs rations de déjeuner. Ginny était toujours aussi élégante, son uniforme coupé à Savile Row chez les meilleurs tailleurs londoniens. Elle avait en revanche délaissé ses talons hauts et ses bracelets en or. Les trois filles calèrent le plateau en équilibre sur le muret de pierres.

— Surtout, ne renversez rien, les filles ! Le menu manque évidemment d'originalité, mais j'ai une faim de loup.

Le soleil s'imposait, un pan de ciel bleu s'étendait au-delà des collines. Après des semaines maussades de pluie et de boue, on devinait les prémices du printemps et déjà l'espoir renaissait. Il suffit parfois de si peu pour croire à nouveau, songea Alice, le cœur plus léger, et aujourd'hui, la présence de ses amies y était pour quelque chose. Leur loyauté, leur gentillesse, leur humour lui insufflaient toujours une force nouvelle.

— Ces salauds de nazis ont semé des mines partout, se désola Virginia en indiquant les alentours. Lorsque j'ai voulu aller voir de plus près ce village détruit, là-bas, en coupant à travers les champs, on me l'a strictement interdit. Trop dangereux, paraît-il.

— Bientôt, il faudra demander l'autorisation pour aller pisser, grommela Martha avec un brin de mauvaise foi.

Elle faisait allusion aux règles édictées par le département d'État américain. Martha n'était pas la seule à rechigner. Les reporters tiennent toujours à témoigner librement, or ces nouvelles réglementations restreignaient leurs mouvements et leur imposaient d'obéir aux ordres. C'est ainsi qu'elles s'étaient retrouvées affublées comme leurs confrères d'un uniforme, d'un brassard vert marqué d'un « C » pour « correspondant de guerre » et qu'on leur avait accordé le grade de capitaine pour mieux les encadrer et éviter qu'elles ne soient fusillées si jamais elles étaient capturées par l'ennemi.

— Je n'ai pas peur de demander des autorisations, tu le sais bien, la taquina Virginia, avant de déplorer l'absence d'une bonne bouteille de montepulciano pour dissimuler le goût pâteux du porc et des haricots en conserve.

Alice reposa aussitôt sa gamelle, l'appétit coupé.

— Qu'est-ce qui ne va pas ? J'ai dit quelque chose qui t'a fait de la peine ?

— Ce n'est rien, trop de souvenirs, s'excusa-t-elle,

meurtrie. Combien de temps croyez-vous qu'il nous faudra pour rejoindre Rome ?

Le silence de ses amies était éloquent. Elles n'en savaient rien, bien entendu. Personne n'en savait rien. Les Allemands avaient dressé plusieurs solides lignes de défense pour barrer le passage, profitant du terrain montagneux. Et chaque minute qui passait était une nouvelle minute de terreur pour Umberto. Alice était lucide. Elle n'espérait pas de clémence de la part des nazis, ni des fascistes dévoués au Duce qui continuaient à sévir à Salò, au bord du lac de Garde. Elle s'inquiétait d'autant plus pour Umberto depuis qu'elle avait appris le sort réservé au flamboyant Galeazzo Ciano, l'homme qu'il avait servi pendant de nombreuses années. Sur ordre personnel du Führer, le gendre du Duce avait été remis aux autorités fascistes. Jugé pour avoir voté la motion Grandi lors du dernier Grand Conseil, il avait été condamné pour haute trahison et fusillé dans le dos début janvier. Que Mussolini n'eût pas gracié l'époux d'Edda, sa fille adorée, demeurait une énigme et la preuve qu'on ne pouvait espérer aucune indulgence de ces gens-là.

— C'est étrange de te voir vulnérable à cause d'un homme, fit Virginia, une pointe d'admiration dans la voix. Je crois que je t'envie.

— Ginny, il n'y a rien à envier, voyons ! s'agaça Martha en chassant du plat de la main des miettes de biscuits secs. Alice est amoureuse, mais elle souffre, et c'est bien le problème. Personne ne sait combien de temps nous mettrons pour aller éradiquer cette vermine jusque dans les ruines de Berlin, et l'amour ne fait que tout compliquer.

— Et pourtant, personne n'a jamais rien inventé de mieux ! répliqua Virginia.

Martha avait les joues empourprées, le regard enfiévré. Alice se fit la réflexion que son mariage avec Hemingway commençait probablement à battre de l'aile. L'amour perturbait toujours l'existence, mais il en était le sel nécessaire, la flamme qui faisait qu'elle se trouvait là, les pieds dans la glaise, à se montrer digne de son talent de correspondante et de son devoir de témoin. La profonde amitié que lui inspiraient ses camarades n'en était-elle pas aussi une quintessence ?

En écoutant les filles se taquiner, Alice eut alors la certitude que tout se terminerait bien, qu'Umberto survivrait aux geôles sinistres de la via Tasso, aux coups et aux humiliations, parce qu'elle avait décidé de venir le retrouver pour lui dire qu'elle l'aimait, lui annoncer la naissance de leur fille, et que rien ne l'en empêcherait.

— Montez plutôt dans ma Jeep, Miss Clifford. J'ai des gars blessés qu'on doit emmener.

L'homme qui lui demandait de changer de véhicule était un grand gaillard originaire du Texas. Dans un premier temps, le capitaine Franklin Wharton s'était inquiété de la présence des trois correspondantes sur son terrain, redoutant qu'elles ne perturbent ses hommes. Une crainte que partageaient d'ailleurs bien des officiers. Leur professionnalisme, leur retenue, qui demeurait néanmoins amicale, et leur pertinence avaient eu raison de ses réticences. Martha et Virginia étaient déjà reparties pour Naples. Alice avait promis de les rejoindre, mais elle avait obtenu l'autorisation de se rendre dans le secteur français. Elle persistait à s'intéresser au comportement discutable des goumiers du corps expéditionnaire depuis le débarquement allié en Sicile. Il était prévu qu'on la dépose à un embranchement d'où partaient les convois de ravitaillement destinés aux régiments français.

— Vous êtes presque plus chargée que nous, plaisanta Wharton alors qu'ils se dirigeaient vers sa

Jeep. Je croyais qu'un écrivain n'avait besoin que d'un crayon et d'un bout de papier.

— Je me sens un peu perdue sans ma machine à écrire. C'est une fidèle amie qui m'accompagne depuis Addis Abeba.

À vrai dire, elle n'avait pas voulu la laisser à Naples où quelqu'un la lui aurait certainement dérobée. Et surtout, elle tenait à avoir ses affaires sous la main pour se déplacer rapidement. Elle entretenait secrètement l'espoir qu'une offensive réussirait d'un moment à l'autre, que la Wehrmacht allait brusquement céder sous le pilonnage des bombardements, que la 5e armée américaine et la 8e armée britannique allaient pulvériser la ligne défensive Gustave et ouvrir enfin la route vers Rome. Elle appréciait toujours autant cette singulière sensation de liberté que l'on éprouve à vivre sur le qui-vive, un baluchon sur l'épaule. Afin de ne pas perdre une minute pour rejoindre Umberto, Alice n'avait emporté que l'essentiel, sa machine à écrire, sa brosse à dents et la photo de Chiara.

Le capitaine Wharton veilla à ce que l'on installe le plus confortablement possible les blessés légers dans les camions. Puis, après une dernière vérification, il prit le volant de la Jeep et cria l'ordre du départ. Des plaisanteries fusèrent. Les soldats étaient d'excellente humeur car on leur avait annoncé une permission. Alice savait que ces jeunes garçons chahuteurs n'avaient désormais plus que deux préoccupations en tête : se soûler et baiser.

Ils empruntèrent la route sinueuse à flanc de colline parmi les rochers pulvérisés et les décombres de fermes isolées. Alice observait du coin de l'œil la stature réconfortante de Wharton qui sifflotait l'air de *Lili Marleen*, cette chanson allemande qu'écoutaient tous les combattants de cette guerre, d'El Alamein à Stalingrad. Elle avait d'emblée apprécié la solidité du capitaine. Elle le savait adoré par sa compagnie pour son intégrité et son dévouement à ses hommes dans les moments les plus durs. Elle avait même rédigé un portrait de lui tant il incarnait l'image idéalisée du soldat américain, rasé de frais, courtois et élégant en dépit de ses bottes crottées et de son uniforme encrassé. «Vous êtes trop beau pour être vrai. C'est quoi, vos défauts?» s'était écriée Martha après qu'ils eurent partagé un repas. Alice, elle, avait été réconfortée de croiser le chemin de cet homme juste et bon, avec un sens de l'humour et un franc sourire.

— On sera à Rome dans deux ou trois mois, je vous le promets, annonça-t-il comme pour la tranquilliser. On ira manger des glaces Campo dei Fiori et mettre un cierge à la Madone à la basilique Saint-Pierre. Ma mère est irlandaise. Elle m'a fait promettre de rendre une visite au Saint-Père. Elle me tuerait si je revenais à la maison sans avoir accompli mes dévotions.

Alice ajusta son calot qui menaçait de s'envoler avec le vent.

— Si vous saviez comme j'ai envie de vous croire, capitaine! cria-t-elle pour se faire entendre.

— Ayez confiance! Je me trompe rarement. Tout le monde me dit que j'ai du flair.

Il semblait si sûr de lui qu'Alice ne put s'empêcher de sourire. De toute manière, que leur restait-il à part les certitudes et les espoirs qu'ils se façonnaient eux-mêmes ? Les plus humbles rêvaient d'une bonne nuit de sommeil, de pieds au sec après des semaines de pluie, d'un café chaud, d'une fille pas trop laide, peut-être même gentille, dans l'un des bordels de l'arrière. Les plus ambitieux se voyaient déjà à Berlin, plantant la bannière étoilée sur le toit du Reichstag. Tous aspiraient à rentrer à la maison, chez leur fiancée ou chez leur mère, dans ces sages banlieues américaines aux pelouses impeccables et aux vérandas de bois blanc, où ils iraient au bowling ou à la pêche le dimanche, où ils n'auraient plus peur de rien, ni de souffrir ni de la mort. Car il fallait posséder de sacrées convictions pour continuer à venir s'échouer, vague après vague, sur le sol exotique de cette vieille Europe dont ils ne savaient rien, avec pour seul objectif de gagner quelques kilomètres, de s'emparer de l'une ou l'autre de ces collines arides, d'une route à lacets ou d'un village séculaire au nom imprononçable. Pour persister avec cet acharnement, cette abnégation, il fallait avoir foi en quelque chose, en un drapeau, un commandant, un camarade, ou en Dieu.

À Alice aussi il ne restait que l'espérance. Bien qu'elle ne fût ni naïve ni romantique, elle croyait ardemment que le bien triomphe du mal, tout comme le croyait le capitaine Wharton. Pourtant, la face obscure de cette guerre des âmes avait parfois fait vaciller ses certitudes, comme lors de cette tragique nuit de Cristal. En arpentant les rues de Berlin, elle s'était demandé pourquoi les ténèbres, l'obscurantisme, le racisme et la haine ne triompheraient pas. N'était-ce pas de l'angélisme que d'adhérer à des valeurs foulées au pied, d'affirmer que l'on détenait la vérité face aux totalitarismes ? Fallait-il admettre la défaite et rendre les armes ? Mais Alice n'avait pas douté longtemps. Il lui suffisait de croiser le regard d'un être humain honorable pour reprendre confiance, le regard de Giacomo Ludovici, de Martha et Virginia, Fadil ou Alma, Tino le cordonnier, Virgilio sur son lit d'hôpital, Franklin Wharton… Il suffirait toujours d'un seul juste pour sauver le monde.

Alors que le capitaine Wharton chantait à tue-tête avec ses hommes, Alice joignit sa voix à la sienne, emportée par son optimisme. Elle se sentait à nouveau pleinement confiante, persuadée que cette bienveillance divine protégerait pour toute éternité ceux qu'elle aimait, sa petite Chiara qu'elle avait laissée endormie dans les bras de Fadil, l'impétueuse Alma, si soucieuse de la voir repartir à l'aventure. Comment aurait-elle pu s'en empêcher ? Alice ne se renierait jamais, elle resterait toujours fidèle à elle-même, fidèle aussi à la ferveur que lui inspirait ce prince romain dont elle avait saisi la main un lumineux soir d'été, au cœur de la Ville éternelle.

La mine explosa sous les roues du premier camion du convoi. Le capitaine Wharton hurla en braquant violemment le volant pour éviter la boule de feu et de métal qui venait d'éclater devant lui. La Jeep sortit de la route, grimpa sur le talus et s'immobilisa quelques mètres plus loin, au pied d'un olivier. Wharton se tourna aussitôt vers sa passagère.

— Miss Clifford ? Est-ce que ça va ?

Elle était penchée vers le pare-brise. Le fol espoir le traversa qu'elle avait été assommée lors de l'embardée. Il la saisit doucement par les épaules pour la redresser. Du sang coula sur sa main. Le cœur battant, il l'appela d'une voix plus douce, de peur de l'effrayer. Comme elle ne répondait pas, il la cala contre lui, effleura sa joue. Elle avait les cheveux ébouriffés, les yeux clos, le visage intact et parfaitement serein.

Franklin Wharton était un combattant aguerri. Il avait perdu de nombreux camarades en première ligne, des amis proches, parfois même des amis d'enfance. Son jeune frère aussi, sur les plages du débarquement à Salerne. Pourtant, à cet instant, il fut envahi par une détresse infinie en serrant contre lui cette jeune femme drôle et courageuse qui l'avait touché par son intelligence, son rire et sa beauté rayonnante.

Quand l'un de ses hommes accourut au rapport pour demander des directives, sa voix lui parvint à travers un brouillard. Il lui ordonna sèchement de le laisser tranquille un moment. Il abaissa son regard, contempla en silence les traits ardents d'Alice Clifford. Il tenait à lui accorder ces quelques minutes pour qu'elle ne se sente pas seule, lui rendre ce modeste hommage parce que le destin avait voulu qu'il soit, lui, à ses côtés, ce matin-là.

Obéissant et respectueux, le soldat patienta près de la Jeep. Bien que soulagé de savoir son capitaine indemne, il trouvait néanmoins un peu étrange que son officier supérieur tienne aussi tendrement dans ses bras cette correspondante de guerre, qu'il lui murmure des paroles apaisantes à l'oreille alors qu'on voyait bien que c'était inutile, que la belle jeune femme ne souffrait pas, qu'un éclat de métal s'était fiché dans sa carotide et qu'elle était morte sur le coup.

Rome, printemps 1945

Umberto quittait peu la maison. Il continuait à se méfier de cette Rome libérée et de son parfum enivrant de cigarettes blondes américaines, de farine blanche et d'huile d'olive. Il se méfiait de la vivacité du petit peuple qui avait survécu à la faim et à la barbarie de l'occupation nazie, comme du silence assourdissant des ruelles du ghetto, privées des voix de ses habitants déportés à Auschwitz et dont on restait toujours sans nouvelles. Il se méfiait surtout de ses souvenirs.

Lorsqu'on était venu le délivrer de la via Tasso, il avait fallu le porter car il ne tenait plus sur ses jambes. Dans le corridor, toutes les portes des cellules étaient grandes ouvertes. Des graffitis sur les murs témoignaient du passage des nombreuses victimes ; l'un d'eux rappelait qu'il était facile d'apprendre à vivre, moins d'apprendre à mourir. Avec précaution, comme un pantin fragile et désarticulé, on l'avait aidé à descendre l'escalier et à sortir dans la rue. Alors que ses sauveurs s'attendaient à une manifestation d'allégresse, Umberto n'avait éprouvé que de l'appréhension. Aveuglé par le soleil, il avait fermé les yeux.

Il était un miraculé. Les tortionnaires de la Gestapo avaient été généreux en coups de poing. Ils avaient manié avec délectation leurs cravaches, leurs gourdins aux pointes d'acier et leurs redoutables instruments de métal articulé qui avaient compressé ses poignets et ses doigts jusqu'à ce qu'il s'évanouisse de douleur. Son corps n'était plus que plaies, on l'avait privé de la lumière du jour pendant cinq mois. Il lui était arrivé de désespérer, jamais de parler.

Umberto ne comprenait toujours pas comment il avait échappé au massacre des Fosses ardéatines, pourquoi son nom n'avait pas été ajouté à la liste des trois cent trente-cinq otages condamnés en représailles pour un attentat commis par la Résistance. Parfois, il se réveillait la nuit, transi d'angoisse, hanté par les hurlements des geôliers – « *Los, los! Raus! Schnell!* » – tirant de leurs cellules ses malheureux compagnons. Les plus chanceux étaient morts à genoux d'une balle dans la nuque, avant que les bourreaux, fortifiés de cognac et de sang, ne deviennent d'une bestialité innommable.

Dès qu'il avait pu marcher à nouveau, il avait prié Beatrice de l'accompagner jusqu'au lieu du sacrifice. Ils avaient emporté des brassées de fleurs blanches et s'étaient joints aux familles qui faisaient le pèlerinage jour et nuit vers le labyrinthe de cavernes situées parmi d'anciennes catacombes. Certains de ses amis y étaient morts, comme Giuseppe di Montezemolo, héros martyr assassiné sans jamais avoir trahi ses compagnons résistants. Umberto avait déposé son bouquet, incliné la tête, leur demandant pardon d'être encore de ce monde alors qu'eux n'étaient plus. La responsabilité lui avait paru écrasante. Il ne pourrait plus vivre dorénavant pour lui-même, il se devrait de vivre pour les disparus.

Debout sur la terrasse du palais, Umberto entendit les cloches de Rome sonner dix heures du matin. Plus qu'une demi-heure à attendre. Un frémissement lui parcourut l'échine et il s'efforça de maîtriser son émotion. Il inspira lentement, à l'écoute du rythme régulier du carillon qui avait toujours eu sur lui un effet apaisant parce qu'il lui rappelait l'insouciance de son enfance. Parfois, Umberto avait l'impression de ne plus avoir d'âge, de ne plus s'inscrire dans un temps linéaire, comme si sa vie avait été brutalement interrompue le jour où la porte de l'étroite cellule s'était refermée sur lui.

C'était les choses simples et authentiques qui l'avaient peu à peu ramené à la réalité, redonnant aux objets une consistance, aux aliments un goût, au quotidien une saveur. L'affection de ses garçons, la constance de sœur Pascalina qui quittait régulièrement le Vatican pour lui rendre visite, et surtout le discernement intuitif de Beatrice qui avait saisi d'emblée qu'elle ne devait pas le traiter en rescapé mais en époux, riche de ses contradictions et de ses défauts. Sa tendresse, ses réprimandes familières et ses plaisanteries l'avaient rassuré.

Il s'était aussi étonné de trouver auprès de Giacomo un réconfort inattendu. L'âpreté du combat mené contre les nazis et les fascistes irréductibles avait étrangement tempéré le caractère intransigeant de son frère aîné. Quoique l'Histoire lui eût donné raison, Giacomo ne cherchait pas à s'en vanter. Il portait sur le monde un regard toujours aussi pénétrant, mais plus charitable et voilé de tristesse. Il s'était même déclaré choqué par la condamnation à mort de Galeazzo Ciano, un homme qu'il avait pourtant profondément méprisé, et plus encore par le spectacle de Benito Mussolini et de sa maîtresse Clara Petacci, pendus par les pieds à la poutrelle d'un garage tels des animaux à l'abattoir, vilipendés par une foule haineuse, la bave aux lèvres, cette même foule qui s'était précipitée piazza Venezia pour acclamer le Duce à son balcon au temps de sa splendeur.

La grande terrasse abritée était devenue son refuge. Umberto restait des heures à contempler sa ville natale, miraculeusement épargnée alors qu'elle avait été menacée des plus terribles destructions. Il ne se lassait pas d'admirer l'ondulation des collines, les douces patines des toits et des façades sous la glorieuse clarté du ciel. Il n'avait pas voulu quitter Rome pendant l'été; il avait eu besoin de sa chaleur pour réchauffer son corps glacé.

C'était Giacomo qui lui avait appris la nouvelle, après qu'il eut repris quelques forces. Il était installé sur une chaise longue, un livre ouvert sur les genoux sur lequel il n'arrivait pas à se concentrer. Son frère était venu s'asseoir près de lui. À la vue de son visage livide, de son trouble inhabituel, le sang d'Umberto s'était figé dans ses veines. L'idée folle l'avait traversé que les Allemands revenaient, qu'ils avaient conçu de nouvelles armes et réussi à reprendre l'offensive. Sans un mot, Giacomo lui avait tendu une liasse de coupures de presse, ainsi qu'une lettre.

Alice était morte près de Monte Cassino, un matin de mars. Saisi d'un sombre vertige, Umberto avait eu la sensation physique que son cœur se déchirait. Son frère n'avait pas voulu le laisser pleurer seul la disparition d'une jeune femme qu'il avait passionnément aimée. Sa présence pudique lui avait permis de ne pas perdre pied tandis que les souvenirs d'Alice le submergeaient, ces mêmes souvenirs rayonnants qui l'avaient porté à travers les nuits les plus noires.

Umberto redressa les épaules avec une grimace. Son bras gauche ne répondait pas encore à toutes les sollicitations. Ses deux fils aînés avaient du mal à comprendre qu'il fût encore convalescent et moins agile qu'autrefois. Pourvu que ses mouvements maladroits n'effraient pas la petite ! Il ne voulait surtout pas lui faire peur, mais comment aurait-elle pu deviner qu'il l'attendait avec un bonheur fou, qu'il n'avait à lui offrir que sa tendresse et son amour ?

Il avait lu et relu maintes fois les nécrologies parues en première page des journaux américains sous les signatures des plus grandes plumes, dont celles de Martha Gellhorn, Sigrid Schulz, Dorothy Thompson et Ernest Hemingway. Leur consœur était décédée sans souffrir, en présence du capitaine Franklin Wharton, sur une route des Abruzzes. Une mine avait fait exploser l'un des camions du convoi, causant la mort d'un soldat et plusieurs blessés. Ses amis correspondants de guerre célébraient cette femme intrépide, valeureuse et fidèle à ses convictions, sa plume rigoureuse et sincère, son regard lucide. Ils énuméraient les prix prestigieux qui lui avaient été décernés pour ses articles sur la guerre d'Espagne et la nuit de Cristal, rappelaient qu'elle avait été parmi les premières à alerter le monde sur le comportement inhumain des troupes allemandes en Pologne occupée et en Union soviétique. Chacun soulignait sa générosité, son humour et son sens de l'amitié. Martha Gellhorn précisait que les funérailles avaient été célébrées en l'église protestante d'Alexandrie en présence du père de la défunte, Son Excellence le juge Thomas J. Clifford. L'éloge funèbre avait été prononcé par Son Excellence Fadil Hassan Pacha. Alice Clifford était décédée à l'âge de trente-quatre ans. Elle laissait une fille unique, Chiara.

La longue lettre d'Alma Borghi adressée à Umberto était arrivée dans la foulée de la libération de Rome. La jeune femme confirmait qu'Alice lui avait donné une petite fille. Dans le cas où il choisirait de ne pas avoir de contact avec l'enfant, Chiara demeurerait en Égypte où elle serait élevée par sa marraine selon les clauses du testament déposé par Alice chez un homme de loi avant son ultime départ pour l'Italie. S'il désirait prendre d'autres dispositions, serait-il assez aimable pour lui en faire part ? Umberto n'avait pas hésité une seconde à reconnaître son enfant.

Il s'approcha de la table où étaient disposés des rafraîchissements et quelques friandises. Fébrile, il laissa tomber un verre sur le pavement en pierre. L'idée que les éclats puissent blesser Chiara le tétanisa. L'espace d'un instant, il se demanda s'il ne ferait pas mieux de la confier aux mains capables d'Alma pour qu'elle grandisse heureuse à Alexandrie, cette ville qu'Alice chérissait entre toutes. Que pouvait-il lui apporter, lui qui se sentait encore si vulnérable ? Était-il digne de l'élever dans l'esprit que sa mère aurait souhaité ? Saurait-il lui transmettre tout ce qu'Alice avait tant aimé ?

Ayant entendu le bruit du verre se fracassant sur le sol, Beatrice sortit sur la terrasse afin d'en ramasser le moindre débris. À contempler ses gestes soigneux, presque maniaques, Umberto comprit que c'était aussi pour elle une manière d'apaiser sa nervosité. Il songea que Beatrice était ravissante, qu'elle avait l'air d'avoir vingt ans.

À sa stupéfaction, Umberto avait découvert que sa liaison avec Alice n'avait jamais été un secret pour sa femme. Après le départ de Giacomo, ils avaient pris le temps de parler une nuit entière. Entre eux, il ne pouvait plus y avoir de secrets ni de silences. Beatrice lui avait avoué avoir été profondément blessée d'apprendre son histoire d'amour avec l'Américaine, mais ne pas avoir jugé utile de s'abaisser à des scènes où la jalousie, la rancœur, la colère et l'amour-propre n'auraient révélé que les pans les plus mesquins et détestables de leurs caractères. « Et puis, la santé de Giorgio était pour moi bien plus essentielle que les sentiments que tu pouvais éprouver pour une autre. Tant que tu demeurais un bon père et un mari courtois, je préférais fermer les yeux.» La guerre, enfin, était venue balayer toutes ses interrogations. En l'écoutant, Umberto s'était fait la réflexion que son attitude n'exprimait pas une forme de lâcheté, mais la lucidité d'une mère de famille qui témoignait d'une intelligence de la vie peu commune. Si le courage d'Alice avait été plus physique, une lutte pour surmonter ses fêlures, brûler ses impatiences et sa solitude, saisir un bonheur qui ne cessait de lui échapper, celui de sa femme se révélait être avant tout une force d'âme. À l'annonce de l'existence de Chiara, son épouse n'avait pas cillé. «Sa place est ici, auprès de toi, auprès de nous», avait-elle affirmé sans l'ombre d'une hésitation.

L'heure était donc venue d'accueillir sa petite fille. Une vague d'impatience et d'allégresse le souleva. Alma avait attendu plusieurs mois pour lui faire traverser la Méditerranée. La Wehrmacht reculait sur tous les fronts, à l'Est comme à l'Ouest. Même si les combats étaient toujours acharnés et Berlin encore loin pour les hommes du capitaine Wharton, personne ne doutait plus de la victoire finale.

La femme de chambre vint leur annoncer l'arrivée des invitées. Umberto resta pétrifié, une main crispée sur le dossier d'une chaise. Tant de choses dépendaient des minutes à venir… Il suffirait d'un geste gauche ou d'une parole maladroite pour tout gâcher. Il n'avait jamais eu aussi peur de sa vie.

Vêtue d'un élégant tailleur beige gansé de couleur crème, coiffée d'un chapeau sans bord, la célèbre comédienne Alma Borghi n'avait rien perdu de son éclat. Elle demeurait cependant sur la réserve, attentive à ce qui se passait. Umberto se rappela comme son allure l'avait impressionné la première fois qu'il l'avait vue descendre de voiture devant la pâtisserie Baudrot pour distribuer des autographes à une foule d'admirateurs. Il y avait eu tant de joie, tant d'effervescence ce jour-là, rue Chérif-Pacha.

La petite fille blonde qui tenait la main de sa marraine portait une robe à smocks à manches ballon et col Claudine. Elle paraissait plus curieuse qu'intimidée. Son regard clair et serein s'était d'emblée attaché à celui d'Umberto. Il chercha instinctivement dans ses traits délicats une ressemblance avec Alice, mais se ressaisit aussitôt. Il ne commettrait pas l'erreur de ne voir en elle que le reflet de sa mère. Chiara existait avant tout par elle-même, elle était déjà une personne à part entière. C'était là l'essence même de la liberté ; Alice n'aurait pas voulu qu'il en fût autrement. Il lui restait dorénavant à découvrir son caractère propre, ses goûts, ses enthousiasmes, à la préserver des cauchemars et de toutes les peurs.

L'enfant s'était légèrement éloignée de sa marraine. Elle se tenait droite, immobile et tranquille. Umberto eut la sensation absurde qu'elle allait partir à la dérive, s'égarer parmi les orangers, les lauriers-roses, les meubles de jardin disparates de cette immense terrasse qu'elle ne connaissait pas encore. Il aurait voulu la retenir, et pourtant il n'arrivait pas à esquisser un geste.

Il sentit Beatrice se détacher de lui. Elle s'avança vers l'enfant et se baissa pour se mettre à sa hauteur.

Sa jupe claire se déploya en corolle sur le sol en pierre, formant un cercle de lumière aux pieds de la fillette. Elle lui murmurait des paroles qu'il n'entendait pas tant le sang battait fort à ses tympans. La petite l'écoutait, la tête un peu penchée, avec une attention qui n'était pas de son âge. Puis il vit Beatrice se redresser et pivoter sur elle-même. Sourire aux lèvres, elle prit tendrement Chiara par la main. Et, d'un pas léger, elles vinrent enfin à lui.

Note de l'auteur

Au cours de mes recherches, de nombreux ouvrages d'historiens, de mémorialistes et d'écrivains m'ont été indispensables pour traduire l'authenticité de l'époque. Parmi ceux-ci, je tiens à mentionner particulièrement, en ce qui concerne Rome, Mussolini et le fascisme, les travaux de Galeazzo Ciano, Edda Ciano, Filippo Anfuso, Gordon Alexander Craig, Ray Moseley, Margherita Grassini Sarfatti, Christopher Duggan, G. Ward Price, Jonathan Petropoulos, Roberto Olla, Paule Herfort, Emil Ludwig, Luciano Regolo, Borden W. Painter, Ranuccio Bianchi Bandinelli, Tom Behan, Iris Origo, Pierre Milza, Robert Katz.

Je me dois aussi d'évoquer le très émouvant Museo Storico della Liberazione di Roma, via Tasso 145, à Rome.

Les passages sur le Vatican, le rôle de Pie XII et du Saint-Siège pendant la guerre, et sur sœur Pascalina Lehnert sont inspirés, entre autres, par les travaux de François Charles-Roux, Susan Zuccotti, Giovanni Miccoli, Philippe Chenaux, Harold Tittmann, Pierre Blet, S. Ém. Celso Costantini, Mark Riebling, Étienne Fouilloux, Paul Murphy et René Arlington, sœur Pascalina Lehnert, Martha Schad.

Pour tenter de reconstituer le parfum de l'Alexandrie cosmopolite des années trente, j'ai puisé mon inspiration chez Michael Haag, Dimitris Stefanàkis, Marcel Fakhoury, Kenneth Brown, Sahar Hamouda, Gaston Zananiri, Jacqueline Carol, Azza Heikal, Philip Mansel. Et pour l'Égypte pendant la guerre chez Miles Lampson, Jeanne de Schoutheete, Freya Stark, Olivia Manning, Artemis Cooper, Cecil Beaton, Israel Gershoni et James Jankowski.

Pour ceux qui s'intéressent à la guerre d'Éthiopie, je conseille les travaux de G. L. Steer, Fabienne Le Houerou, Alberto Sbacchi, Minale Adugna, Marie-Édith de Bonneuil, Sylvia Pankhurst, Marcel Griaule. L'épopée des femmes éthiopiennes mérite un livre à part entière.

La guerre d'Espagne a donné lieu à d'innombrables ouvrages. Pour ce roman, je me suis intéressée aux écrits d'Amanda Vail, Martha Gellhorn, Paul Preston, Josephine Herbst.

La campagne d'Italie est aussi retracée chez Curzio Malaparte, Julie Le Gac, Ernie Pyle.

La belle histoire des correspondantes de guerre et de leurs confrères est relatée chez Martha Gellhorn, Virginia Cowles, Sigrid Schulz, Herbert L. Matthews, Eleanor et Reynolds Packard, Ève Curie, Caroline Moorehead, Susan Hertog, Peter Kurth. Deux livres remarquables m'ont été particulièrement utiles, ceux de Nancy Caldwell Sorel et Julia Edwards. Mes personnages se veulent un hommage à leur courage et à leur lucidité.

Le personnage de Karlheinz Winther est librement inspiré du destin de Roland Strunck, tel qu'il fut relaté par Herbert Volck.

Edda Mussolini Ciano a courageusement accompagné son mari aussi longtemps que possible. Elle a ensuite fui vers la Suisse avec l'aide d'Emilio Pucci, qui est devenu plus tard le créateur de mode célèbre que l'on sait.

Le *Journal politique* de Galeazzo Ciano demeure l'un des documents historiques les plus importants du XXe siècle, utilisé lors du procès de Nuremberg qui fut intenté par les puissances alliées contre les principaux responsables du Troisième Reich.

Ce roman n'existerait pas sans ces travaux d'historiens, de sociologues, de mémorialistes et d'écrivains. La mise en scène des personnalités ayant appartenu à l'Histoire reflète ces mémoires véridiques. Au fil des longs mois de documentation, mes rencontres avec des personnes généreuses, disposées à partager leurs souvenirs et ceux de leurs proches, demeurent une source inépuisable d'inspiration. Si le cadre et l'armature historique se veulent authentiques, mes personnages y évoluent en toute liberté. Toute erreur ou approximation n'incomberait qu'à moi.

REMERCIEMENTS

Au Vatican, je tiens à remercier infiniment :
Son Éminence le cardinal Paul Poupard.

À Rome, je remercie beaucoup les personnes qui m'ont
consacré de leur temps précieux et accordé leur confiance,
partageant avec moi souvenirs et anecdotes :
Donna Giovanna Borghese,
Mme Francesca Serena di Lapigio,
Don Giovanni Aldobrandini,
Mr James Mellon,
M. Philippe Godoÿ.

À Paris, je remercie de tout cœur :
Mgr Francesco Follo, observateur permanent du Saint-
Siège auprès de l'UNESCO,
M. Kiflé Sélassié pour son témoignage émouvant sur
l'Éthiopie et Mme Ghislaine de Coulomme la Barthe,
Mme Patrick Jeanjean,
Donna Giovanna Sanjust di Teulada, V^{tesse} Delamalle,
V^{tesse} Jean d'Indy,

Mme Catherine Belle-Croix, pour m'avoir parlé de sœur Pascalina Lehnert dont j'ignorais tout,

Mme Livia Grandi,

M. Frédéric Mitterrand,

M. Ralph Toledano.

Un immense merci à mes amis parisiens d'Alexandrie et du Caire, dont l'émotion et l'enthousiasme solaire m'ont tant touchée :

Mme Azza Heikal, pour sa patience et ses conseils,

M. Claude Cohen,

M. Joe Chalom,

et les membres de l'Amicale Alexandrie hier et aujourd'hui.

Enfin, ce roman ayant été écrit au cours d'une période particulièrement délicate de ma vie, je tiens à exprimer toute ma reconnaissance à ceux qui m'ont encouragée sans faillir :

M. Paul Révay, pour son idée d'évoquer la splendide ville d'Alexandrie,

Mme Amicie Houël et M. Hervé de Rocquigny, pour leur amitié indéfectible,

Mme Geneviève Perrin, mon éditrice depuis dix ans, dont le regard pertinent m'est si infiniment précieux,

Mme Maëlle Guillaud, éditrice chez Albin Michel, qui a toujours su trouver les mots justes.

Le Livre de Poche s'engage pour l'environnement en réduisant l'empreinte carbone de ses livres. Celle de cet exemplaire est de :

500 g éq. CO_2

Rendez-vous sur
www.livredepoche-durable.fr

PAPIER À BASE DE
FIBRES CERTIFIÉES

Composition réalisée par MAURY IMPRIMEUR

Achevé d'imprimer en mai 2018, en France sur Presse Offset par
Maury Imprimeur – 45330 Malesherbes
N° d'imprimeur : 227653
Dépôt légal 1re publication : mars 2018
Édition 02 – mai 2018
LIBRAIRIE GÉNÉRALE FRANÇAISE – 21, rue du Montparnasse – 75298 Paris Cedex 06